EXERCICES ILLUSTRÉS D'ANATOMIE ET DE PHYSIOLOGIE

ERPI BIOLOGIE

MARIELLE MORAND-CONTANT
Cégep de Chicoutimi

MIREILLE BENTZ
Cégep André-Laurendeau

EXERCICES ILLUSTRÉS D'ANATOMIE ET DE PHYSIOLOGIE

AVEC LA COLLABORATION DE

HÉLÈNE BÉLANGER
Cégep André-Laurendeau

SOPHIE DUBÉ
Cégep de Saint-Jérôme

CHLOÉ RICHARD
Cégep de Saint-Laurent

ILLUSTRATIONS DE
MIREILLE BENTZ

PEARSON

Développement éditorial
Philippe Dubé

Gestion de projet
Sylvie Chapleau

Révision linguistique
Jean-Pierre Regnault

Correction d'épreuves
Marie-Claude Rochon (Scribe Atout)

Direction artistique
Hélène Cousineau

Coordination de la réalisation
Estelle Cuillerier

Conception graphique de l'intérieur et de la couverture
Benoit Pitre

Réalisation graphique
cyclonedesign.ca – Patricia Gagnon

Illustrations
Mireille Bentz

Membre du groupe Pearson Education depuis 1989

1611, boulevard Crémazie Est, 10e étage
Montréal (Québec) H2M 2P2
Canada
Téléphone : 514 334-2690
Télécopieur : 514 334-4720
information@pearsonerpi.com
pearsonerpi.com

Dépôt légal – Bibliothèque et Archives nationales du Québec, 2017
Dépôt légal – Bibliothèque et Archives Canada, 2017

Imprimé au Canada
ISBN 978-2-7613-8563-3

23456789 NB 21 20 19 18
20809 ABCD OF10

Avant-propos

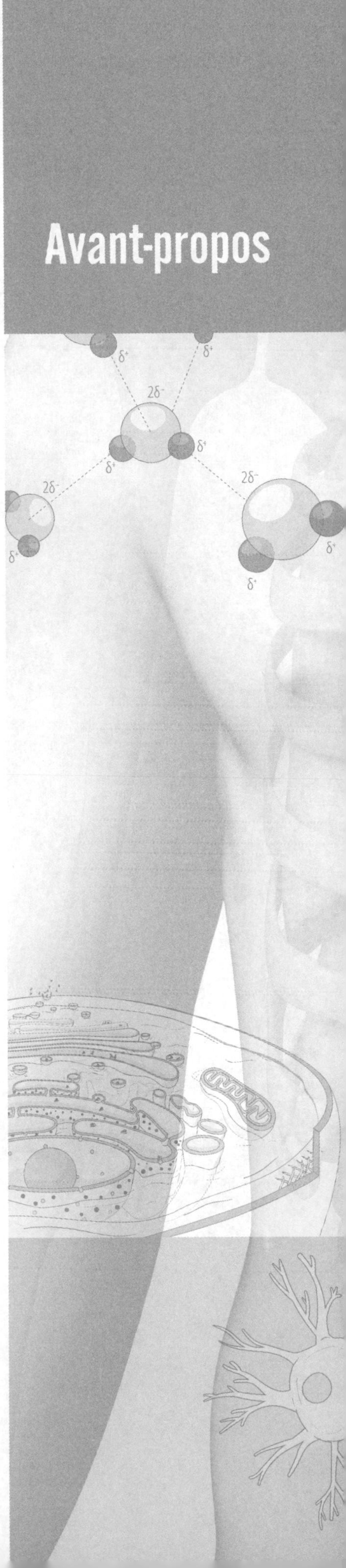

Ce cahier propose une variété d'exercices qui vous permettront d'appliquer et d'assimiler les notions de l'anatomie et de la physiologie humaines, tout en vous offrant un outil qui vous aidera à devenir autonome, à progresser à votre propre rythme et à évaluer votre degré de maitrise de la matière.

Notre objectif est de faciliter l'apprentissage des concepts de la biologie humaine en proposant plusieurs types d'activités visuelles novatrices et stimulantes. Celles-ci rendent possibles la pratique et la mise en œuvre des concepts, tout en suscitant l'intérêt. L'ouvrage commence par les notions de base, telles que la chimie et l'homéostasie; il examine ensuite les différents systèmes du corps humain à travers une série d'activités et prend fin en proposant des outils d'évaluation intégrateurs qui permettent de vérifier l'atteinte des objectifs terminaux ou des éléments de compétence visés par le cours de biologie.

UNE STRUCTURE QUI FAVORISE L'APPRENTISSAGE

Chaque chapitre s'ouvre sur une activité portant sur la mémorisation de la terminologie propre au thème traité sous la forme d'un mot croisé. Cet exercice de vocabulaire est suivi de nombreuses planches anatomiques que vous êtes invité à colorier. Le coloriage contribue au traitement de l'information, au renforcement de la mémorisation et à l'établissement de relations entre les structures et les fonctions. Nous présentons également la physiologie des différents systèmes en proposant plusieurs types d'exercices visuels à colorier stimulants et propices à l'analyse et à l'application des notions exposées. Enfin, le dernier chapitre du cahier propose plusieurs cas synthèses et des activités intégratrices que vous pourrez utiliser pour réviser et tester vos connaissances. Ces outils formatifs permettent de constater votre cheminement et vous guident vers l'évaluation finale du cours. La présentation des réponses de tous les exercices à la fin du cahier encourage l'autoévaluation et permet donc de cerner vos difficultés et de cibler votre étude quand vous en ressentez le besoin.

La nature même des cours offerts par les disciplines contributives, telles que la biologie, rend difficile l'application des compétences. C'est pourquoi nous avons ajouté aux exercices de tous les chapitres de courtes mises en situation qui permettent de mettre en œuvre les notions exposées et de les contextualiser. Ces applications favorisent les transferts de connaissances entre les formations spécifique et technique, tout en créant un contexte intégrateur pratique auquel vous pourrez vous identifier. De telles situations concrètes et représentatives de votre future réalité ne pourront que vous aider à créer des liens entre les sujets communs des cours de biologie et de votre domaine professionnel, et stimuler votre engagement et votre motivation.

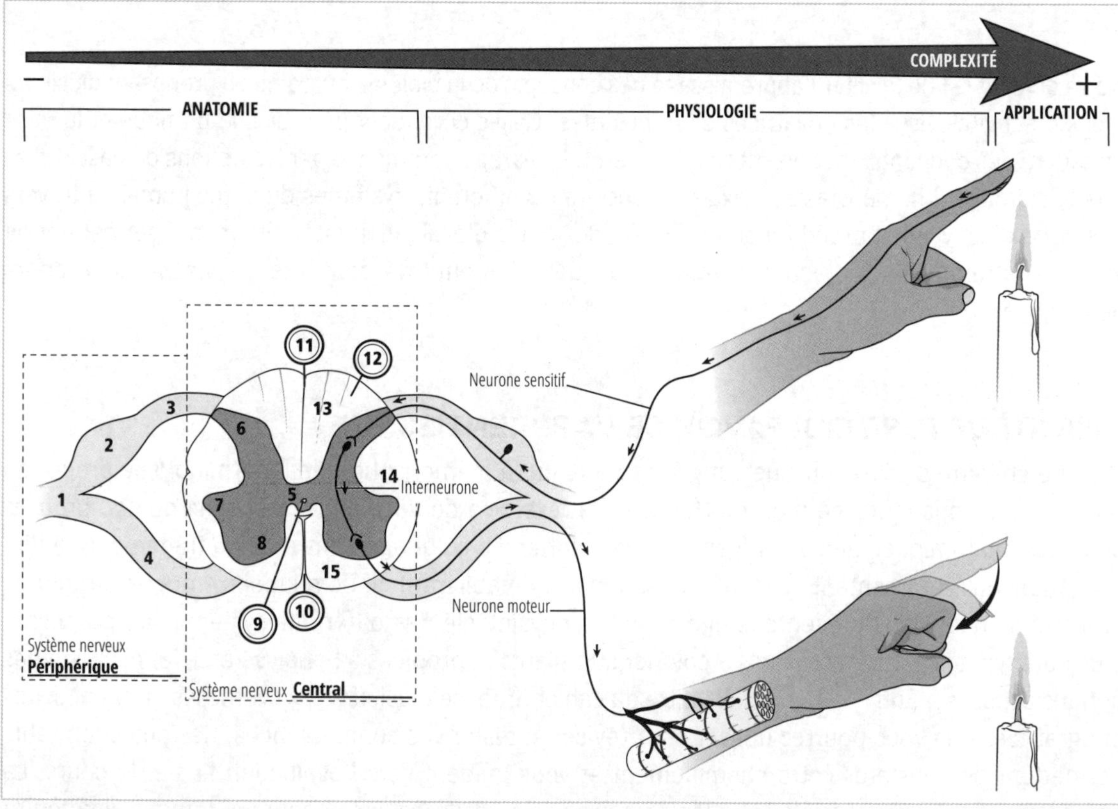

L'anatomie et la physiologie humaines sont des domaines fascinants de la biologie qui nous permettent de connaitre la structure de notre corps et de comprendre son fonctionnement normal, de même que les divers problèmes de santé susceptibles de survenir. Nous vous souhaitons autant de plaisir à faire ces exercices que nous en avons eu à les créer.

Bon apprentissage !

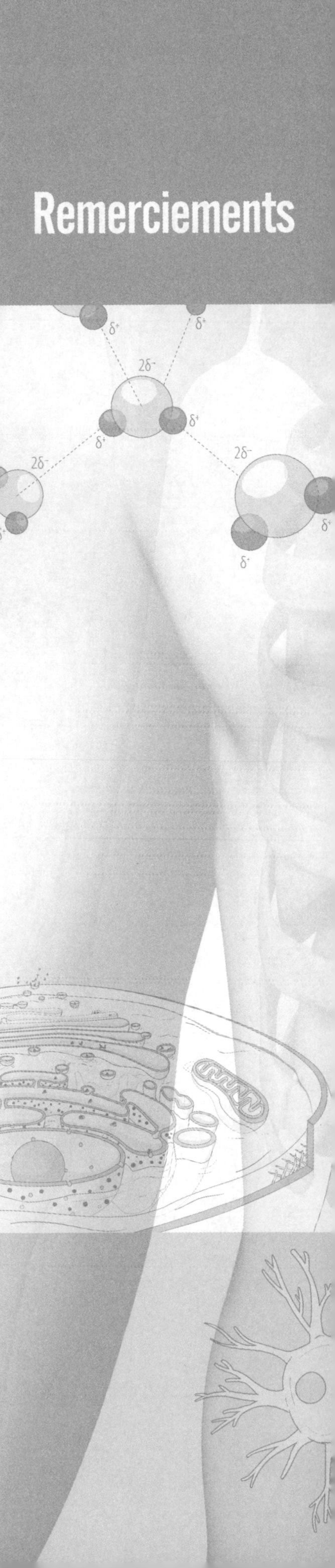

Remerciements

Lors de la création de cet outil d'enseignement et d'apprentissage, je visais un objectif précis. En effet, je souhaitais rendre les étudiants actifs au cœur de leur apprentissage. Je suis profondément reconnaissante à Philippe Dubé, de Pearson ERPI, de m'avoir fait confiance et de m'avoir donné l'occasion de participer à ce projet en tant qu'auteure. Je remercie aussi toute l'équipe de Pearson ERPI d'avoir contribué à la réalisation d'un cahier qui répond à mes attentes et qui deviendra, j'en suis convaincue, un outil essentiel au parcours collégial ou universitaire des étudiants suivant un cours de biologie humaine.

Un chaleureux merci à Mireille Bentz, ma partenaire de création. Notre complémentarité a permis de donner à ce cahier un caractère visuel essentiel à la discipline que nous enseignons : la biologie. Il rehausse magnifiquement la qualité des exercices. Merci également aux collaboratrices Hélène Bélanger, Sophie Dubé et Chloé Richard, qui ont enrichi de leur savoir ce cahier d'exercices.

Merci au département de biologie du Cégep de Chicoutimi, qui m'a donné ma première chance en enseignement au collégial et qui me permet de m'épanouir comme enseignante dans une discipline qui me passionne.

Un énorme merci à mes amis et à ma famille de m'avoir soutenue et encouragée tout au long de ce projet.

Marielle Morand-Contant

J'aimerais avant tout remercier Hélène Bélanger de m'avoir mise en contact avec Philippe Dubé, de Pearson ERPI, et d'avoir vanté mes mérites auprès de lui, et un énorme merci à celui-ci de m'avoir donné la possibilité de m'impliquer à la fois comme illustratrice et coauteure dans ce merveilleux projet. Évidemment, je tiens à remercier Marielle Morand-Contant, avec qui j'ai eu grand plaisir à travailler. Son ouverture, son enthousiasme et son efficacité, combinés à la complicité que nous avons développée, ont certainement contribué à enrichir le cahier de façon remarquable.

Merci également aux collaboratrices Hélène Bélanger, Sophie Dubé et Chloé Richard. Leur minutie et leur rigueur ont permis d'étoffer et de peaufiner les exercices pour en améliorer la pertinence et les rendre plus accessibles. J'en profite aussi pour remercier le reste de l'équipe Pearson ERPI, particulièrement Sylvie Chapleau, pour son merveilleux travail.

Enfin, merci à ma famille et à mes amis pour leur enthousiasme, leur aide et leurs encouragements soutenus.

Mireille Bentz

Table des matières

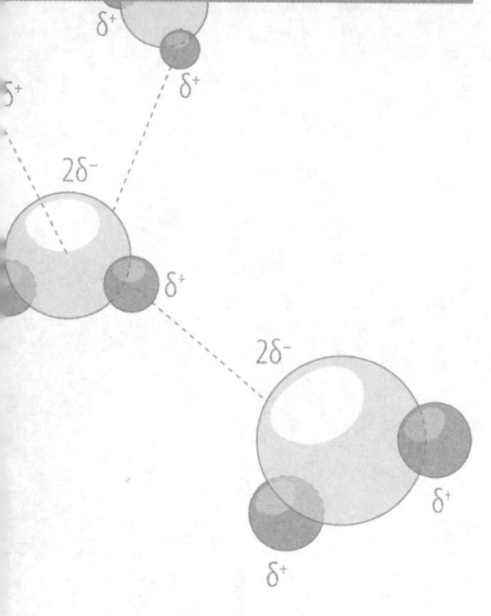

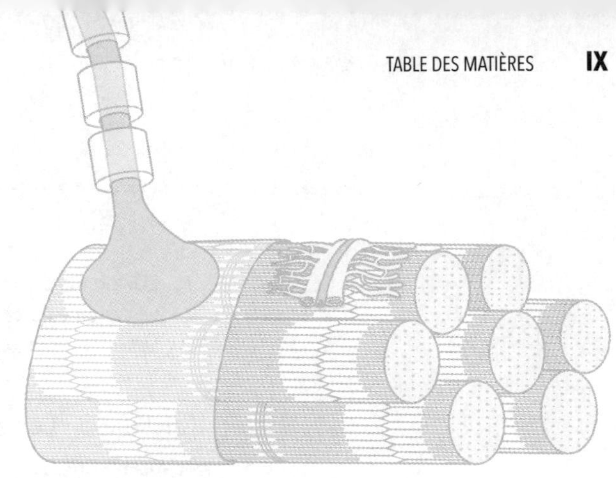

CHAPITRE 5 - **Le système squelettique**

CHAPITRE 6 - **Le système musculaire**

CHAPITRE 7 - **Le système nerveux**

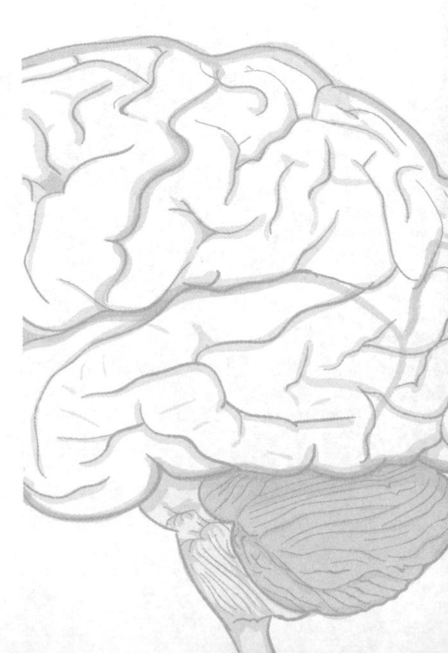

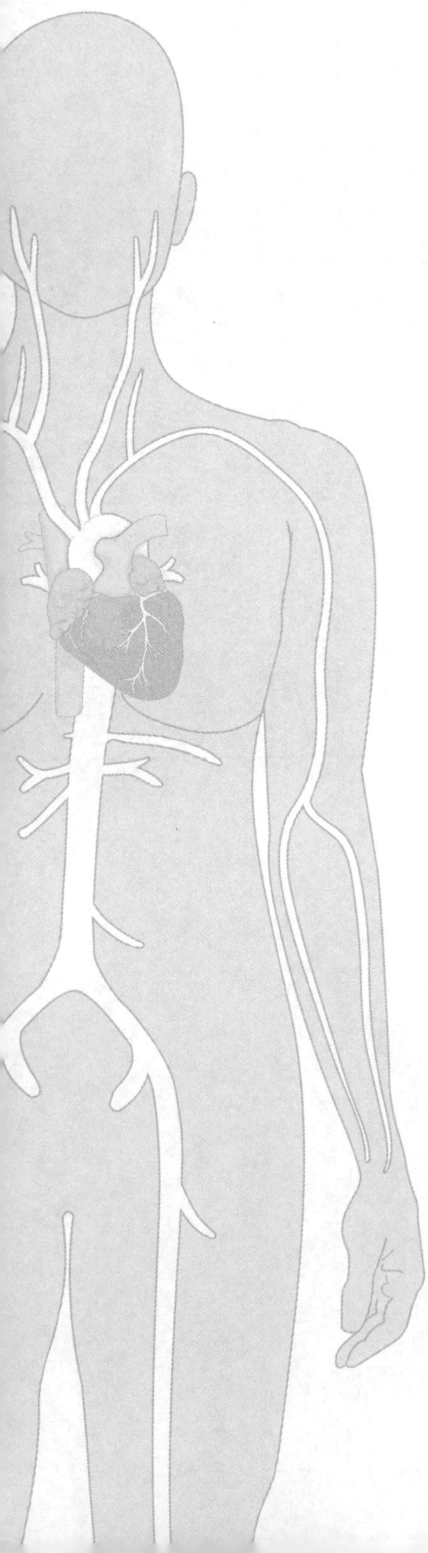

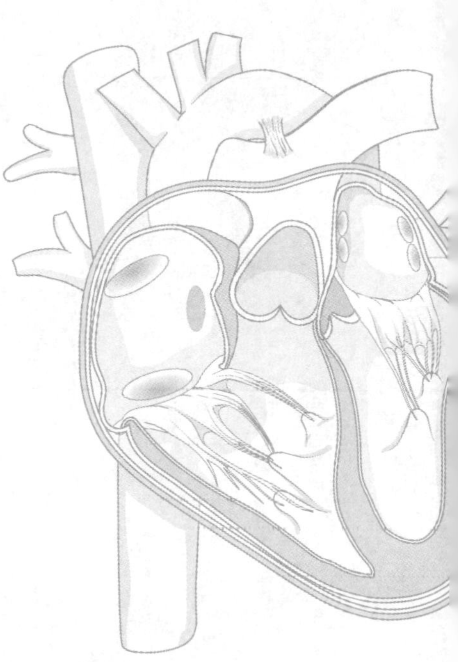

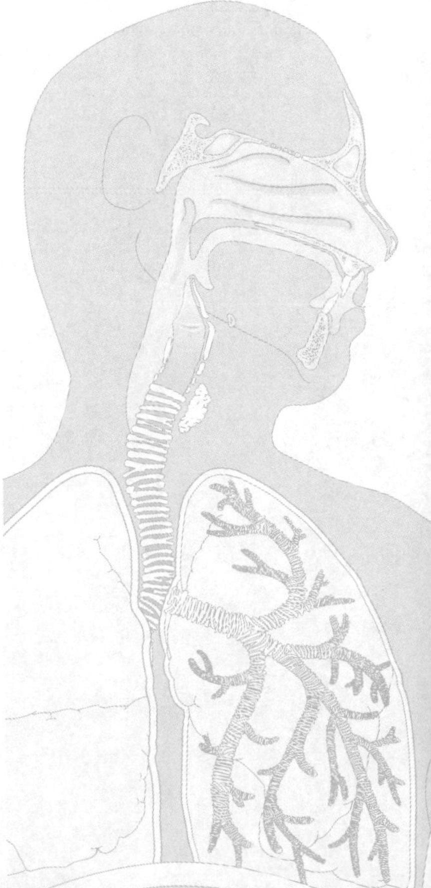

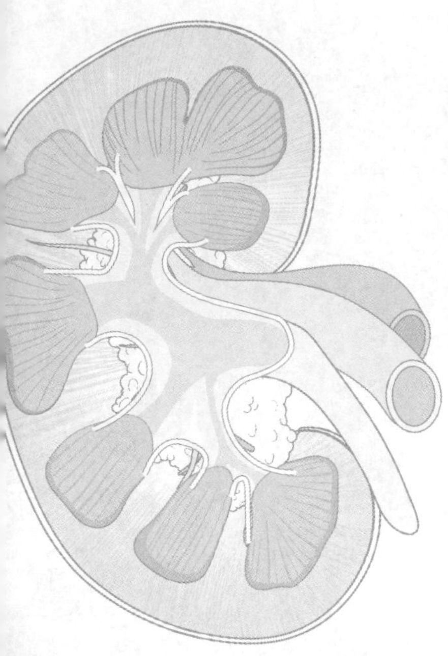

CHAPITRE 15 – **Le système urinaire et l'équilibre acidobasique**

CHAPITRE 16 – **Le système génital**

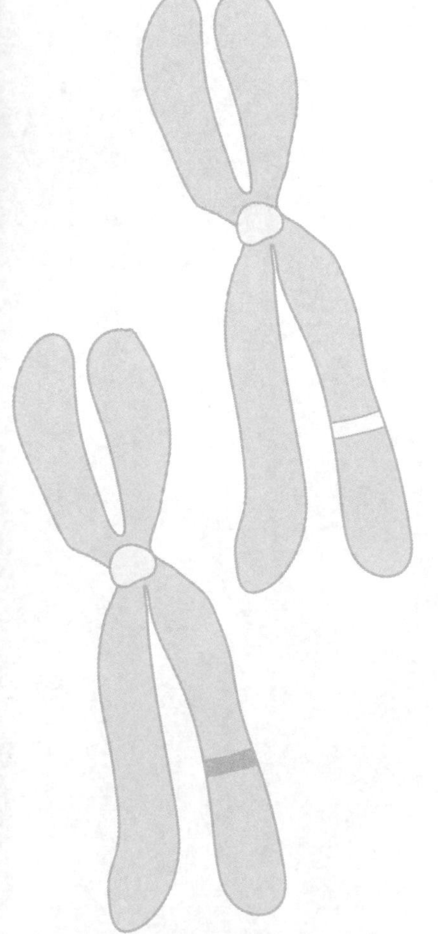

CHAPITRE 17 – **La génétique**

CORRIGÉS

SYNTHÈSE ET INTÉGRATION

SUPPLÉMENT

Pour de meilleurs résultats, utilisez des crayons de bois.

LE CORPS HUMAIN : INTRODUCTION

CHAPITRE 1

1 Vocabulaire

À l'aide des définitions suivantes, remplissez la grille de mots croisés ci-dessous.

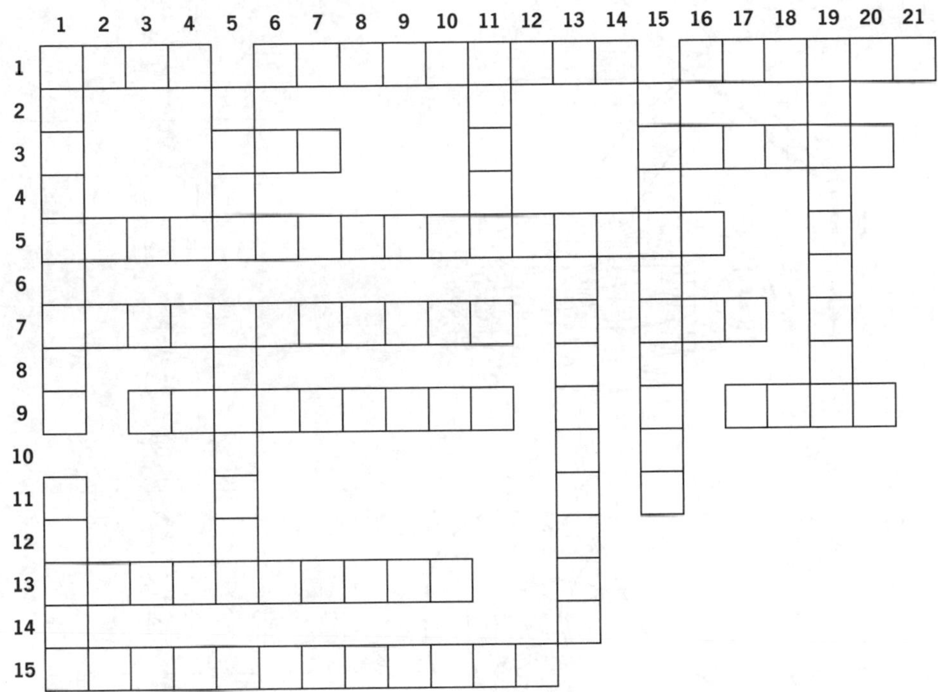

HORIZONTALEMENT

1. Préfixe qui signifie « en dedans ». Structure qui capte les changements et transmet l'information au centre de régulation. Structure composée d'au moins deux types de tissus qui travaillent ensemble pour remplir diverses fonctions. **3.** Préfixe qui signifie « sur ». Préfixe qui signifie « sang ». **5.** Système qui permet le transport de substances comme l'oxygène, les nutriments et les déchets. **7.** Système du corps humain qui régule les changements à long terme des activités des autres systèmes en sécrétant des hormones. Préfixe qui signifie « cellule ». **9.** Cavité qui contient la vessie, les organes génitaux internes et certaines parties du gros intestin. Préfixe qui signifie « pression ». **13.** Terme relatif à l'orientation qui signifie « vers l'arrière » ou « à l'arrière du corps ». **15.** Système qui permet les échanges gazeux entre le sang et l'air.

VERTICALEMENT

1. Structure qui reçoit les commandes du centre de régulation et apporte une réponse au stimulus de départ. Préfixe qui signifie « au-dessus ». **5.** Préfixe qui signifie « moitié ». Plus petites unités vivantes du corps humain. **11.** Groupe de cellules qui travaillent ensemble pour accomplir une ou plusieurs fonctions. **13.** Cavité qui contient notamment l'estomac, le foie, l'intestin grêle et la plus grande partie du gros intestin. **15.** Cavité qui contient notamment les poumons et le cœur. **19.** Terme relatif à l'orientation qui signifie « vers l'avant » ou « à l'avant du corps ».

2 Les niveaux d'organisation du corps humain

Le corps humain comporte plusieurs niveaux d'organisation interdépendants que l'on peut classer en ordre croissant, du plus simple au plus complexe.

Mettez cette hiérarchie en évidence :

a) Nommez, le plus précisément possible, les structures dans le schéma ci-dessous.

b) Écrivez les termes appropriés sur les lignes de la séquence ci-dessous.

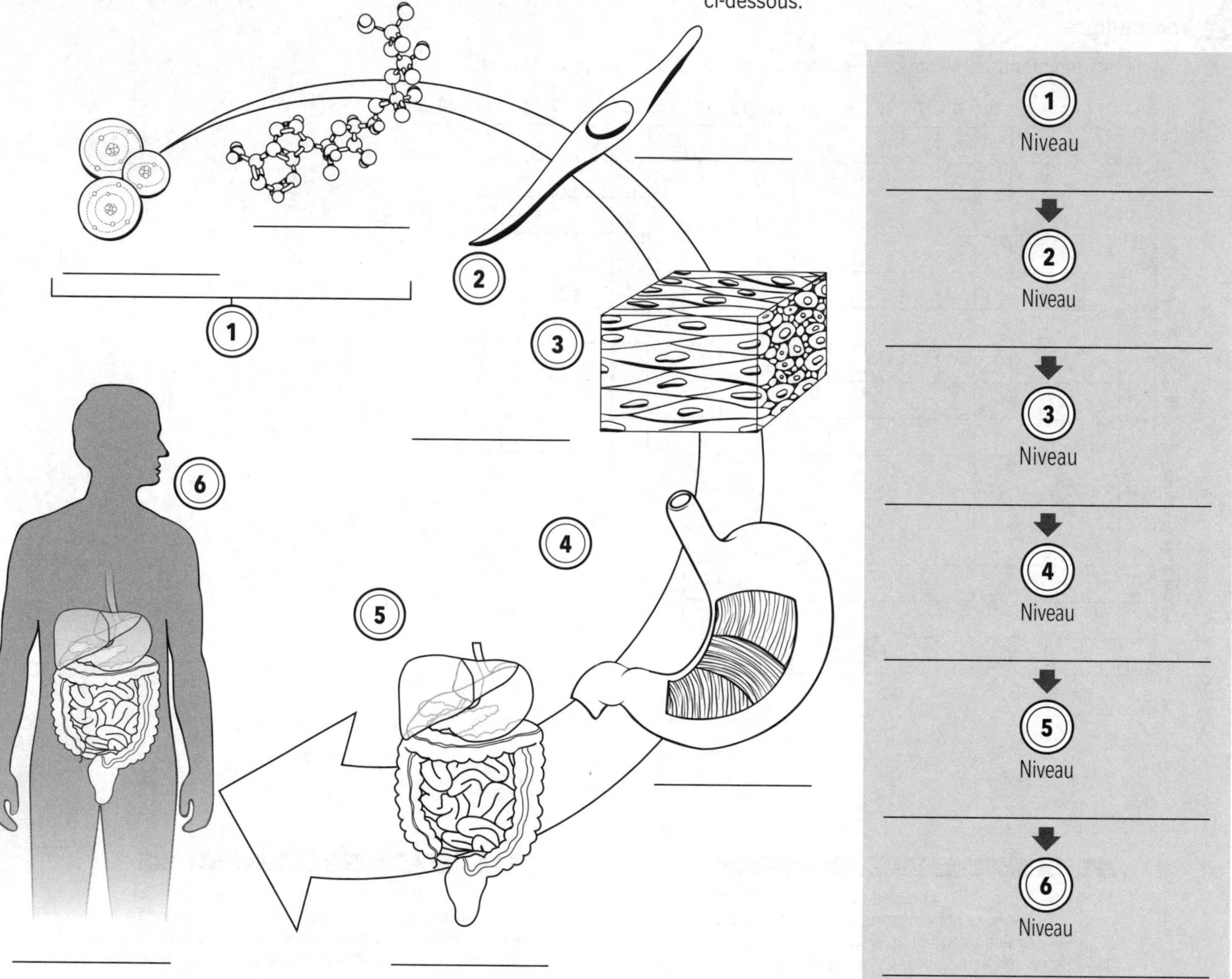

3 Les systèmes du corps humain

Le corps humain est formé de 11 systèmes illustrés aux pages suivantes.

a) Nommez les systèmes illustrés ainsi que les organes numérotés.

b) En utilisant des couleurs différentes, coloriez les organes numérotés et les carrés correspondants.

c) Décrivez brièvement les principales fonctions de chacun des systèmes.

A. SYSTÈME : ______________________

☐ 1. ______________ ☐ 2. ______________

☐ 3. ______________

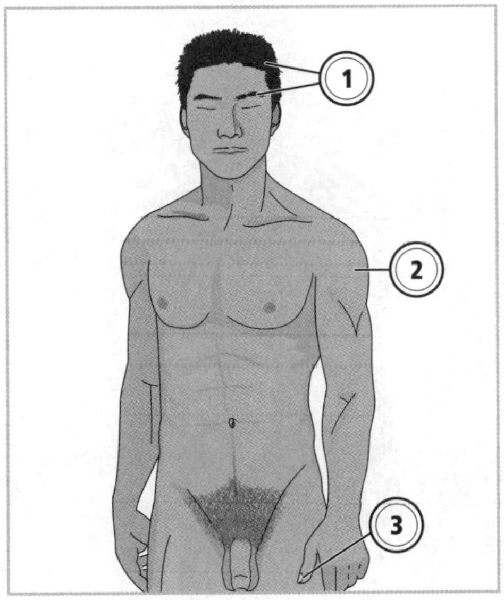

Fonction(s) : ______________________

____

____

____

B. SYSTÈME : ______________________

☐ 1. ______________ ☐ 2. ______________

☐ 3. ______________ ☐ 4. ______________

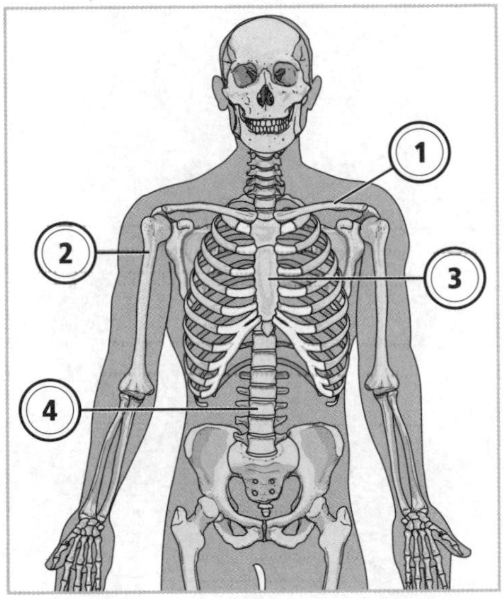

Fonction(s) : ______________________

____

____

____

C. SYSTÈME : ______________________

☐ 1. ______________ ☐ 2. ______________

☐ 3. ______________ ☐ 4. ______________

☐ 5. ______________

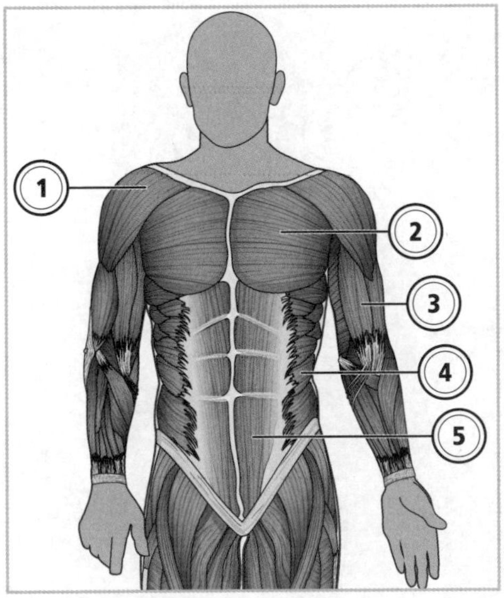

Fonction(s) : ______________________

____

____

____

D. SYSTÈME : ______________________

☐ 1. ______________ ☐ 2. ______________

☐ 3. ______________

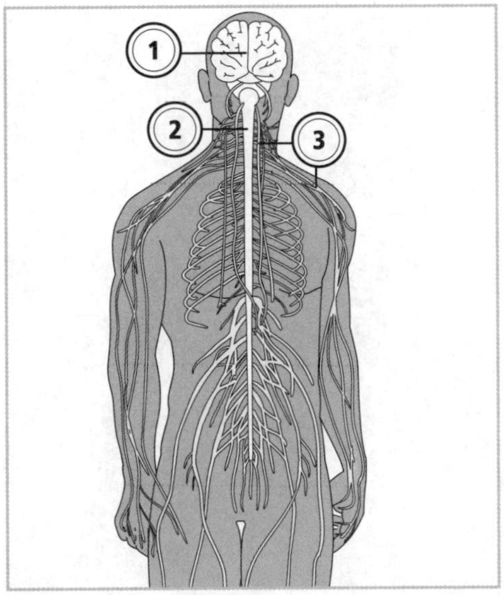

Fonction(s) : ______________________

____

____

____

E. SYSTÈME : ____________________

☐ 1. ____________ ☐ 2. ____________
☐ 3. ____________ ☐ 4. ____________
☐ 5. ____________

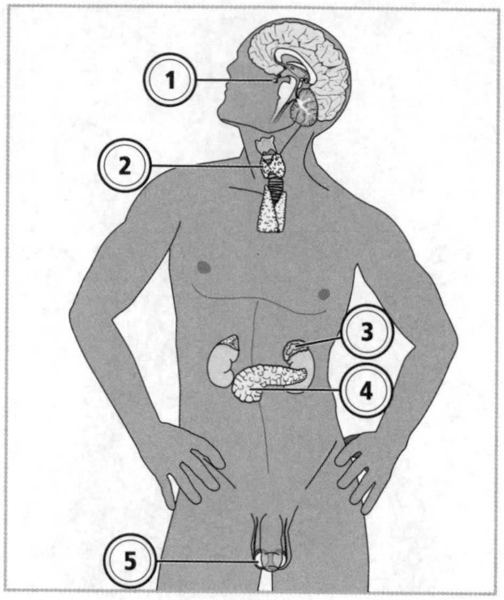

1
2
3
4
5

Fonction(s) : ____________________

F. SYSTÈME : ____________________

☐ 1. ____________ ☐ 2. ____________

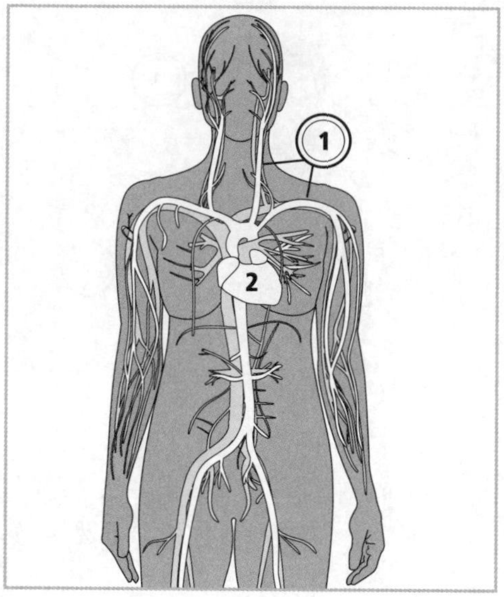

1
2

Fonction(s) : ____________________

G. SYSTÈME : ____________________

☐ 1. ____________ ☐ 2. ____________
☐ 3. ____________ ☐ 4. ____________

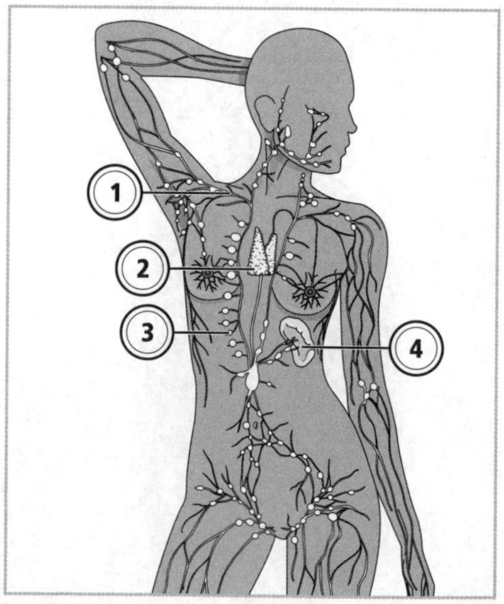

1
2
3
4

Fonction(s) : ____________________

H. SYSTÈME : ____________________

☐ 1. ____________ ☐ 2. ____________
☐ 3. ____________ ☐ 4. ____________
☐ 5. ____________

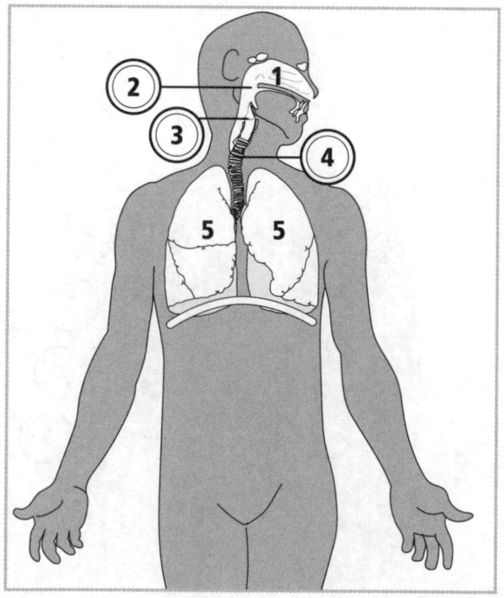

2
1
3
4
5 5

Fonction(s) : ____________________

I. SYSTÈME : ____________________

☐ 1. __________ ☐ 2. __________
☐ 3. __________ ☐ 4. __________
☐ 5. __________

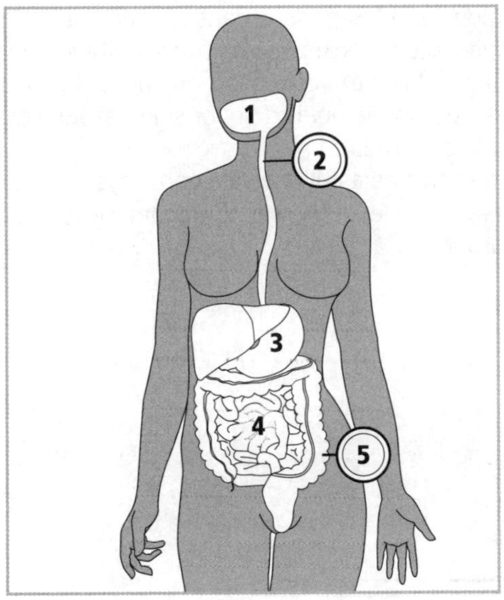

1
2
3
4
5

Fonction(s) : ____________________

____

____

____

J. SYSTÈME : ____________________

☐ 1. __________ ☐ 2. __________
☐ 3. __________ ☐ 4. __________

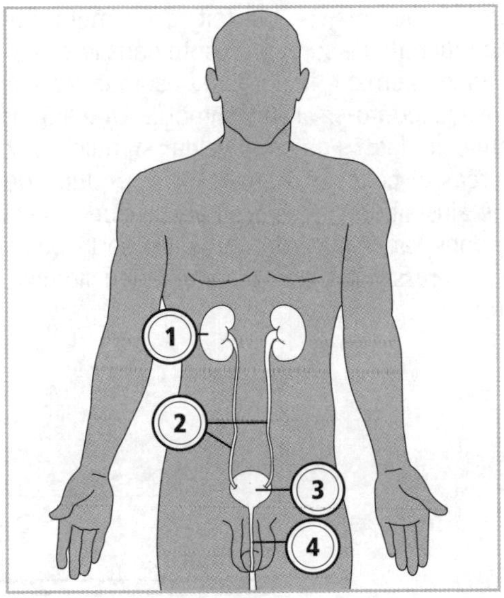

1
2
3
4

Fonction(s) : ____________________

____

____

____

K. SYSTÈME : ____________________

☐ 1. __________ ☐ 2. __________
☐ 3. __________ ☐ 4. __________

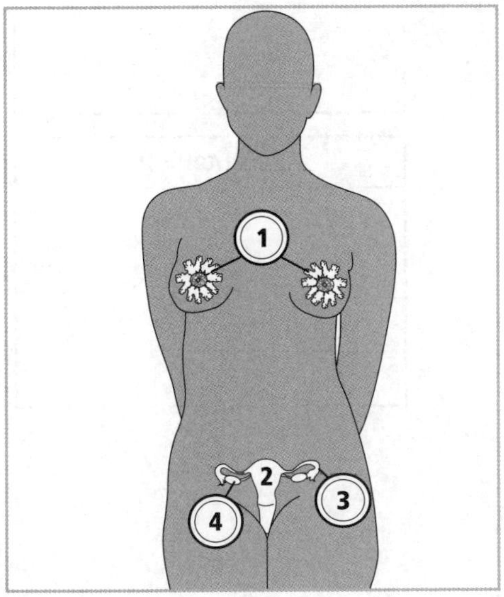

1
2
3
4

Fonction(s) : ____________________

____

____

____

APPLICATION 1.1 : Pendant un cours d'éducation physique, un étudiant reçoit un violent coup de bâton de hockey sur la jambe, ce qui cause une fracture ouverte. Quels systèmes ont subi une lésion ?

____

____

____

____

4 Les mécanismes de régulation de l'homéostasie

Voici cinq mises en situation qui permettent de mieux comprendre les mécanismes de régulation de l'homéostasie.

SITUATION 1 : Le maintien de la glycémie

Chantal, qui adore les boissons gazeuses sucrées, boit avidement un litre de cola, ce qui fait rapidement augmenter sa glycémie (quantité de sucre présente dans le sang). Pour fonctionner adéquatement, le corps a besoin d'une concentration en glucose (sucre) d'environ 5 mmol/L. Une augmentation de la glycémie au-dessus de cette valeur stimule les cellules bêta du pancréas et celles-ci se mettent à produire de l'insuline. L'insuline ainsi libérée accélère l'absorption et le stockage du glucose dans les cellules du corps, de sorte que la glycémie diminue progressivement et retourne graduellement à sa valeur de référence.

a) Comment l'organisme de Chantal maintiendra-t-il son homéostasie ? Répondez dans le schéma.
b) S'agit-il d'un mécanisme de rétro-inhibition ou de rétroactivation ? Justifiez votre choix en cochant ci-dessous la case appropriée pour indiquer si le déséquilibre est amplifié ou réduit.
c) Le mécanisme est-il contrôlé par le système nerveux ou par le système endocrinien ? Cochez ci-dessous la case appropriée.

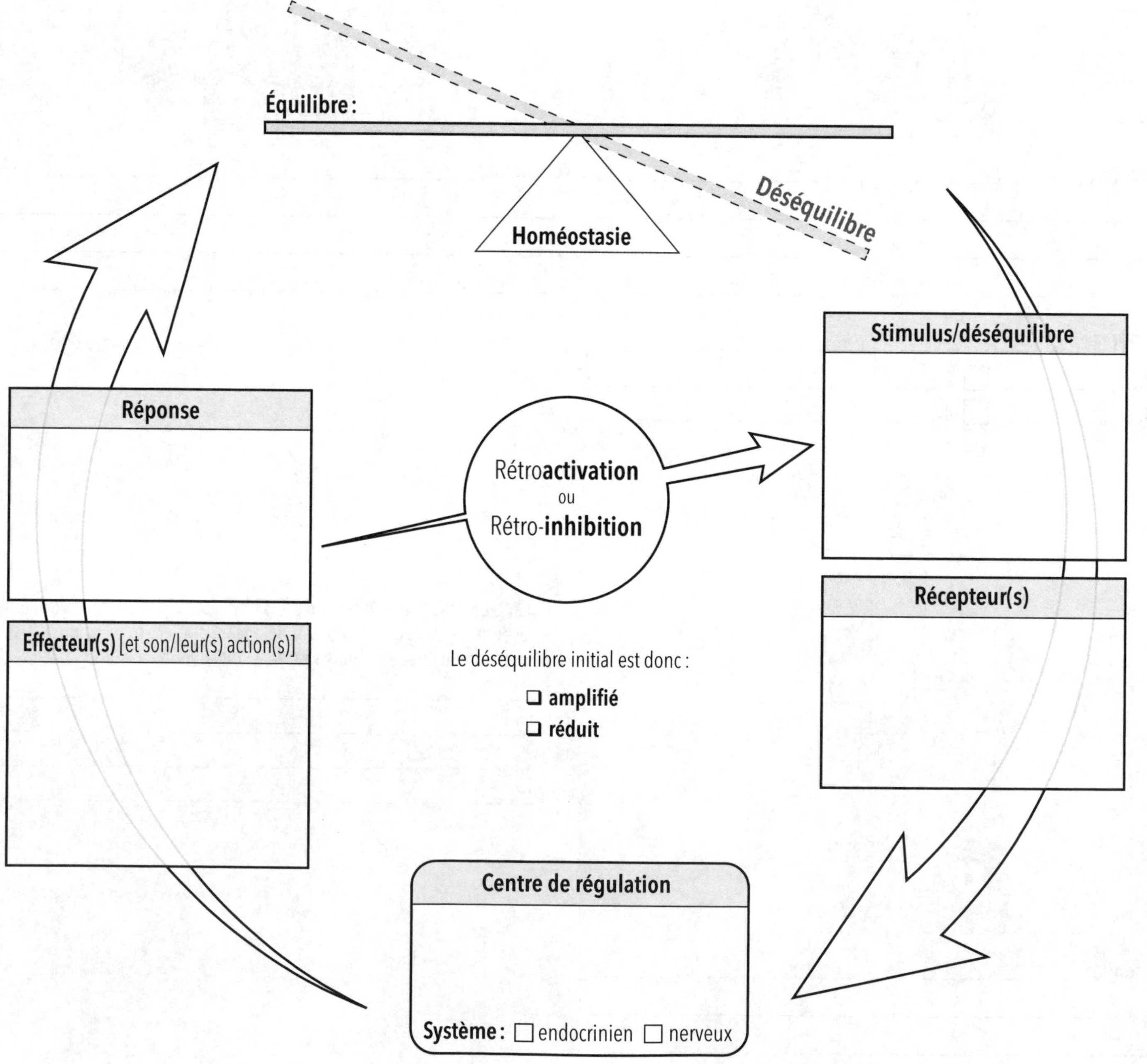

SITUATION 2 : La thermorégulation

Un matin d'hiver glacial, Jérémie attend l'autobus depuis une dizaine de minutes déjà. À cause du froid, sa température corporelle diminue. Or, celle-ci doit être maintenue à environ 37 °C. Les thermorécepteurs perçoivent la baisse de la température interne et envoient alors un influx nerveux (ou potentiel d'action) à l'hypothalamus, situé dans le système nerveux central. Dans l'hypothalamus, le centre de régulation de la température réagit en activant plusieurs effecteurs afin d'accroitre la production de chaleur. Ainsi, les muscles squelettiques sont mis à contribution ; Jérémie frissonne. Les contractions musculaires produites grâce aux frissons engendrent une production de chaleur, ce qui permet d'augmenter la température corporelle de Jérémie.

a) Comment l'organisme de Jérémie maintient-il son homéostasie ? Répondez dans le schéma.
b) S'agit-il d'un mécanisme de rétro-inhibition ou de rétroactivation ? Justifiez votre choix en cochant ci-dessous la case appropriée pour indiquer si le déséquilibre est amplifié ou réduit.
c) Le mécanisme est-il contrôlé par le système nerveux ou par le système endocrinien ? Cochez ci-dessous la case appropriée.

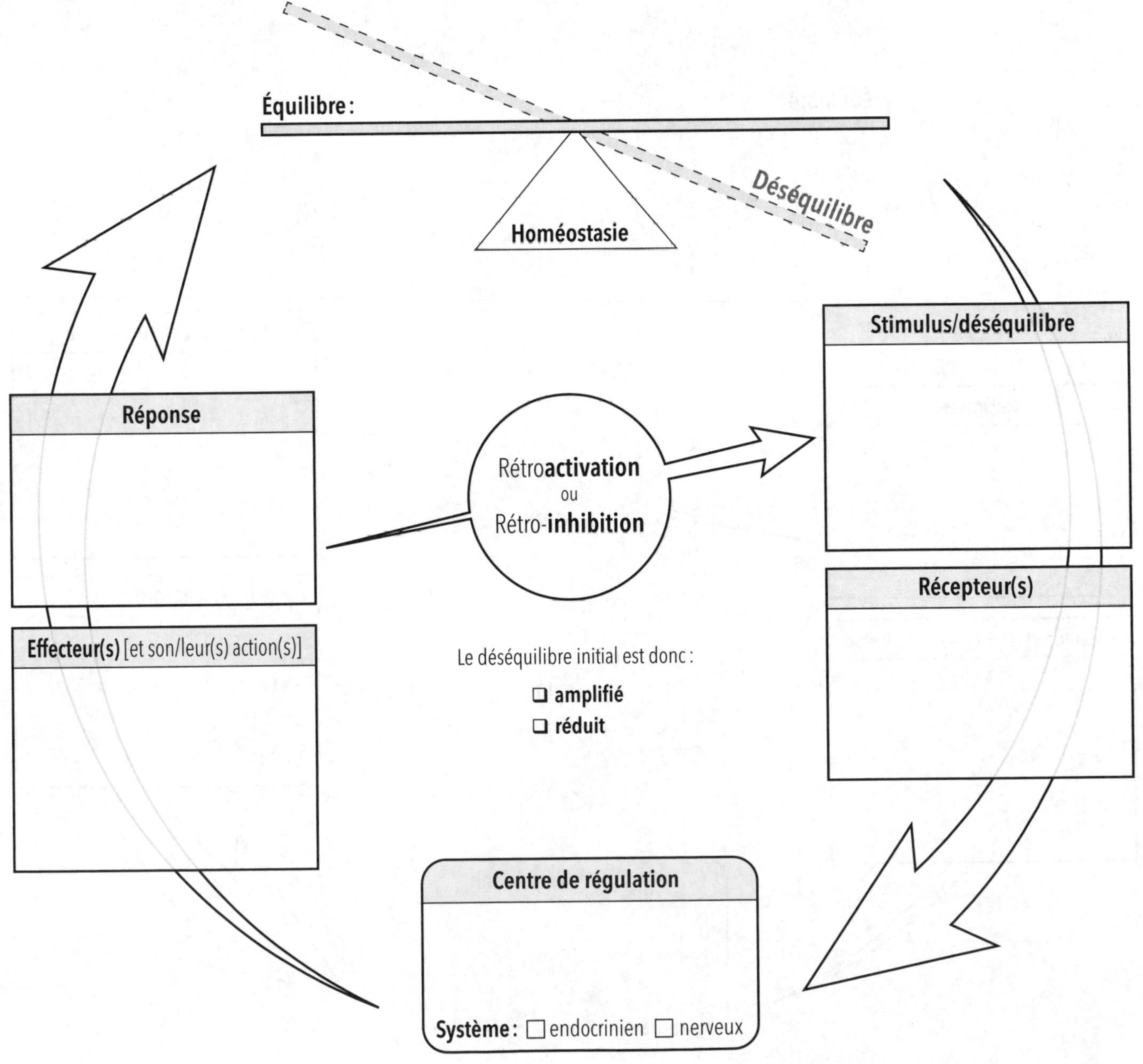

SITUATION 3 : L'allaitement

Véronique veut allaiter son bébé ; elle lui donne le sein pour le faire téter. La tétée déclenche le réflexe d'éjection du lait. En effet, la succion créée par le bébé stimule les récepteurs tactiles situés sur le mamelon. Ces récepteurs émettent des influx nerveux jusqu'à l'hypothalamus, qui produit l'ocytocine. Cette hormone agit directement sur les glandes mammaires de Véronique en stimulant la contraction des cellules myoépithéliales, permettant ainsi l'éjection du lait. Cette éjection de lait permet au bébé de se nourrir et celui-ci tète jusqu'à ce qu'il soit rassasié.

a) Expliquez le phénomène d'éjection du lait en remplissant le schéma.
b) S'agit-il d'un mécanisme de rétro-inhibition ou de rétroactivation ? Justifiez votre choix en cochant ci-dessous la case appropriée pour indiquer si le déséquilibre est amplifié ou réduit.
c) Le mécanisme est-il contrôlé par le système nerveux ou par le système endocrinien ? Cochez ci-dessous la case appropriée.
d) À quel moment la sécrétion d'ocytocine cesse-t-elle ?

____

____

____

____

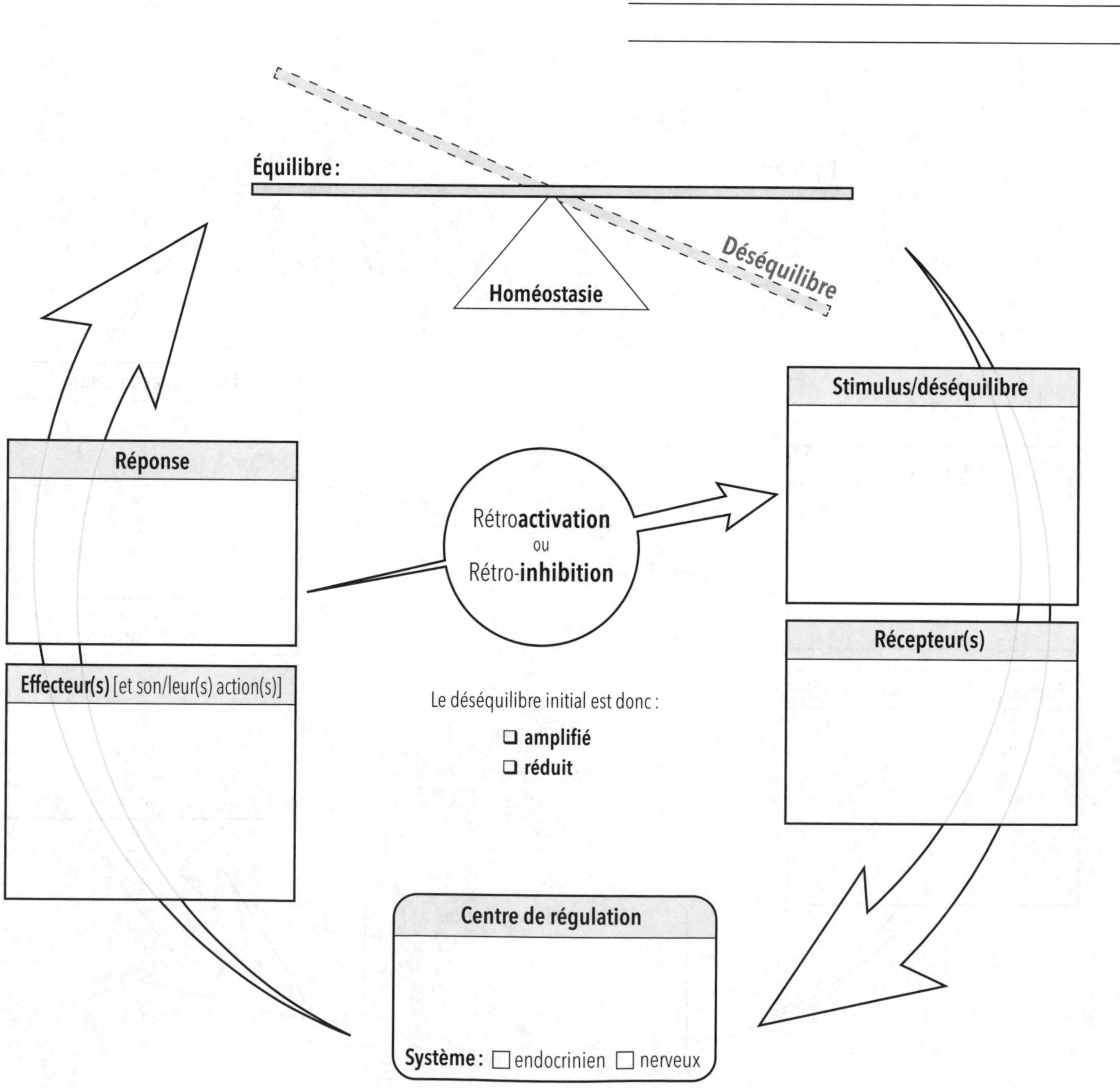

SITUATION 4 : La régulation du calcium

Camille essaie un nouveau régime sportif qui lui demande d'arrêter toute consommation de produits laitiers. Cette abstinence engendre une diminution de la concentration de l'ion calcium dans son sang. Ce changement est capté par les glandes parathyroïdes, qui se mettent à produire de la parathormone. Cette hormone est emportée dans le sang jusqu'aux ostéoclastes, des cellules spécialisées qui dégradent la matrice osseuse afin d'en libérer le calcium.

a) Comment la concentration de calcium est-elle rééquilibrée dans l'organisme de Camille ? Répondez dans le schéma.
b) S'agit-il d'un mécanisme de rétro-inhibition ou de rétroactivation ? Justifiez votre choix en cochant ci-dessous la case appropriée pour indiquer si le déséquilibre est amplifié ou réduit.
c) Le mécanisme est-il contrôlé par le système nerveux ou par le système endocrinien ? Cochez ci-dessous la case appropriée.

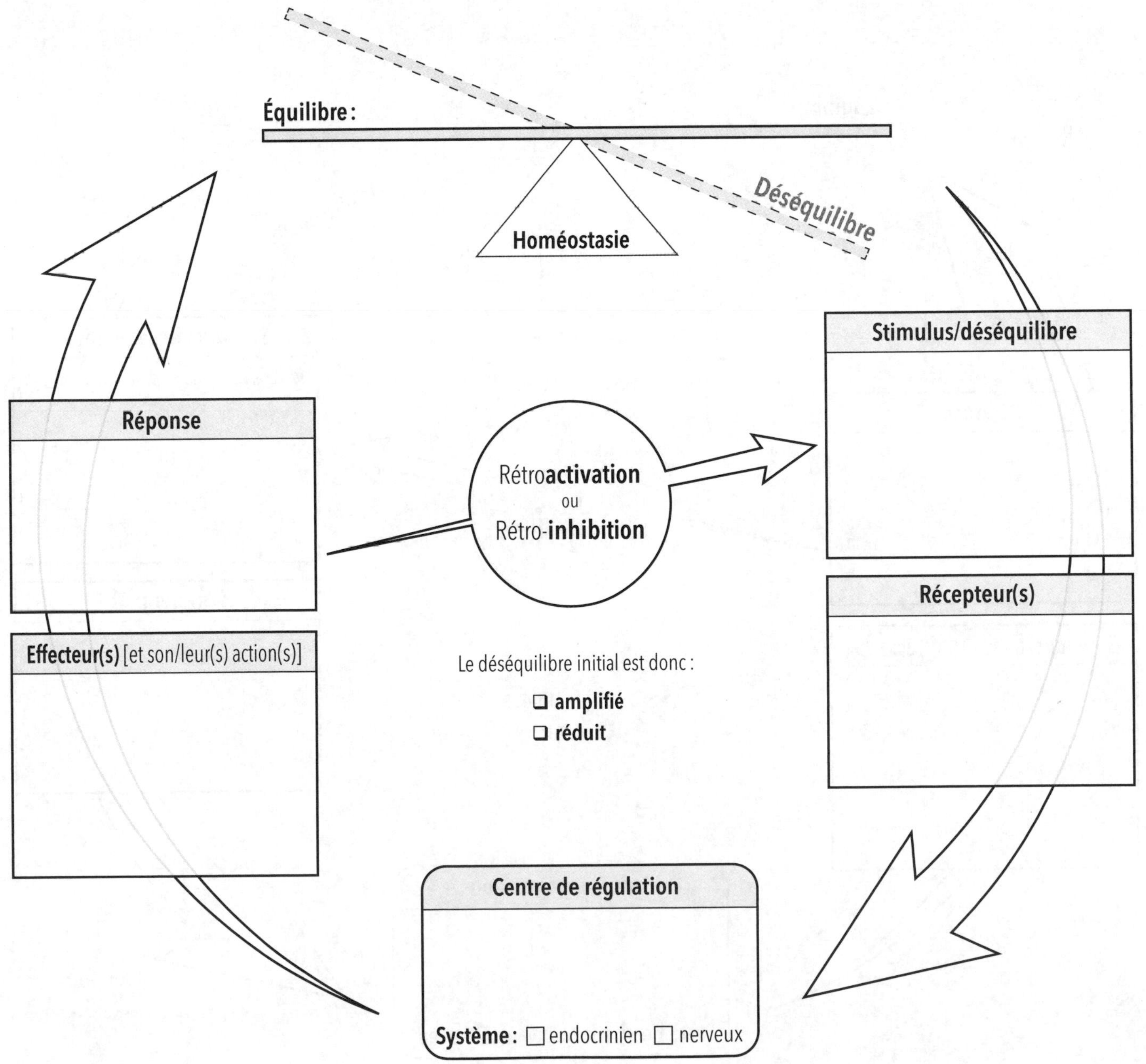

SITUATION 5: La pression artérielle

Lors d'un accident de voiture, François reçoit un éclat de verre qui cause une déchirure de l'artère fémorale. Cette grave blessure entraine une hémorragie, ce qui provoque une brutale chute de la pression artérielle. Captée par les barorécepteurs des vaisseaux sanguins, l'information de ce changement de pression est rapidement acheminée par les nerfs vers le centre cardiovasculaire du bulbe rachidien, une partie de l'encéphale. C'est à cet endroit qu'a lieu l'analyse du déséquilibre et qu'une commande nerveuse est envoyée vers le cœur. Le cœur augmentera sa force et sa fréquence de contraction afin d'augmenter la pression artérielle.

a) Comment la pression artérielle de François sera-t-elle rééquilibrée à la suite d'une hémorragie? Répondez dans le schéma.
b) S'agit-il d'un mécanisme de rétro-inhibition ou de rétroactivation? Justifiez votre choix en cochant ci-dessous la case appropriée pour indiquer si le déséquilibre est amplifié ou réduit.
c) Le mécanisme est-il contrôlé par le système nerveux ou par le système endocrinien? Cochez ci-dessous la case appropriée.

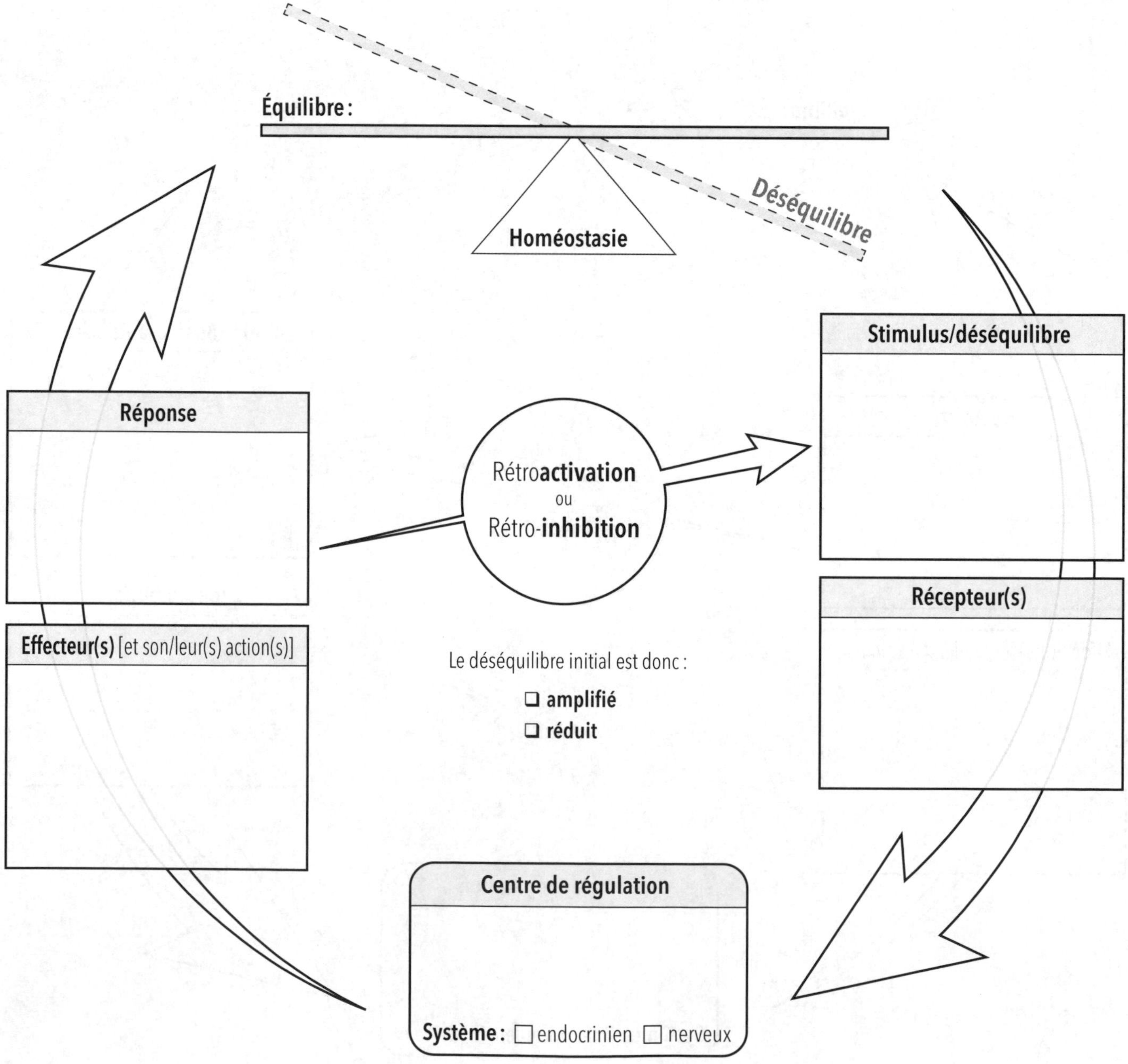

5 Les cavités

Le corps humain comprend plusieurs cavités telles qu'illustrées sur la figure ci-dessous.

a) Nommez les différentes cavités numérotées dans la légende.
b) À l'aide de couleurs différentes, coloriez les cavités de la légende et les carrés correspondants.

LÉGENDE

☐ 1. ____________________
☐ 2. ____________________
☐ 3. ____________________
→ ☐ 4. ____________________
→ ☐ 5. ____________________
→ ☐ 6. ____________________
☐ 7. ____________________
→ ☐ 8. ____________________
→ ☐ 9. ____________________

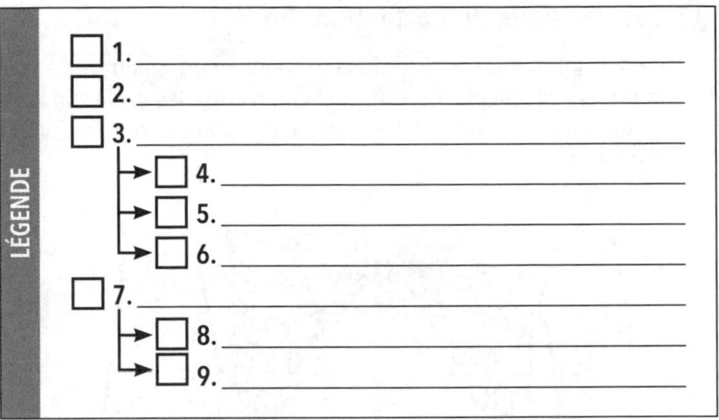

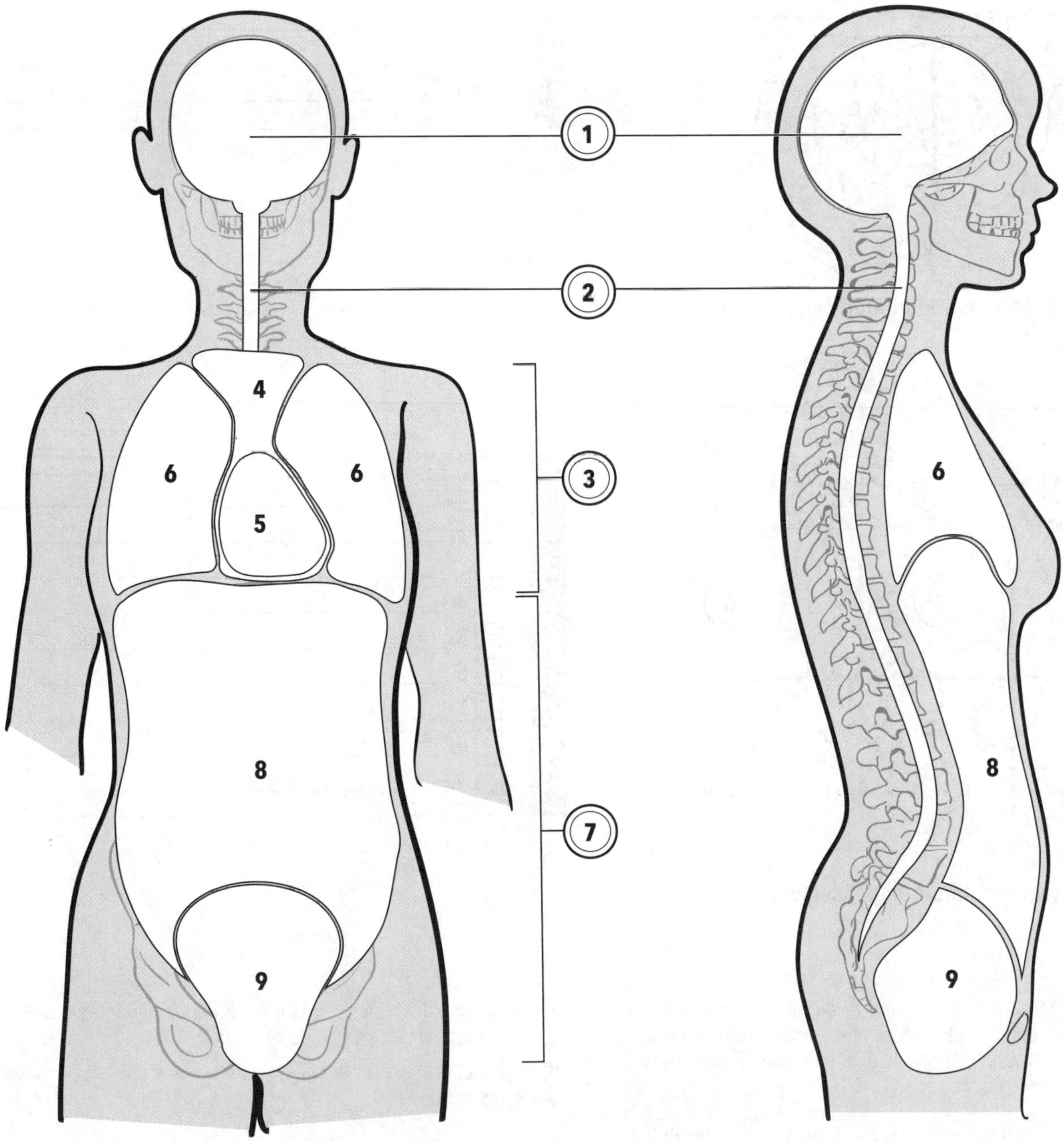

6 Les divisions du corps humain

La division du corps humain en régions et en quadrants abdominopelviens facilite la communication entre les professionnels de la santé en ce qui concerne la localisation des organes abdominaux et pelviens.

a) Dans la légende de la figure du haut, nommez les quatre quadrants abdominopelviens.
b) Dans la légende de la figure du bas, nommez les neuf différentes régions abdominopelviennes.

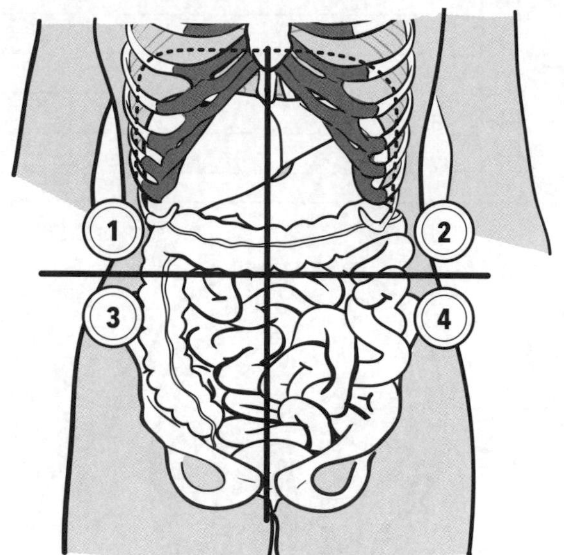

Quadrants abdominopelviens

LÉGENDE

- [ ] 1. ____________
- [ ] 2. ____________
- [ ] 3. ____________
- [ ] 4. ____________

1 2 3 4 5 6 7 8 9

Régions abdominopelviennes

LÉGENDE

- [ ] 1. ____________
- [ ] 2. ____________
- [ ] 3. ____________
- [ ] 4. ____________
- [ ] 5. ____________
- [ ] 6. ____________
- [ ] 7. ____________
- [ ] 8. ____________
- [ ] 9. ____________

APPLICATION 1.2 : Un patient s'est présenté au service des urgences en se plaignant d'importantes douleurs au ventre. Le médecin a diagnostiqué une appendicite. Encerclez le quadrant abdominopelvien dans lequel se manifestent les douleurs de ce patient.

APPLICATION 1.3 : Un chirurgien fait une incision dans la cavité abdominopelvienne d'un patient. La coupe est faite selon un plan transversal, légèrement supérieur par rapport aux régions inguinales (iliaques).

a) Sur la figure des régions abdominopelviennes, marquez d'une ligne l'emplacement de l'incision du chirurgien.
b) Quels organes viscéraux le chirurgien pourrait-il toucher si son incision est trop profonde ?

____

____

____

1 Vocabulaire

À l'aide des définitions suivantes, remplissez la grille de mots croisés ci-dessous.

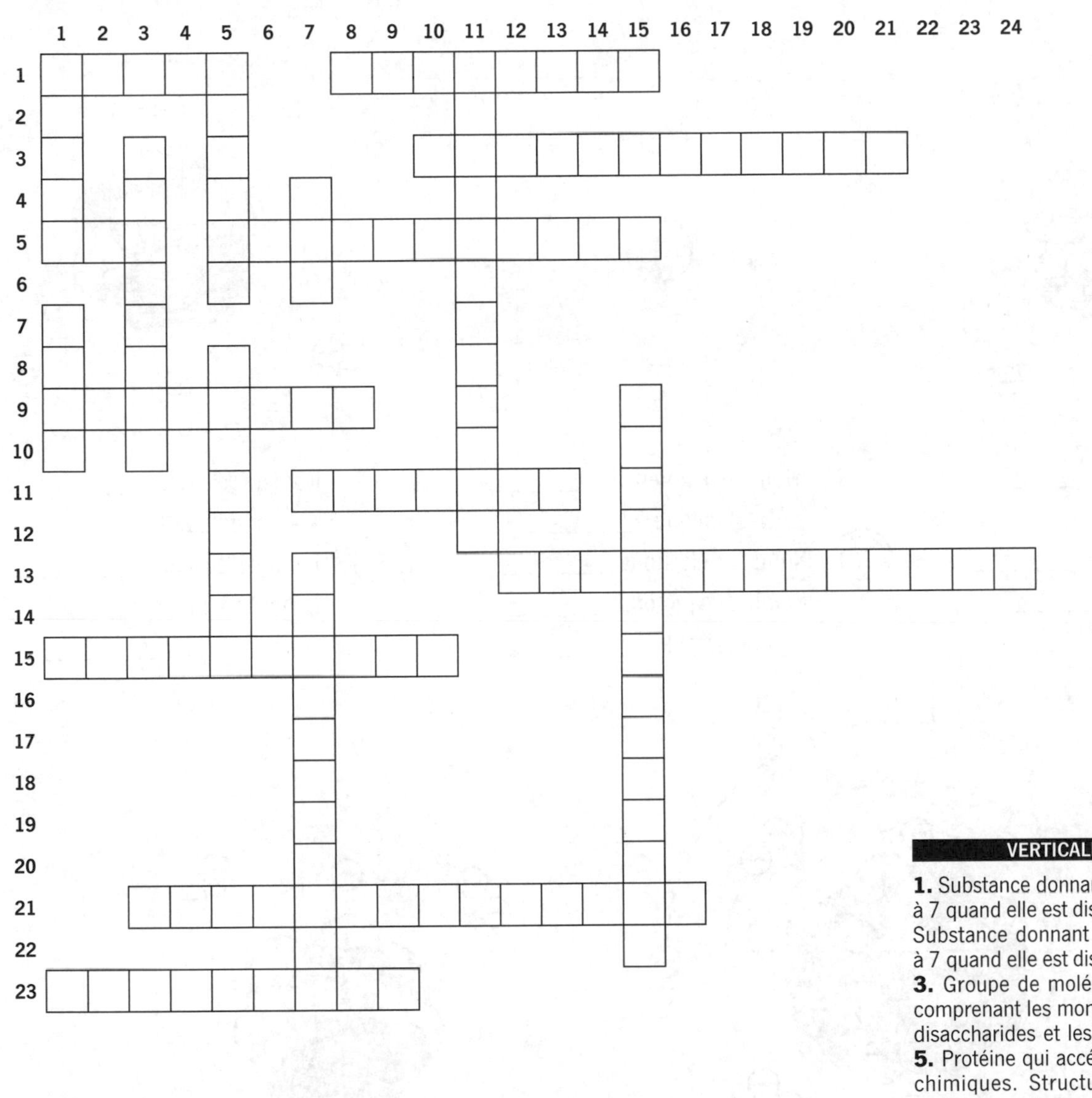

HORIZONTALEMENT

1. Plus petite unité de matière. Molécule organique formée d'acides aminés et possédant une structure complexe. **3.** Composé formé de deux monosaccharides. **5.** Composé inorganique le plus important et le plus abondant du corps humain. L'ensemble des réactions chimiques qui se produisent dans le corps humain. **9.** Lipide dont la structure comporte quatre cycles de carbone (anneaux). **11.** Groupe de molécules organiques comprenant les acides gras, les graisses, les stéroïdes et les phospholipides. **13.** Lipide important pour la composition de la membrane plasmique. **15.** Sous-unité des acides nucléiques. **21.** Sucre simple comme le glucose. **23.** Substance organique ou inorganique qui provient de la nourriture.

VERTICALEMENT

1. Substance donnant un pH inférieur à 7 quand elle est dissoute dans l'eau. Substance donnant un pH supérieur à 7 quand elle est dissoute dans l'eau. **3.** Groupe de molécules organiques comprenant les monosaccharides, les disaccharides et les polysaccharides. **5.** Protéine qui accélère les réactions chimiques. Structure formée d'au moins deux atomes. **7.** Abréviation de la molécule qui fournit l'énergie utilisable par la cellule. Réaction chimique où des molécules complexes sont dégradées. **11.** Lipide composé d'un glycérol et de trois acides gras. **15.** Grosse molécule composée de plusieurs monosaccharides.

2 Les atomes

L'atome est la plus petite unité de matière qui forme un élément chimique.

Plusieurs atomes sont illustrés ci-dessous.

a) À l'aide de couleurs différentes, coloriez les éléments nommés dans la légende et les carrés correspondants.
b) Écrivez les informations demandées sous chacun des atomes.

LÉGENDE
- ☐ Électrons
- ☐ Noyau
- ☐ Électrons de valence

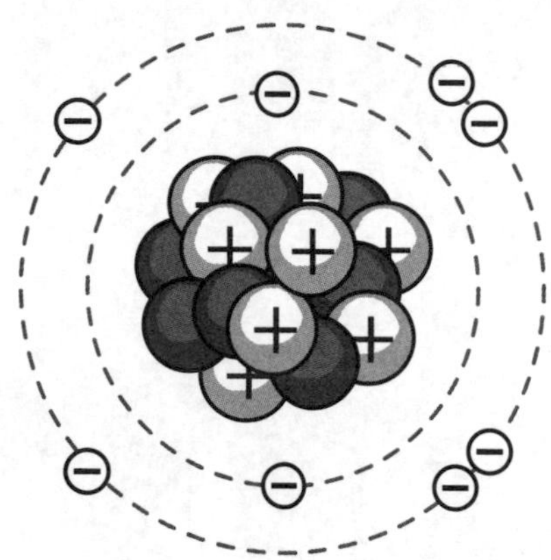

① Nom de l'élément : ________
Nº atomique : ________
Nombre d'électrons : ________
Nombre de protons : ________
Atome stable ? ________

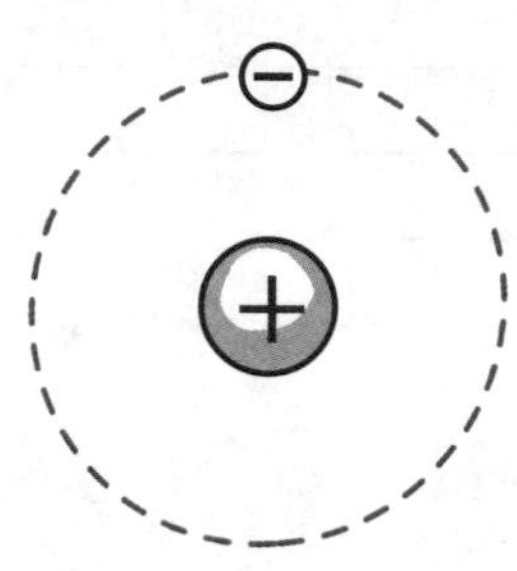

② Nom de l'élément : ________
Nº atomique : ________
Nombre d'électrons : ________
Nombre de protons : ________
Atome stable ? ________

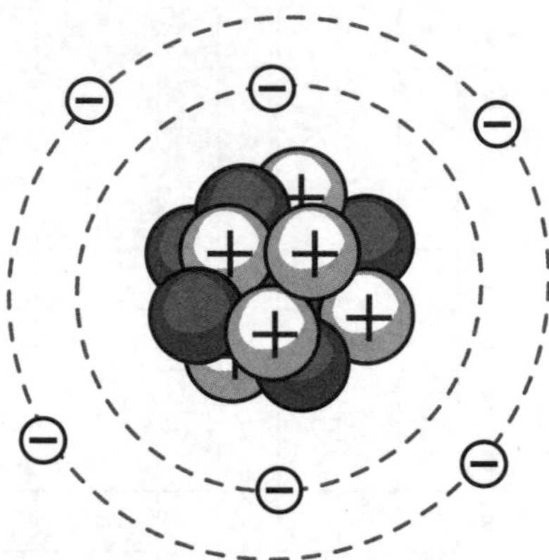

③ Nom de l'élément : ________
Nº atomique : ________
Nombre d'électrons : ________
Nombre de protons : ________
Atome stable ? ________

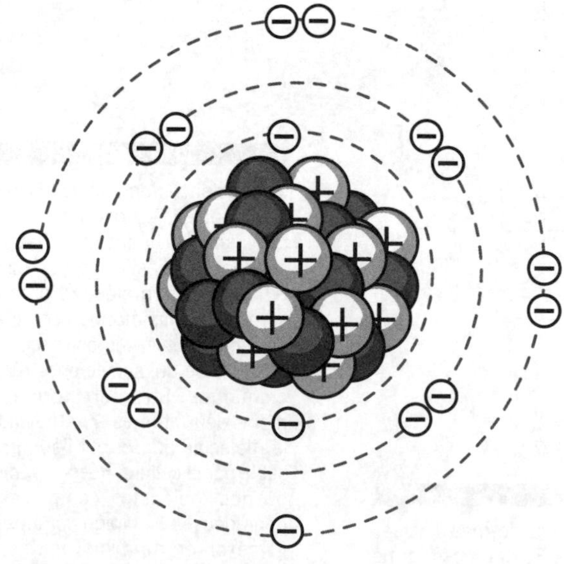

④ Nom de l'élément : ________
Nº atomique : ________
Nombre d'électrons : ________
Nombre de protons : ________
Atome stable ? ________

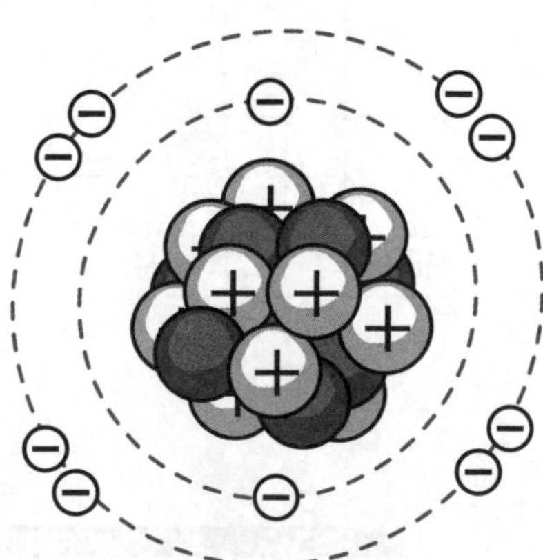

⑤ Nom de l'élément : ________
Nº atomique : ________
Nombre d'électrons : ________
Nombre de protons : ________
Atome stable ? ________

3 Les composés et les liaisons chimiques

Les figures ci-dessous illustrent deux types de liaisons chimiques.

a) Nommez le type de liaison (ionique ou covalente).
b) À l'aide de couleurs différentes, coloriez sur l'illustration les éléments nommés dans la légende et les carrés correspondants.
c) Dans le cas de la liaison ionique, indiquez par une flèche la direction prise par l'électron transféré, c'est-à-dire l'atome qui a perdu son électron vers l'électron transféré.

LÉGENDE
- ☐ **Électron(s) partagé(s)**
- ☐ **Électron(s) transféré(s)**

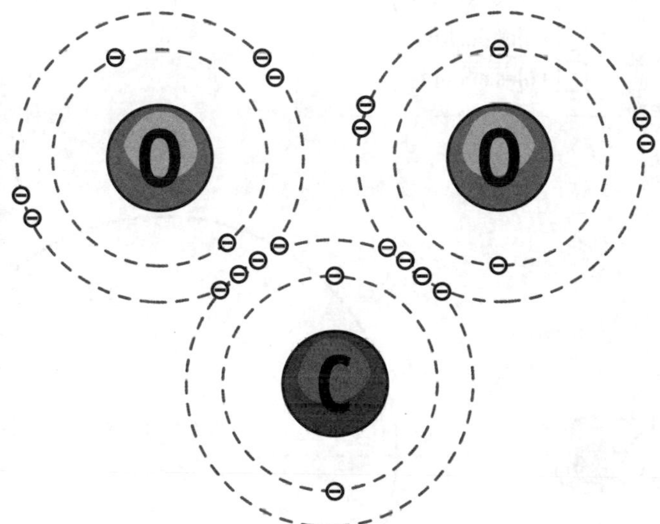

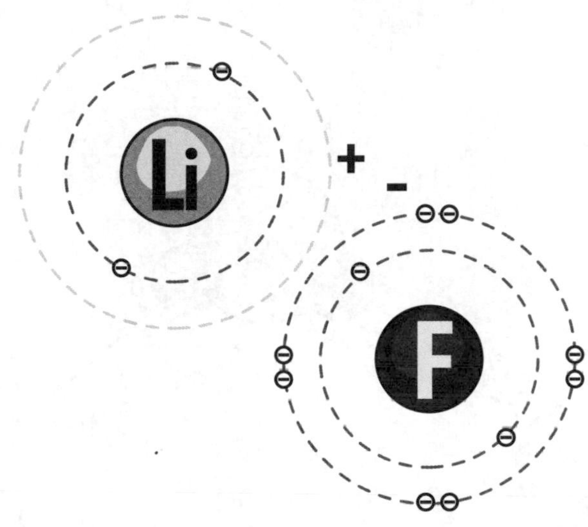

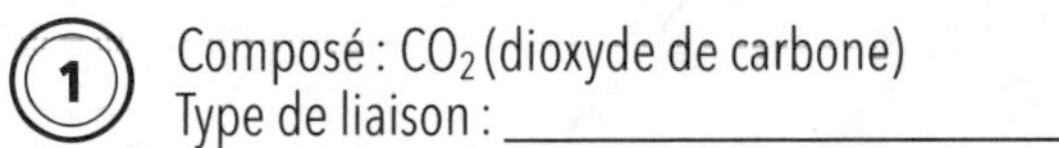

(1) Composé : CO_2 (dioxyde de carbone)
Type de liaison : ______________________

(2) Composé : LiF (fluorure de lithium)
Type de liaison : ______________________

APPLICATION 2.1 : Une scientifique trouve une mystérieuse substance qui se présente sous la forme d'un cube solide et de couleur verte. Elle veut en savoir plus sur les produits chimiques qui la composent. Elle commence par placer le cube dans l'eau, et elle constate qu'il s'y dissout. Elle poursuit son analyse en effectuant une mesure de conductivité. Elle observe que des atomes chargés positivement et négativement sont maintenant dispersés dans l'eau.

a) Est-ce que la substance mystère est hydrophile ou hydrophobe ? Pourquoi ?

____

____

____

b) De quel type étaient les liaisons chimiques des atomes du cube avant sa dissolution ? Expliquez votre réponse.

____

____

____

____

4 L'eau

La molécule d'eau est très importante dans le corps humain. Une de ses particularités est qu'elle forme une molécule polaire où les atomes d'hydrogène possèdent une légère charge positive et l'atome d'oxygène possède une légère charge négative. La figure ci-dessous illustre cinq molécules d'eau reliées par des liaisons hydrogène.

a) À l'aide de couleurs différentes, coloriez les éléments nommés dans la légende et les carrés correspondants.

b) Dans le cercle vide, illustrez une nouvelle molécule d'eau en lien avec les autres.

$2\delta^-$ δ^+ δ^+ $2\delta^-$ δ^+ δ^+ $2\delta^-$ δ^+ δ^+ δ^+ $2\delta^-$ δ^+ $2\delta^-$ δ^+ δ^+

LÉGENDE

- ☐ **Atomes d'oxygène**
- ☐ **Atomes d'hydrogène**
- ☐ **Liaisons hydrogène**
- ☐ **Pôles positifs**
- ☐ **Pôles négatifs**

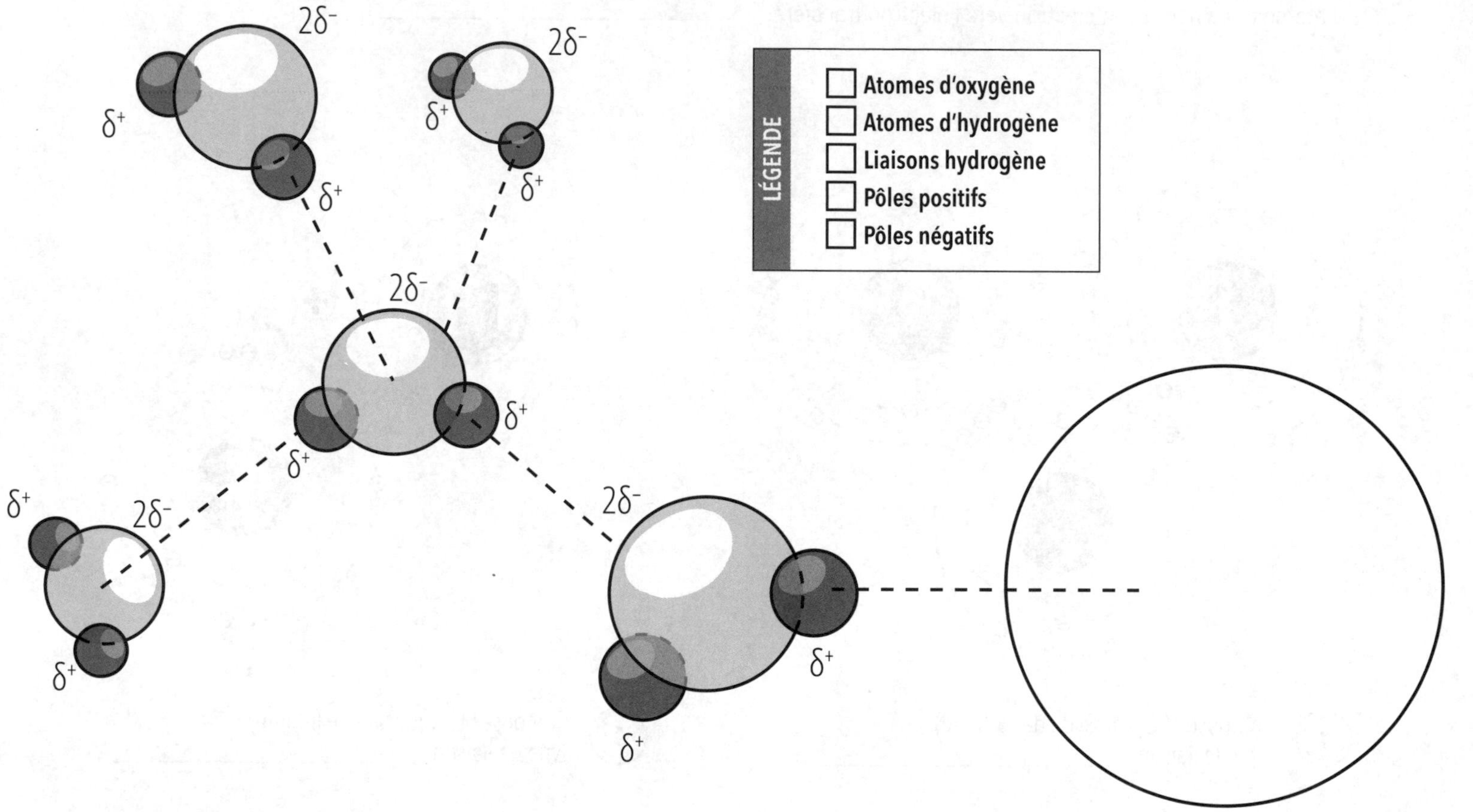

5 Les réactions chimiques

Les équations de plusieurs réactions chimiques sont présentées à la page suivante.

a) Entourez les réactifs et encadrez les produits dans chacune des réactions.

b) Précisez le type de réaction chimique : dégradation (**1. catabolisme** ou **2. catabolisme par hydrolyse**), synthèse (**3. anabolisme** ou **4. anabolisme par déshydratation**) ou échange (**5. réaction d'échange**).

c) Dans les réactions de dégradation et de synthèse, ajoutez l'énergie dégagée ou nécessaire à la réaction et précisez si cette réaction est exothermique ou endothermique (voir l'exemple 1).

d) Dans les réactions d'échange, coloriez de différentes couleurs les atomes des molécules de l'équation chimique afin de montrer l'échange d'atomes entre les molécules (voir l'exemple 2).

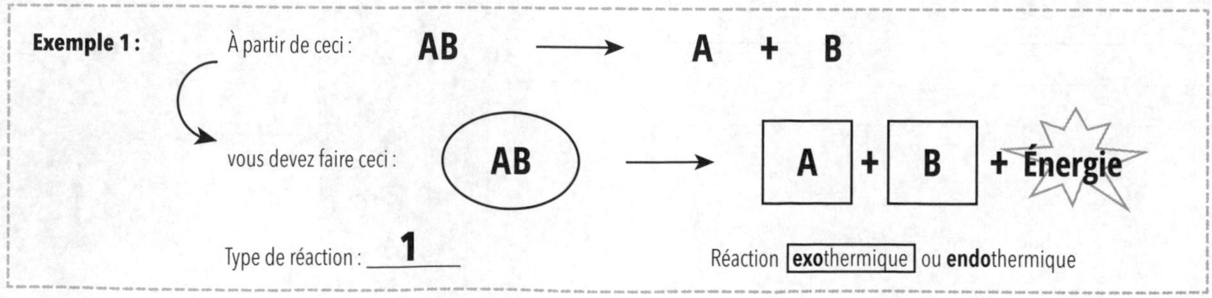

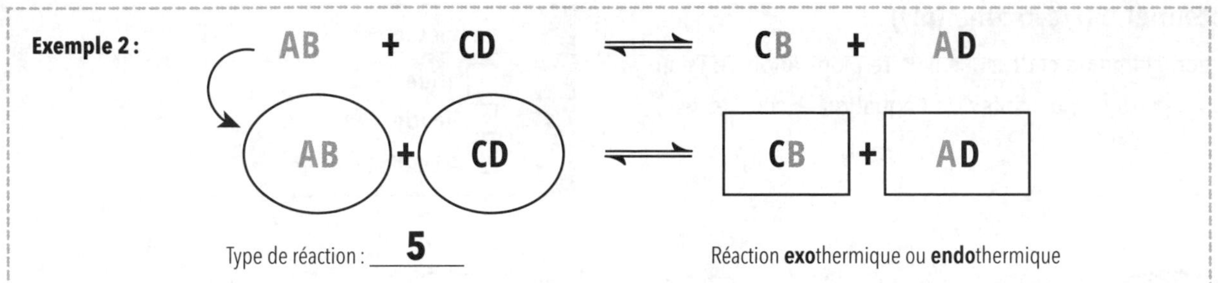

$H_2CO_3 \rightleftharpoons H^+ + HCO_3^-$

Type de réaction : ________ Réaction **exo**thermique ou **endo**thermique

---

2

$NaOH + HCl \longrightarrow NaCl + H_2O$

Type de réaction : ________ Réaction **exo**thermique ou **endo**thermique

---

3

$ATP + H_2O \longrightarrow ADP + P_i$

Type de réaction : ________ Réaction **exo**thermique ou **endo**thermique

---

4

$CO_2 + H_2O \rightleftharpoons H_2CO_3$

Type de réaction : ________ Réaction **exo**thermique ou **endo**thermique

---

5

$ADP + P_i \xrightarrow{\text{ATP synthase}} ATP + H_2O$

Type de réaction : ________ Réaction **exo**thermique ou **endo**thermique

---

6

$2\ C_2H_4O + O_2 \rightleftharpoons 2\ C_2H_4O_2$

Type de réaction : ________ Réaction **exo**thermique ou **endo**thermique

---

7

$C_{12}H_{22}O_{11} + H_2O \xrightarrow{\text{Sucrase}} 2\ C_6H_{12}O_6$

Type de réaction : ________ Réaction **exo**thermique ou **endo**thermique

---

$C_6H_{12}O_6 + 6\ O_2 \longrightarrow 6\ H_2O + 6\ CO_2$

Type de réaction : ________ Réaction **exo**thermique ou **endo**thermique

6 Le potentiel d'hydrogène (pH)

L'équation chimique ci-dessous illustre l'ionisation de l'eau.

a) Nommez les composantes de l'équation et coloriez-les selon la légende.

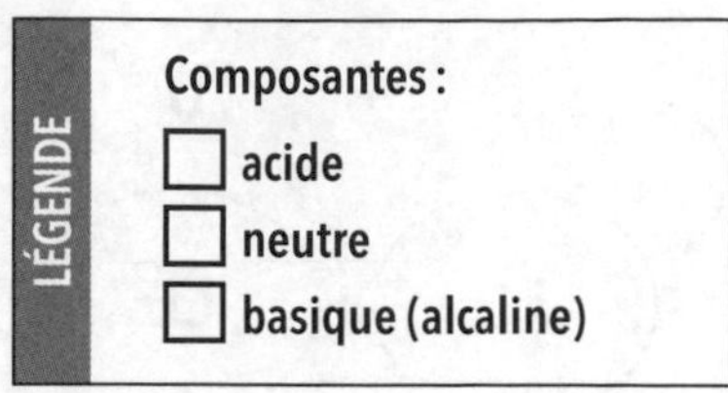

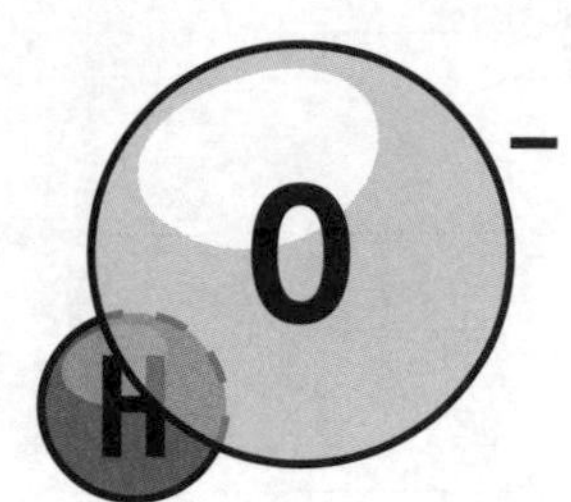

+

Sur l'échelle des pH ci-dessous :

b) Encerclez la valeur de pH neutre.
c) Afin d'illustrer l'acidité du pH, ajoutez une flèche en dégradé de couleur allant du plus pâle (neutre) vers le plus foncé (extrêmement acide).
d) Afin d'illustrer l'alcalinité du pH, ajoutez une flèche en dégradé de couleur allant du plus pâle (neutre) vers le plus foncé (extrêmement basique).
e) Dessinez plusieurs ions hydrogène (H^+) là où leur concentration est élevée et très peu là où leur concentration est faible.
f) Dans les cercles, placez à la bonne valeur de pH le numéro des substances suivantes : 1. bile ; 2. sang ; 3. salive ; 4. urine ; 5. acide chlorhydrique (HCl) de l'estomac.

LÉGENDE
- pH acide
- pH basique

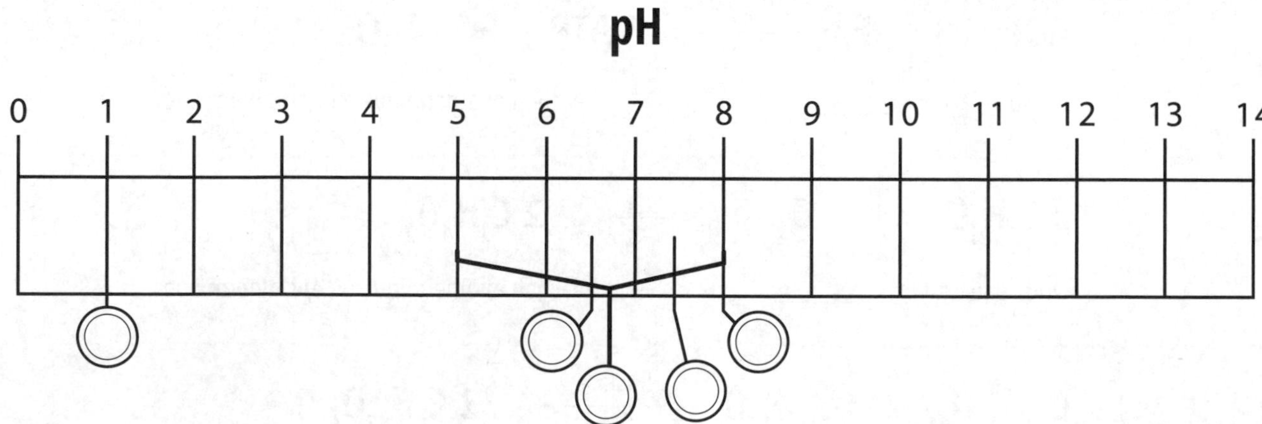

APPLICATION 2.2 : Un patient est en acidose. Qu'est-ce que cela veut dire ? Traiteriez-vous ce patient avec une substance chimique qui *élève* ou qui *abaisse* le pH ?

7 Les groupes de molécules organiques

La figure ci-dessous comprend les molécules qui font partie des quatre grands groupes de molécules organiques.

a) Attribuez une couleur différente à chacun des groupes de molécules organiques : lipides, protéines, acides nucléiques et glucides.

b) Coloriez les cases et les molécules que vous voyez dans la figure selon le groupe de molécules organiques auquel on peut les rattacher.

LIPIDES | PROTÉINES | ACIDES NUCLÉIQUES | GLUCIDES

Sucre
Graisse
Monosaccharide 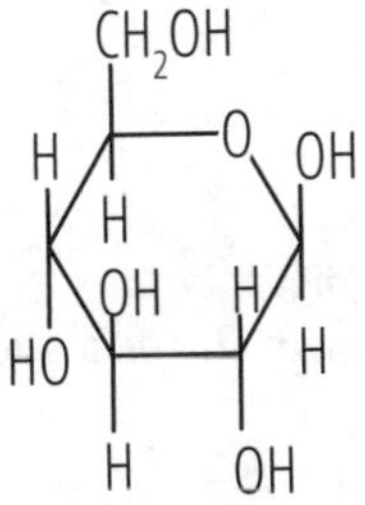
Acide gras
Polypeptide
Acide aminé 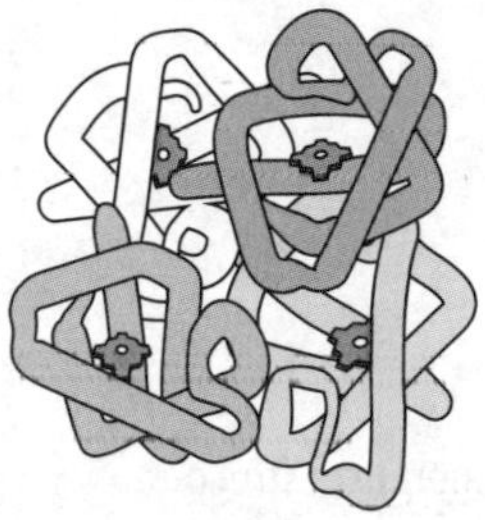
Amidon
Glucose
Base azotée
Nucléotide
Gène
Dipeptide
Glycogène 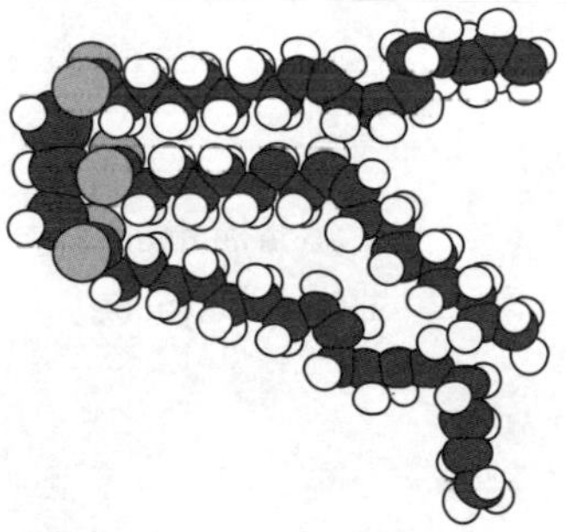
ADN 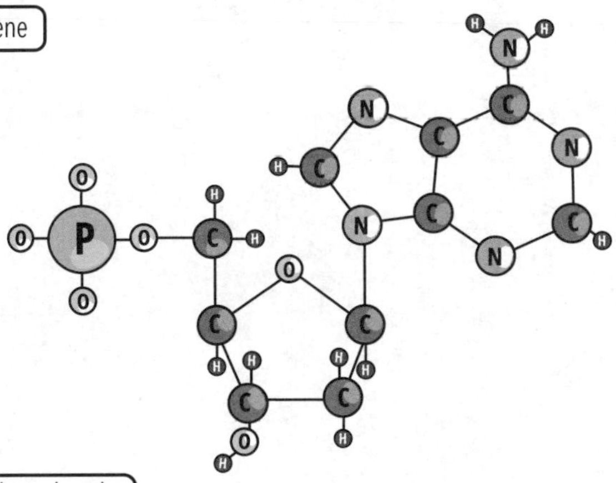
Triglycéride/ Triacylglycérol
Enzyme
Polysaccharide 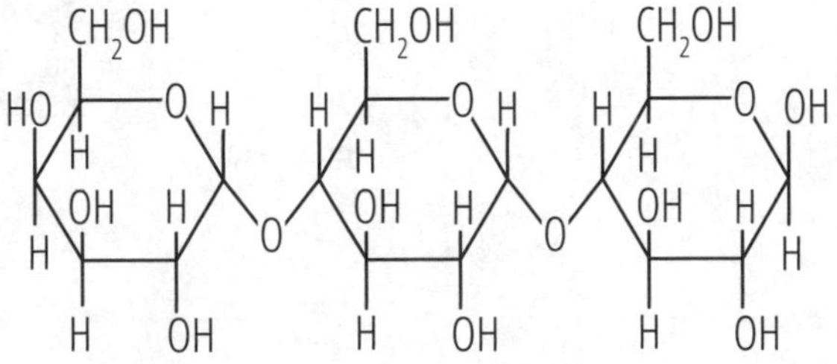
ARN 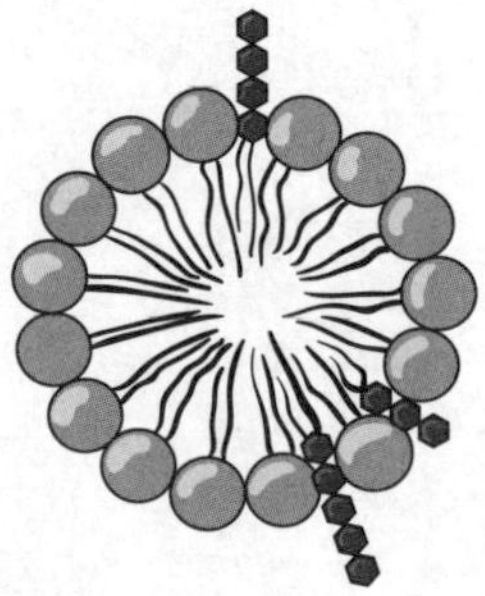
Stéroïde
Phospholipide/ Phosphoglycérolipide
Disaccharide

8 La classification des molécules organiques

Résumez vos connaissances sur les molécules organiques en remplissant le tableau suivant.

Vous pouvez dessiner des molécules ou ajouter des pages de références de votre manuel théorique afin de personnaliser cet outil d'étude-résumé.

Nom	Structure	Fonction(s)	Exemple(s)
Glucides			Glucose Fructose Galactose
	Disaccharide (deux monomères de glucide)		
		Stockage d'énergie et structure	
Lipides			Acide laurique Acide butyrique
		Sources d'énergie Stockage d'énergie Isolation et protection de l'organisme	
			Cholestérol
	Phospholipide (tête hydrophile et queue hydrophobe)		

Nom	Structure	Fonction(s)	Exemple(s)
Protéines		Défense Coordination et contrôle (hormones) Régulation du métabolisme (enzymes) Structure de soutien (charpente) Mouvement Transport	
Acides nucléiques	Double hélice Deux brins constitués de nucléotides, qui sont formés d'une base azotée (A : adénine, G : guanine, C : cytosine, T : thymine), d'un désoxyribose et d'un groupement phosphate Brins liés par des ponts hydrogène selon l'appariement suivant : A-T et C-G		
			Acide ribonucléique (ARN)

APPLICATION 2.3 : Les prions sont des types particuliers de protéines présentes dans les tissus de nombreux organismes. Certaines formes rares de prions possèdent une structure tertiaire inhabituelle pouvant causer des maladies graves, voire mortelles (par exemple, l'encéphalopathie spongiforme bovine, aussi connue sous le nom de maladie de la vache folle). Les humains peuvent être exposés à ces prions pathogènes par de la viande contaminée.

Supposons que l'on suspecte la présence de prions pathogènes dans un morceau de viande. Que pourrait-on théoriquement faire avant de jeter la viande pour s'assurer que les prions sont dénaturés et ne possèdent plus leurs structures tertiaires nuisibles ? Pourquoi le procédé fonctionnerait-il ?

9 Les enzymes

Les enzymes sont des protéines qui accélèrent la vitesse des réactions chimiques dans le corps humain. La figure ci-dessous représente une réaction enzymatique.

a) À l'aide de couleurs différentes, coloriez les éléments nommés dans la légende et les carrés correspondants.
b) Précisez le type de réaction chimique et si cette réaction est exothermique ou endothermique (illustrez l'énergie).

LÉGENDE
- ☐ Enzyme
- ☐ Site actif
- ☐ Substrat(s)/réactif(s)
- ☐ Produit(s)

Type de réaction : __________

Réaction **exo**thermique ou **endo**thermique

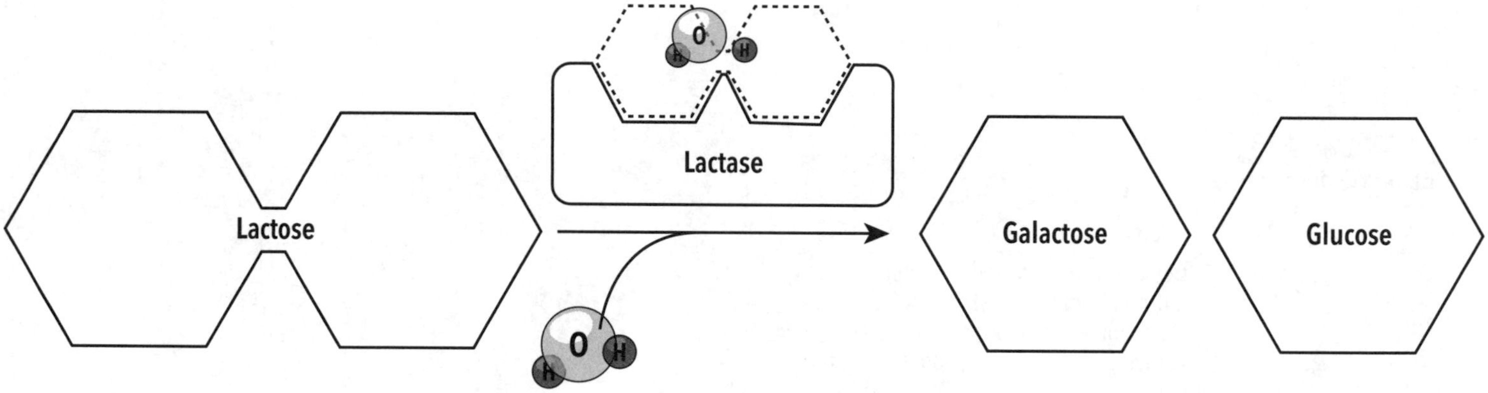

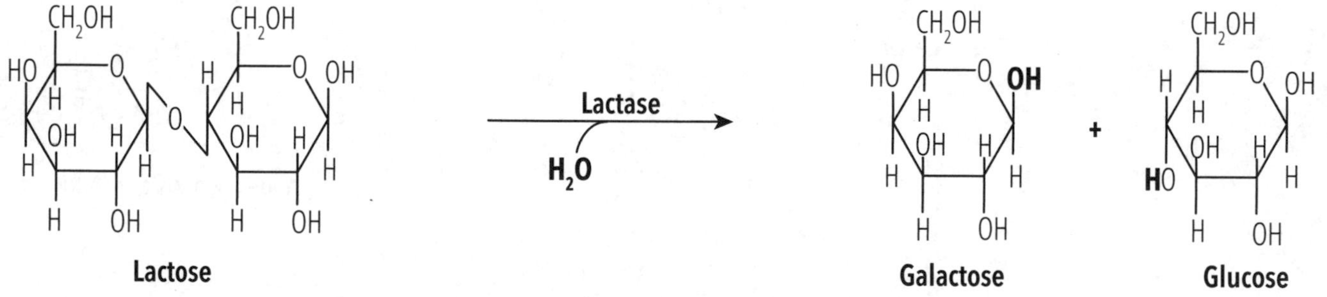

APPLICATION 2.4 : L'intolérance au lactose est causée par une déficience de l'enzyme lactase, qui se traduit par l'incapacité de digérer adéquatement le lactose (sucre du lait). Dans l'image ci-dessus, faites un X sur la molécule déficiente chez une personne intolérante au lactose.

10 L'acide désoxyribonucléique (ADN)

Les dessins ci-dessous illustrent un nucléotide et une molécule d'ADN.

a) À l'aide de couleurs différentes, coloriez sur le nucléotide les éléments de la légende et les carrés correspondants.

b) Sur l'ADN, complétez le double brin d'ADN en coloriant les bases azotées selon la légende et en inscrivant les lettres des bases azotées manquantes.

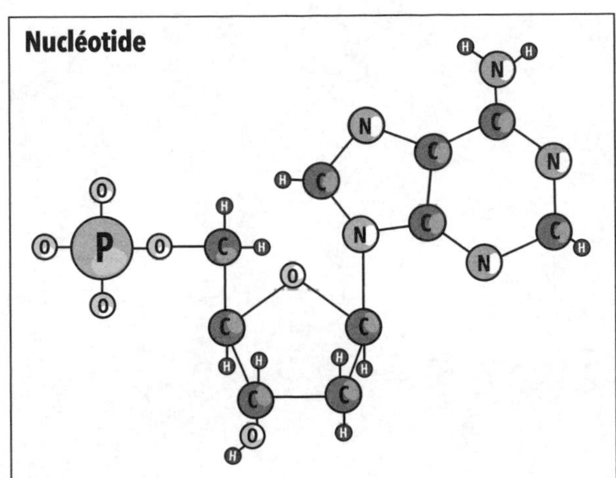

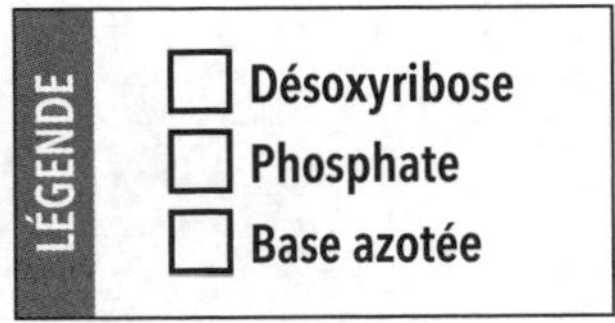

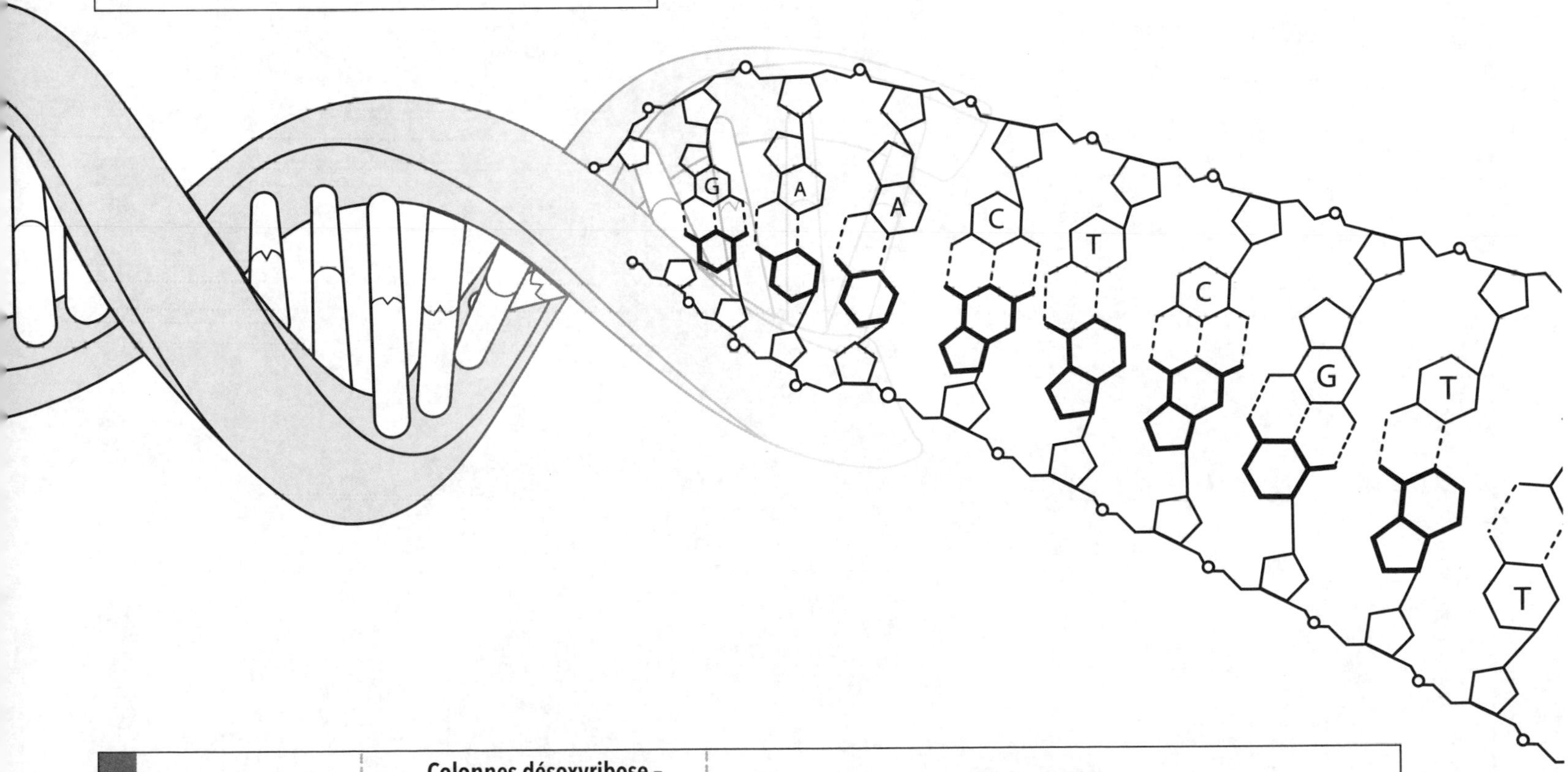

LÉGENDE

	Colonnes désoxyribose – groupement phosphate	Bases azotées	
Forme chimique	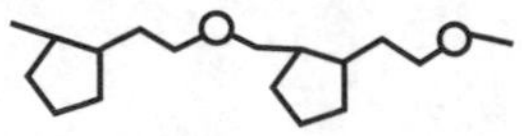	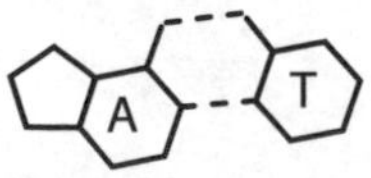 A T	 G C
Forme illustrée	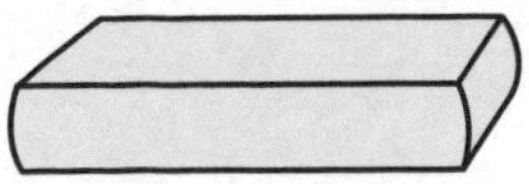	 Adénine Thymine	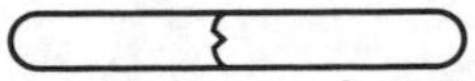 Guanine Cytosine

RÉSUMÉ ILLUSTRÉ DES CONNAISSANCES DU CHAPITRE 2 : LA CHIMIE

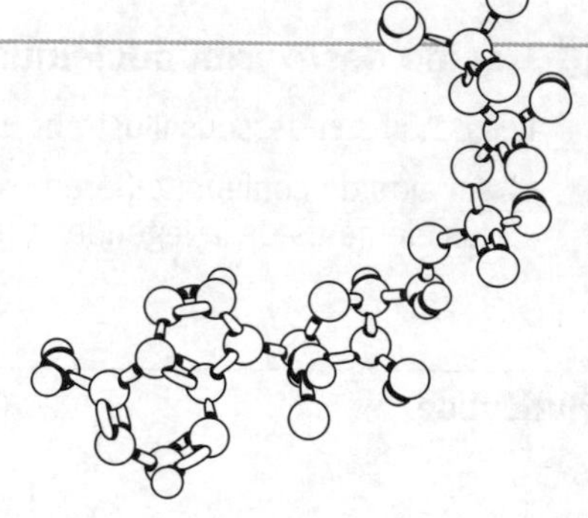

Dans cette page, résumez ou illustrez les principaux concepts de chimie liés aux objectifs d'apprentissage de votre cours de biologie. Vous pouvez vous servir de cette page comme aide-mémoire lors de votre étude.

CHAPITRE 3

LA CELLULE

1 Vocabulaire

À l'aide des définitions suivantes, remplissez la grille de mots croisés ci-dessous.

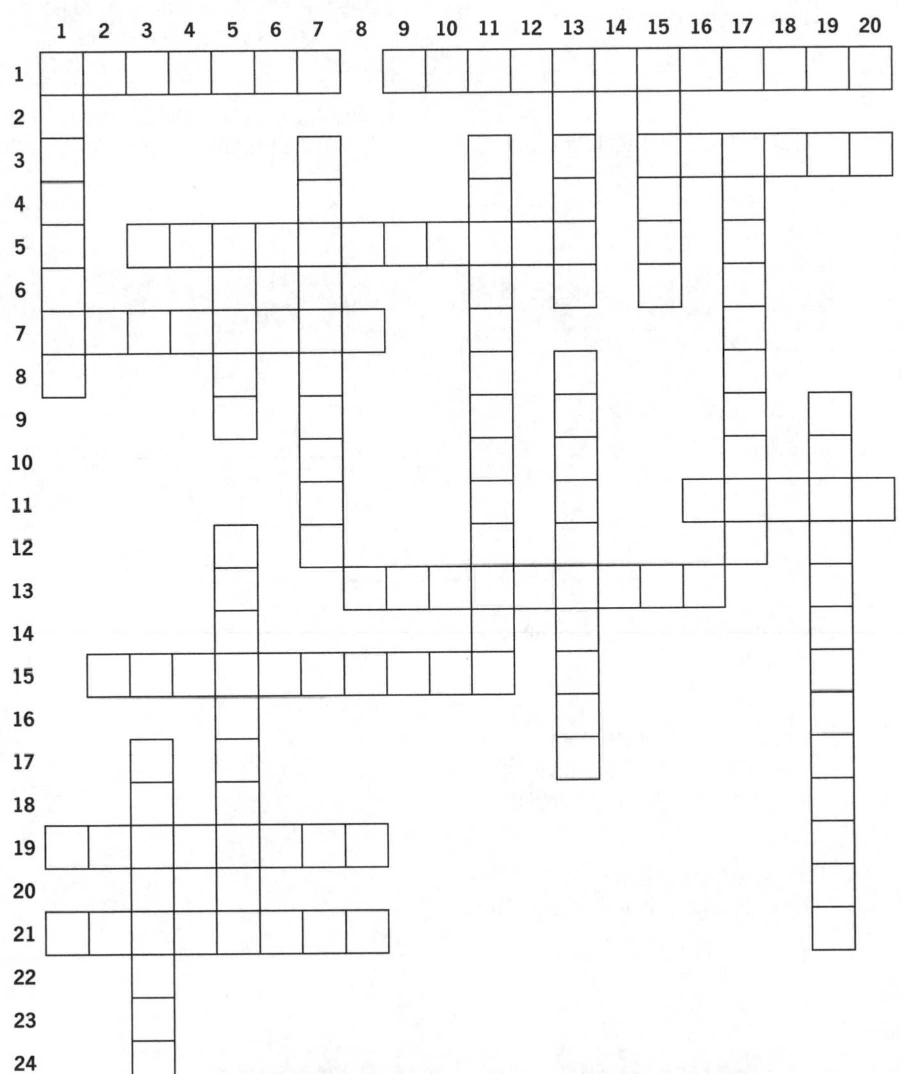

HORIZONTALEMENT

1. Type de réticulum dont la membrane est parsemée de ribosomes. Organite qui produit de grandes quantités d'ATP. **3.** Type de division cellulaire par lequel le matériel génétique est réparti également entre deux noyaux. **5.** Type de transport vésiculaire permettant l'ingestion de grosses particules solides par la cellule. **7.** Modification permanente de l'ADN dans la séquence d'un gène. **11.** Organite contenant l'ensemble du matériel génétique. **13.** Type de diffusion qui s'effectue à travers un canal membranaire selon le gradient de concentration. **15.** Structure en bâtonnet visible au microscope optique au moment de la division cellulaire et constituée d'ADN et de protéines. **19.** Organite vésiculaire contenant des enzymes digestives qui dégradent plusieurs types de molécules. **21.** Prolongement de la surface cellulaire permettant le déplacement de la cellule en entier.

VERTICALEMENT

1. Organite qui assure la synthèse des protéines. **3.** Type de molécule d'ARN contenant la copie d'un gène. **5.** Se dit du transport qui nécessite de l'ATP pour déplacer des substances d'un côté à l'autre d'une membrane contre leur gradient de concentration. Terme désignant tout le contenu cellulaire entre la membrane plasmique et le noyau. **7.** État d'une solution dont la concentration en soluté est la même de part et d'autre de la membrane. **11.** Principal type de molécule composant la membrane plasmique (aussi appelé phosphoglycérolipide). **13.** Maladie caractérisée par une division incontrôlée de certaines cellules de l'organisme. Étape de la division cellulaire caractérisée par la répartition égale du cytoplasme et des organites entre les deux cellules filles. **15.** Mécanisme passif pendant lequel les molécules d'eau se déplacent à travers une membrane à perméabilité sélective. **17.** Processus par lequel l'information contenue sur un brin d'ARN messager est convertie en une séquence d'acides aminés par un ribosome. **19.** Processus par lequel l'information codée sur l'ADN est copiée sur un brin d'ARN messager.

2 L'anatomie et la physiologie de la cellule

a) Complétez le tableau suivant décrivant les diverses parties de la cellule.

b) Sur le schéma de la page suivante, désignez les structures cellulaires à l'aide du numéro fourni dans le tableau et/ou d'une couleur de votre choix.

Nº/couleur	Structure cellulaire	Localisation ou courte description	Fonction
1 ☐		Limite externe de la cellule	Enferme le contenu cellulaire ; règle les entrées et les sorties de matières.
2 ☐		Dispersée dans le cytoplasme	Constitue le site de la libération de l'énergie venant des nutriments ; effectue la synthèse de l'ATP.
3 ☐	Complexe golgien		
4 ☐	Réticulum endoplasmique lisse (REL)		
5 ☐	Réticulum endoplasmique rugueux (RER)		
6 ☐		Rattaché au RER ou dispersé dans le cytoplasme	
7 ☐		Réseau de protéines structurales ; comprend les microfilaments, les filaments intermédiaires et les microtubules.	
8 ☐		Deux structures cylindriques et perpendiculaires situées près du noyau	
9 a ☐ 9 b ☐	Microvillosités Cil et flagelle		
10 ☐	Lysosome		
11 ☐			Régule le métabolisme ; stocke et traite l'information génétique ; contrôle la synthèse des protéines.
12 ☐		Portion liquide du cytoplasme	

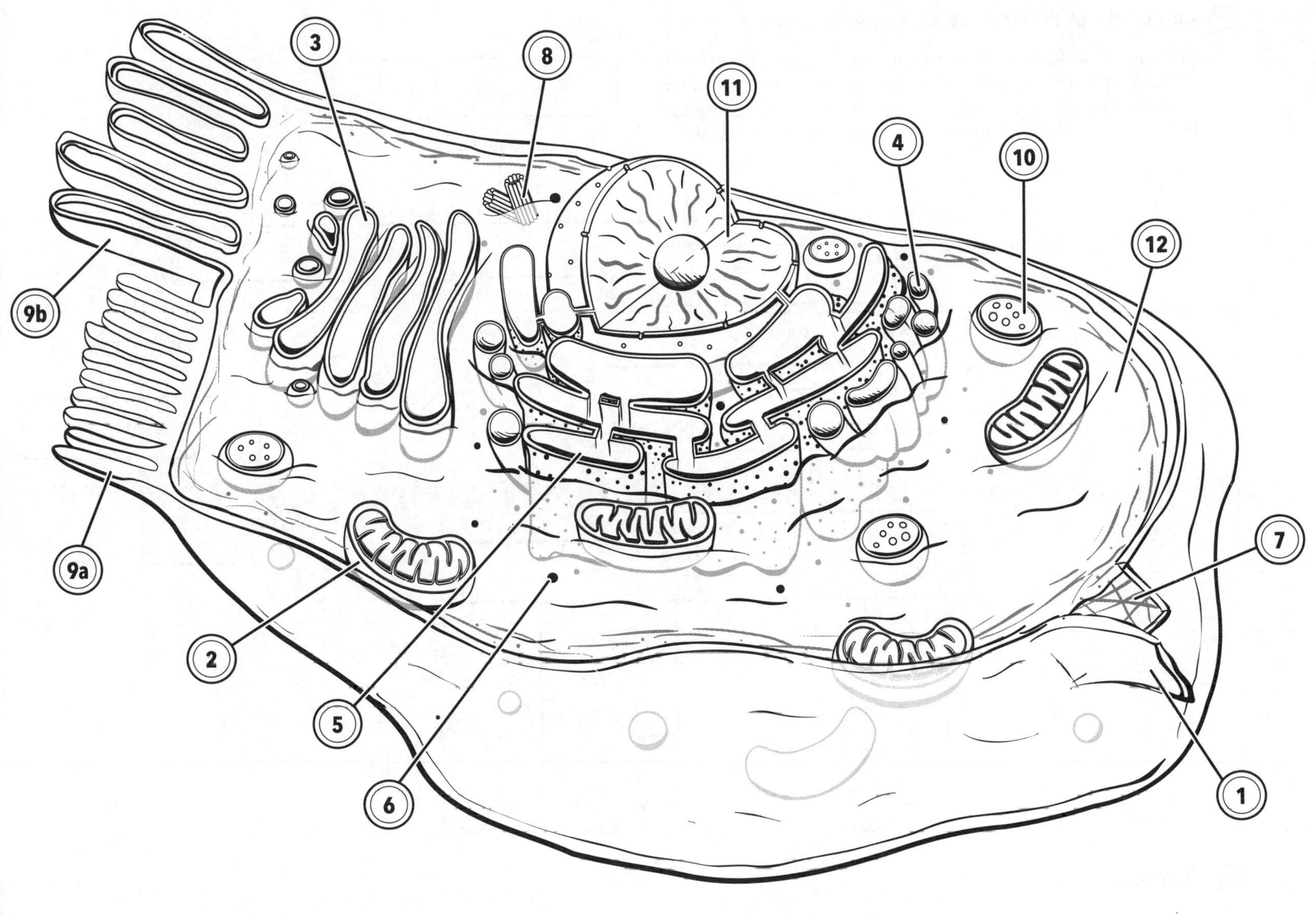

APPLICATION 3.1 : La maladie de Tay-Sachs est une maladie neurologique mortelle causée par une mutation du gène codant pour une enzyme lysosomale. Selon vos connaissances sur les organites cellulaires, quels problèmes affecteront une cellule dans laquelle une enzyme lysosomale est inopérante ?

____

____

____

____

APPLICATION 3.2 : Un mauvais fonctionnement de l'enzyme *cytochrome c oxydase*, ou complexe IV de la chaine de transport des électrons, est à l'origine de l'acidose lactique congénitale dans la région du Saguenay-Lac-Saint-Jean. L'enzyme défectueuse est incapable de jouer son rôle : le corps ne produit pas suffisamment d'énergie pour ses besoins et de l'acide lactique s'accumule. Sachant que l'enzyme *cytochrome c oxydase* est l'une des nombreuses enzymes intervenant dans la chaine de production d'énergie et qu'en présence d'oxygène, cette enzyme aide à transformer des molécules organiques en énergie directement utilisable par la cellule, encerclez dans le schéma ci-dessus l'organite où se trouve cette enzyme.

3 La cellule et l'ensemble de ses constituants

Complétez le schéma de concepts suivant en ajoutant les chiffres de l'exercice précédent dans les cercles et les mots suivants dans les cases : organites, non membraneux, phospholipides (phosphoglycérolipides), membraneux et cytoplasme.

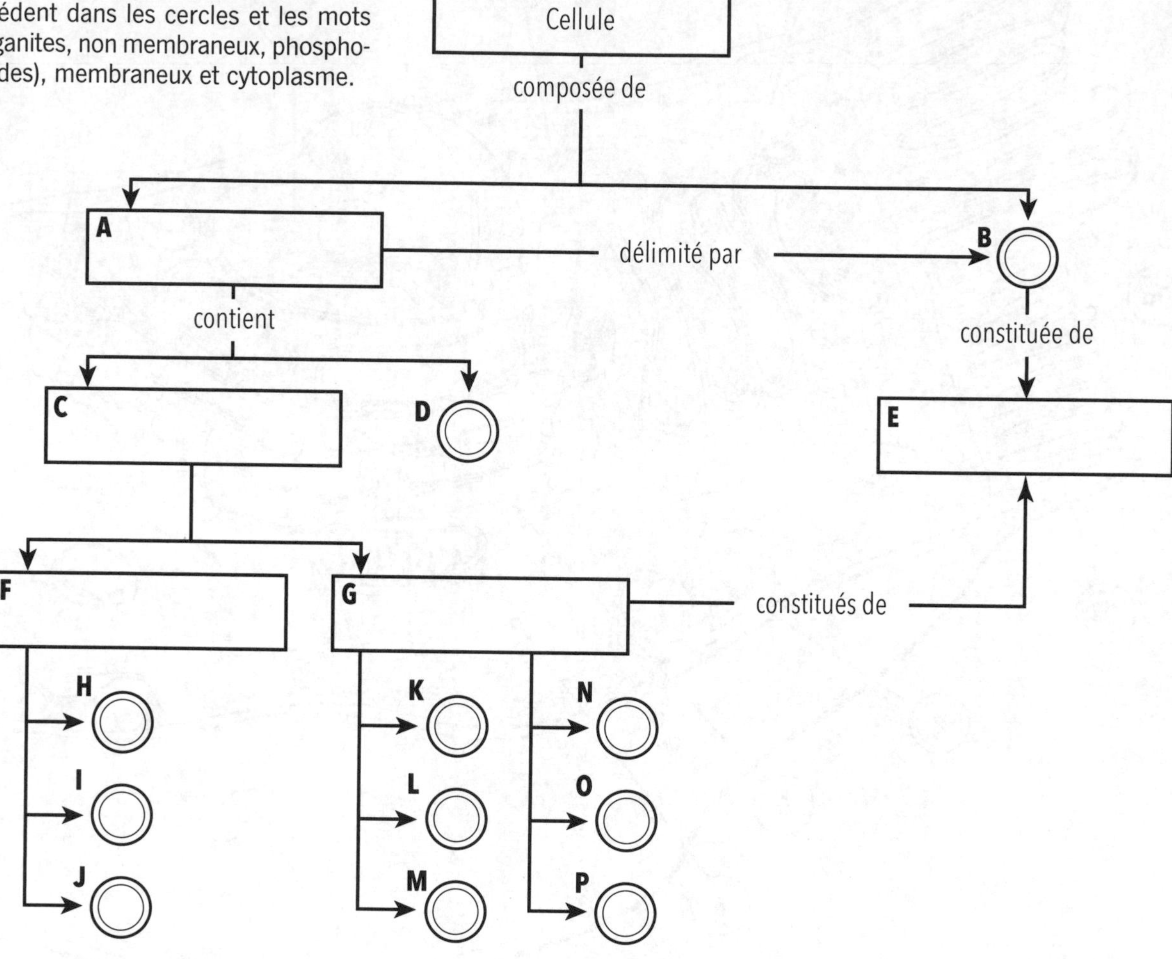

4 L'osmose

L'osmose est le mouvement de l'eau d'une solution diluée vers une solution concentrée.

Voici trois champs microscopiques illustrant des érythrocytes baignant dans différentes solutions. Dans chacune des situations ci-dessous :

a) Indiquez à l'aide de flèches le mouvement osmotique (mouvement de l'eau ; osmose) entre le milieu extracellulaire et le milieu intracellulaire de l'érythrocyte (NaCl 0,9 %).

b) Dans la partie inférieure du champ microscopique, dessinez un nouvel érythrocyte en insistant sur l'aspect qu'il prendra à la suite du mouvement osmotique net.

c) Sur la ligne prévue à cet effet, dites si l'érythrocyte baigne dans une solution isotonique, hypotonique ou hypertonique.

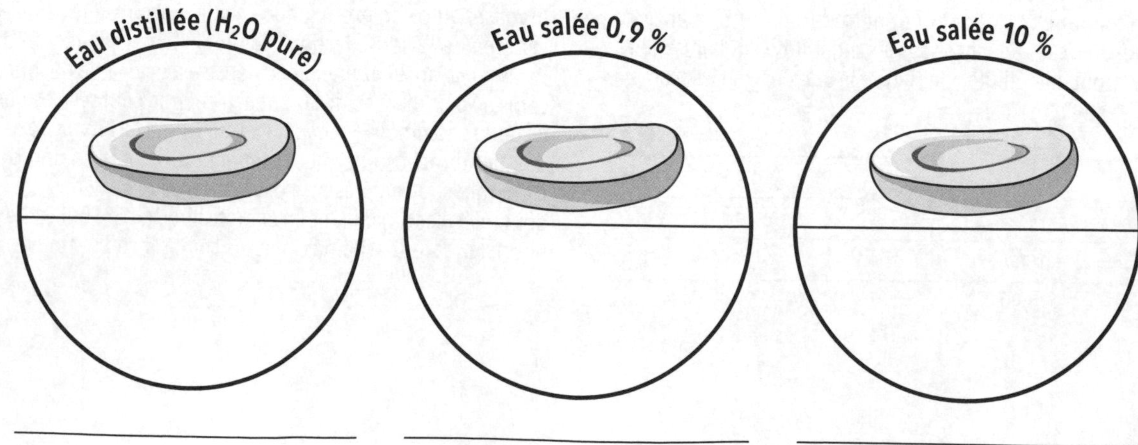

5 La mitose

Complétez le schéma ci-dessous, qui décrit les étapes de la mitose.

a) Écrivez le nom des étapes de la mitose.
b) À l'aide de couleurs différentes, coloriez les éléments nommés dans la légende et les carrés correspondants.
c) Choisissez quatre couleurs et attribuez une couleur différente à chacun des quatre chromosomes. Coloriez chacun d'eux partout où il apparait.
d) Décrivez brièvement les évènements se produisant au cours de chacune des étapes.

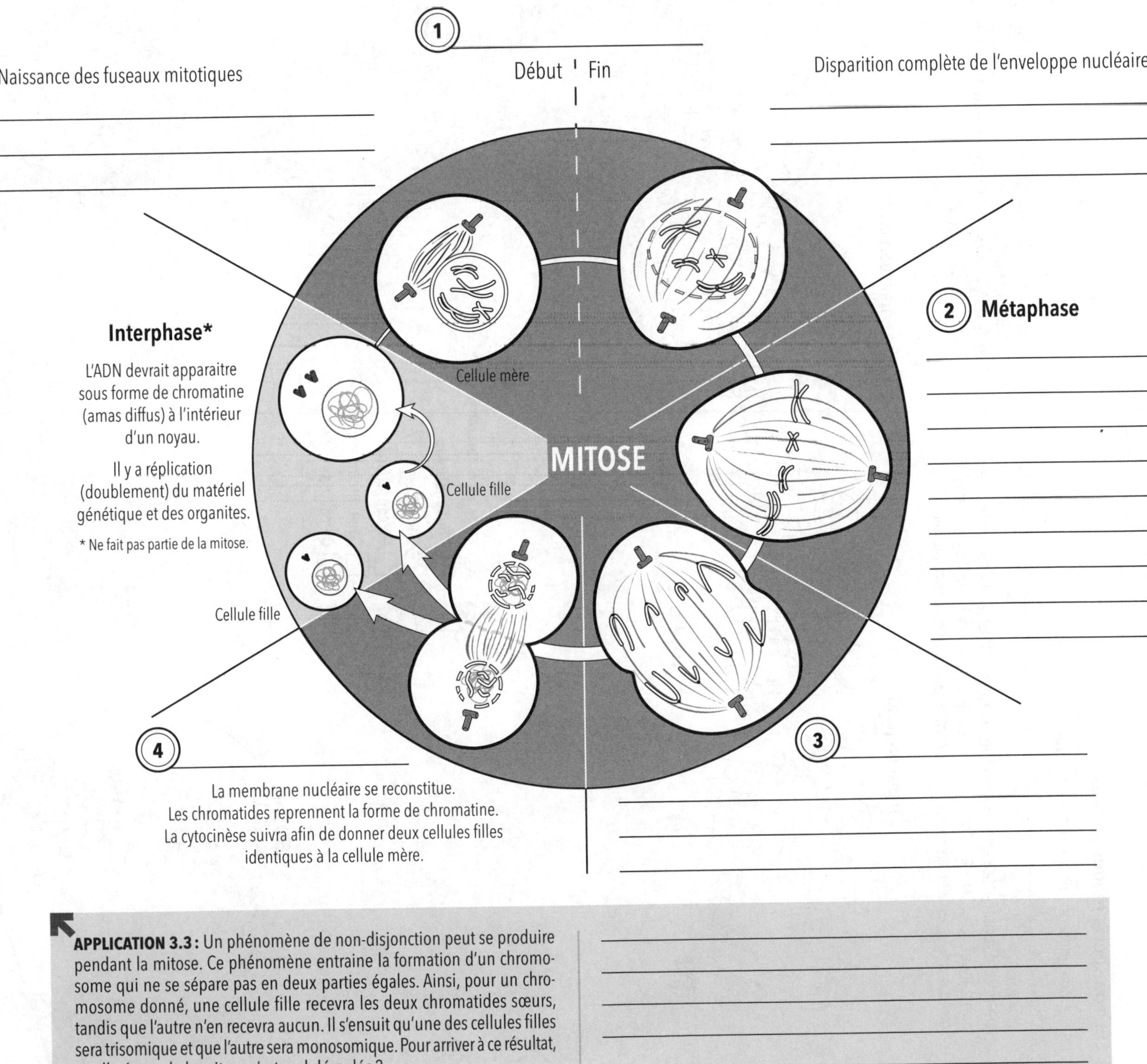

APPLICATION 3.3 : Un phénomène de non-disjonction peut se produire pendant la mitose. Ce phénomène entraine la formation d'un chromosome qui ne se sépare pas en deux parties égales. Ainsi, pour un chromosome donné, une cellule fille recevra les deux chromatides sœurs, tandis que l'autre n'en recevra aucun. Il s'ensuit qu'une des cellules filles sera trisomique et que l'autre sera monosomique. Pour arriver à ce résultat, quelle étape de la mitose s'est mal déroulée ?

6 Les transports membranaires

Le dessin ci-dessous illustre une membrane plasmique.

a) Coloriez les composants membranaires de la légende dans la zone agrandie (zoom).

b) De part et d'autre de cette membrane cellulaire, illustrez la répartition des substances (O_2, CO_2, K^+, Na^+, Cl^-, protéines et glucose), ainsi que la direction de leur déplacement entre les milieux intracellulaire et extracellulaire.

c) Complétez le tableau de la page suivante afin de résumer vos connaissances sur les mécanismes de transport de la cellule.

d) Inscrivez dans le tableau le numéro correspondant au transport membranaire illustré ci-dessous.

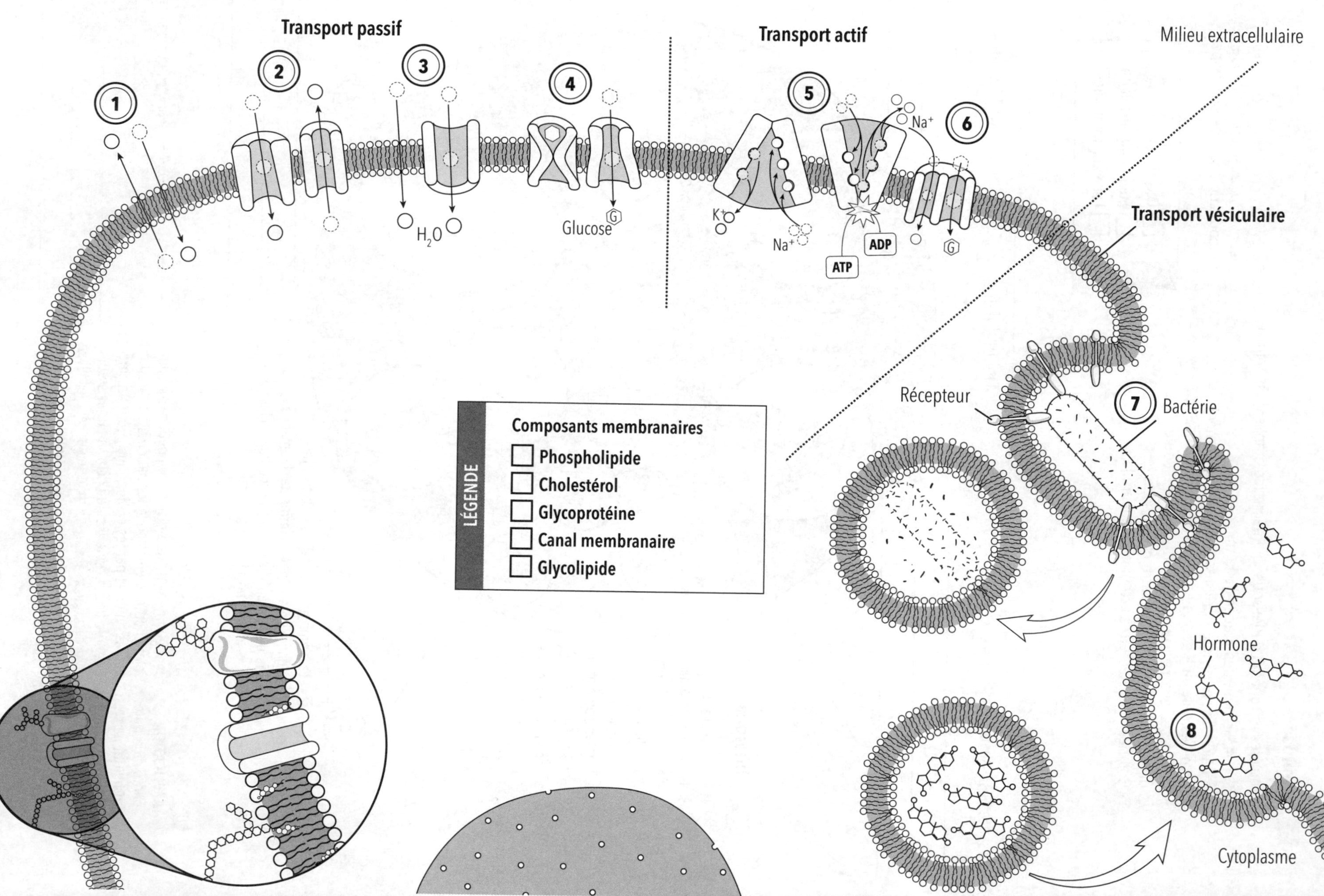

Nº	Nom du mécanisme de transport		Ce qui se déplace (particule, eau, ion, etc.)	Direction du déplacement	Protéine nécessaire (oui ou non)	Mécanisme (actif ou passif)
			Eau (solvant)		Non	
					Oui (aquaporine)	
		Primaire		Contre le gradient de concentration (d'une faible concentration vers une forte concentration de solutés)		Actif
		Secondaire				
	Endocytose			De l'extérieur vers l'intérieur de la cellule (La cellule mange.)		
			Liquide contenant de petites molécules			
4				Selon le gradient de concentration (d'une forte concentration vers une faible concentration de solutés)		Passif
			Solutés hydrophiles (p. ex., ions)			
	Diffusion simple					
				De l'intérieur vers l'extérieur de la cellule	Non	Actif

APPLICATION 3.4 : Lors de l'hémodialyse, une tubulure amène le sang du patient jusqu'à un appareil d'hémodialyse qui remplit les fonctions des reins qui ne sont plus en mesure de les effectuer. Cet appareil est constitué d'une membrane semi-perméable qui permet au sang de faire des échanges avec un liquide appelé dialysat dans lequel sont éliminées certaines substances (urée, créatinine, potassium, etc.). Ensuite, le sang retourne dans le corps par un autre système de tubulure. Par quels types de mécanismes de transport le sang élimine-t-il ces déchets lors de la dialyse ?

____

____

7 La réplication de l'ADN

La réplication de l'ADN est un processus qui permet d'obtenir deux molécules identiques d'ADN à partir d'une molécule initiale. À partir d'un brin d'ADN, complétez la séquence d'ADN en y ajoutant les bases azotées complémentaires et coloriez-les selon votre propre code de quatre couleurs (A-T-C-G).

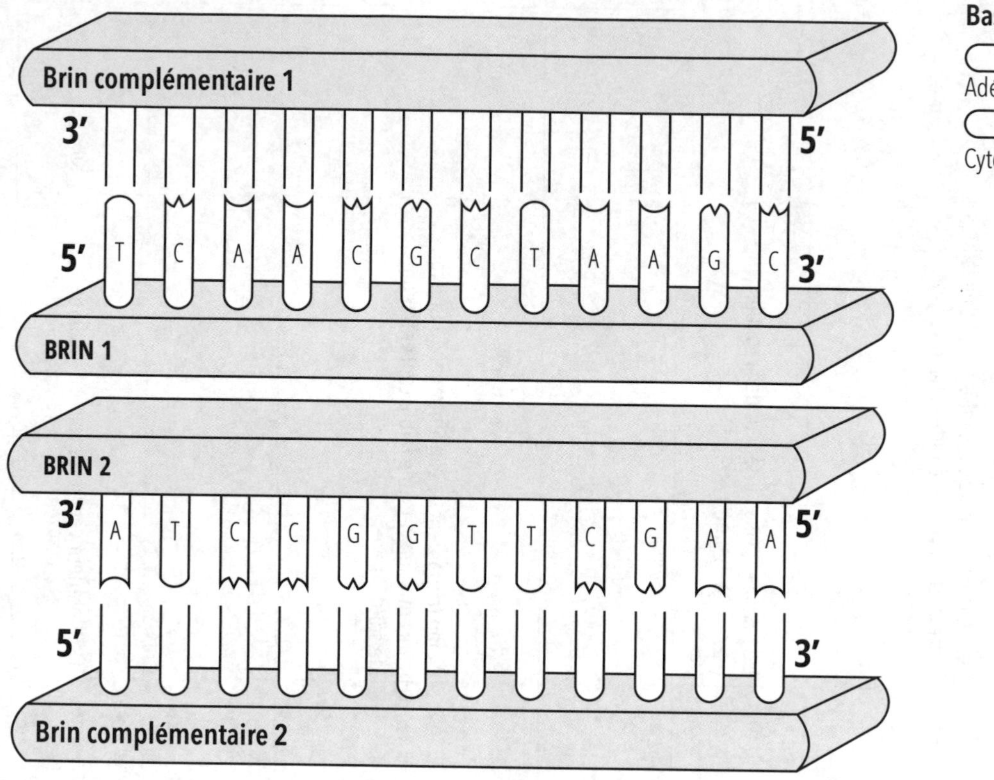

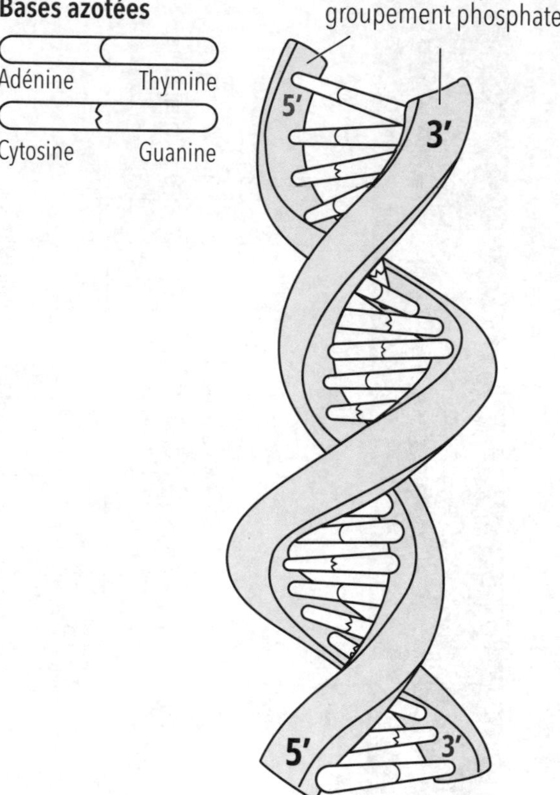

8 La synthèse des protéines

Le **dictionnaire du code génétique** vous aidera à faire cet exercice. Coloriez en quatre couleurs différentes les quatre bases azotées présentes sur l'ARN messager (ARNm) afin de faciliter son utilisation.

a) • Indiquez quelles sont les bases azotées sur le brin d'ADN codant et sur le brin d'ARN messager.
   • Nommez les deux étapes de la synthèse des protéines.
   • Synthétisez la protéine à partir du brin matrice.

Guide d'utilisation

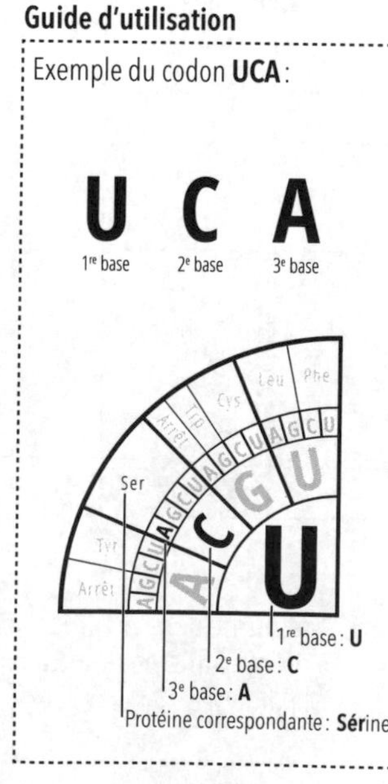

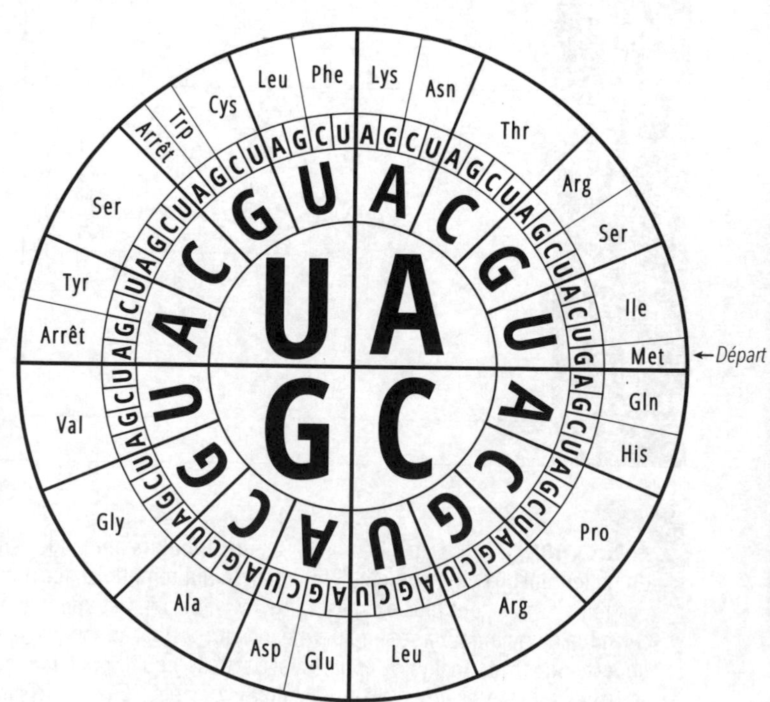

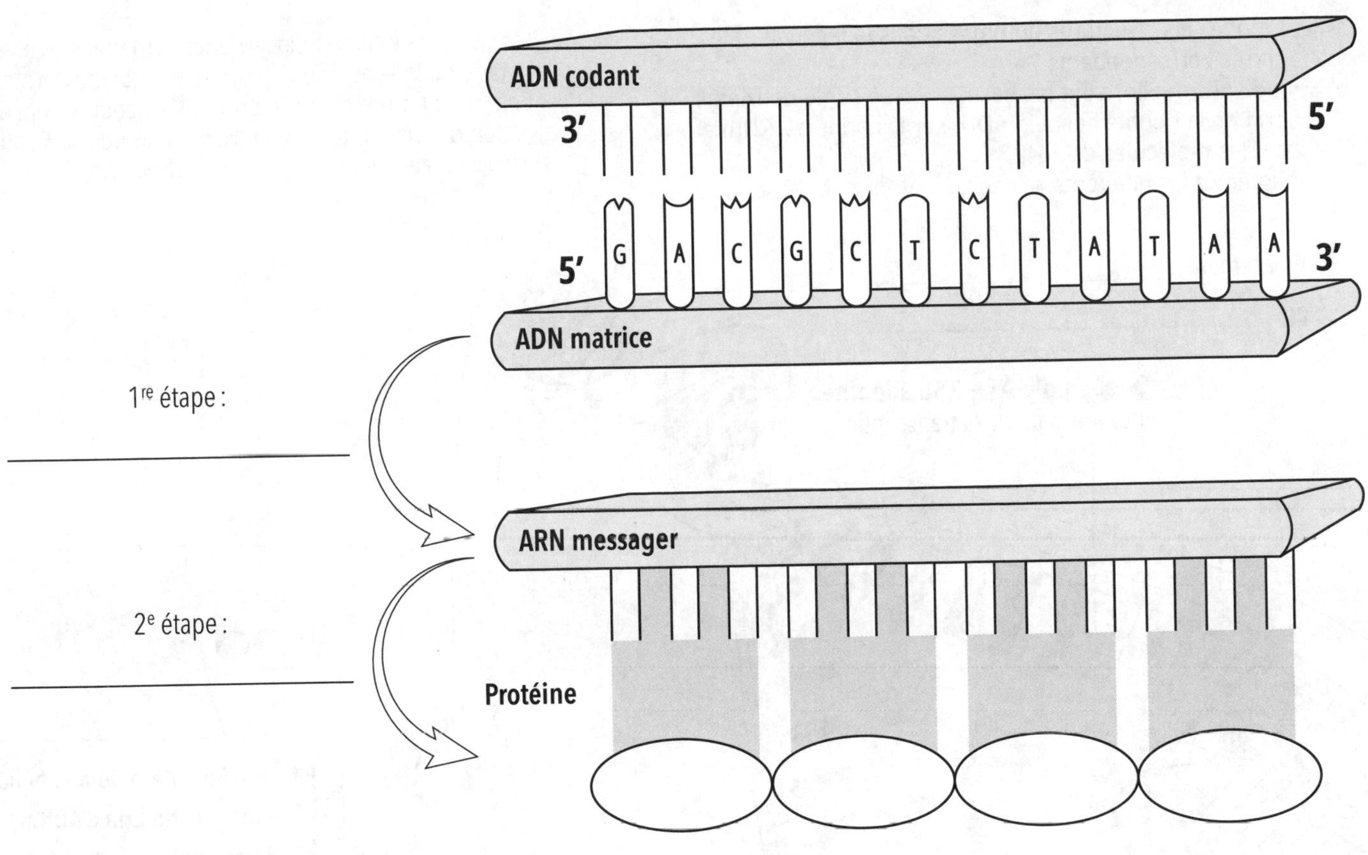

b) À partir de la portion du brin codant d'ADN ci-dessous, trouvez tout d'abord les bases azotées de l'ARNm correspondant, puis inscrivez dans les cercles vides l'abréviation des acides aminés qui s'assembleront lors de la synthèse de cette protéine.

ADN matrice	A	C	G	T	C	C	A	T	G
ARNm	__	__	__	__	__	__	__	__	__
Acides aminés									

c) Nommez les anticodons intervenant dans la traduction au niveau de l'ARN de transfert (ARNt), et dans chaque cas, indiquez l'acide aminé transporté.

ARNm (codons)	AUG	CCU	UGG	CUC	AAC	UGA
ARNt (anticodons)						
Protéine (acides aminés)						

d) • Coloriez les structures nommées dans la légende et les carrés correspondants.
- Indiquez quelles sont les bases azotées sur le deuxième brin de la double hélice d'ADN, sur les brins d'ARNm et sur les molécules d'ARNt.
- Nommez les différents acides aminés formant la protéine.
- Indiquez les deux emplacements demandés et associez-y l'étape de la synthèse des protéines qui s'y déroule.
- Encerclez un triplet sur le brin d'ADN codant ; encadrez le codon d'arrêt ; et tracez un triangle autour de l'anticodon associé à l'acide aminé « asparagine » (Asp).

Emplacement : ______________________

Étape : ______________________

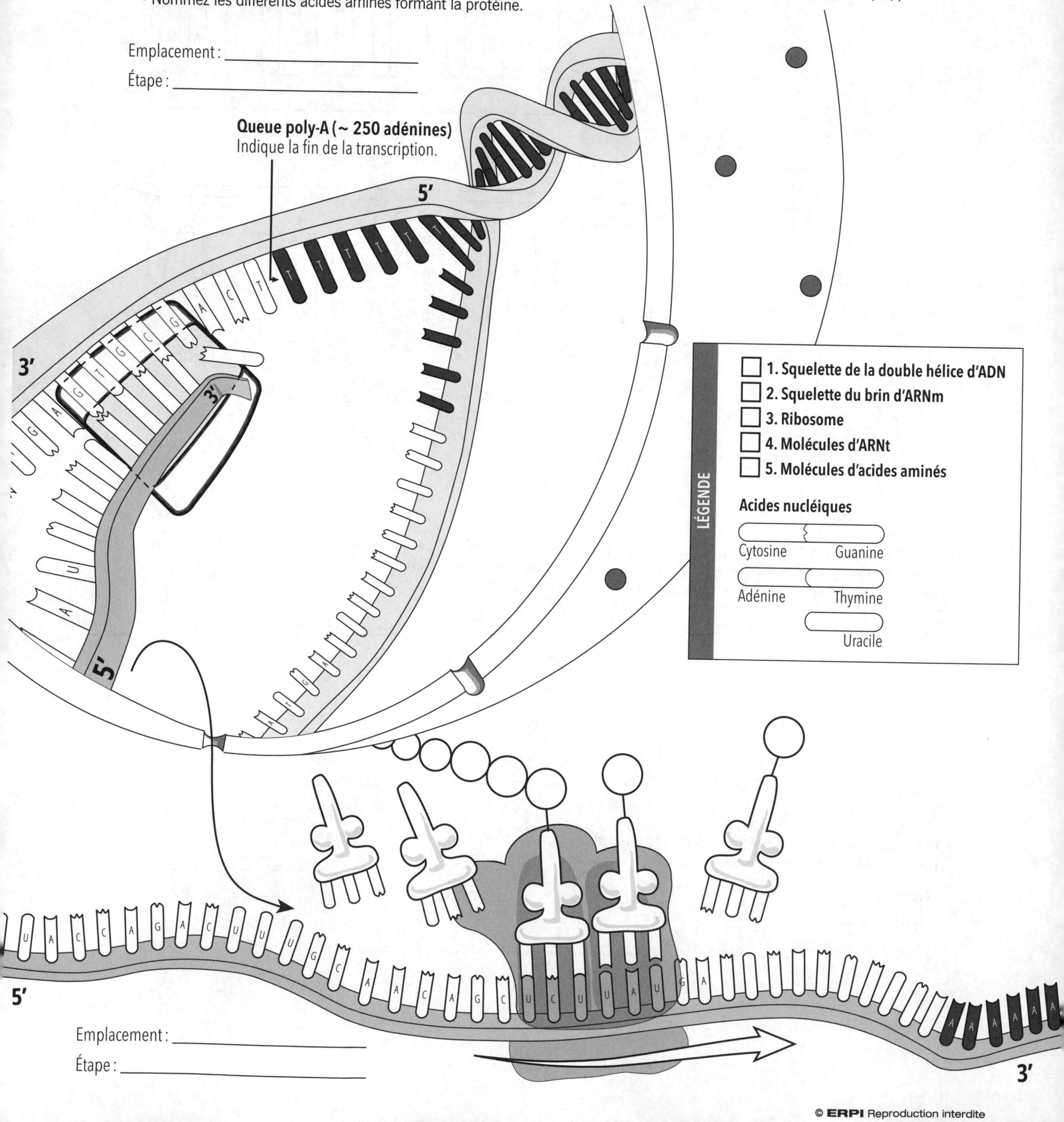

Queue poly-A (~ 250 adénines)
Indique la fin de la transcription.

5′

3′

3′

5′

T T T T T T

A C T G C G T G A G

U A

A T G G A

LÉGENDE

☐ **1. Squelette de la double hélice d'ADN**

☐ **2. Squelette du brin d'ARNm**

☐ **3. Ribosome**

☐ **4. Molécules d'ARNt**

☐ **5. Molécules d'acides aminés**

Acides nucléiques

Cytosine Guanine

Adénine Thymine

Uracile

U A C C A G A C U U U G C A A C A G C U C U U A U G A

A A A A A A

5′

3′

Emplacement : ______________________

Étape : ______________________

9 Les mutations génétiques

À partir de la portion du brin matrice d'ADN ci-dessous :

a) Trouvez les bases azotées de l'ARNm correspondant, puis les acides aminés qui s'assembleront pour former la protéine.

b) Mettez en évidence les bases azotées qui ont subi une mutation et la conséquence de cette mutation sur la séquence d'acides aminés de la protéine produite.

c) Cochez la case appropriée selon que la mutation n'a aucune conséquence (mutation silencieuse), engendre un arrêt prématuré de la synthèse de la protéine (mutation non-sens) ou provoque le remplacement d'un acide aminé (mutation faux-sens).

ADN normal	TAC CAT GTA AAT TGA GGA CTT AGA TTT
ARN messager	
Protéine	

ADN avec mutation 1	TAC CAT GTA AAT TGA GGA CTT TCA TTT
ARN messager	
Protéine	

Type de mutation : ☐ silencieuse ☐ non-sens ☐ faux-sens

ADN avec mutation 2	TAC CAT GTA AAT TGA GGA ATT AGA TTT
ARN messager	
Protéine	

Type de mutation : ☐ silencieuse ☐ non-sens ☐ faux-sens

ADN avec mutation 3	TAC CAT GTA AAT TGA GGA CGA CTT TTT
ARN messager	
Protéine	

Type de mutation : ☐ silencieuse ☐ non-sens ☐ faux-sens

APPLICATION 3.5 : La mucoviscidose, ou fibrose kystique, est une maladie génétique qui affecte les épithéliums glandulaires de nombreux organes. Cette maladie est liée à des mutations du gène CFTR porté par le chromosome 7, ce qui entraine une altération des canaux ioniques permettant le transport du chlore. Leur dysfonctionnement provoque une augmentation de la viscosité du mucus et son accumulation dans les voies respiratoires et digestives. La mutation la plus fréquente (Delta F508) consiste en une délétion de trois nucléotides, aboutissant à l'élimination d'un acide aminé en position 508.

À partir de la portion du brin codant d'ADN normal ci-contre :

a) Trouvez les bases azotées du brin matrice et de l'ARNm correspondant, puis les acides aminés qui s'assembleront pour former la protéine.

b) Sachant que les astérisques (*) représentent les bases azotées ayant subi une délétion (éliminées par la mutation), retranscrivez les bases azotées de l'ADN muté et mettez en évidence l'effet de cette mutation sur la protéine produite.

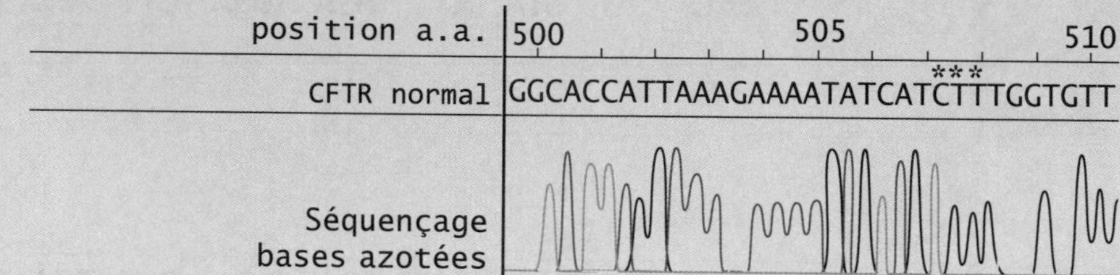

	Individu sain
ADN du brin codant	GGCACCATTAAAGAAAATATCATCTTTGGTGTT
ADN du brin matrice	
ARN messager	
Protéine	

	Individu atteint de la mutation Delta F508
ADN du brin codant	
ADN du brin matrice	
ARN messager	
Protéine	

LES TISSUS, LES MEMBRANES ET LE SYSTÈME TÉGUMENTAIRE

CHAPITRE 4

1 Vocabulaire

À l'aide des définitions suivantes, remplissez la grille de mots croisés ci-dessous.

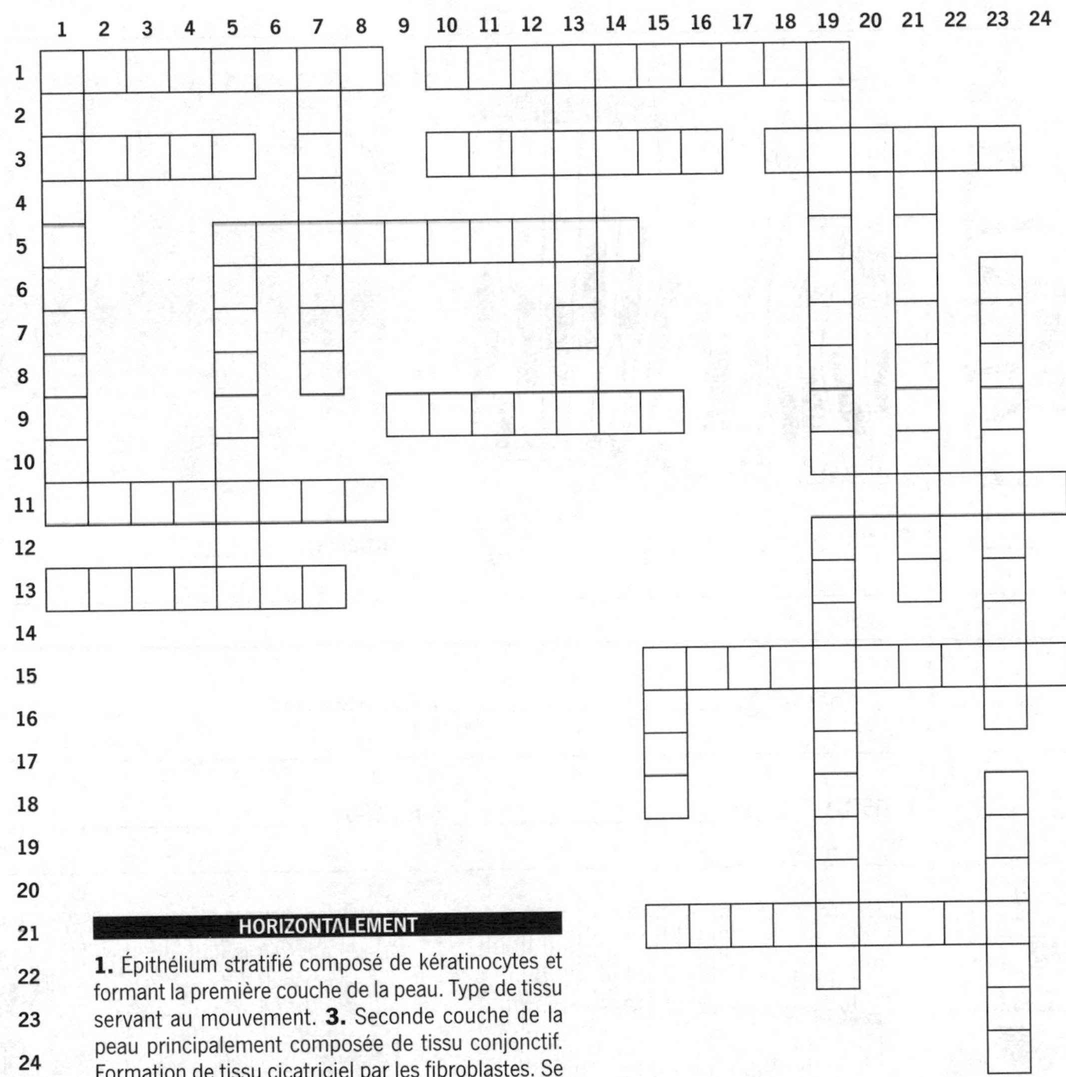

HORIZONTALEMENT

1. Épithélium stratifié composé de kératinocytes et formant la première couche de la peau. Type de tissu servant au mouvement. **3.** Seconde couche de la peau principalement composée de tissu conjonctif. Formation de tissu cicatriciel par les fibroblastes. Se dit d'un épithélium composé d'une seule couche de cellules. **5.** Type de tissu ayant pour fonctions de protéger et de soutenir les organes. **9.** Type de tissu conjonctif capable de stocker les triglycérides (graisses). **11.** Membrane située à l'intérieur d'une cavité s'ouvrant directement sur l'extérieur. Substance huileuse produite par des glandes situées dans le derme dont la fonction est de protéger la peau et les poils de la déshydratation. **13.** Type de tissu permettant de transmettre les potentiels d'action. **15.** Type de glande exocrine qui produit la sueur. **21.** Se dit d'un épithélium composé de plusieurs couches de cellules.

VERTICALEMENT

1. Type de tissu épithélial qui tapisse l'intérieur des vaisseaux sanguins et des vaisseaux lymphatiques. **5.** Fibre formée à partir de protéines, très abondante dans le tissu conjonctif et qui lui confère solidité, résistance à la traction et souplesse. **7.** Pigment jaune ou brun qui colore la peau. **13.** Type de tissu conjonctif dense présent au niveau des surfaces articulaires qui est à la fois dur, mais flexible. **15.** Type de tissu conjonctif liquide contenant des éléments figurés. **19.** Type de tissu qui recouvre la surface du corps et qui tapisse la paroi des cavités, des organes creux et des conduits. Type cellulaire le plus abondant dans le tissu conjonctif. **21.** Terme qualifiant les cellules épithéliales minces et aplaties (aussi appelé squameux). **23.** Type d'épithélium composé de cellules capables de sécrétion. Membrane composée de deux feuillets, un pariétal et un viscéral, qui recouvre les organes internes.

2 Les tissus

Les figures ci-dessous illustrent plusieurs types de tissus.

a) Complétez la légende de la page suivante et choisissez une couleur pour chaque grand type de tissu.
b) Pour chacun des tissus illustrés, indiquez à quel grand type il appartient en surlignant la lettre avec la couleur de la légende.
c) Écrivez le nom précis de chacun des tissus sur la ligne prévue à cet effet.
d) Indiquez les principales fonctions du tissu et donnez un exemple de son emplacement dans le corps humain.

A. TISSU : ______________________

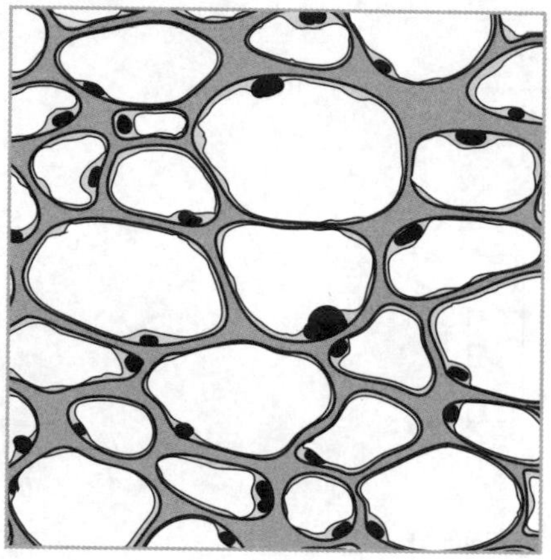

Fonction(s) : ______________________

Emplacement : ______________________

B. TISSU : ______________________

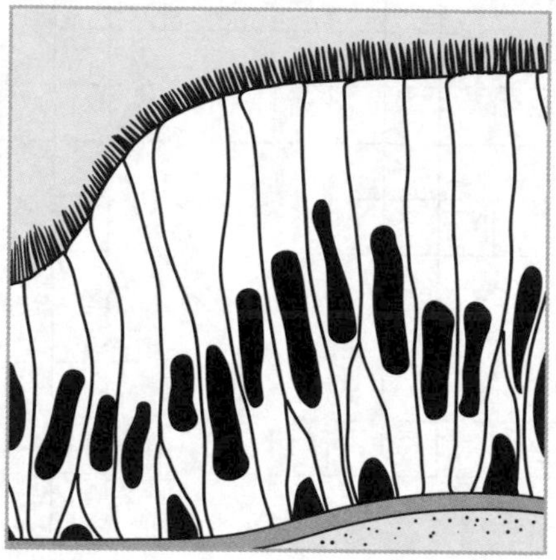

Fonction(s) : ______________________

Emplacement : ______________________

C. TISSU : ______________________

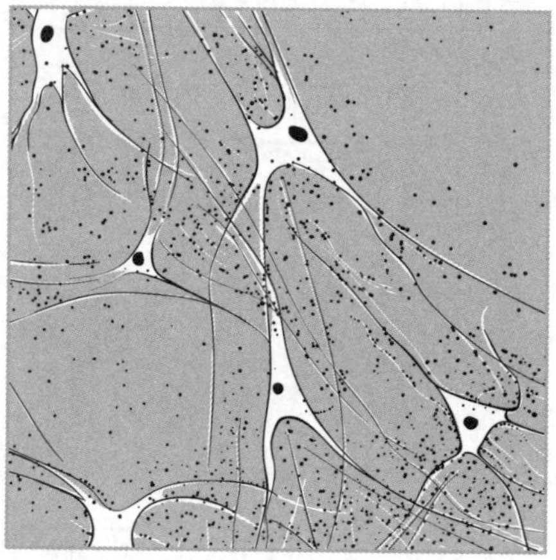

Fonction(s) : ______________________

Emplacement : ______________________

D. TISSU : ______________________

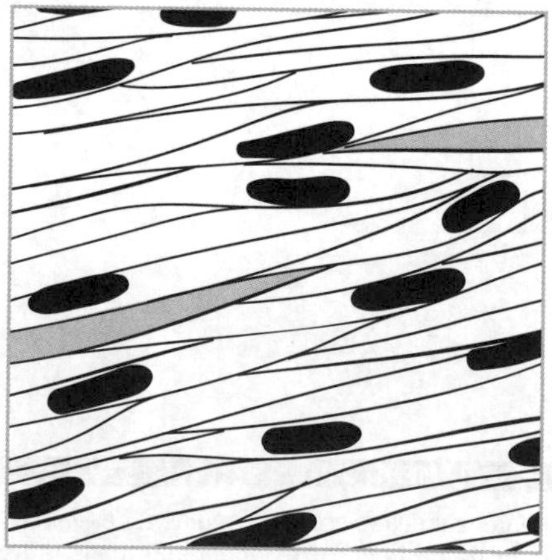

Fonction(s) : ______________________

Emplacement : ______________________

E. TISSU : ______________________

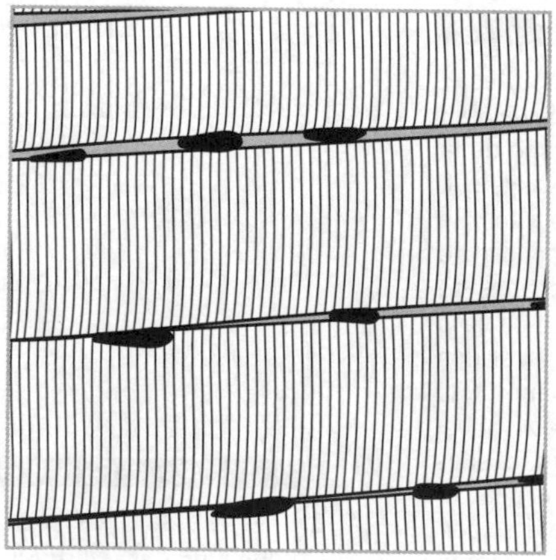

Fonction(s) : ______________________

Emplacement : ______________________

F. TISSU : ______________________

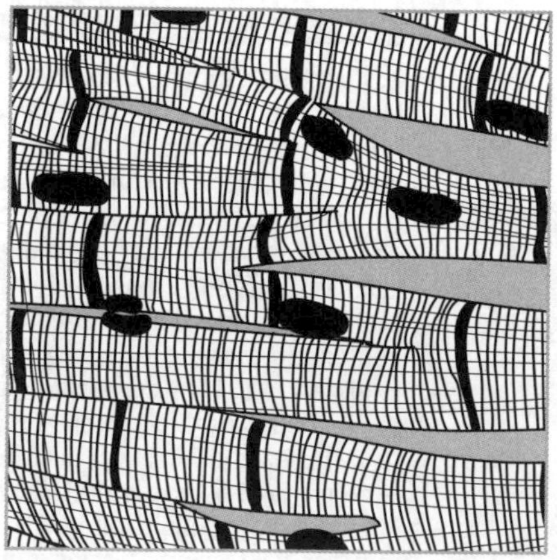

Fonction(s) : ______________________

Emplacement : ______________________

LÉGENDE

☐ Tissu : ____________________ ☐ Tissu : ____________________

☐ Tissu : ____________________ ☐ Tissu : ____________________

G. TISSU : ____________________

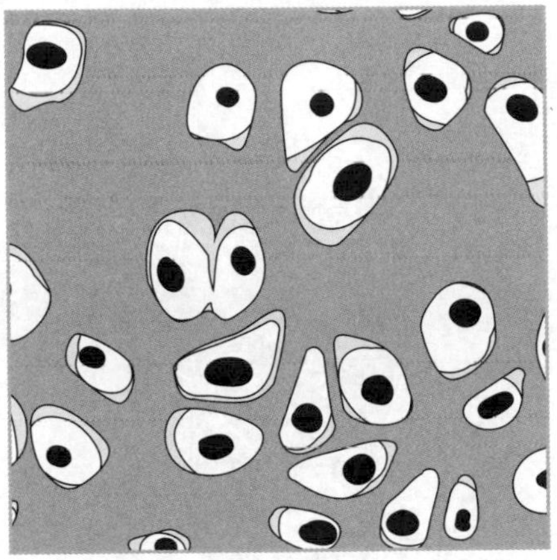

Fonction(s) : ____________________

Emplacement : ____________________

H. TISSU : ____________________

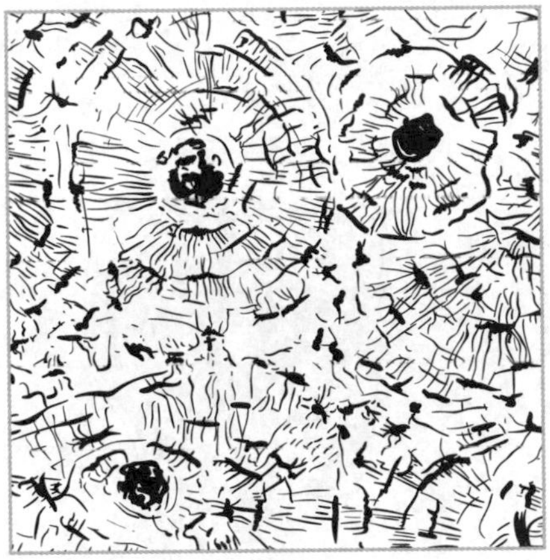

Fonction(s) : ____________________

Emplacement : ____________________

I. TISSU : ____________________

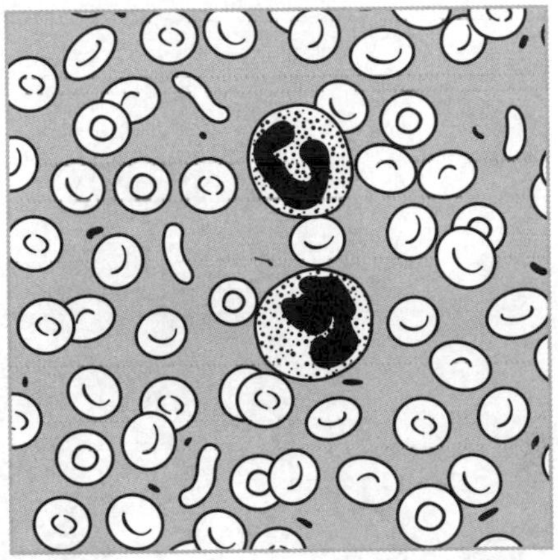

Fonction(s) : ____________________

Emplacement : ____________________

J. TISSU : ____________________

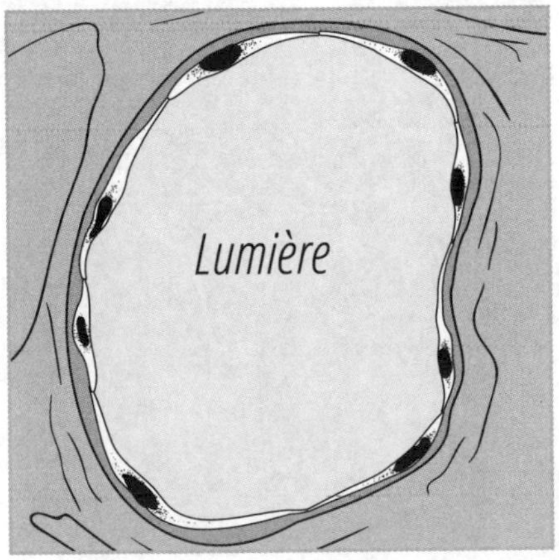

Lumière

Fonction(s) : ____________________

Emplacement : ____________________

K. TISSU : ____________________

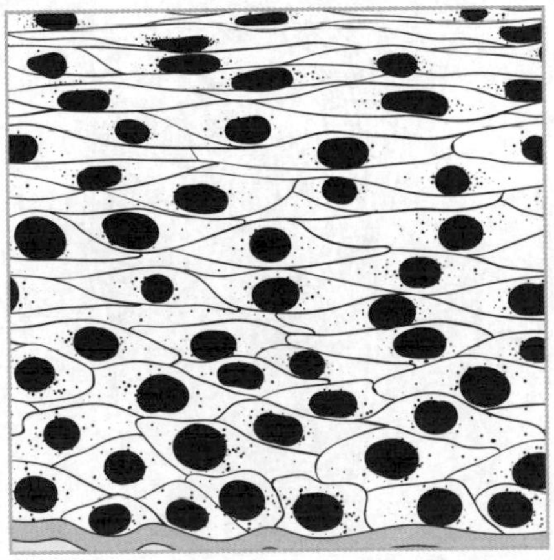

Fonction(s) : ____________________

Emplacement : ____________________

L. TISSU : ____________________

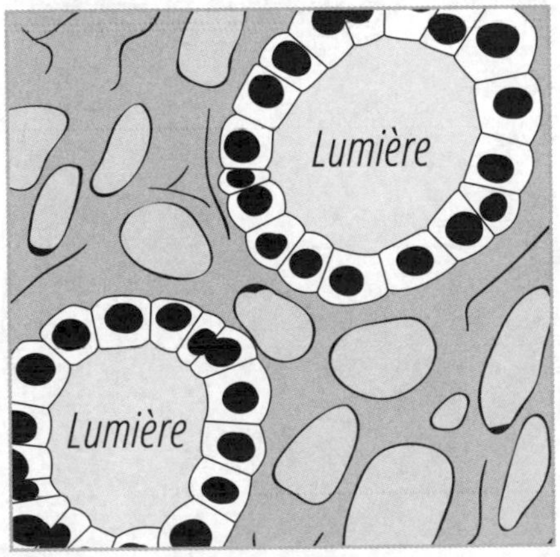

Lumière

Lumière

Fonction(s) : ____________________

Emplacement : ____________________

3 La peau et les membranes

Les figures ci-dessous illustrent l'emplacement de plusieurs membranes de l'organisme.

a) Dans la légende, écrivez le numéro correspondant aux différentes membranes du corps humain.
b) Dans la légende, nommez les différentes membranes séreuses.
c) À l'aide de couleurs différentes, coloriez sur l'illustration les éléments nommés dans la légende et les carrés correspondants.

LÉGENDE

☐ nº______ **Membrane cutanée**
☐ nº______ **Membrane muqueuse**
☐ nº______ **Membrane synoviale**

Membranes séreuses
☐ nº______ **Nom :** ______________________
☐ nº______ **Nom :** ______________________
☐ nº______ **Nom :** ______________________

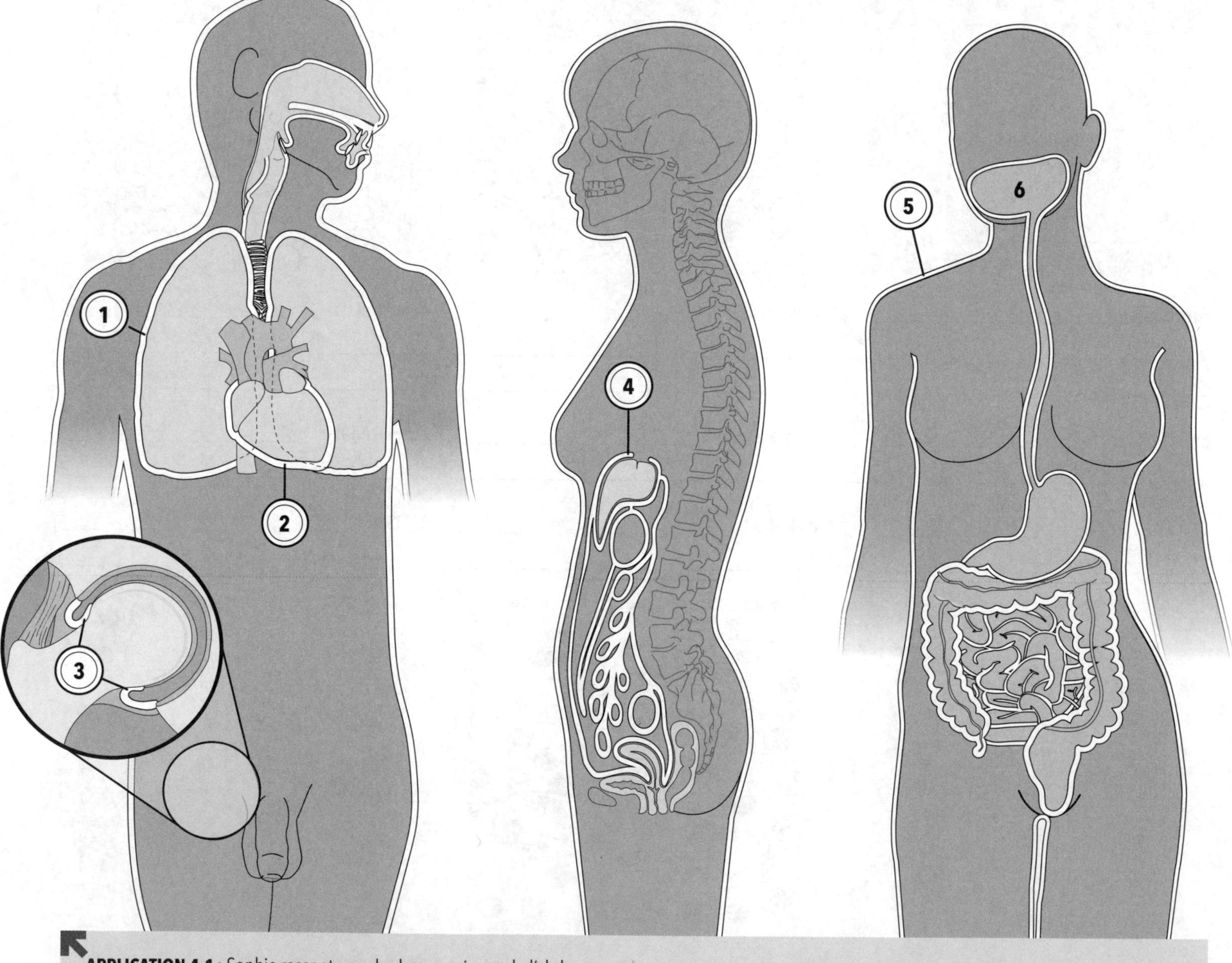

APPLICATION 4.1 : Sophie ressent une douleur au niveau de l'abdomen qui devient de plus en plus intense. On l'emmène à l'hôpital, où les médecins diagnostiquent une appendicite. Malheureusement, l'appendice de Sophie éclate avant même qu'elle arrive au bloc opératoire.

a) Nommez la séreuse qui pourrait s'infecter.

b) Cet évènement peut-il mettre la vie de Sophie en danger ?

____
____
____
____
____

4 L'anatomie de la peau

La figure ci-dessous représente une coupe de la peau.

a) Nommez les structures et les régions numérotées dans la légende.

b) À l'aide de couleurs différentes, coloriez sur l'illustration les éléments nommés dans la légende et les carrés correspondants.

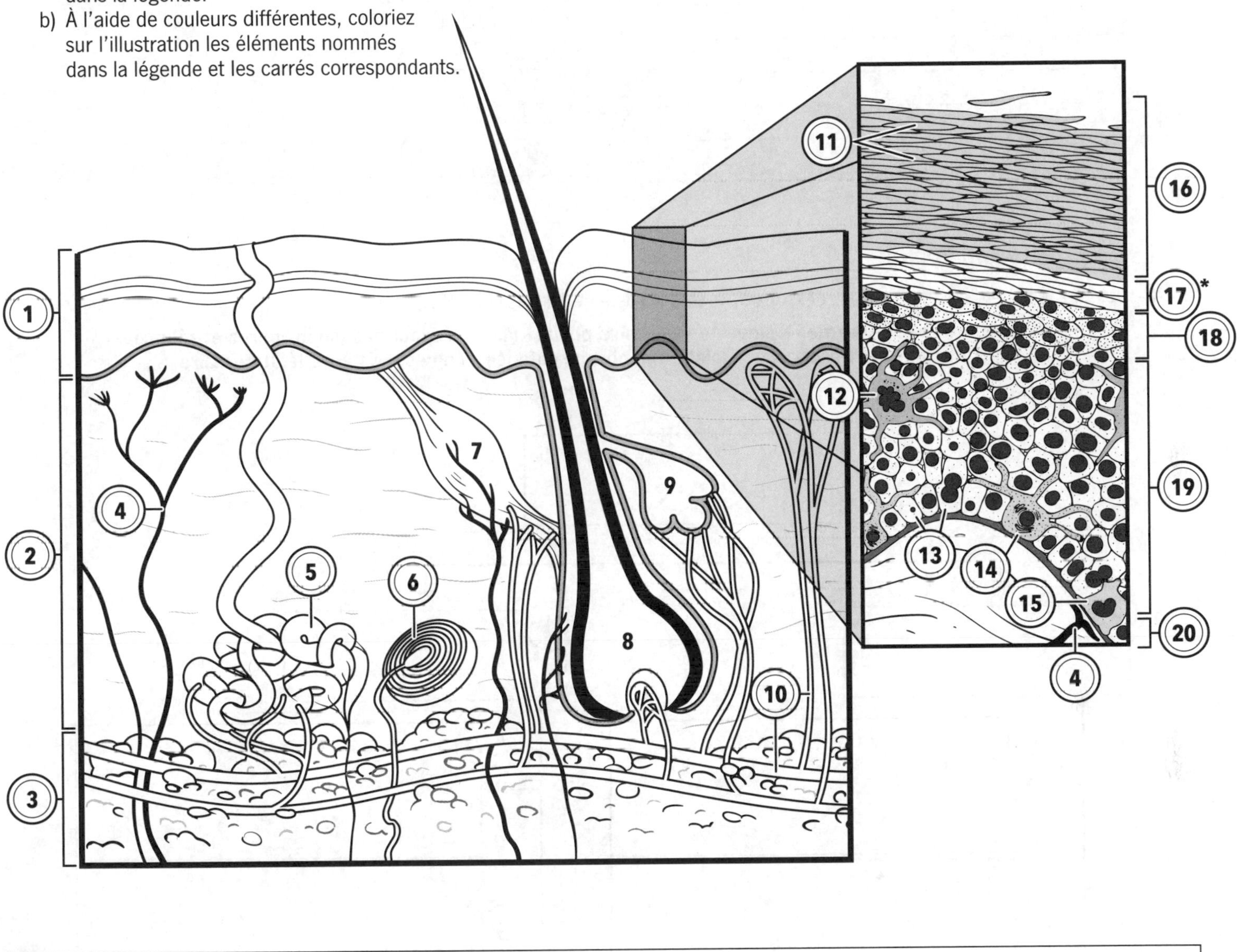

LÉGENDE

☐ 1. __________	☐ 8. __________	☐ 15. __________
☐ 2. __________	☐ 9. __________	☐ 16. __________
☐ 3. __________	☐ 10. __________	☐ 17.* __________
☐ 4. __________	☐ 11. __________	☐ 18. __________
☐ 5. __________	☐ 12. __________	☐ 19. __________
☐ 6. __________	☐ 13. __________	☐ 20. __________
☐ 7. __________	☐ 14. __________	

APPLICATION 4.2 : Le dermatologue effectue une biopsie sur un grain de beauté d'Hélène. Il veut s'assurer que celui-ci n'est pas cancéreux. Décrivez les tissus que le médecin devrait voir dans l'échantillon, en supposant qu'Hélène n'a pas de cancer de la peau.

____

____

____

APPLICATION 4.3 : Votre ami vous raconte qu'il a entendu dire que l'épiderme est la couche morte de la peau. Êtes-vous d'accord ou en désaccord avec cette affirmation, et pourquoi ?

APPLICATION 4.4 : La peau est connue pour sa capacité à croitre rapidement et à se régénérer. Vous avez surement quelques cicatrices sur votre peau, ce qui représente une réparation incomplète. Pourquoi certaines lésions cutanées guérissent-elles complètement, tandis que d'autres créent des cicatrices ?

5 Le système tégumentaire

Remplissez le schéma de concepts ci-dessous à l'aide de la liste de termes suivante :

annexes cutanées • derme • épiderme • follicules pileux • glandes exocrines (sudoripares et sébacées) • hypoderme (fascia superficiel) • membrane cutanée • ongles • système tégumentaire

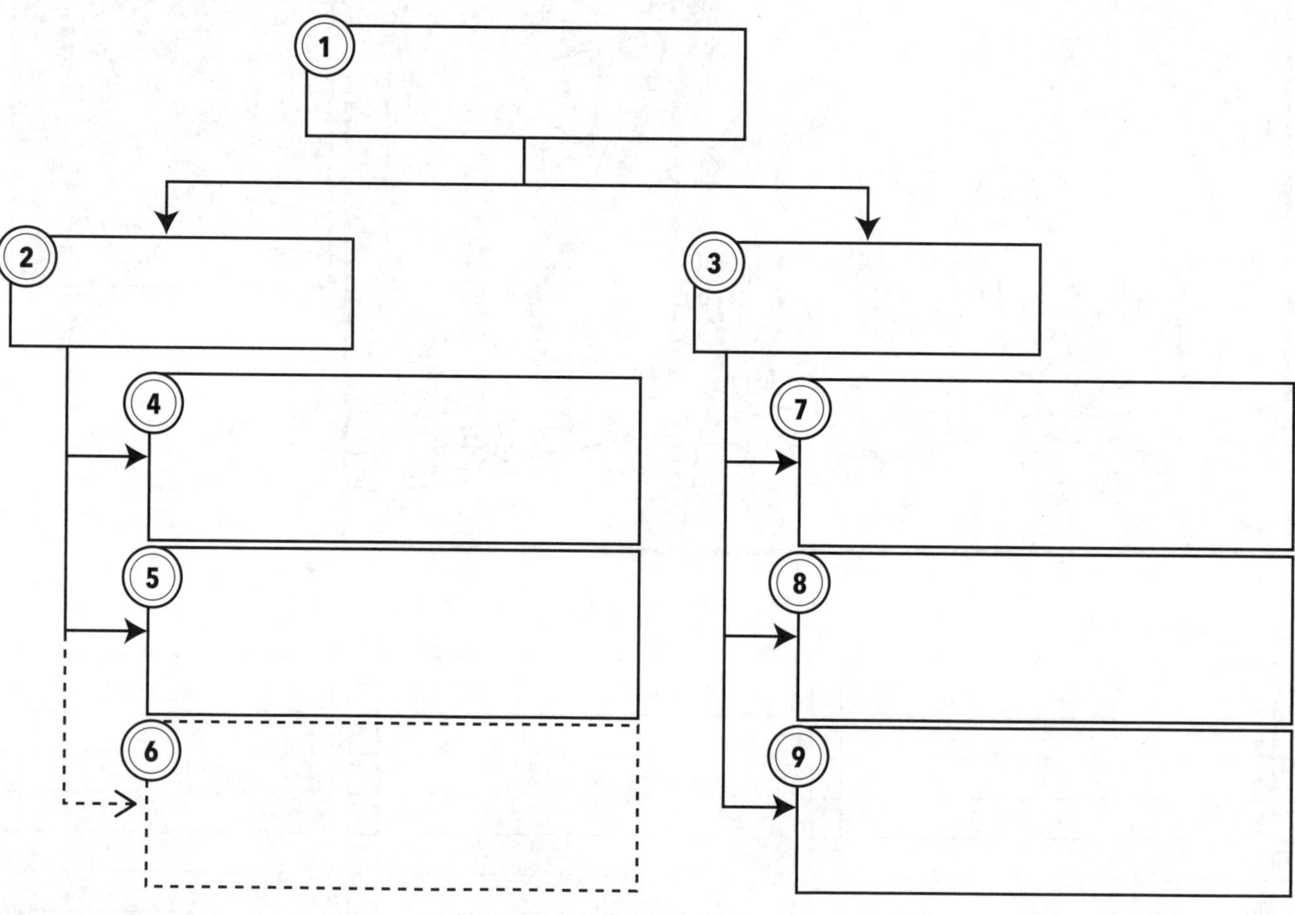

APPLICATION 4.5 : Pendant un de ses stages en milieu hospitalier, Chloé est affectée au département d'oncologie. En visitant les lieux, elle constate que la majorité des patients n'ont plus de cheveux. Quelle est la cause de cette alopécie ?

LE SYSTÈME SQUELETTIQUE

CHAPITRE 5

1 Vocabulaire

À l'aide des définitions suivantes, remplissez la grille de mots croisés ci-dessous.

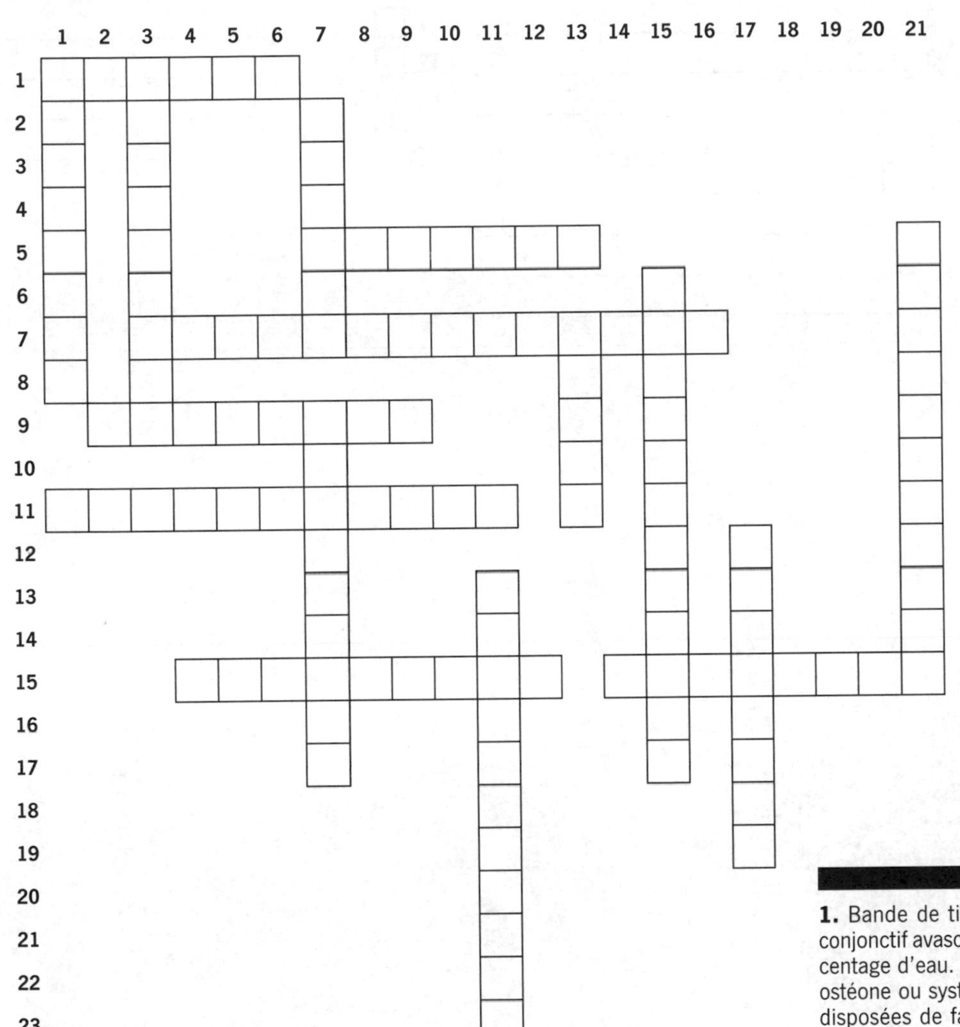

HORIZONTALEMENT

1. Nom donné à un petit espace vide dans lequel se trouvent les cellules osseuses matures. **5.** Membrane de tissu conjonctif qui recouvre les surfaces internes de l'os. **7.** Se dit de la subdivision du squelette contenant tous les os des membres supérieurs et inférieurs ainsi que ceux des ceintures scapulaire et pelvienne. **9.** Double membrane de tissu conjonctif dont les fonctions sont de recouvrir l'os, de le nourrir et de servir de point d'attache aux tendons et aux ligaments. **11.** Syndrome lié à l'âge caractérisé par une diminution de la densité et de la solidité des os par suite du ralentissement graduel du dépôt de matière osseuse. **15.** Cellule osseuse mature responsable de l'entretien de la matrice osseuse. Partie allongée d'un os long.

VERTICALEMENT

1. Bande de tissu conjonctif reliant les os entre eux. **3.** Tissu conjonctif avasculaire, ferme, mais flexible, contenant un fort pourcentage d'eau. **7.** Unité structurale de l'os compact (aussi appelé ostéone ou système de Havers). Type d'os, constitué de lamelles disposées de façon irrégulière, présent dans la face interne de certains os et délimitant des cavités remplies de moelle osseuse rouge. **11.** Cellule productrice de matière osseuse. **13.** Subdivision du squelette contenant tous les os de la tête, de la colonne vertébrale et de la cage thoracique. **15.** Point de contact de deux ou de plusieurs os. **17.** Extrémité d'un os long. **21.** Grosse cellule multinucléée qui détruit (résorbe) la matière osseuse.

2 L'anatomie macroscopique de l'os

Les figures ci-dessous représentent une coupe d'un fémur et d'un os coxal chez l'adulte.

a) Nommez les structures et les régions numérotées dans la légende.

b) À l'aide de couleurs différentes, coloriez les éléments nommés dans la légende et les carrés correspondants.

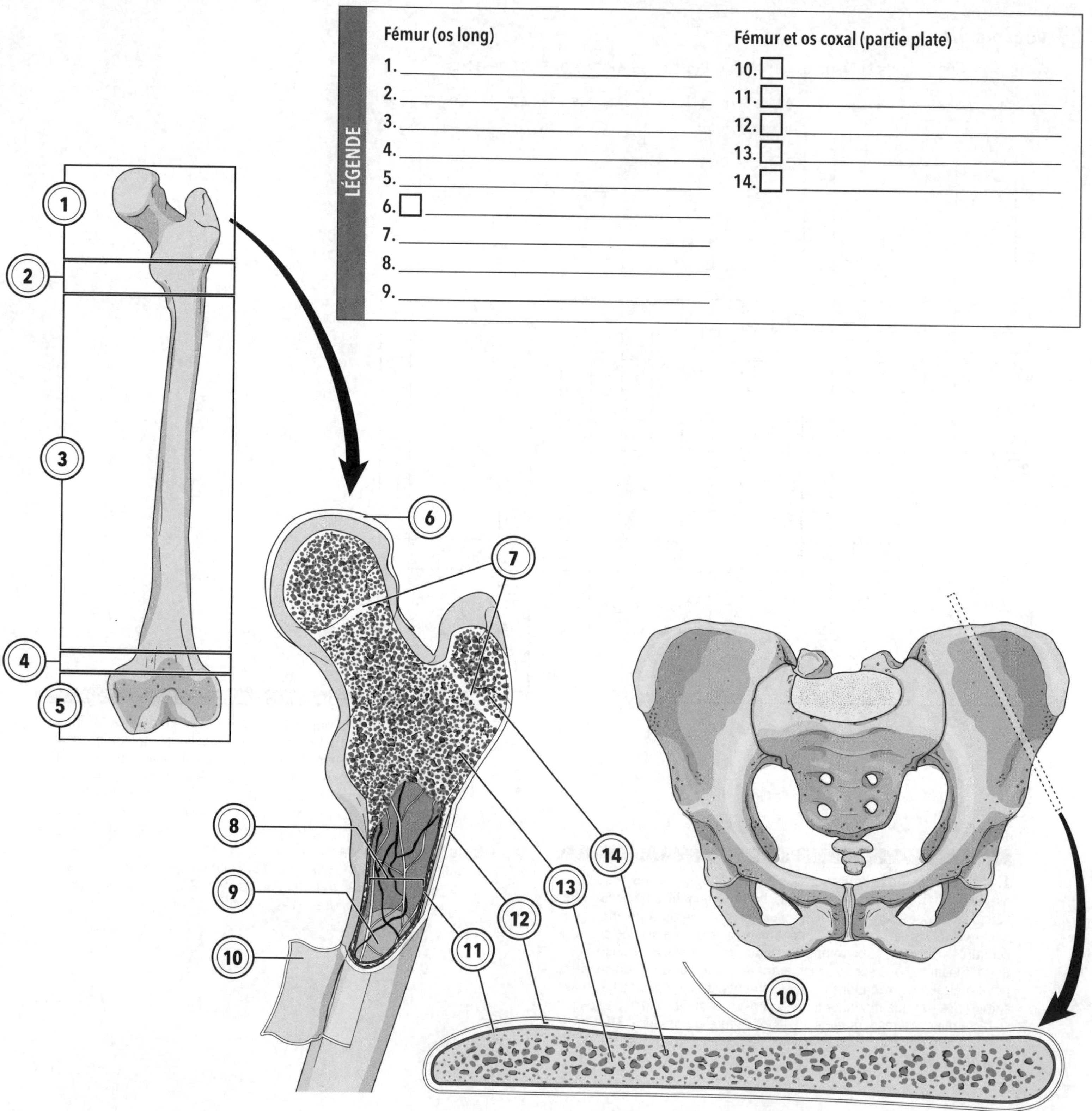

3 L'anatomie microscopique de l'os

Les figures ci-dessous représentent une coupe d'os compact et d'os spongieux.

a) Nommez les structures et les régions numérotées dans la légende.

b) À l'aide de couleurs différentes, coloriez les éléments nommés dans la légende et les carrés correspondants.

LÉGENDE

1. ______________
2. ______________
3. ______________
4. ______________
5. ☐ ______________
6. ☐ ______________
7. ☐ ______________
8. ☐ ______________
9. ☐ ______________
10. ______________
11. ______________
12. ☐ ______________
13. ☐ ______________
14. ☐ ______________

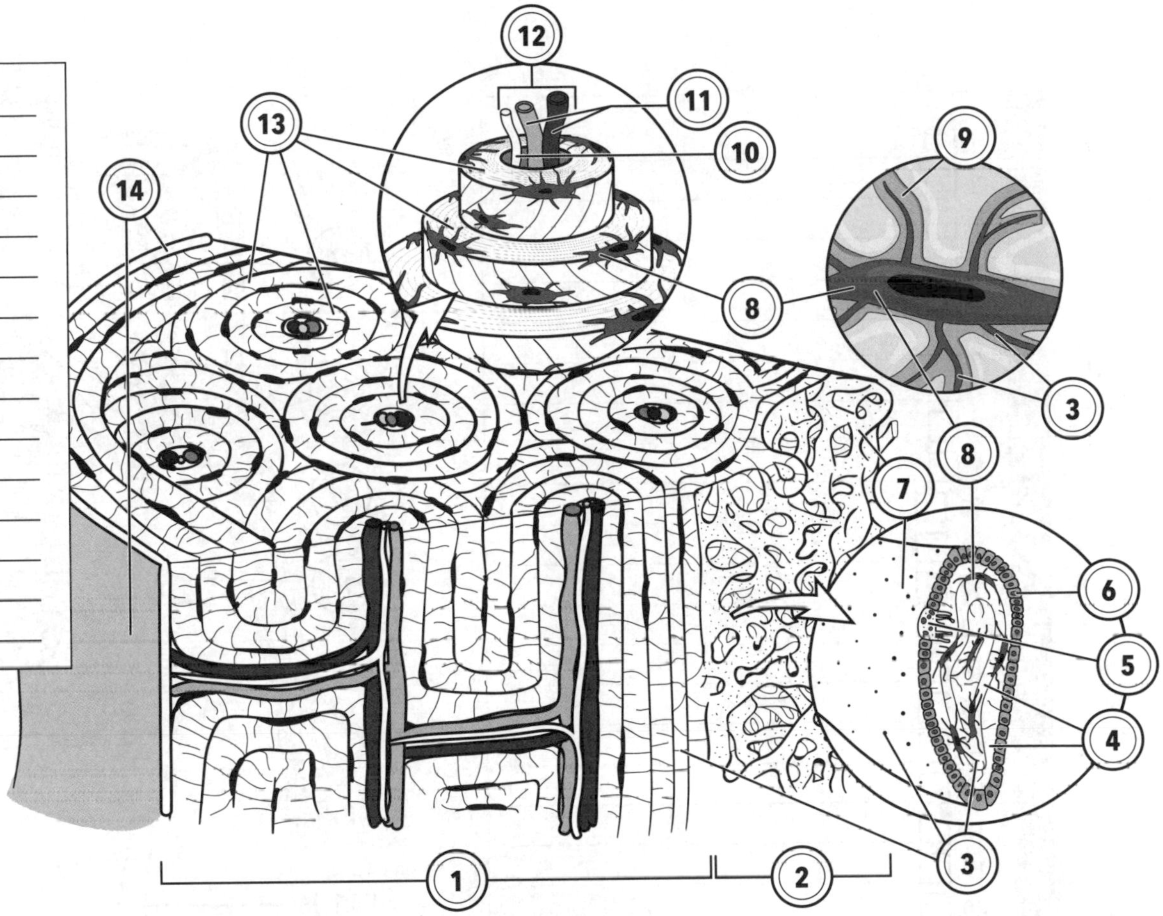

c) En mettant un X, associez chacun des énoncés à un des deux types de tissu osseux.

	Qui suis-je ?	Os compact	Os spongieux
A	Ma matrice osseuse est disposée de manière régulière et mes ostéocytes sont organisés en cercles concentriques autour d'un apport vasculaire (ostéon).		
B	Je n'ai pas de vascularisation spécifique et je dépends de la diffusion des nutriments le long des canalicules.		
C	Je suis l'os le plus solide et je résiste aux forces exercées horizontalement.		
D	Je suis le plus léger des deux types d'os.		
E	Je supporte le stress dans toutes les directions.		
F	Je suis l'endroit où l'on trouve la moelle osseuse rouge.		

APPLICATION 5.1 : Pierre dit à Charlotte : « Les os ne sont que des structures solides (pleines) et non vivantes qui ne servent qu'à soutenir notre corps. » Êtes-vous d'accord avec Pierre ?

____

____

____

____

____

____

____

____

4 L'anatomie du système squelettique

La figure ci-contre représente un squelette complet.

a) Nommez les structures numérotées dans la légende.
b) À l'aide de couleurs différentes, coloriez les éléments nommés dans la légende et les carrés correspondants.

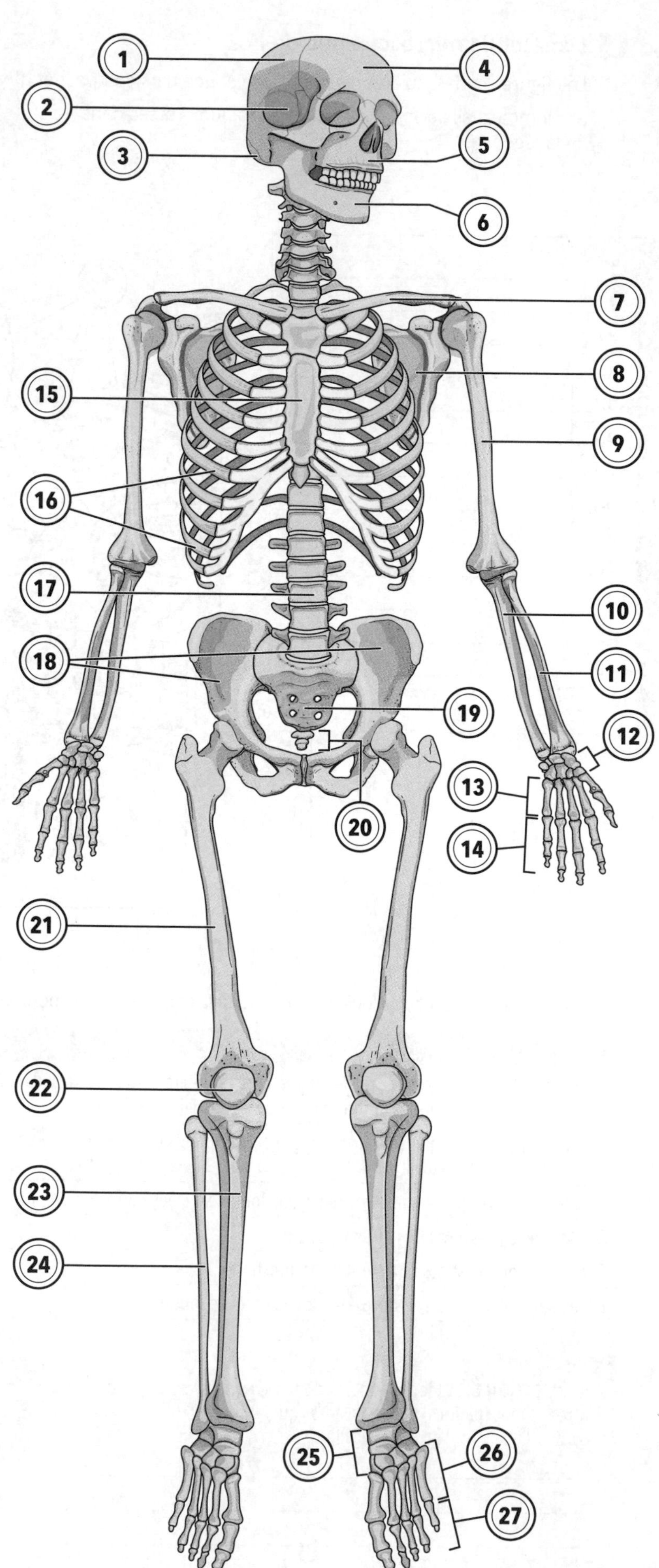

LÉGENDE

1. ☐ ______
2. ☐ ______
3. ☐ ______
4. ☐ ______
5. ☐ ______
6. ☐ ______
7. ☐ ______
8. ☐ ______
9. ☐ ______
10. ☐ ______
11. ☐ ______
12. ☐ ______
13. ☐ ______
14. ☐ ______
15. ☐ ______
16. ☐ ______
17. ☐ ______
18. ☐ ______
19. ☐ ______
20. ☐ ______
21. ☐ ______
22. ☐ ______
23. ☐ ______
24. ☐ ______
25. ☐ ______
26. ☐ ______
27. ☐ ______

APPLICATION 5.2 : Un passager particulièrement imprudent a omis de boucler sa ceinture de sécurité en prenant place sur le siège d'une vieille voiture n'ayant pas de coussins gonflables. Lors d'une violente collision, il est éjecté à travers le parebrise. Il souffre entre autres d'une fracture enfoncée du devant du crâne et d'une fracture par écrasement du haut de la colonne vertébrale. De plus, sa cuisse droite présente une fracture ouverte. Sur le squelette ci-contre, indiquez par un X les os qui sont fracturés.

5 La classification des os

Remplissez le tableau suivant afin de classer les os de la liste de termes selon leur forme.

côtes • fémur • fibula • humérus • os coxal (os de la hanche) • os du carpe • os du tarse • os frontal • os métacarpiens • os métatarsiens • os occipital • os pariétal • os temporal • patella (rotule) • phalange • radius • scapula • tibia • ulna • vertèbres

Classification des os selon leur forme	Nom des os
Os plats	
Os longs	
Os irréguliers	
Os courts	

6 Le squelette axial

A. TÊTE

La figure ci-dessous représente une vue latérale du squelette de la tête (os du crâne et de la face).

a) Nommez les structures numérotées dans la légende.
b) À l'aide de couleurs différentes, coloriez les éléments nommés dans la légende et les carrés correspondants.

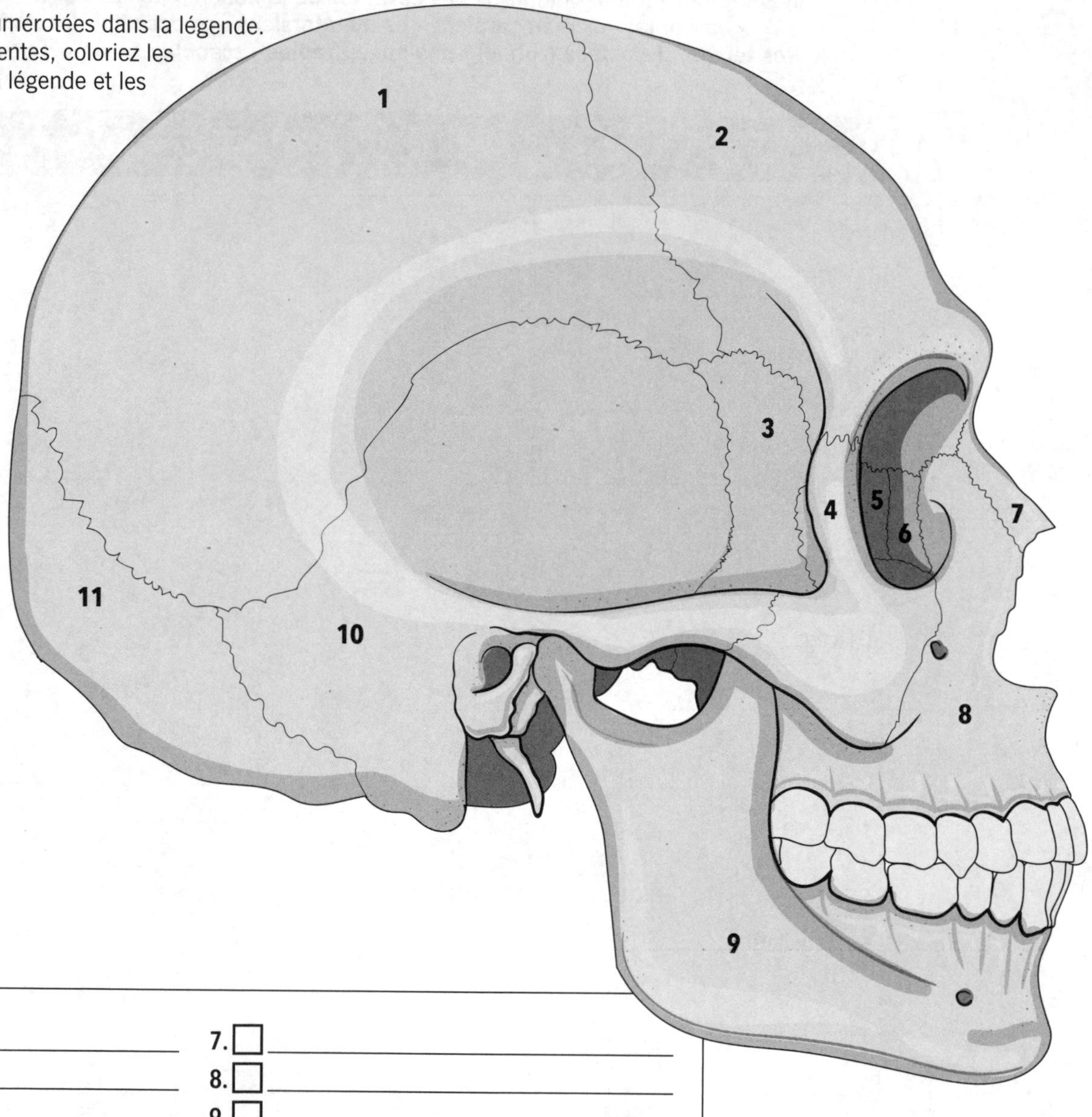

1
2
3
4
5
6
7
8
9
10
11

LÉGENDE

1. ☐ ______________________
2. ☐ ______________________
3. ☐ ______________________
4. ☐ ______________________
5. ☐ ______________________
6. ☐ ______________________
7. ☐ ______________________
8. ☐ ______________________
9. ☐ ______________________
10. ☐ ______________________
11. ☐ ______________________

APPLICATION 5.3 : Jocelyn a fait une chute au cours d'une randonnée et s'est frappé le côté de la tête. La région partant de sa pommette et remontant jusque derrière son oreille a l'air en mauvais état, de même que la région partant de sa mâchoire et allant jusqu'au bas de son oreille. Nommez au moins trois os qui pourraient être fracturés dans le visage de Jocelyn. Justifiez votre réponse.

____

____

B. COLONNE VERTÉBRALE

Les figures ci-dessous représentent une vue antérieure et une vue latérale droite de la colonne vertébrale.

a) Nommez les structures et les régions numérotées dans la légende et indiquez entre parenthèses le nombre de vertèbres dans les régions 1, 4 et 6.

b) À l'aide de couleurs différentes, coloriez les éléments nommés dans la légende et les carrés correspondants.

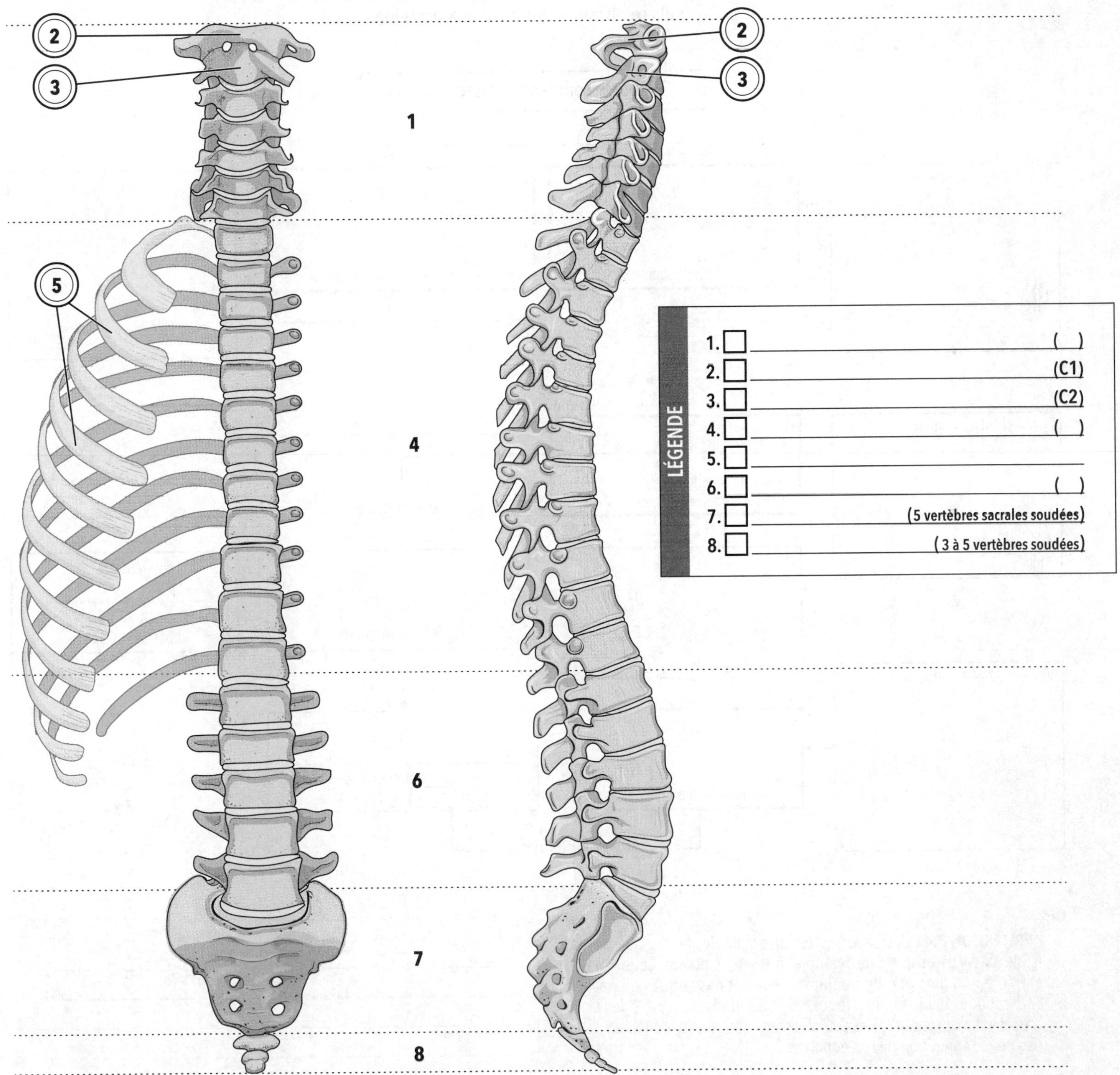

7 L'origine des cellules osseuses

À l'aide de la liste de termes, complétez le schéma de concepts ci-dessous sur les cellules osseuses. Les cases au contour gras représentent des cellules.

calcification • cellule ostéogénique (cellule ostéogène ou ostéoprogénitrice) • dégradation de la substance osseuse (résorption osseuse) • détection des contraintes mécaniques et communication avec les ostéoclastes • endoste et périoste • endoste et périoste • entretien de la matrice osseuse • matériau ostéoïde • moelle osseuse • ostéoblaste • ostéoclaste • ostéocyte • sels minéraux • synthèse des protéines

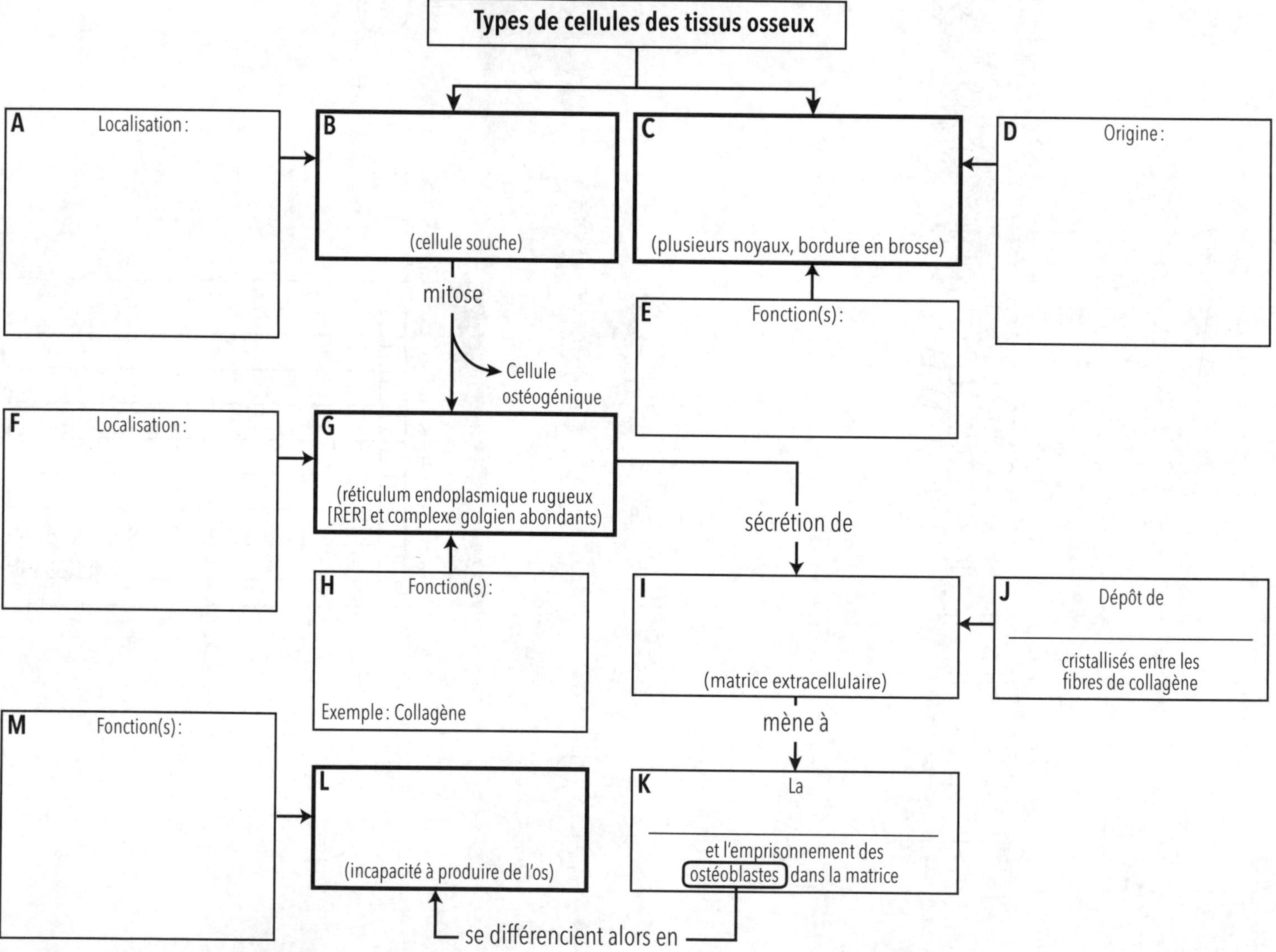

APPLICATION 5.4 : L'ostéoporose est une maladie caractérisée par une faible masse osseuse et une détérioration du tissu osseux. Cette situation entraine une plus grande fragilité osseuse et des risques de fracture. Sachant que chez la femme, les œstrogènes limitent l'activité des ostéoclastes et favorisent celle des ostéoblastes, comment la ménopause favorise-t-elle l'apparition de l'ostéoporose ?

8 La croissance osseuse

A. La figure ci-contre représente la **croissance en longueur** (croissance interstitielle) du cartilage épiphysaire d'un os long.

a) Nommez les structures et les zones numérotées dans la légende.
b) À l'aide de couleurs différentes, coloriez les éléments nommés dans la légende et les carrés correspondants.
c) Sur la figure, indiquez dans les cases blanches la position de l'épiphyse et de la diaphyse.
d) Dessinez une flèche indiquant le sens de l'allongement de l'os.

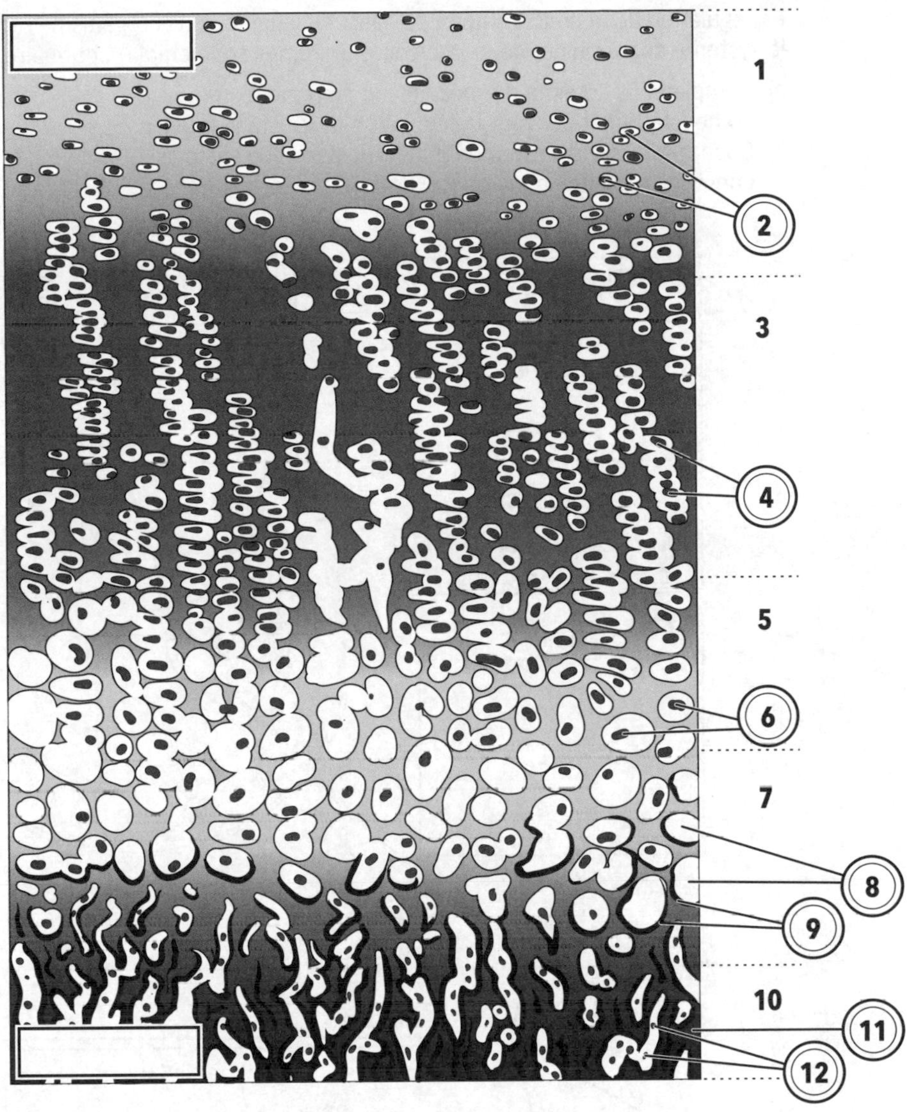

LÉGENDE

1. ______
2. ☐ ______
3. ______
4. ☐ ______
5. ______
6. ☐ ______
7. ______
8. ☐ ______
9. ☐ ______
10. ______
11. ☐ ______
12. ☐ ______

B. La figure ci-dessous représente la **croissance en diamètre/épaisseur** (croissance par apposition) d'un os long.

a) Nommez les structures numérotées dans la légende.
b) À l'aide de couleurs différentes, coloriez les éléments nommés dans la légende et les carrés correspondants.

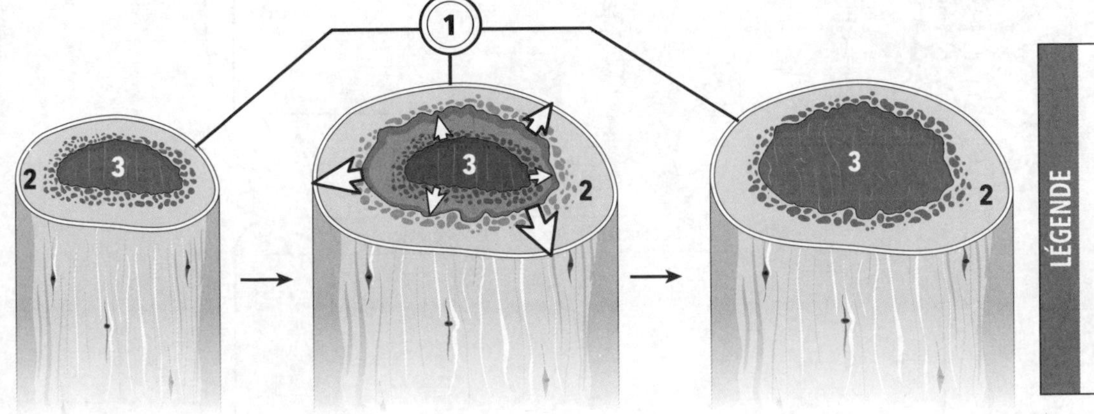

LÉGENDE

À identifier :

1. ☐ ______
2. ☐ ______
3. ☐ ______

Flèches à colorier :

☐ **Tissu osseux déposé par les ostéoblastes**

☐ **Tissu osseux résorbé par les ostéoclastes**

9 L'homéostasie du calcium

La régulation de la concentration de calcium sanguin dans l'organisme est contrôlée par le système endocrinien, de pair avec les systèmes squelettique et urinaire.

a) Complétez le schéma du mécanisme de régulation homéostatique décrivant la régulation du calcium sanguin.

b) Cochez la case correspondant au type de cellule osseuse effectrice sollicitée dans chacune des deux situations.

c) Dans le vaisseau sanguin, illustrez la concentration de calcium en circulation afin de représenter l'effet des hormones en présence d'une hypercalcémie (élévation de la concentration de calcium) et d'une hypocalcémie (baisse de la concentration de calcium).

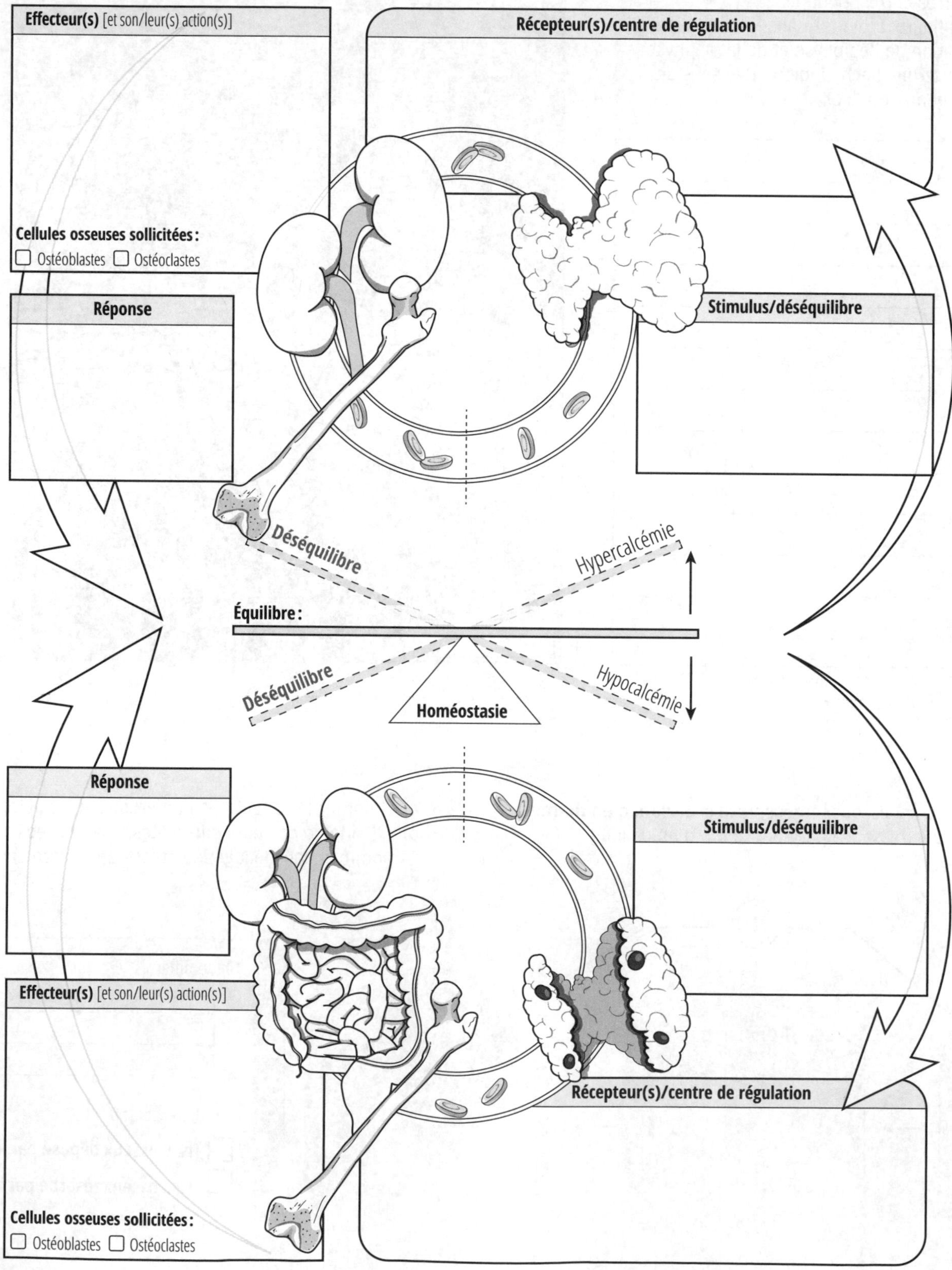

10 L'articulation

La figure ci-dessous représente une articulation synoviale (diarthrose).

a) Nommez les structures et les régions numérotées dans la légende.
b) À l'aide de couleurs différentes, coloriez les éléments nommés dans la légende et les carrés correspondants.

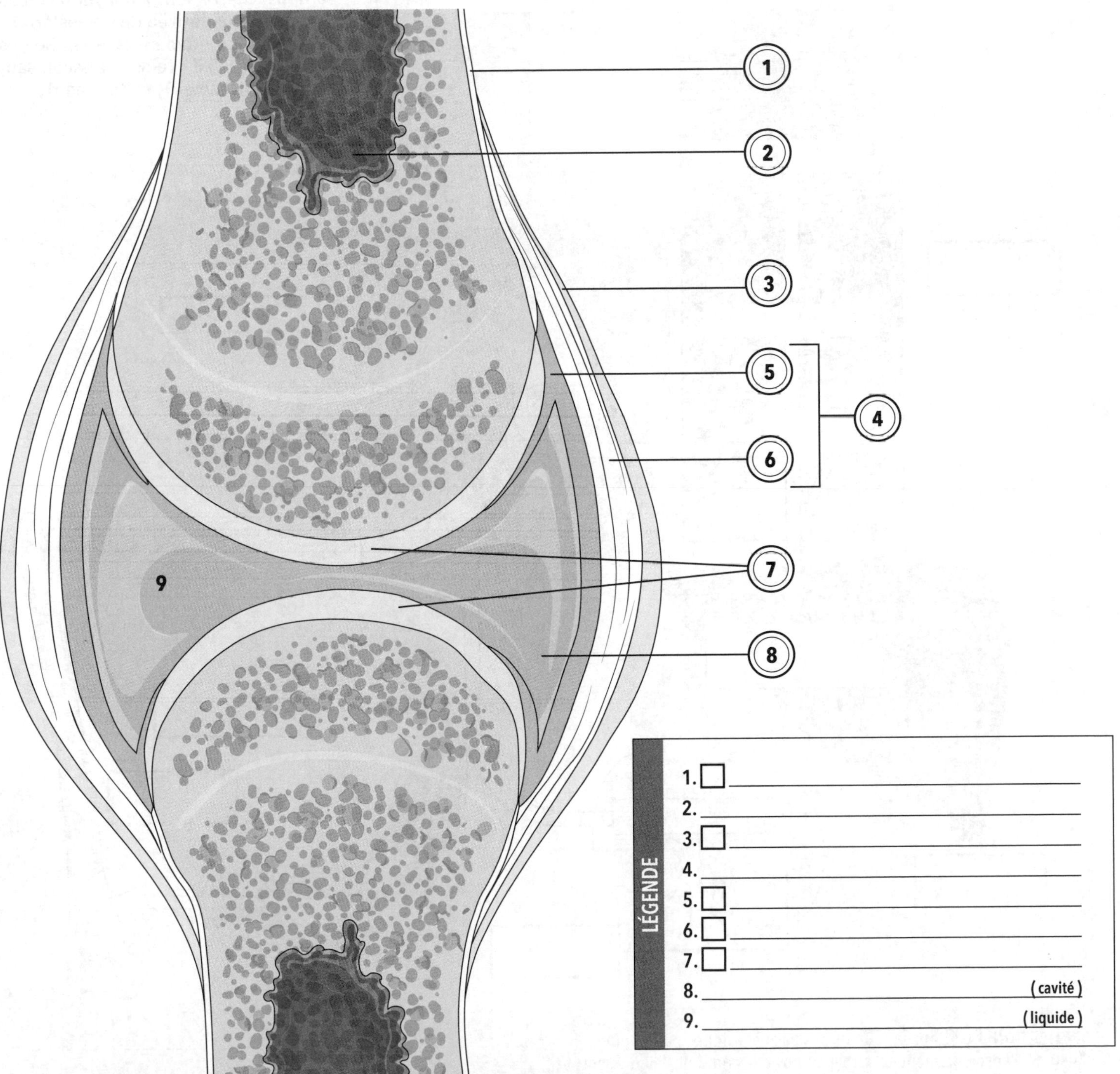

LÉGENDE

1. ☐ ______________________
2. ______________________
3. ☐ ______________________
4. ______________________
5. ☐ ______________________
6. ☐ ______________________
7. ☐ ______________________
8. ______________________ (cavité)
9. ______________________ (liquide)

APPLICATION 5.5 : Patrick souffre d'arthrose. Cette maladie attaque la structure de l'articulation qui amortit habituellement les chocs entre les os de cette articulation. Sur la figure ci-dessus, mettez un X sur la région touchée par l'arthrose dans l'articulation de Patrick.

11 La vitamine D et le calcium

Le schéma ci-dessous représente l'interaction entre plusieurs organes de différents systèmes pour assurer l'apport de calcium alimentaire vers les os.

À l'aide de la liste de termes, complétez le schéma ci-dessous. Les cases avec un contour gras représentent des structures anatomiques.

aliments • calcidiol (produit intermédiaire) • calcitriol • calcium • composé stéroïdien (7-déhydrocholestérol ; molécule dérivée du cholestérol) • épiderme • foie • intestin grêle • os • rayons du soleil • reins • vaisseau sanguin • vitamine D_3 • vitamine D_3

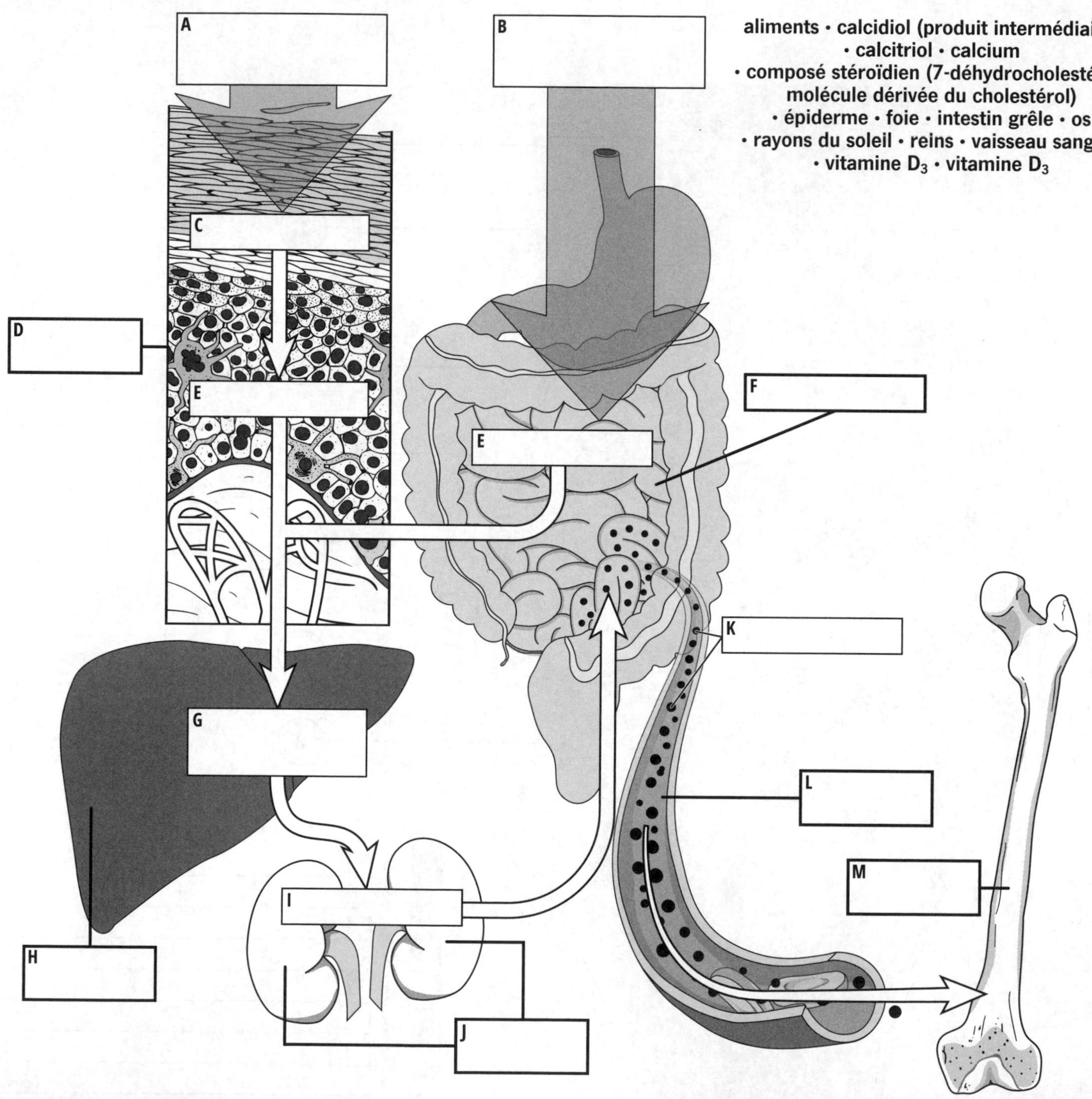

APPLICATION 5.6 : Dans la plupart des pays nordiques où le nombre d'heures d'ensoleillement est faible en hiver, les produits laitiers sont additionnés de vitamine D.

a) Pourquoi craint-on la carence en vitamine D dans ces pays ?

____

____

____

b) Pourquoi est-il judicieux d'ajouter la vitamine D aux produits laitiers ?

____

____

____

LE SYSTÈME MUSCULAIRE

CHAPITRE 6

1 Vocabulaire

À l'aide des définitions suivantes, remplissez la grille de mots croisés ci-dessous.

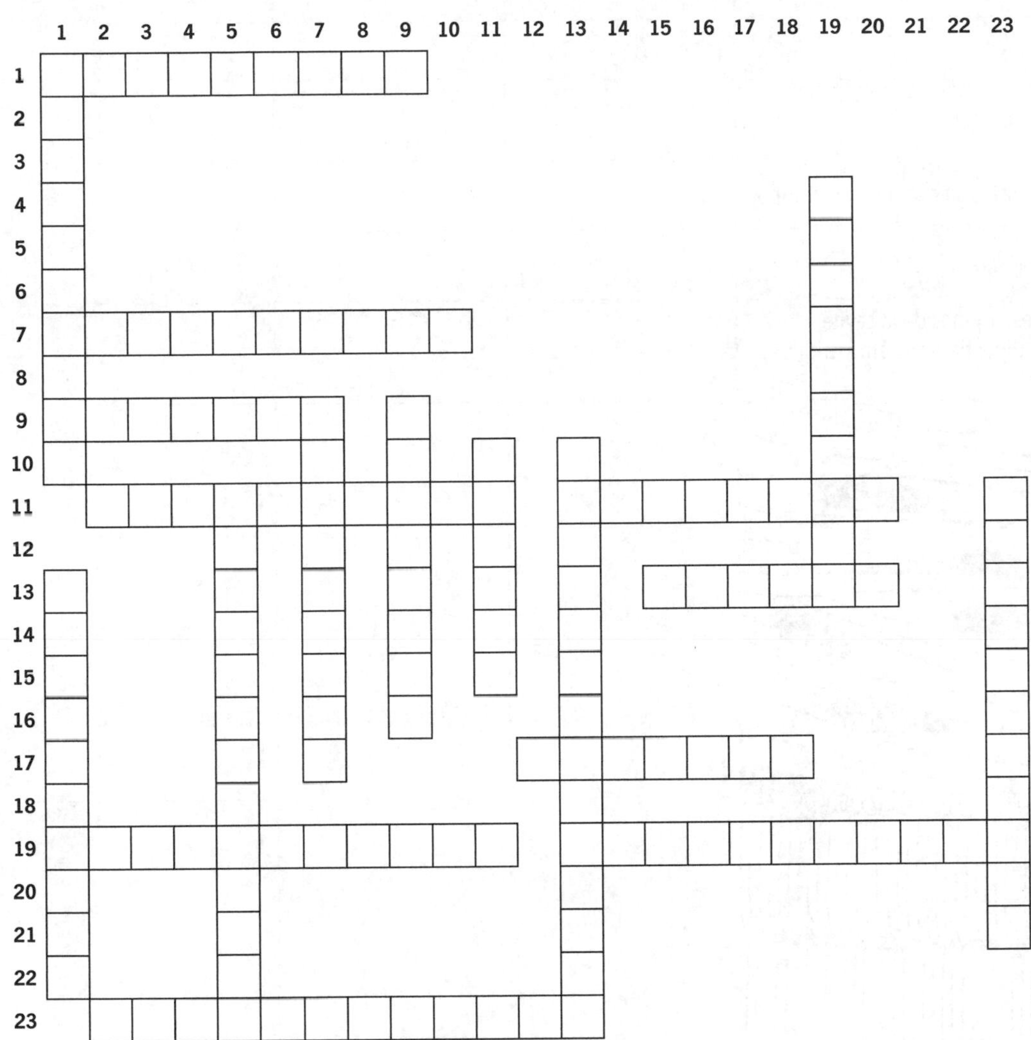

HORIZONTALEMENT

1. Plus petite unité contractile du myocyte. **7.** Gaine de tissu conjonctif qui enveloppe chaque myocyte. **9.** Terme désignant la cellule musculaire (fibre musculaire). **11.** Déchet azoté provenant de l'activité métabolique des myocytes qui est excrété du corps par les reins. Terme désignant une diminution de la masse et du volume musculaires causée par l'immobilisation ou la perte de l'innervation. **13.** Terme désignant l'alternance de bandes sombres et claires observables sur les myocytes squelettiques et cardiaques. **17.** Ion qui entraine la contraction musculaire après avoir été libéré dans le myocyte. **19.** Terme désignant le cytoplasme du myocyte. Fuseau circulaire de myofilaments présent à l'intérieur des myocytes et qui s'étend sur toute leur longueur. **23.** Terme désignant une augmentation de la masse et du volume des myocytes.

VERTICALEMENT

1. Terme désignant la membrane plasmique d'un myocyte. Gaine de tissu conjonctif qui enveloppe chaque faisceau de myocyte. **5.** Neurotransmetteur de la jonction neuromusculaire. **7.** Gaine de tissu conjonctif qui enveloppe un muscle. **9.** Ensemble de myocytes réuni par du tissu conjonctif. **11.** Bande de tissu conjonctif qui relie un muscle à un os. **13.** Type de réticulum lisse complexe dont le rôle est de réguler le taux de calcium intracellulaire. **19.** Pigment qui se lie à l'oxygène dans les myocytes. **23.** Terme désignant des filaments protéiques d'actine et de myosine.

2 Les trois types de muscles

Remplissez le tableau suivant en mettant un X pour chacune des caractéristiques que possède chacun des trois types de muscles. (Une caractéristique peut être associée à plus d'un type de muscles.)

Caractéristiques	Muscle squelettique	Muscle cardiaque	Muscle lisse
Possède des stries (strié).			
Est volontaire.			
Est involontaire.			
Se contracte de manière autonome, agit comme une pompe.			
Régit les mouvements des os.			
Est localisé en majorité dans les organes de la cavité abdominopelvienne (système digestif et système urinaire) et dans les vaisseaux sanguins.			
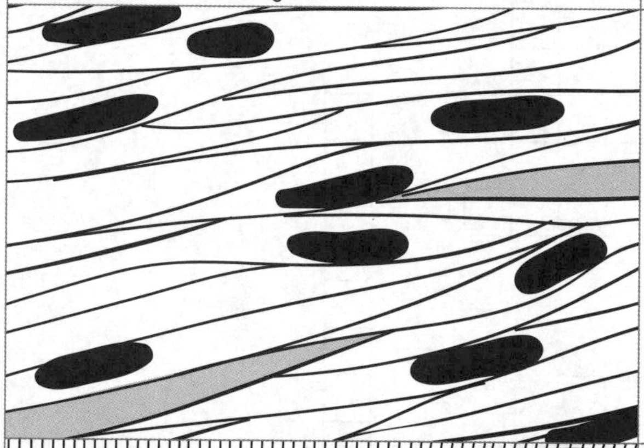			

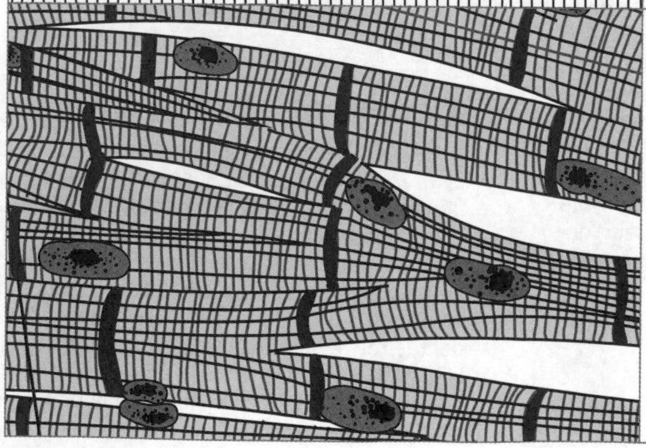			

3 L'anatomie des muscles squelettiques de la tête et du cou

La figure ci-dessous représente les principaux muscles squelettiques superficiels de la tête et du cou.

a) Nommez les structures numérotées dans la légende.
b) À l'aide de couleurs différentes, coloriez les éléments nommés dans la légende et les carrés correspondants.

LÉGENDE

1. ☐ ______
2. ☐ ______
3. ☐ ______
4. ☐ ______
5. ☐ ______
6. ☐ ______
7. ☐ ______
8. ☐ ______
9. ☐ ______
10. ☐ ______
11. ☐ ______
12. ☐ ______
13. ☐ ______

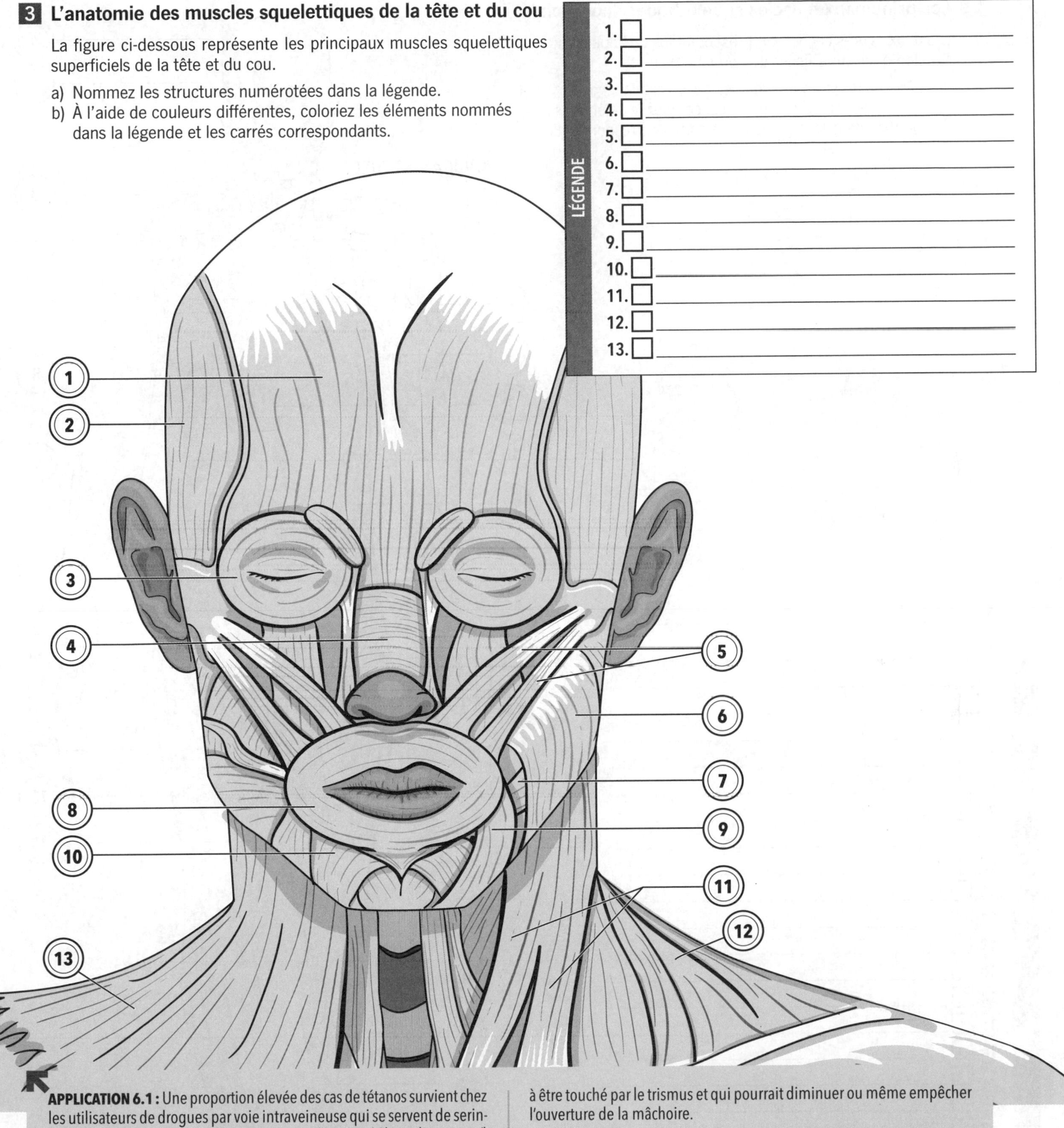

APPLICATION 6.1 : Une proportion élevée des cas de tétanos survient chez les utilisateurs de drogues par voie intraveineuse qui se servent de seringues souillées. Le tétanos est causé par une bactérie (*Clostridium tetani*) qui produit une neurotoxine causant une raideur et des crampes douloureuses dans les muscles. Le trismus (contraction constante et involontaire des muscles de la mâchoire) est un signe précoce du tétanos. Dans la figure ci-dessus, barrez d'un X le muscle qui est généralement le premier à être touché par le trismus et qui pourrait diminuer ou même empêcher l'ouverture de la mâchoire.

APPLICATION 6.2 : Jonathan se réveille avec un torticolis. Dans la figure ci-dessus, encerclez le muscle intervenant dans la flexion du cou qui est habituellement en cause dans cette contracture musculaire douloureuse.

4 Les principaux muscles squelettiques superficiels

Les deux figures ci-contre représentent les principaux muscles squelettiques superficiels du corps humain.

a) Nommez les structures numérotées dans la légende.
b) À l'aide de couleurs différentes, coloriez les éléments nommés dans la légende et les carrés correspondants.

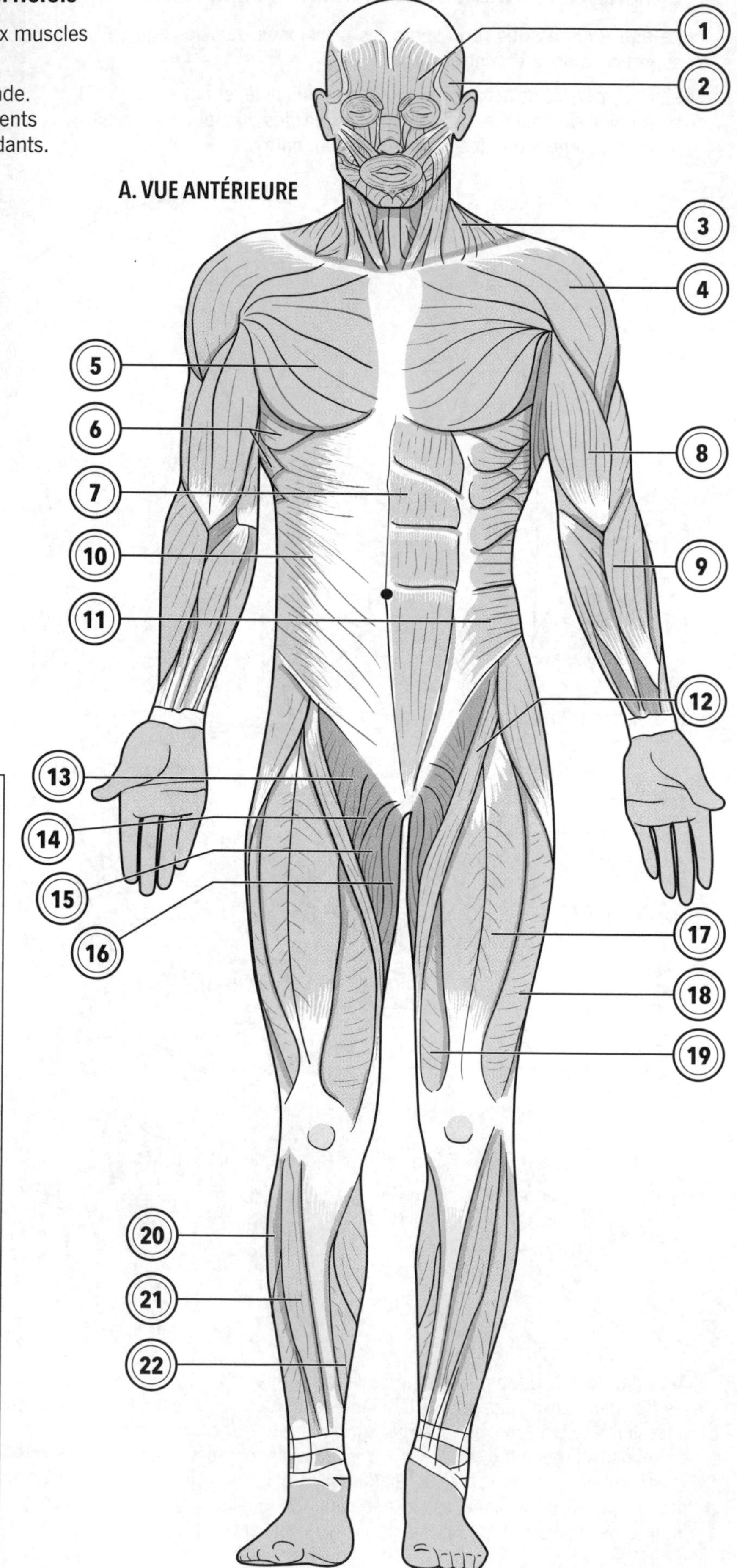

LÉGENDE

1. ☐ ____________________
2. ☐ ____________________
3. ☐ ____________________
4. ☐ ____________________
5. ☐ ____________________
6. ☐ ____________________
7. ☐ ____________________
8. ☐ ____________________
9. ☐ ____________________
10. ☐ ____________________
11. ☐ ____________________
12. ☐ ____________________
13. ☐ ____________________
14. ☐ ____________________
15. ☐ ____________________
16. ☐ ____________________
17. ☐ ____________________
18. ☐ ____________________
19. ☐ ____________________
20. ☐ ____________________
21. ☐ ____________________
22. ☐ ____________________

B. VUE POSTÉRIEURE

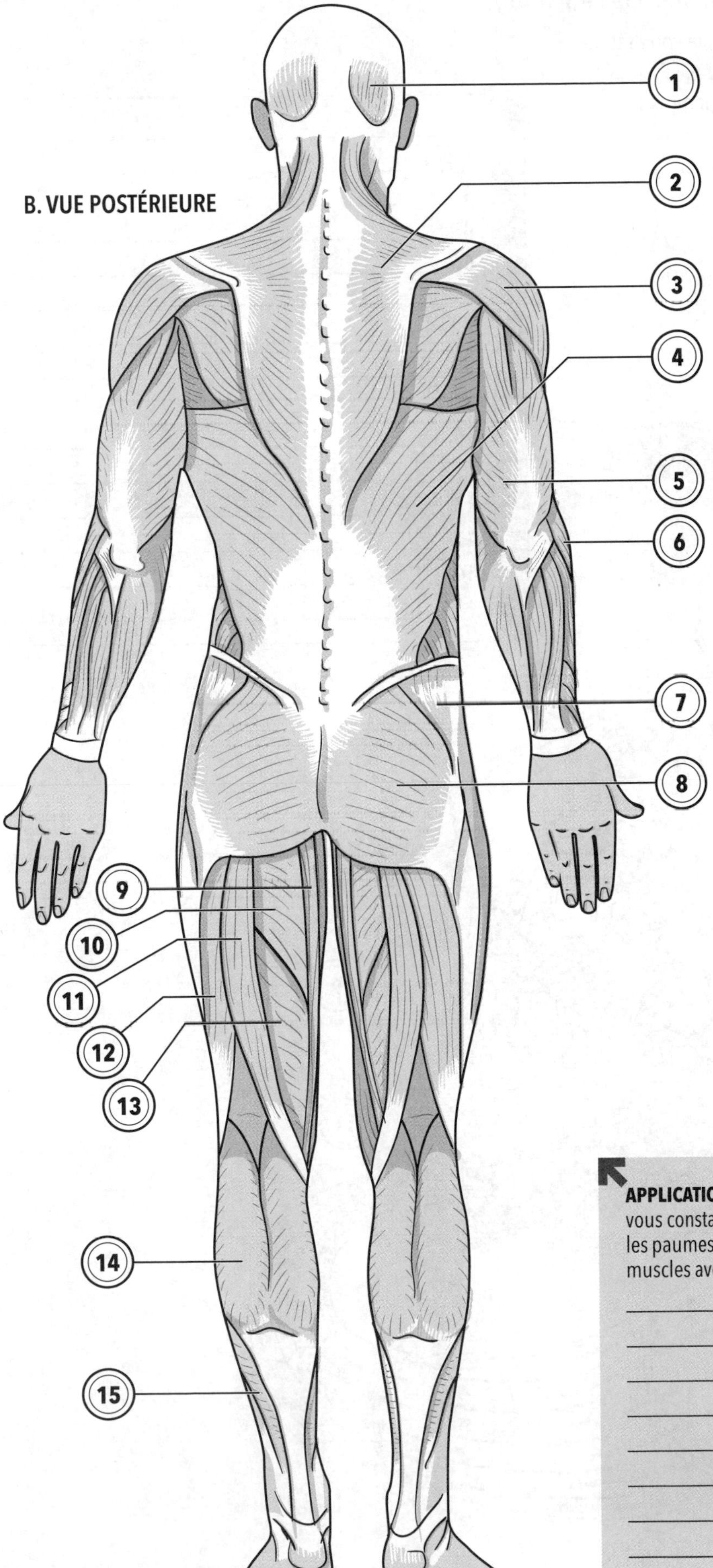

LÉGENDE

1. ☐ ______
2. ☐ ______
3. ☐ ______
4. ☐ ______
5. ☐ ______
6. ☐ ______
7. ☐ ______
8. ☐ ______
9. ☐ ______
10. ☐ ______
11. ☐ ______
12. ☐ ______
13. ☐ ______
14. ☐ ______
15. ☐ ______

APPLICATION 6.3 : Après avoir tourné la clé dans la serrure de votre porte d'entrée, vous constatez que celle-ci ne s'ouvre pas et qu'elle est coincée. Vous placez alors les paumes de vos mains à plat sur la porte, et poussez de toutes vos forces. Quels muscles avez-vous utilisés pour pousser, et quelles ont été leurs actions ?

______
______
______
______
______
______
______
______

5 L'anatomie macroscopique et microscopique du muscle squelettique

Les figures ci-dessous représentent des coupes d'un muscle squelettique.

a) Nommez les structures et les régions numérotées dans la légende.
b) À l'aide de couleurs différentes, coloriez les éléments nommés dans la légende et les carrés correspondants.

LÉGENDE

1. ______
2. ☐ ______
3. ______
4. ______
5. ______
6. ______
7. ☐ ______
8. ☐ ______
9. ☐ ______
10. ______
11. ☐ ______
12. ______
13. ______
14. ☐ ______
15. ☐ ______

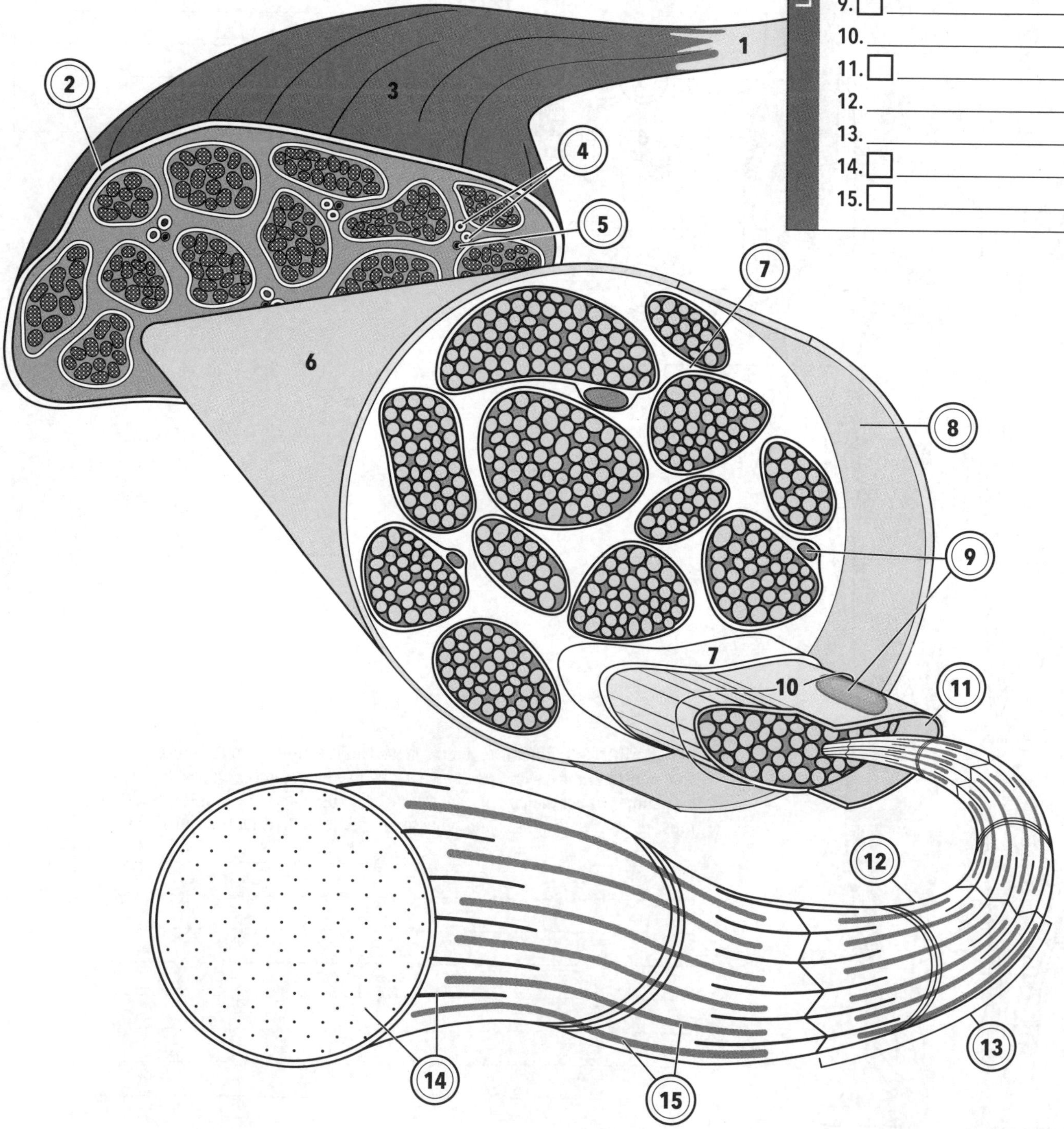

6 Le myocyte squelettique

La figure ci-dessous représente une partie d'un myocyte.

a) Nommez les structures et les régions numérotées dans la figure.

b) À l'aide de couleurs différentes, coloriez les éléments de la légende et les carrés correspondants.

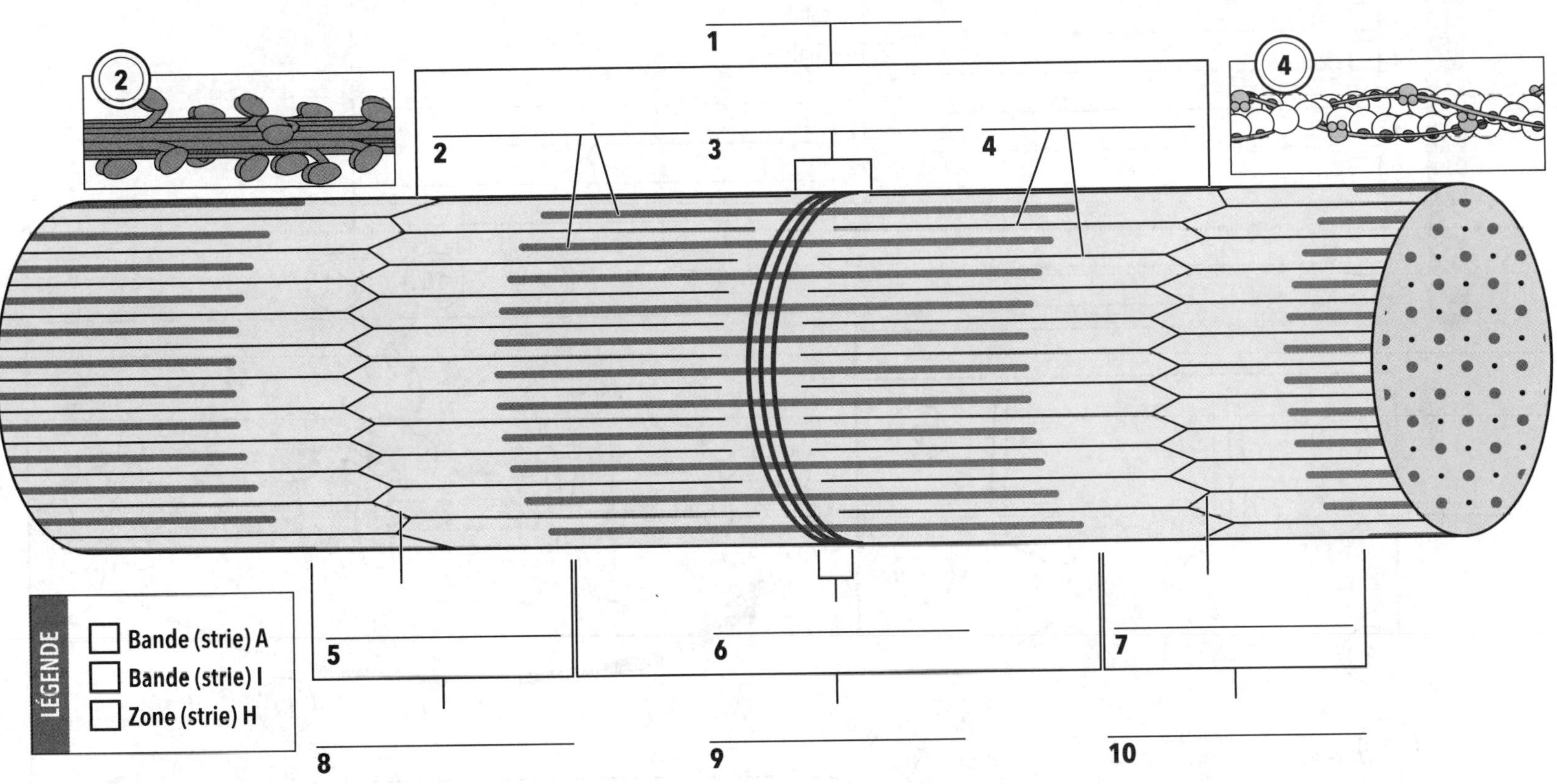

c) La figure ci-dessus représente un sarcomère au repos. Dessinez un sarcomère vers la fin de la contraction en mettant l'accent sur les différences structurales. Vous pouvez utiliser les mêmes couleurs que dans la légende.

7 La jonction musculaire et la contraction musculaire (couplage excitation-contraction)

A. LA JONCTION NEUROMUSCULAIRE

a) Nommez les structures et les régions numérotées dans la légende.

b) À l'aide de couleurs différentes, coloriez les éléments nommés dans la légende et les carrés correspondants.

c) Sachant que l'ouverture des canaux (structure 8) engendre une dépolarisation du myocyte, encerclez l'ion qui se déplace en plus grande quantité et qui génère cette dépolarisation.

LÉGENDE

1. ☐ ______________________
2. ☐ ______________________
3. ______________________
4. ______________________
5. ☐ ______________________
6. ______________________
7. ______________________
8. ☐ ______________________
9. Acétate
10. Choline
11. ______________________
12. ☐ ______________________
13. ______________________
14. ☐ ______________________

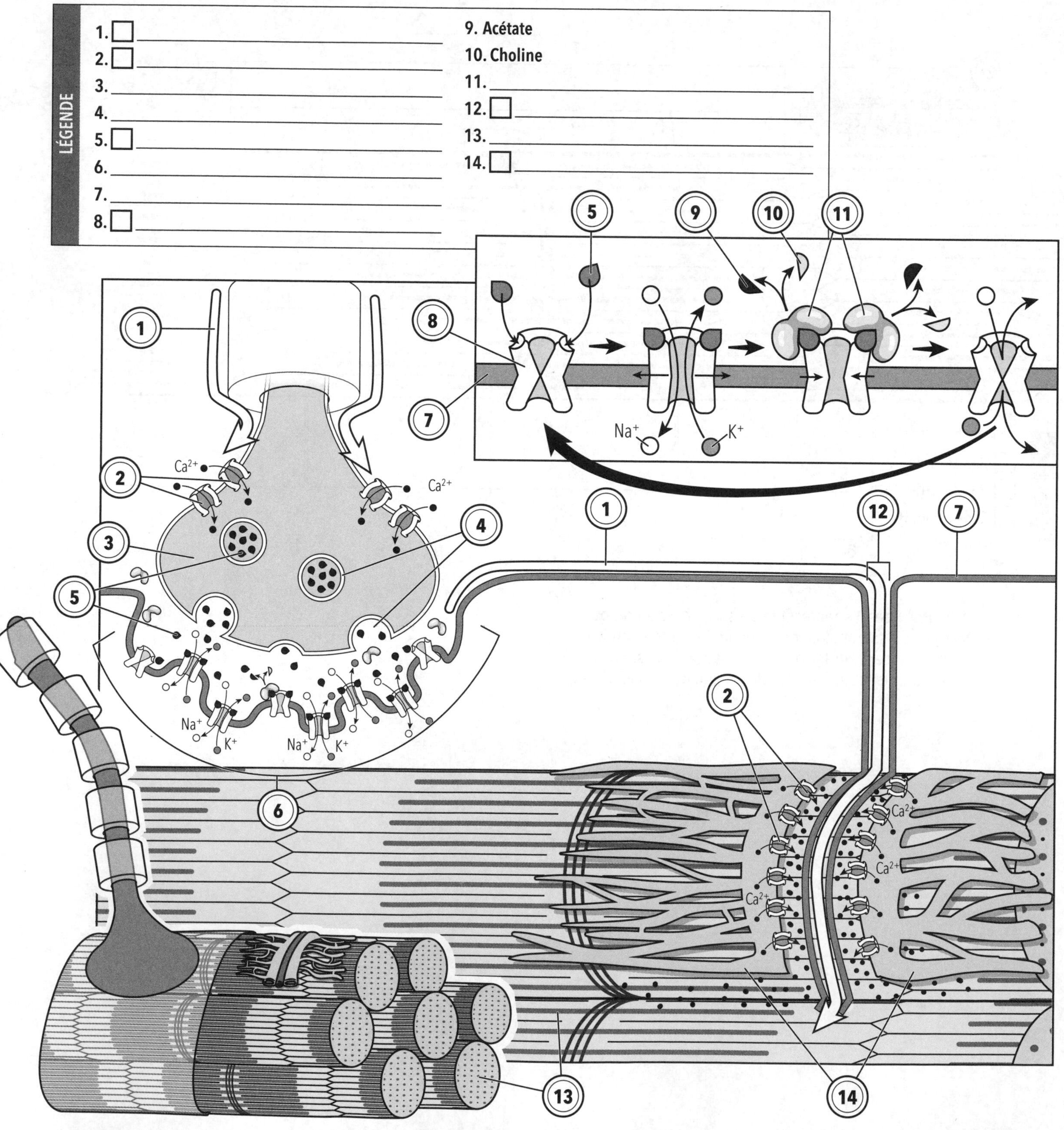

B. LE CYCLE DE LA CONTRACTION MUSCULAIRE

Complétez la figure suivante et, à l'aide de couleurs différentes, coloriez les éléments nommés dans la légende et les carrés correspondants.

APPLICATION 6.4 : Micheline trouve qu'elle parait plus jeune depuis qu'elle se fait injecter du Botox afin d'atténuer ses rides. Le Botox contient la toxine botulinique (produite par la bactérie *Clostridium botulinum*), qui détend les muscles et freine leur contraction. Sachant que cette toxine empêche l'exocytose des vésicules d'acétylcholine au niveau de la plaque motrice, tracez un X à l'endroit où la toxine botulinique agit sur la figure de la page précédente.

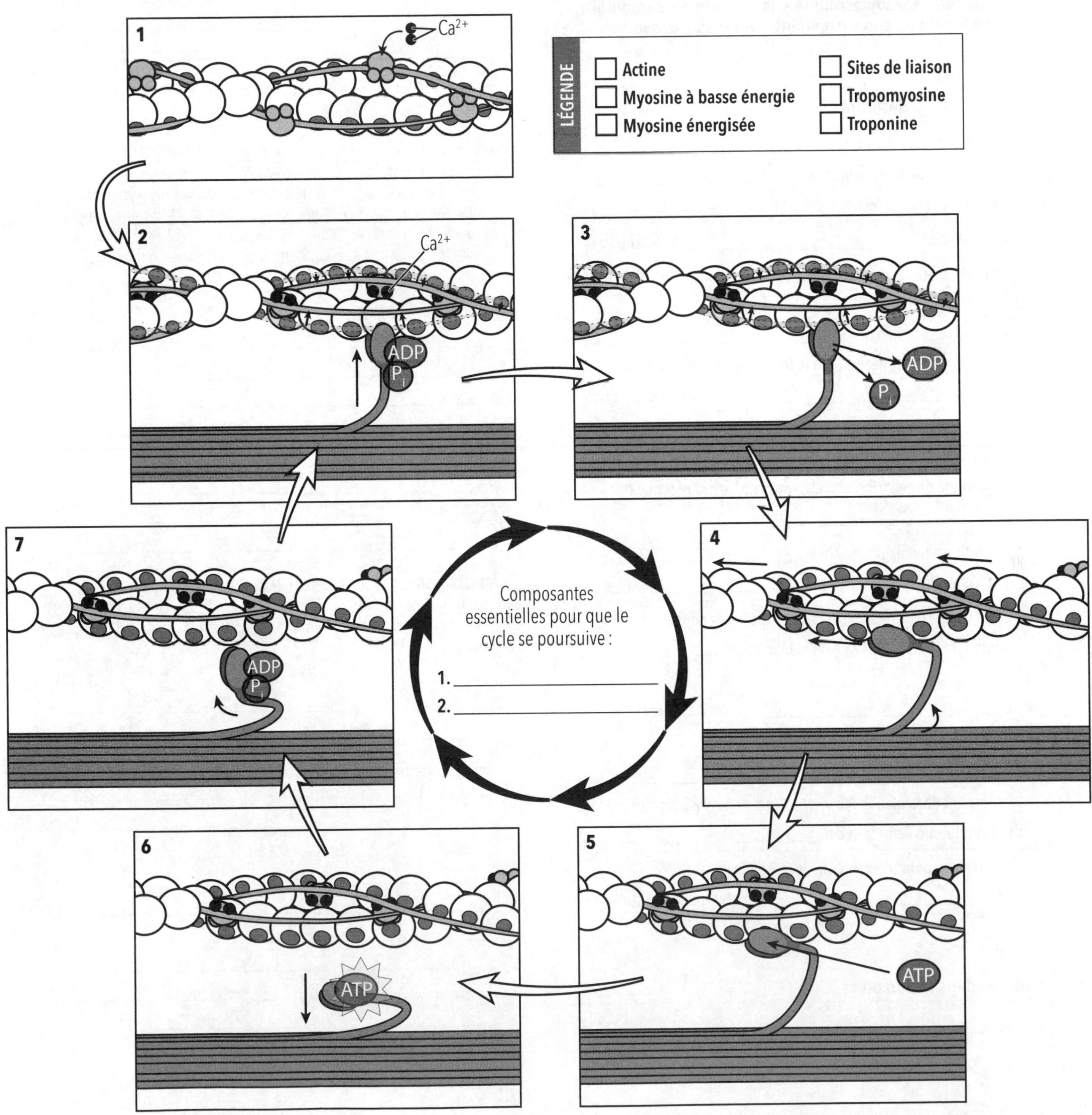

C. RÉSUMÉ DES ÉVÈNEMENTS MENANT À LA CONTRACTION MUSCULAIRE

À l'aide de la liste de termes, complétez les énoncés ci-dessous présentés dans le désordre, puis remettez-les en ordre selon la séquence d'évènements illustrés aux pages précédentes.

actine · ATP · calcium · calcium · jonction neuromusculaire · myosine · myosine énergisée · neurone moteur · potentiel d'action · réticulum sarcoplasmique · sarcolemme · sarcomère · sites de liaison · troponine · tubules transverses

Énoncés dans le désordre

1	La contraction cesse lorsque le ______________ est retourné dans les citernes du ______________ par un mécanisme de transport actif.
2	L'arrivée d'un ______________ déclenche la libération du ______________ emmagasiné dans le réticulum sarcoplasmique.
3	Les ions calcium se lient à la ______________, ce qui a pour effet de déplacer la tropomyosine et de libérer les ______________ sur les filaments d'actine.
4	Une nouvelle molécule d'______________ se fixe à la myosine (au pont d'union) qui se détache de l'actine. L'hydrolyse de cet ATP réactive la myosine, ce qui redonne de la ______________.
5	Des influx nerveux provenant du ______________ sont acheminés jusqu'à la ______________.
6	La myosine énergisée libère son énergie et les ponts d'union pivotent en entrainant le filament mince d'______________. Le ______________ raccourcit et la myosine reste liée à l'actine.
7	Il y a dépolarisation du ______________ (au niveau de la plaque motrice) et un potentiel d'action se propage le long du sarcolemme et des ______________.
8	Il se crée un pont d'union entre les têtes de la ______________ et les sites de liaison sur l'actine.

Énoncés dans le bon ordre

ORDRE : ___ - ___ - ___ - ___ - ___ - ___ - ___ - ___

APPLICATION 6.5 : Éloïse trouve sur la table de chevet de son grand-père des inhibiteurs de l'acétylcholinestérase. Comment ce médicament agit-il et quel est son effet sur les muscles squelettiques ?

____

APPLICATION 6.6 : Georges est né avec une maladie génétique qui entraine un dysfonctionnement des canaux calciques situés sur la membrane du réticulum sarcoplasmique dans ses myocytes squelettiques. Normalement, ces canaux permettent le déplacement du calcium à travers les membranes des cellules. Quels effets cette maladie aura-t-elle sur les muscles squelettiques de Georges, et pourquoi ?

____

APPLICATION 6.7 : Un enquêteur de police examine le cadavre d'une victime de meurtre et déclare qu'elle a été tuée il y a moins de 24 heures, car elle est encore rigide. Quelle est la cause de la rigidité cadavérique ?

____

LE SYSTÈME NERVEUX

CHAPITRE 7

LE TISSU NERVEUX ET LA NEUROPHYSIOLOGIE

1 Vocabulaire

À l'aide des définitions suivantes, remplissez la grille de mots croisés ci-dessous.

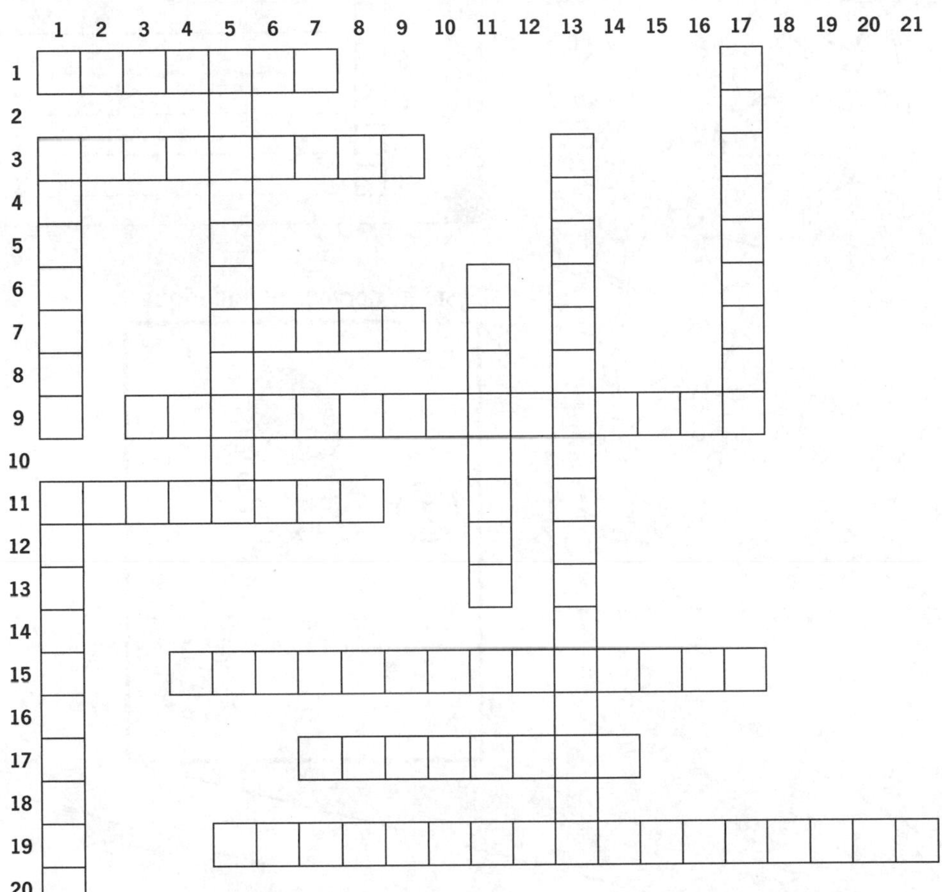

HORIZONTALEMENT

1. Substance constituée essentiellement de lipides et de protéines qui sert à isoler les axones des neurones. **3.** Division du système nerveux périphérique fournissant l'innervation motrice pour les muscles squelettiques. **7.** Prolongement unique du neurone permettant la transmission du potentiel d'action. **9.** Type de cellules gliales formant la gaine de myéline des neurones dans le système nerveux central (SNC). **11.** Division efférente du système nerveux périphérique apportant les influx nerveux vers les muscles lisses des viscères, les glandes et le muscle cardiaque. **15.** Terme relatif à une diminution du potentiel de membrane où ce dernier devient moins négatif. **17.** Neurone conduisant l'influx nerveux des récepteurs sensoriels vers le SNC. **19.** Médiateur chimique libéré par les neurones et capable de stimuler ou d'inhiber les cellules sur lesquelles il se fixe.

VERTICALEMENT

1. Jonction entre deux neurones ou un neurone et sa cellule effectrice. Adjectif attribué aux cellules ayant perdu la capacité de se diviser. **5.** Processus par lequel le système nerveux traite l'information sensorielle et détermine l'action à entreprendre à tout moment. **11.** Prolongement court et ramifié du neurone servant de structure réceptrice pour l'influx nerveux. **13.** Terme relatif à une augmentation du potentiel de membrane où ce dernier devient plus négatif. **17.** Ensemble de cellules non excitables du tissu nerveux qui soutiennent, protègent et isolent les neurones.

2 L'anatomie microscopique du tissu nerveux

Les figures ci-dessous représentent le tissu nerveux dans le système nerveux central et le système nerveux périphérique.

a) Dans la légende, nommez les structures numérotées et associez la lettre correspondant à la fonction des structures 2 à 8. (Une lettre peut être utilisée plus d'une fois.)

b) À l'aide de couleurs différentes, coloriez les éléments nommés dans la légende et les carrés correspondants.

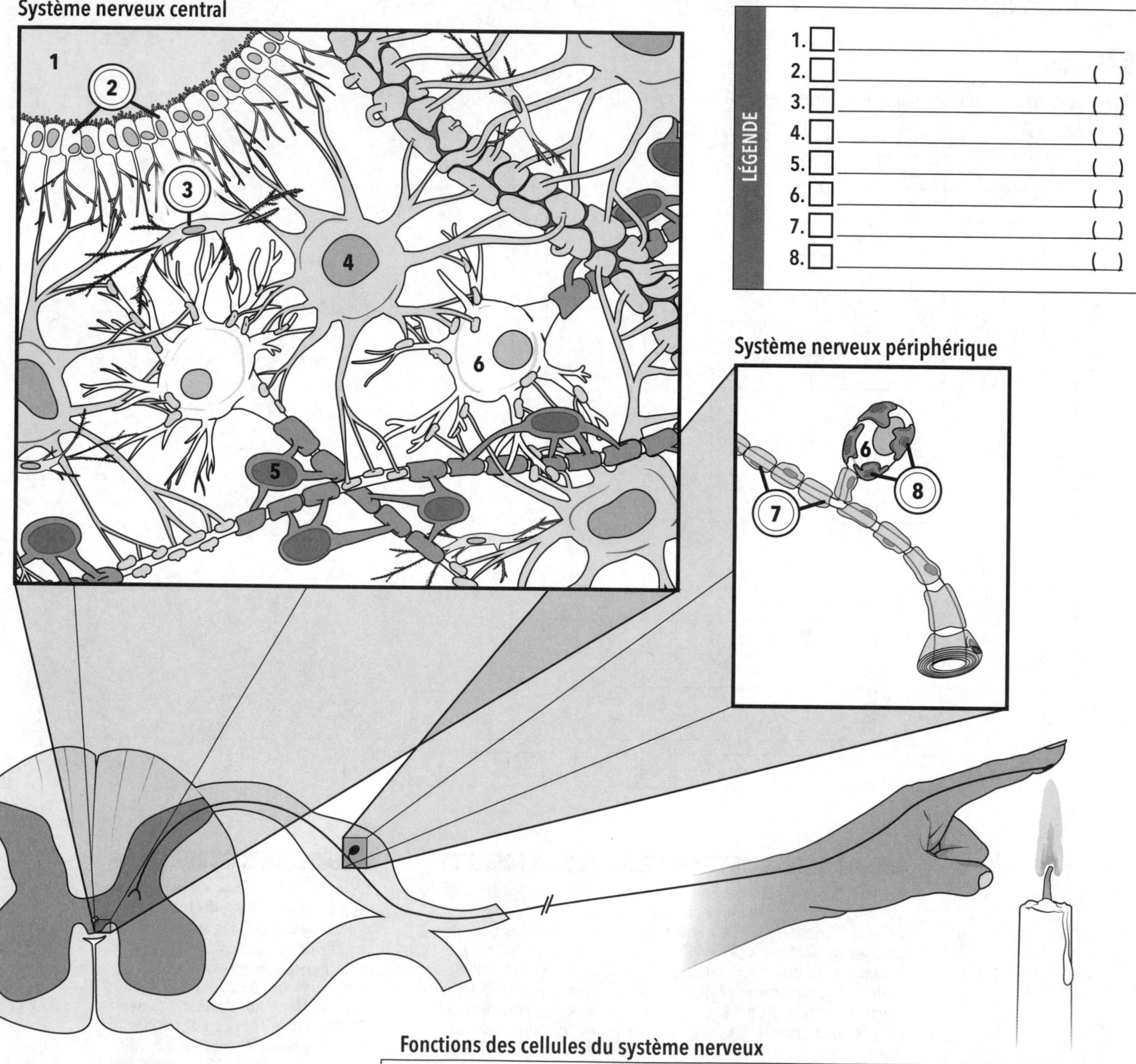

Fonctions des cellules du système nerveux

- **A.** Protection du SNC par la phagocytose des microorganismes envahisseurs
- **B.** Soutien des neurones et participation à la formation de la barrière hématoencéphalique
- **C.** Intervention dans le traitement de l'information et la propagation des potentiels d'action (influx nerveux)
- **D.** Participation à la formation du liquide cérébrospinal
- **E.** Formation et maintien de la gaine de myéline entourant les axones des neurones
- **F.** Régulation des échanges entre le neurone et le liquide interstitiel et soutien des ganglions

3 La classification des neurones

a) Nommez les trois types de neurones (illustrés ci-dessous) classés selon leur structure, puis donnez-en une brève description.

b) Remplissez le tableau ci-dessous, qui présente les trois types de neurones classés selon leur fonction.

c) À l'aide de couleurs différentes, coloriez les éléments nommés dans la légende et les carrés correspondants.

Classification structurale

______ **polaire**	______ **polaire**	______ **polaire**
Description : ______	**Description :** ______	**Description :** ______

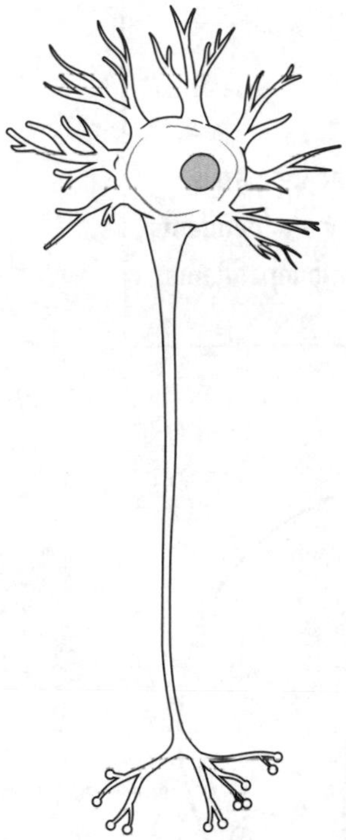

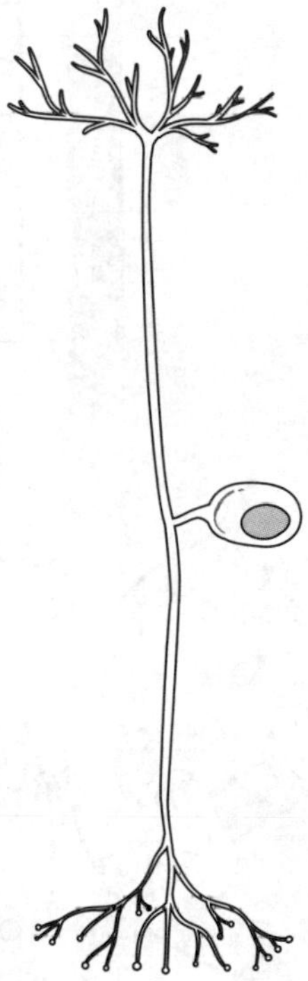

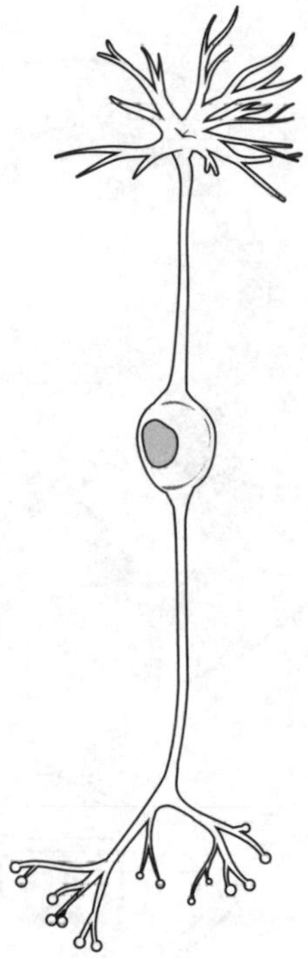

Classification fonctionnelle	Description
Interneurone (neurone de connexion)	

LÉGENDE

- ☐ **Axone**
- ☐ **Corps cellulaire**
- ☐ **Dendrites**
- ☐ **Boutons terminaux** (boutons synaptiques ; corpuscules nerveux terminaux)
- ☐ **Zone gâchette** (cône d'implantation)

4 Les canaux membranaires du neurone

La figure ci-dessous représente un circuit de neurone se rendant jusqu'à un muscle.

a) Selon la numérotation proposée ci-dessous, indiquez sur l'image la zone où se produisent les évènements suivants :
- des changements du potentiel de repos grâce aux potentiels gradués (zone de stimulation ou de réception) ;
- la sommation des potentiels gradués provoquant l'initiation des potentiels d'action (zone gâchette) ;
- des potentiels d'action (zone de conduction) ;
- l'activité synaptique (zone de sécrétion).

b) À l'aide de couleurs différentes, coloriez les éléments nommés dans la légende et les symboles correspondants.

c) Ajoutez des pointes de flèche afin d'illustrer le mouvement d'ions dans les différents canaux.

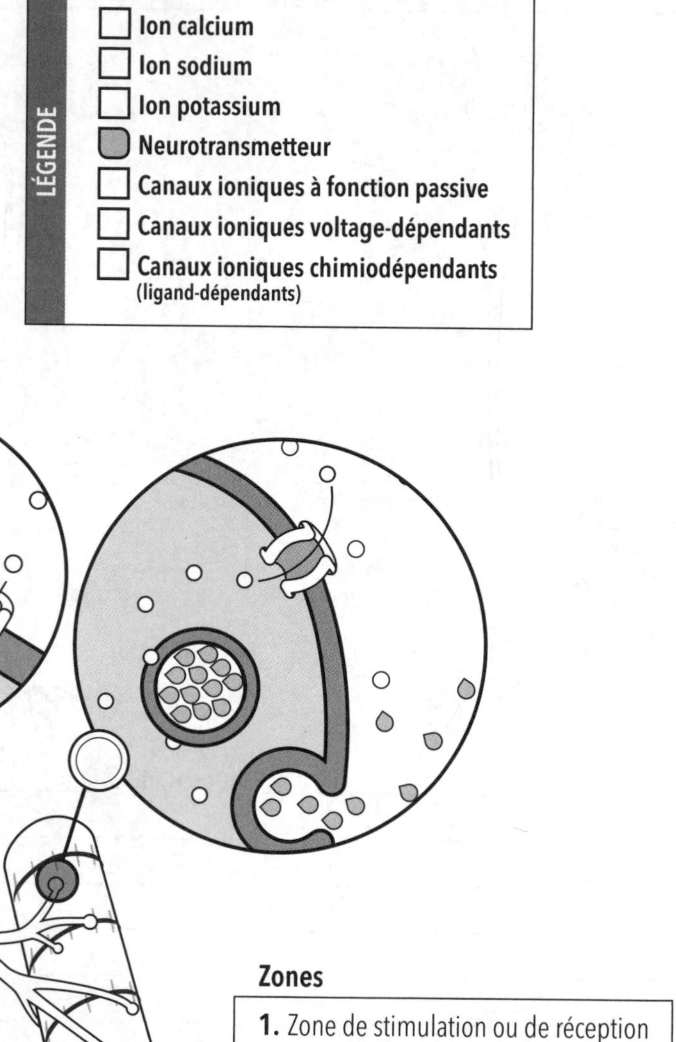

Zones

1. Zone de stimulation ou de réception
2. Zone gâchette
3. Zone de conduction
4. Zone de sécrétion

APPLICATION 7.1 : Des médecins testent un nouveau médicament qui provoque la libération de vésicules de sérotonine supplémentaires par les neurones. Sur le schéma ci-dessus, encerclez la zone du neurone où agira probablement le médicament. Quels problèmes ce médicament pourrait-il traiter ?

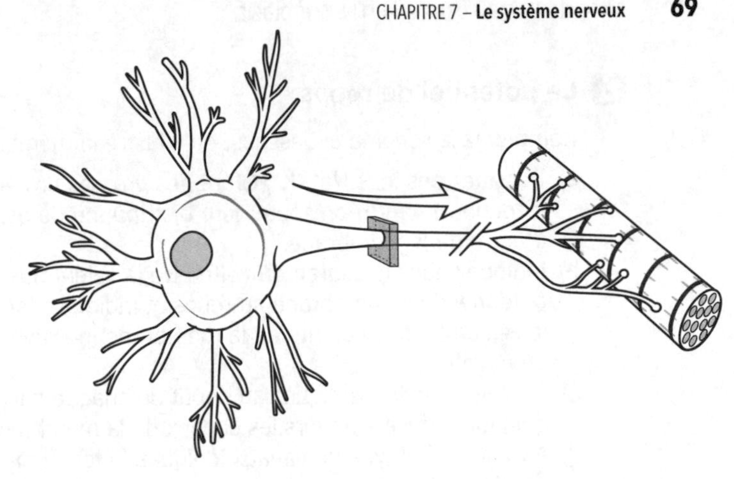

5 Les canaux membranaires intervenant dans un changement de polarité

La figure ci-dessous illustre trois états d'un neurone : repos, dépolarisation et repolarisation.

a) Indiquez l'état dans lequel se trouve la membrane des trois neurones.
b) Dessinez les charges de part et d'autre de la membrane du troisième neurone par des symboles positifs (+) et négatifs (–).
c) Ajoutez des pointes de flèche dans les deuxième et troisième neurones afin d'illustrer le mouvement d'ions dans les canaux à sodium et à potassium à fonction active voltage-dépendants.
d) Dans les quatre cercles vides des deuxième et troisième neurones, indiquez l'ion déplacé.

A. ______________________

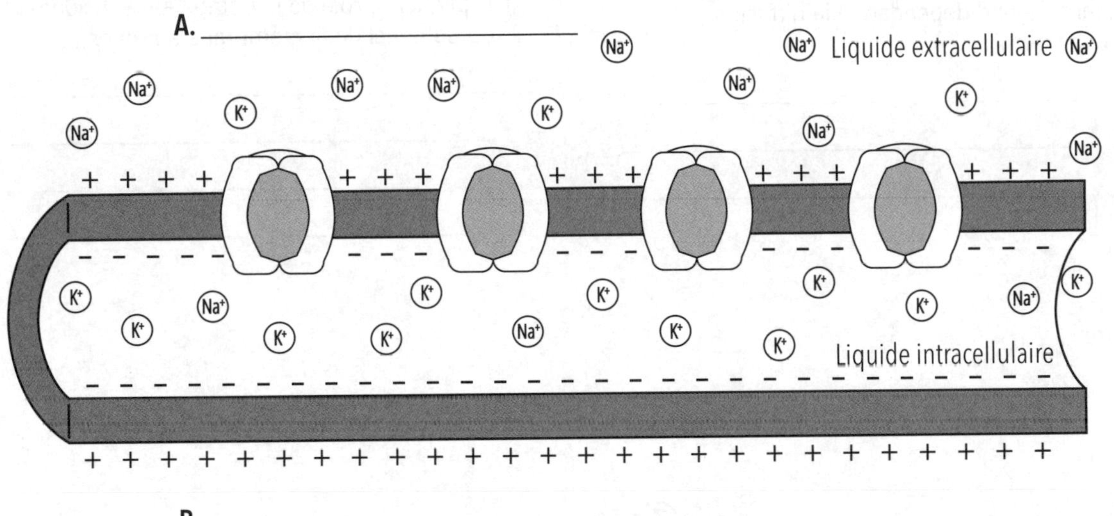

B. ______________________

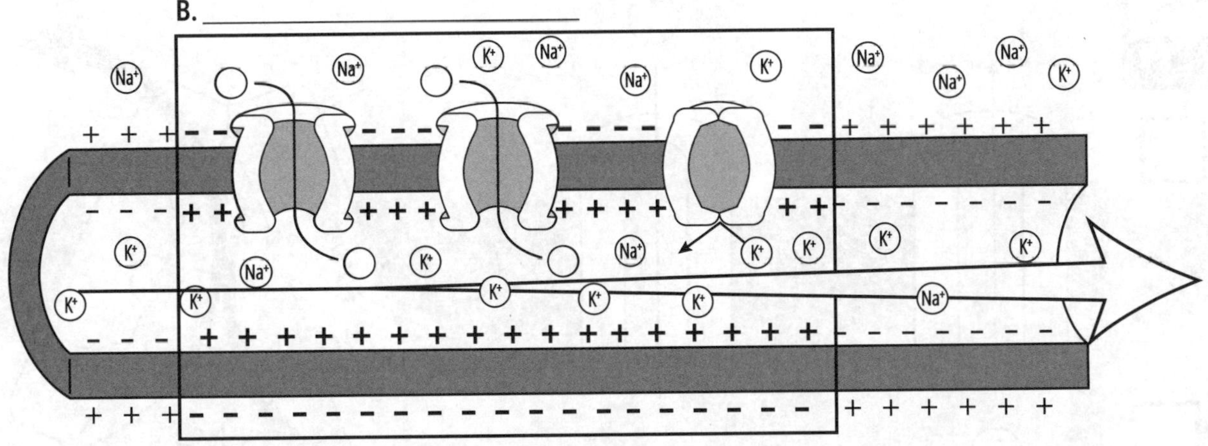

C. ______________________
(retour du potentiel de repos)

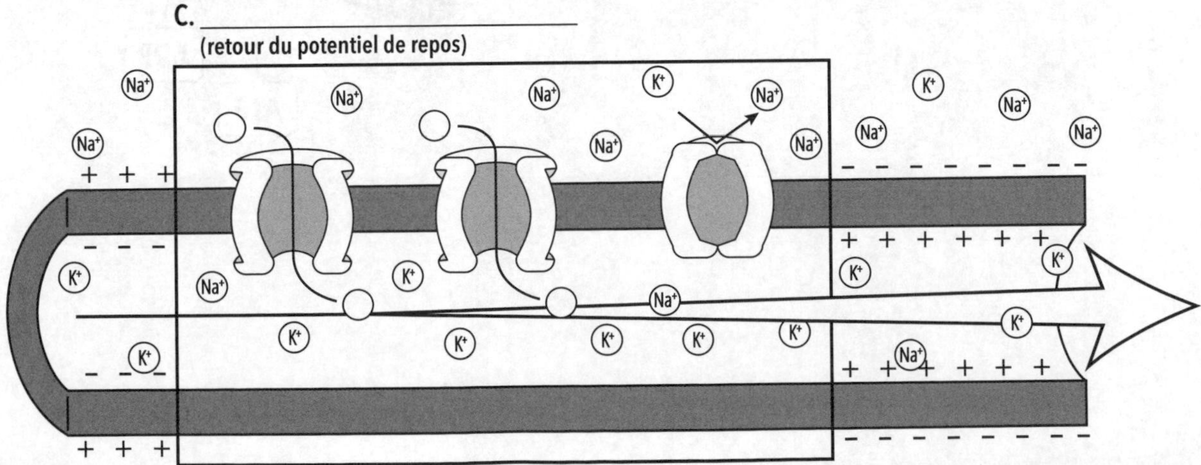

6 Le potentiel de repos

Complétez le schéma ci-dessous, qui illustre la membrane d'un **axone au repos**, selon les consignes suivantes.

a) Dessinez des ions Na^+, K^+, Cl^- et des grosses protéines (Protéine⁻) pour représenter leur distribution de part et d'autre de la membrane.

b) Indiquez dans le cadran du voltmètre la valeur du potentiel de la membrane au repos et indiquez dans les électrodes la polarité de la membrane (positive ou négative).

c) Dans les cercles, indiquez au début de chaque flèche quel ion diffuse à travers les canaux de la membrane.

d) À travers quel type de canaux ioniques (à fonction passive, à fonction active voltage-dépendants ou chimiodépendants/ligand-dépendants) la diffusion de ces ions se fait-elle?

____

____

____

e) Habituellement, y a-t-il plus de canaux à fonction passive à K^+ que de canaux à fonction passive à Na^+? Donc, au repos, à quel ion la membrane est-elle le plus perméable?

____

____

f) Indiquez près de la pointe de chaque flèche le nombre et le type d'ions pompés par la pompe à Na^+-K^+ illustrée dans le schéma.

g) Expliquez le rôle de la pompe à Na^+-K^+ dans le maintien du potentiel de la membrane au repos.

____

____

____

____

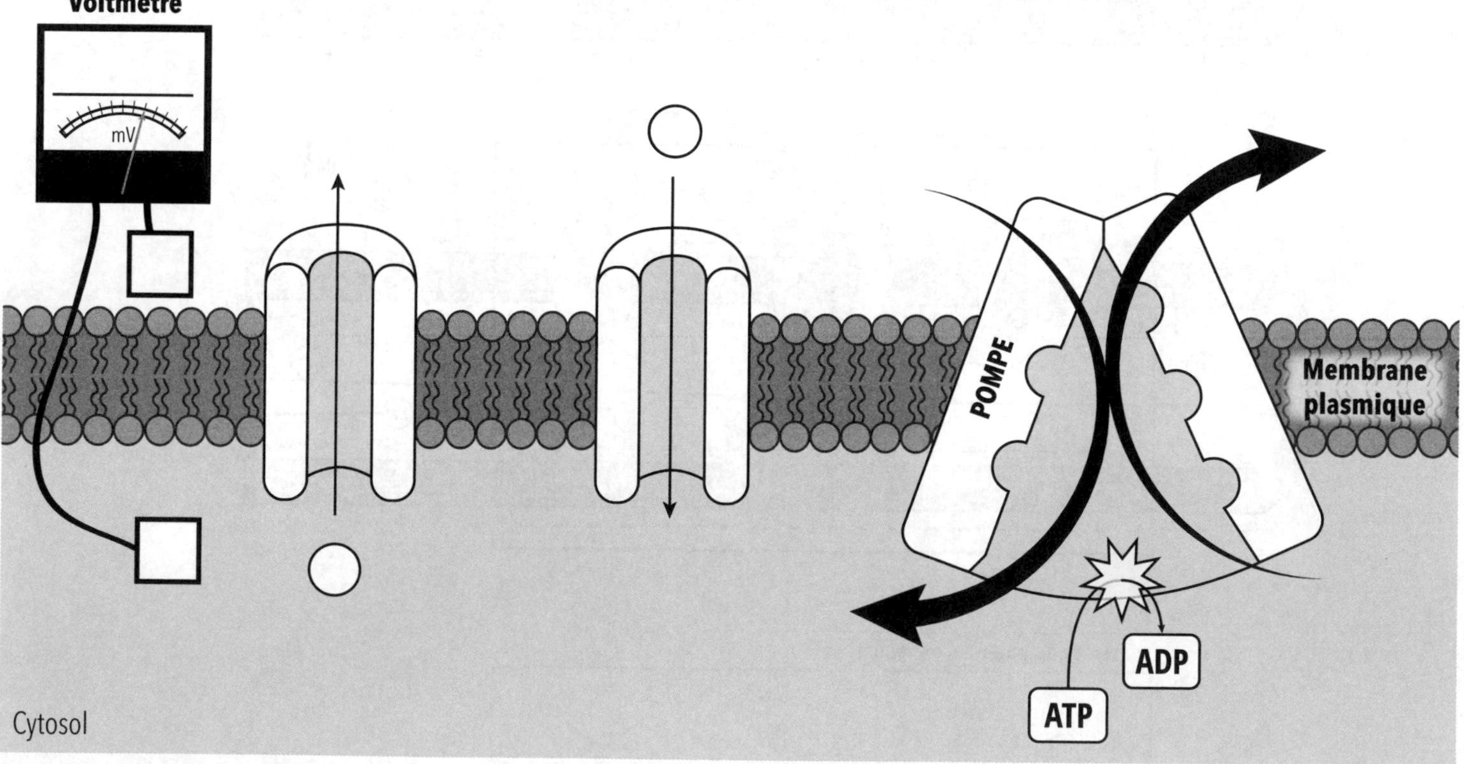

7 Le potentiel d'action

Le graphique ci-dessous illustre le tracé d'un potentiel d'action à un endroit précis sur un axone.

a) À l'aide de couleurs différentes, coloriez sur le tracé les éléments nommés dans la légende et les carrés correspondants.

b) À l'aide des images numérotées en bas du graphique, indiquez dans chaque cercle de la courbe le numéro correspondant à chacun des évènements se produisant le long du tracé.

c) Délimitez précisément la phase de repolarisation, la phase de dépolarisation et la phase d'hyperpolarisation du potentiel d'action.

d) Sur la courbe, situez la période réfractaire absolue.

e) Sur l'axe vertical, situez le seuil d'excitation et indiquez sa valeur.

f) Comment désigne-t-on le phénomène illustré par la courbe?

____

g) Quel type de canaux (à fonction passive, à fonction active voltage-dépendants ou chimiodépendants/ligand-dépendants) interviennent dans ces changements de potentiel?

____

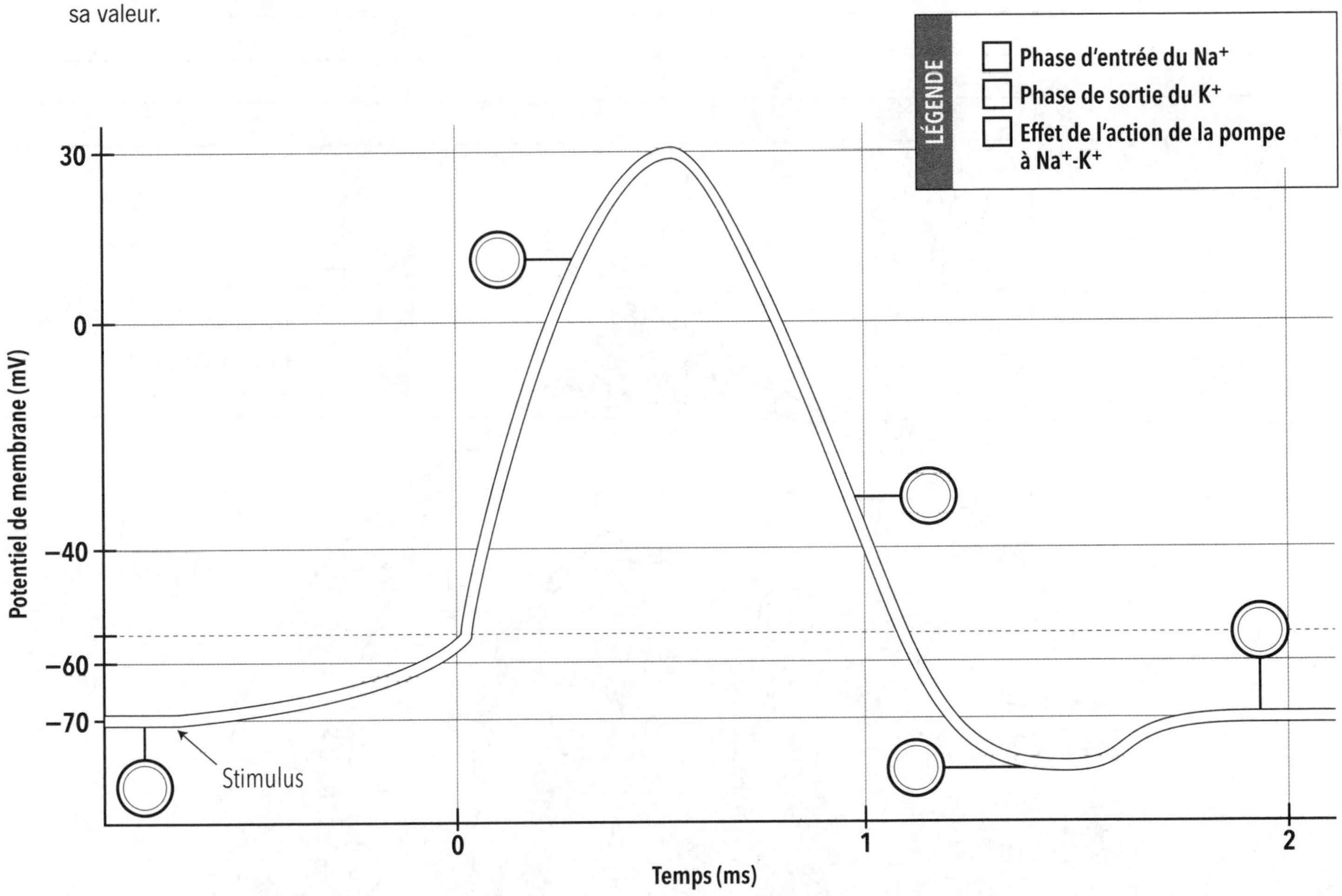

LÉGENDE

- ☐ **Phase d'entrée du Na^+**
- ☐ **Phase de sortie du K^+**
- ☐ **Effet de l'action de la pompe à Na^+-K^+**

Potentiel de membrane (mV): 30, 0, −40, −60, −70

Stimulus

Temps (ms): 0, 1, 2

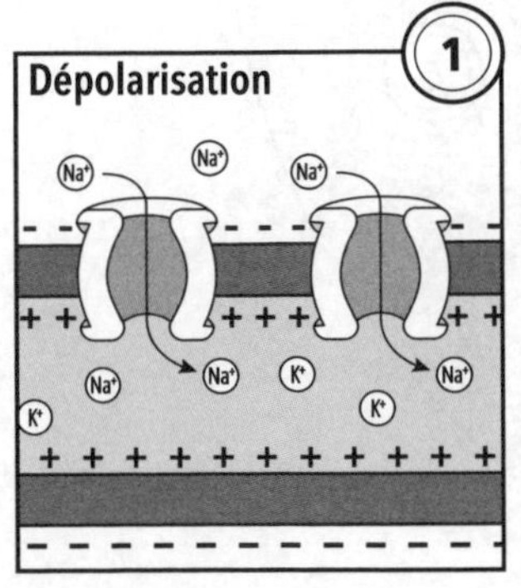

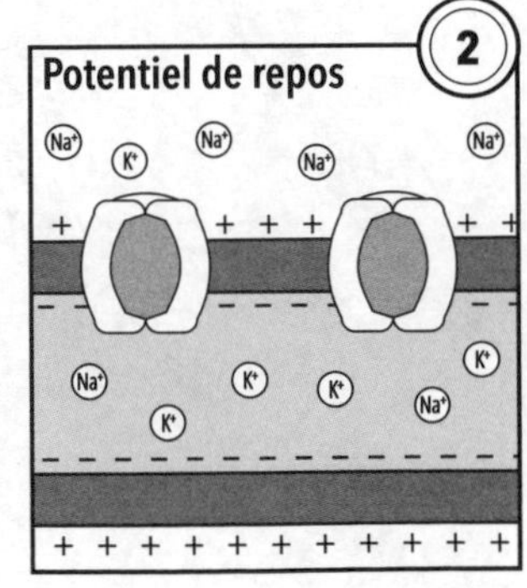

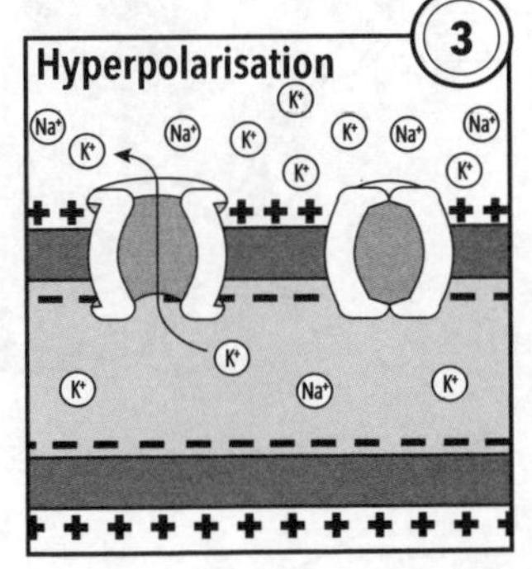

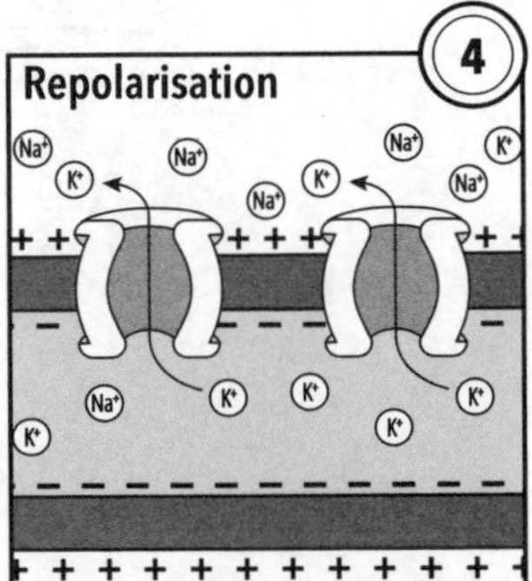

8 La synapse chimique

Le schéma ci-dessous représente la transmission d'un signal dans une synapse chimique lors de la communication entre deux neurones.

a) Selon la numérotation dans l'illustration, décrivez chacune des étapes de la transmission d'un potentiel d'action dans une synapse chimique.

b) À l'aide de couleurs différentes, coloriez sur l'image les éléments de la légende et les symboles correspondants.

c) Identifiez le neurone présynaptique et le neurone postsynaptique, puis délimitez la fente synaptique.

Étapes de la transmission du potentiel d'action

1. __________
2. __________
3. __________
4. __________
5. __________
6. __________

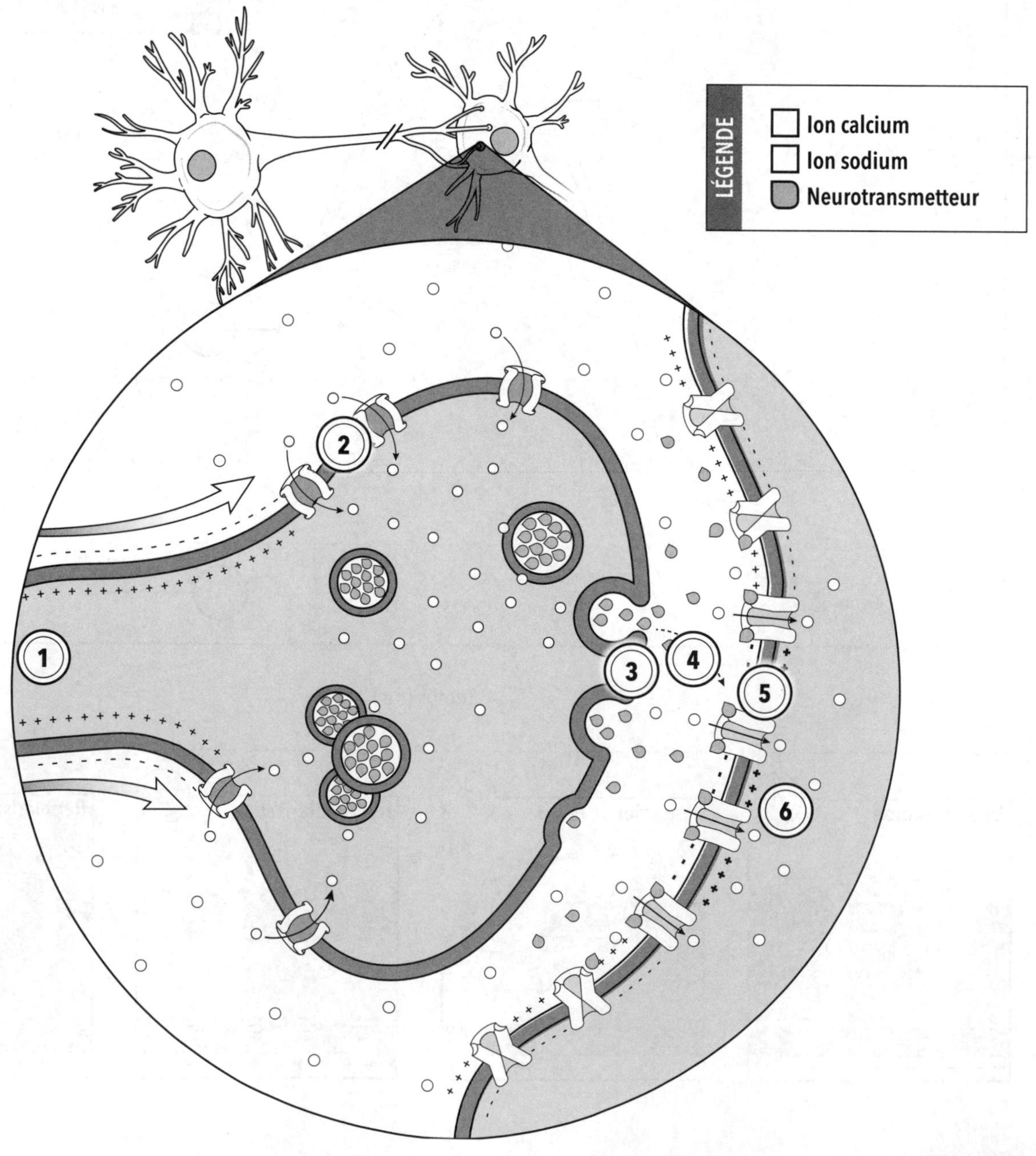

9 Le potentiel gradué : la sommation

Voici quatre mises en situation permettant de tester vos connaissances sur la sommation. Utilisez le graphique mis à votre disposition pour illustrer votre démarche.

a) Cinq neurones présynaptiques excitateurs font synapse avec un neurone postsynaptique dont le seuil d'excitation est de –55 mV et le potentiel de repos de –70 mV. Si les potentiels postsynaptiques excitateurs (PPSE) provoqués par ces neurones présynaptiques sont d'une amplitude de 5 mV au moment de leur arrivée au cône d'implantation, le seuil d'excitation du neurone postsynaptique est-il atteint ?

b) Dix neurones présynaptiques (3 excitateurs et 7 inhibiteurs) font synapse avec un neurone postsynaptique dont le seuil d'excitation est de –55 mV et le potentiel de repos de –80 mV. Simultanément, les 10 neurones présynaptiques atteignent leur seuil, engendrant ainsi un potentiel d'action. Si les PPSE et les potentiels postsynaptiques inhibiteurs (PPSI) provoqués par ces neurones présynaptiques sont d'une amplitude de 12 mV et de 4 mV respectivement au moment de leur arrivée au cône d'implantation, le seuil d'excitation du neurone postsynaptique est-il atteint ?

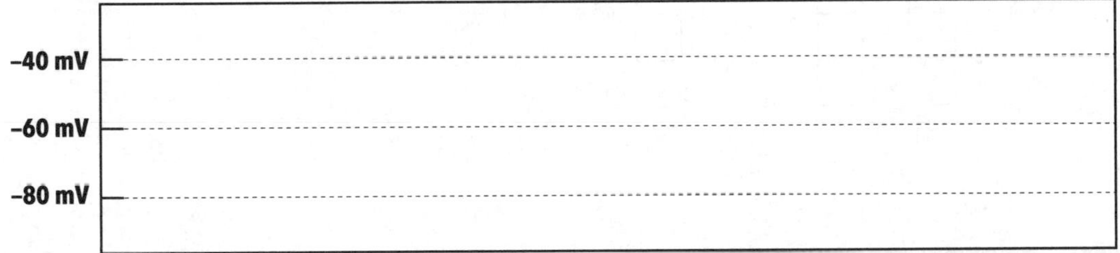

c) Le potentiel de repos d'un neurone postsynaptique est de –60 mV. Sachant que 4 PPSE provoqués par le neurone présynaptique permettent d'atteindre le seuil d'excitation établi à –36 mV, quelle est la valeur minimale de 1 PPSE au moment de son arrivée dans le cône d'implantation ?

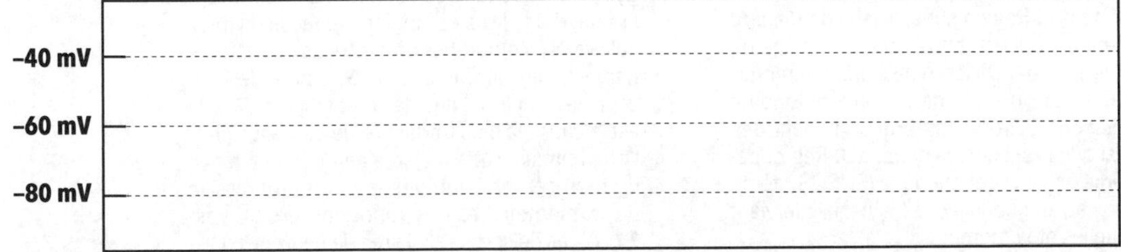

d) Dans un neurone, le potentiel de repos est de –70 mV et le seuil d'excitation est de –40 mV. Quel nombre minimal de PPSI (d'une valeur de –3 mV) faut-il provoquer simultanément pour que le seuil ne soit pas atteint en sachant que 5 boutons terminaux exercent simultanément chacun 1 PPSE d'une valeur de 7 mV ?

LE SYSTÈME NERVEUX CENTRAL ET LE SYSTÈME NERVEUX PÉRIPHÉRIQUE

10 Vocabulaire

À l'aide des définitions suivantes, remplissez la grille de mots croisés ci-dessous.

HORIZONTALEMENT

1. Région proéminente du tronc cérébral qui constitue un relais de l'information en route des centres cérébraux supérieurs vers le cervelet. Inflammation des méninges par une bactérie ou un virus. **3.** Réponse rapide et automatique à un stimulus permettant de conserver l'homéostasie de l'organisme. **5.** Région du diencéphale où s'effectue le relais des influx sensitifs en route vers le cortex cérébral pour y être interprétés. **7.** Région superficielle de matière grise des hémisphères cérébraux qui est, entre autres, le siège de la conscience et de l'intelligence. **11.** Dixième nerf crânien renfermant plus de 90 % des neurones du système nerveux autonome (SNA) parasympathique. Région du tronc cérébral contenant des centres réflexes visuels ainsi que la substance noire. **13.** Regroupement d'axones dans le système nerveux périphérique (SNP). Système de l'encéphale, appelé le cerveau émotionnel et affectif, qui intervient dans les réactions émotionnelles et la mémoire.

VERTICALEMENT

1. Perte ou déficience de la fonction motrice à la suite d'une lésion d'origine nerveuse ou musculaire. **3.** Membranes protectrices du système nerveux central (SNC) (pl.). **5.** Cavité de l'encéphale remplie de liquide cérébrospinal. **7.** Elle est la cause la plus fréquente de démence chez l'être humain, cette maladie neurodégénérative du tissu cérébral entraine la perte progressive de la mémoire et des fonctions exécutives. **11.** Amas de corps cellulaires de neurones dans le SNC. Amas de corps cellulaires de neurones situés hors du SNC (donc dans le SNP). **13.** Récepteur sensoriel détectant les stimulus douloureux. **17.** Région du diencéphale constituant le principal centre d'intégration pour le SNA et dans laquelle s'effectue notamment la régulation de la température corporelle, de l'équilibre hydrique et de l'apport alimentaire.

11 L'arc réflexe polysynaptique

La figure ci-dessous représente une situation faisant intervenir un réflexe polysynaptique.

a) Nommez les structures de la légende et les régions du système nerveux auxquelles appartiennent les éléments des deux encadrés en pointillés.
b) Tracez en **bleu** un **neurone sensitif** provenant des récepteurs situés dans la peau du doigt de l'individu et situez le **corps cellulaire** du neurone sensitif.
c) Tracez en **vert** un **neurone d'association (interneurone)**.
d) Tracez en **rouge** un **neurone moteur** qui sert à innerver un muscle de l'avant-bras et situez le **corps cellulaire** du neurone moteur.
e) Indiquez le **sens** de l'influx nerveux dans cet arc réflexe polysynaptique par plusieurs petites **flèches noires**.

LÉGENDE

1. ______________________
2. ______________________
3. ______________________
4. ______________________
5. ______________________
   - 6. ______________________
   - 7. ______________________
   - 8. ______________________
9. ______________________
10. ______________________
11. ______________________
12. ______________________
   - 13. ______________________
   - 14. ______________________
   - 15. ______________________

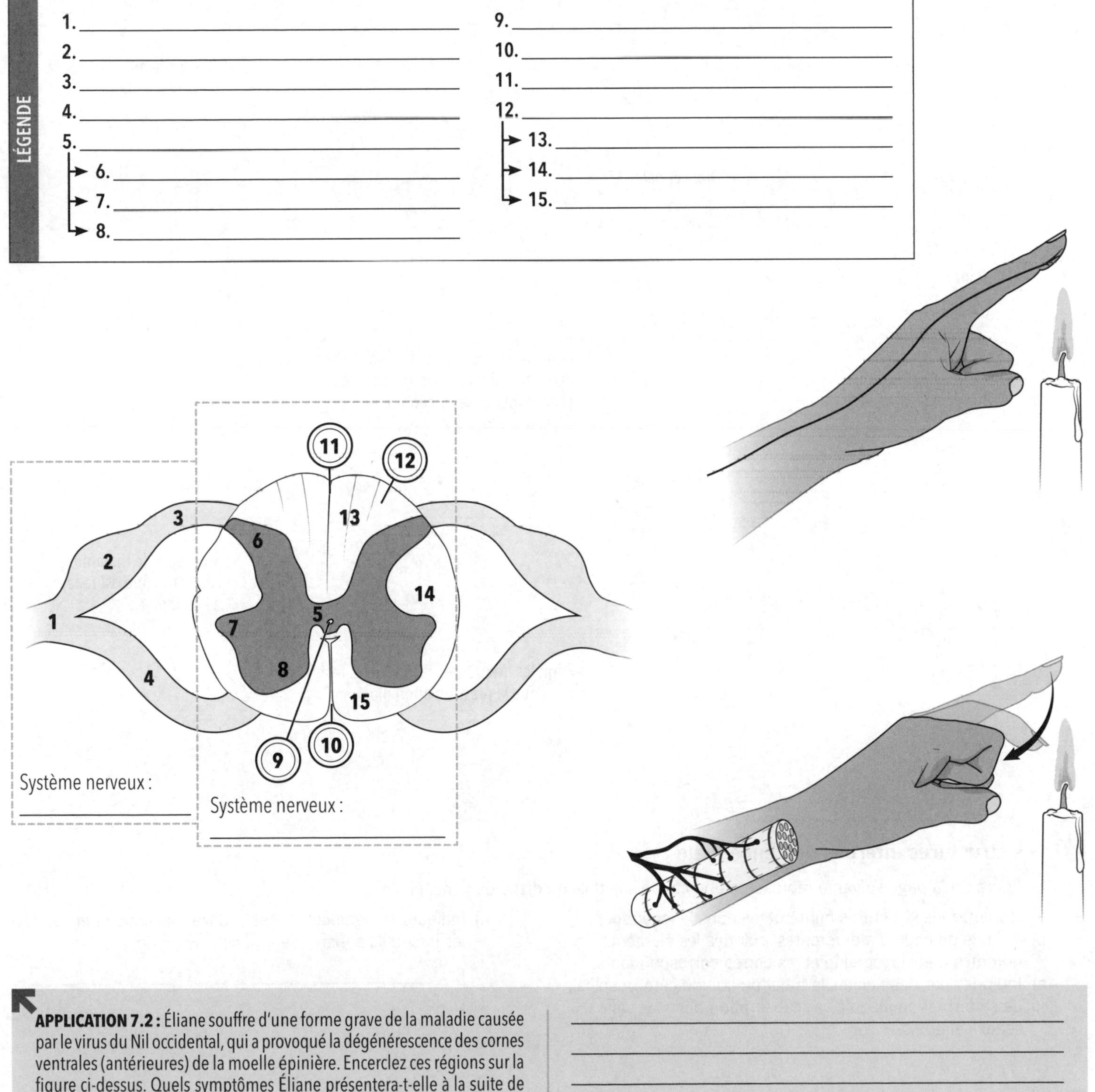

APPLICATION 7.2 : Éliane souffre d'une forme grave de la maladie causée par le virus du Nil occidental, qui a provoqué la dégénérescence des cornes ventrales (antérieures) de la moelle épinière. Encerclez ces régions sur la figure ci-dessus. Quels symptômes Éliane présentera-t-elle à la suite de cette infection ?

____
____
____
____

12 L'anatomie de l'encéphale

Remplissez le tableau ci-dessous, qui décrit les diverses parties de l'encéphale, et associez ces structures à celles numérotées dans le schéma de la page suivante.

Nº	Structure de l'encéphale	Région	Fonctions	Anatomie
	Thalamus			
1				Occupe la majeure partie de l'encéphale.
		Diencéphale		
	Pont			
			Contrôle la posture et l'équilibre en coordonnant et en modulant les commandes motrices provenant du cortex cérébral.	
		Tronc cérébral		
7				Situé sous le thalamus ; cette structure est reliée à l'hypophyse.
			Régit les fréquences cardiaque et respiratoire, ainsi que la pression artérielle.	

13 Les structures internes de l'encéphale

La figure de la page suivante représente une coupe sagittale médiane de l'encéphale.

a) Nommez les structures numérotées dans la légende.
b) À l'aide de couleurs différentes, coloriez les éléments nommés dans la légende et les carrés correspondants.
c) Indiquez par des flèches le trajet du liquide cérébrospinal, de sa formation jusqu'à sa réabsorption dans les vaisseaux sanguins.
d) Indiquez la signification des préfixes suivants et encerclez-les lorsqu'ils apparaissent dans la légende :

Épi : ______________________

Hypo : ______________________

Os du crâne

1 2 3 4 5 6 7 8 9 10 11 12 13 14 15 16 17 18 19 20 21 22 23 24 25

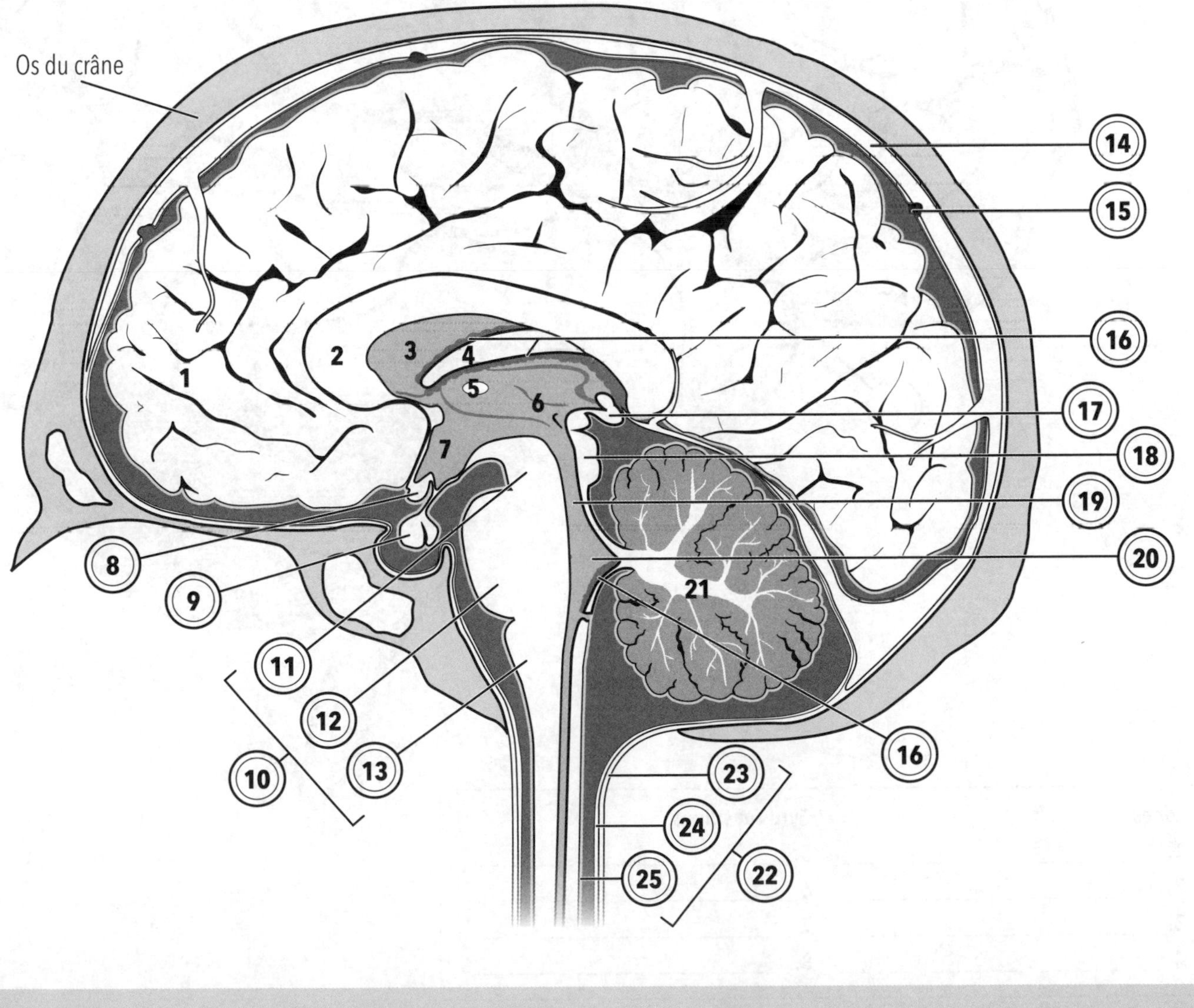

APPLICATION 7.3 : Cédric présente une accumulation pathologique du liquide cérébrospinal (LCS) à l'intérieur des ventricules latéraux (intraventriculaire). Cette hydrocéphalie obstructive (ou non communicante) est due à un blocage du passage du LCS entre les ventricules et non à une mauvaise réabsorption veineuse. Les médecins diagnostiquent une tumeur entre le 3ᵉ et le 4ᵉ ventricule. Indiquez par un X sur la figure précédente le siège de la tumeur de Cédric.

14 Le cortex cérébral

Sur la figure ci-dessous représentant l'hémisphère gauche :

a) Situez les principaux **lobes**, **gyrus** et **sillons** numérotés.
b) Utilisez une **couleur** pour indiquer où se situe chacune des **aires** ou des **régions du cortex** énumérées à la page suivante.
c) Dans le tableau de la page suivante, indiquez pour chacune des aires ou des régions du cortex sa **fonction** et au moins une **conséquence de sa destruction**.

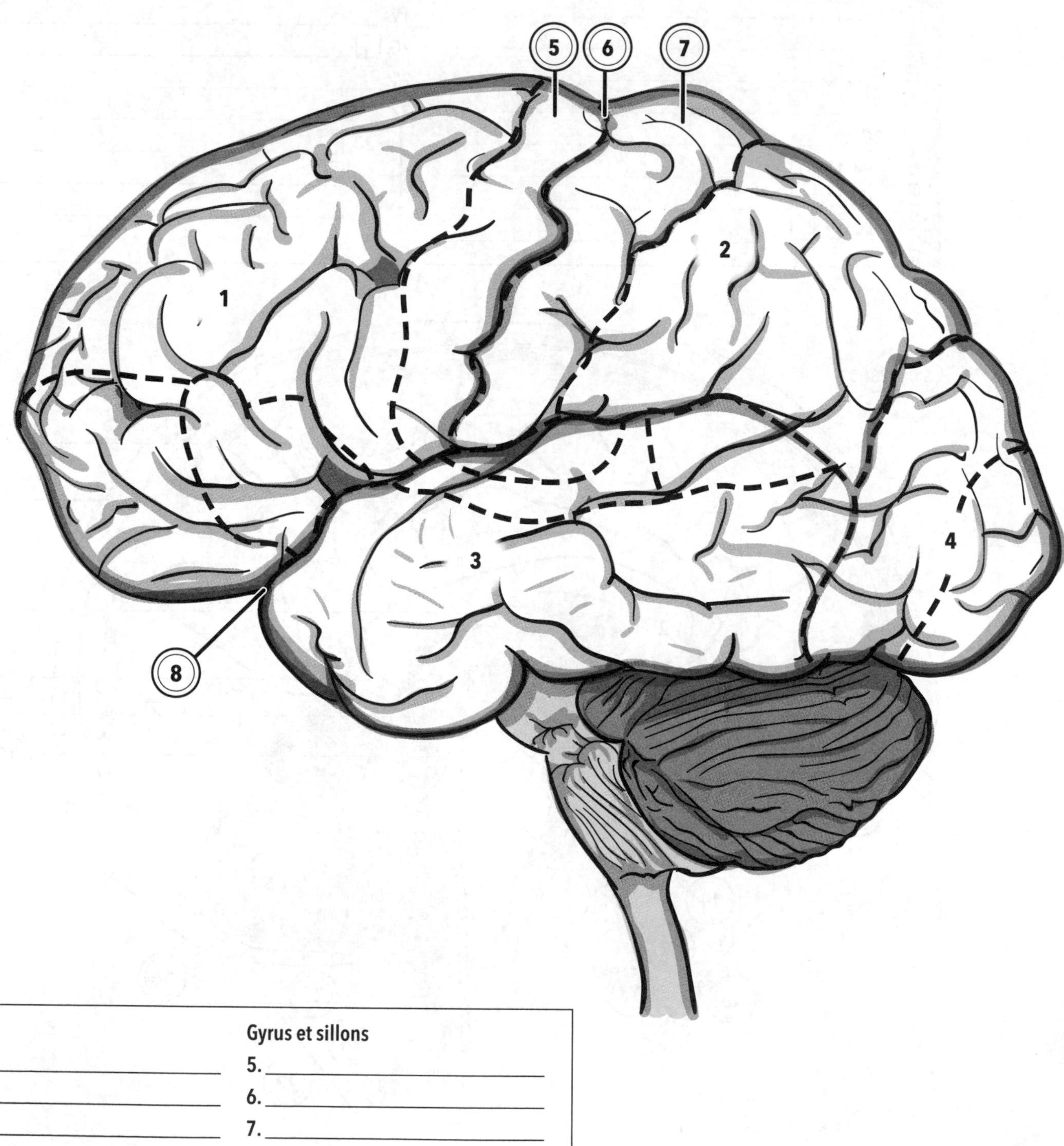

LÉGENDE

Lobes	Gyrus et sillons
1. ______	5. ______
2. ______	6. ______
3. ______	7. ______
4. ______	8. ______

Aire ou région du cortex	Fonction	Conséquence(s) de sa destruction
A. ☐ Cortex moteur primaire		
B. ☐ Cortex prémoteur		
C. ☐ Cortex somesthésique primaire		
D. ☐ Aire somesthésique associative		
E. ☐ Cortex visuel primaire		
F. ☐ Aire visuelle associative		
G. ☐ Cortex auditif primaire		
H. ☐ Aire auditive associative		
I. ☐ Cortex préfrontal (aire associative antérieure)		
J. ☐ Aire motrice du langage (aire de Broca)		
K. ☐ Aire de compréhension du langage (aire de Wernicke)		

APPLICATION 7.4 : Le médecin a diagnostiqué chez Magalie une petite tumeur dans le lobe occipital droit du cortex cérébral. Quels symptômes spécifiques Magalie ressentira-t-elle si sa tumeur grossit et inhibe le fonctionnement de cette région de son cerveau ?

____

____

____

____

15 La classification des récepteurs sensoriels

Pour chacune des situations décrites dans le tableau ci-dessous, indiquez les récepteurs qui seront stimulés selon leur structure, leur situation anatomique et la nature du stimulus.

Situation	Classification structurale	Classification selon la situation anatomique	Classification fonctionnelle (selon la nature du stimulus)
Toucher à de la neige avec sa main.			
Entendre un oiseau chanter.			
Détecter une augmentation de la pression artérielle.			
Être piqué par une aiguille.			
Capter l'étirement de l'estomac bien rempli après un gros repas.			
Éprouver une sensation de brulure dans la région de l'œsophage à la suite de reflux gastrique.			
Détecter une acidose (diminution du pH sanguin).			
Regarder un film au cinéma.			
Positionner les muscles de ses jambes avant une course.			
Manger un citron.			
Sentir une fleur.			

16 Les voies sensitives et motrices

a) En plaçant les étapes ci-dessous en ordre, reconstituez le trajet des influx nerveux qui permettent de percevoir une sensation au niveau de la main gauche (voie sensitive) et de produire un mouvement volontaire dans le mollet droit (voie motrice).

b) À l'aide de couleurs différentes, coloriez sur l'illustration les éléments nommés dans la légende et les carrés correspondants.

c) Indiquez par des **flèches bleues** le trajet de l'influx nerveux sensoriel et par des **flèches rouges** celui de la voie motrice.

LÉGENDE

- ☐ **Neurone moteur supérieur**
- ☐ **Neurone moteur inférieur**
- ☐ **Neurone de 1er ordre**
- ☐ **Neurone de 2e ordre**
- ☐ **Neurone de 3e ordre**

Étapes dans la voie sensitive (dans le désordre)	
1.	L'influx passe par le thalamus.
2.	L'influx passe par le bulbe rachidien.
3.	L'influx atteint le cortex somesthésique primaire droit.
4.	La main gauche touche un objet.
5.	L'influx passe par la racine dorsale du nerf spinal et subit une décussation dans la moelle épinière.
6	Les récepteurs de la main produisent un influx nerveux.
7.	L'influx voyage par une fibre sensitive du nerf spinal.
8.	L'influx est acheminé à l'encéphale par un tractus ascendant de la mœlle épinière.
ORDRE : 4 – ___ – ___ – ___ – ___ – ___ – ___ – ___	

Étapes dans la voie motrice (dans le désordre)	
1.	Contraction du muscle du mollet droit.
2.	Le cortex moteur primaire de l'hémisphère gauche produit un influx nerveux.
3.	L'influx passe par le bulbe rachidien et subit une décussation.
4.	L'influx arrive à la jonction neuromusculaire.
5.	Le cortex prémoteur de l'hémisphère gauche produit un influx nerveux.
6	L'influx utilise un tractus descendant de la moelle épinière.
7.	L'influx sort par la racine ventrale du nerf spinal.
8.	L'influx est conduit par des fibres motrices du nerf spinal.
ORDRE : ___ – ___ – ___ – ___ – ___ – ___ – ___ – 1	

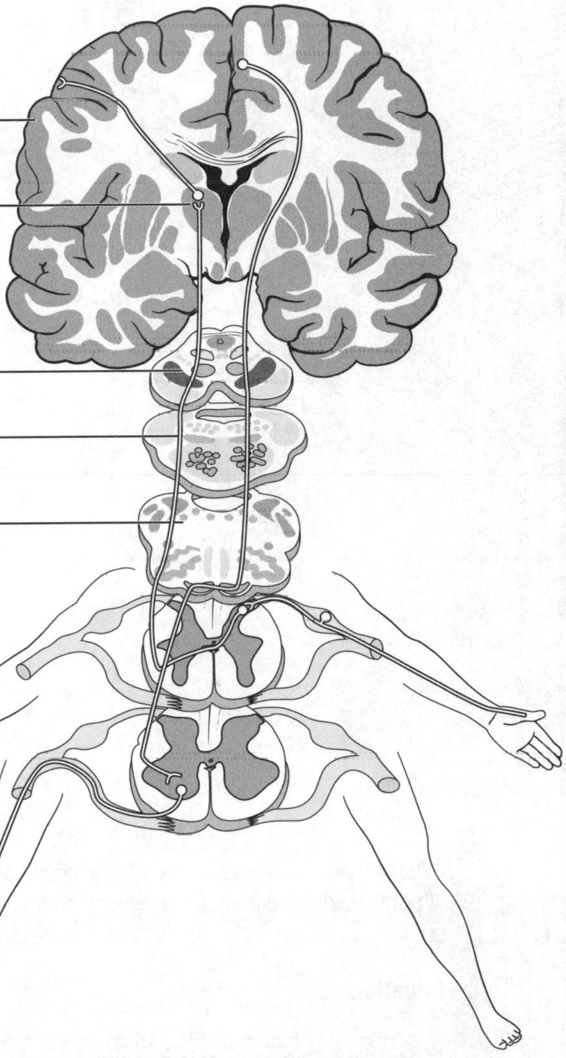

APPLICATION 7.5 : Alors qu'il peinturait la façade de son triplex, Olivier est tombé de l'échafaud à la hauteur du troisième étage. À l'hôpital, un examen neurologique révèle qu'Olivier a perdu toute sensation à partir de la région du cou (à l'exception de ses deux épaules), et ce jusqu'aux orteils. L'examen révèle aussi qu'Olivier est paralysé des bras et des jambes. Son état est stable et il n'a pas besoin d'assistance respiratoire. Compte tenu des résultats de l'examen neurologique, les médecins soupçonnent une lésion complète de la moelle épinière chez Olivier. D'après ces informations, près de quel nerf spinal la lésion de la moelle épinière s'est-elle produite ?

____

____

____

____

____

____

____

17 Le mouvement, la perception et le réflexe

Voici trois schémas s'inspirant de celui de la page précédente. Dans ces trois schémas, tracez les voies de conduction neuronale pour :

a) provoquer un mouvement volontaire dans les quatre membres ;
b) permettre la perception des sensations pour les quatre membres ;
c) effectuer un réflexe par les quatre membres.

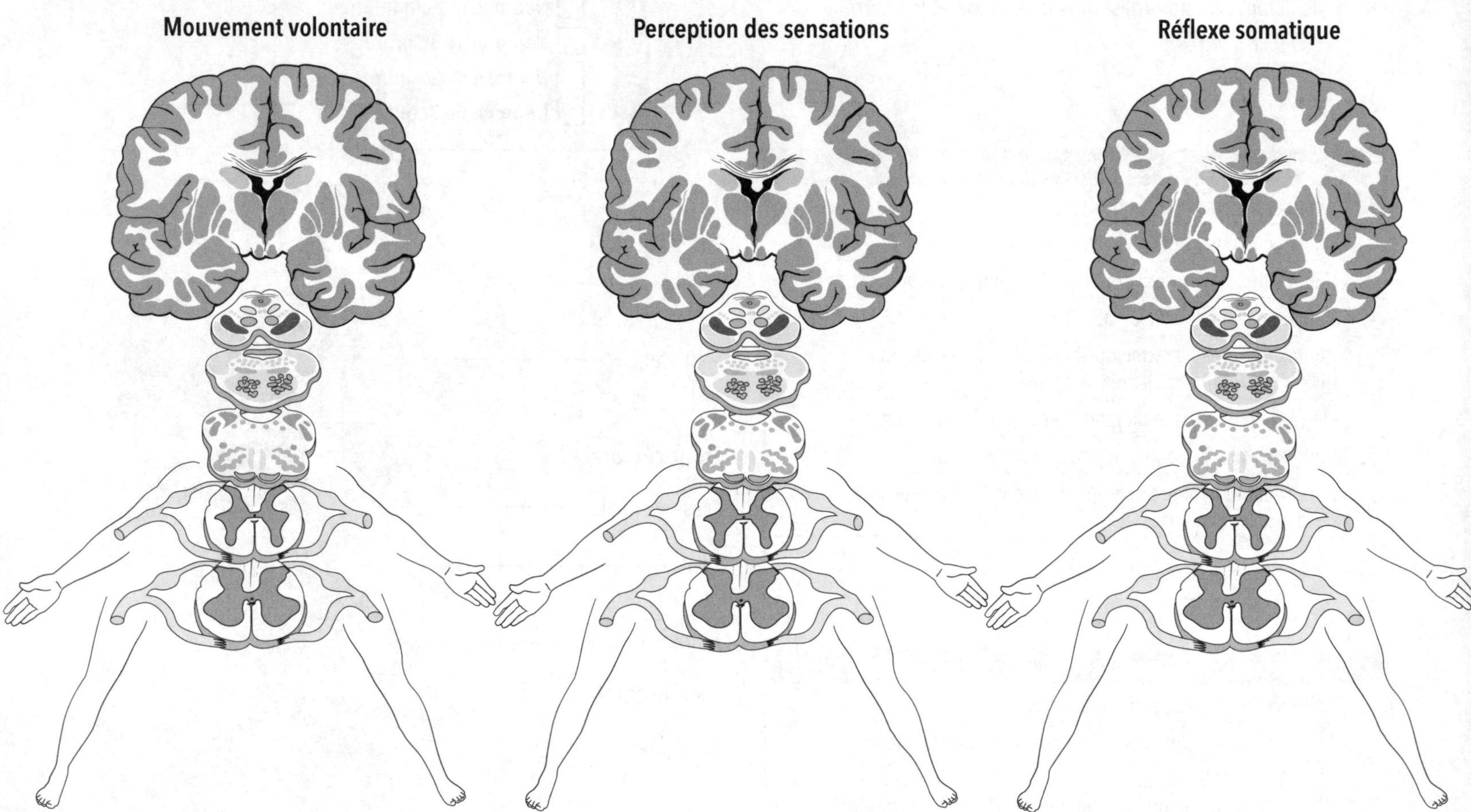

APPLICATION 7.6 : Servez-vous des trois schémas ci-dessus pour indiquer dans chacune des situations suivantes s'il peut se produire un mouvement volontaire, une perception des sensations ou un réflexe somatique.

Situation	Mouvement volontaire		Perception des sensations		Réflexe somatique	
	Membres supérieurs	Membres inférieurs	Membres supérieurs	Membres inférieurs	Membres supérieurs	Membres inférieurs
A. Section de la moelle épinière entre les vertèbres T8-T9						
B. Accident vasculaire cérébral dans tout l'hémisphère droit						
C. Destruction du thalamus						
D. Syndrome bulbaire, causé par une obstruction artérielle droite et gauche du bulbe rachidien						
E. Section du nerf optique (nerf crânien II)						
F. Destruction de tous les ganglions spinaux						

18 L'anatomie d'un nerf

La figure ci-dessous représente un regroupement d'axones dans le système nerveux périphérique : un nerf.

a) Nommez les structures numérotées dans la légende.
b) À l'aide de couleurs différentes, coloriez les éléments nommés dans la légende et les carrés correspondants.
c) Indiquez la signification des préfixes suivants et encerclez-les lorsqu'ils apparaissent dans la légende :

Épi : ____________________

Péri : ____________________

Endo : ____________________

LÉGENDE

1. ☐ ____________________
2. ☐ ____________________
3. ☐ ____________________
4. ____________________
5. ☐ ____________________
6. ☐ ____________________
7. ☐ ____________________

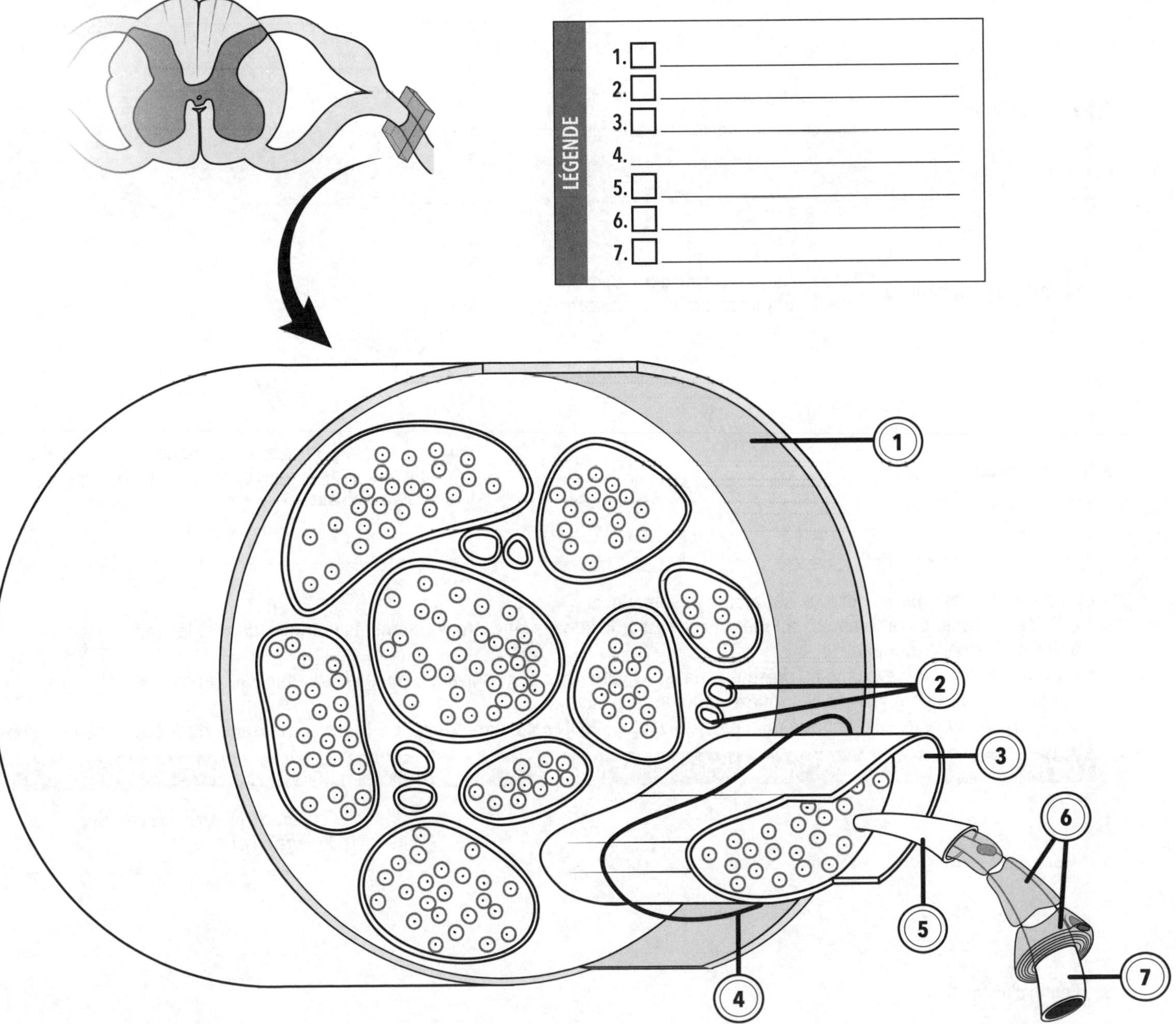

19 Le système nerveux somatique et le système nerveux autonome

Remplissez les tableaux comparatifs, ainsi que les illustrations qui les accompagnent.

a) Comparaison des systèmes nerveux somatique et autonome

	Système nerveux somatique	Système nerveux autonome
Effecteurs		Muscle cardiaque, muscles lisses et glandes
Type de régulation	Volontaire (cerveau) Réflexe (tronc cérébral et moelle épinière)	
Voie nerveuse périphérique	Un neurone efférent (moteur) se prolonge du SNC pour faire synapse directement avec l'effecteur.	
Action sur l'effecteur		Excitatrice ou inhibitrice, selon le type de récepteur localisé sur l'effecteur et de l'origine de la stimulation (sympathique ou parasympathique)

b) Comparaison des réflexes nerveux autonome et somatique

- À l'aide de couleurs différentes, coloriez sur la figure de la page suivante les éléments nommés dans la légende et les carrés correspondants.
- En vous basant sur les exemples présentés dans la figure de la page suivante, remplissez le tableau ci-dessous, qui présente des composants des réflexes autonome et somatique.
- Sur la figure du réflexe somatique (à la page suivante), ajoutez les numéros de 1 à 5 des composants du mécanisme du réflexe.

N°	Composants du réflexe	Exemple dans le réflexe autonome	Exemple dans le réflexe somatique
1.			Coupure du pied sur une bouteille de verre brisée
2.		Mécanorécepteur	
3.	Centre d'intégration		
4.	Effecteur		
5.		Contraction de l'intestin	

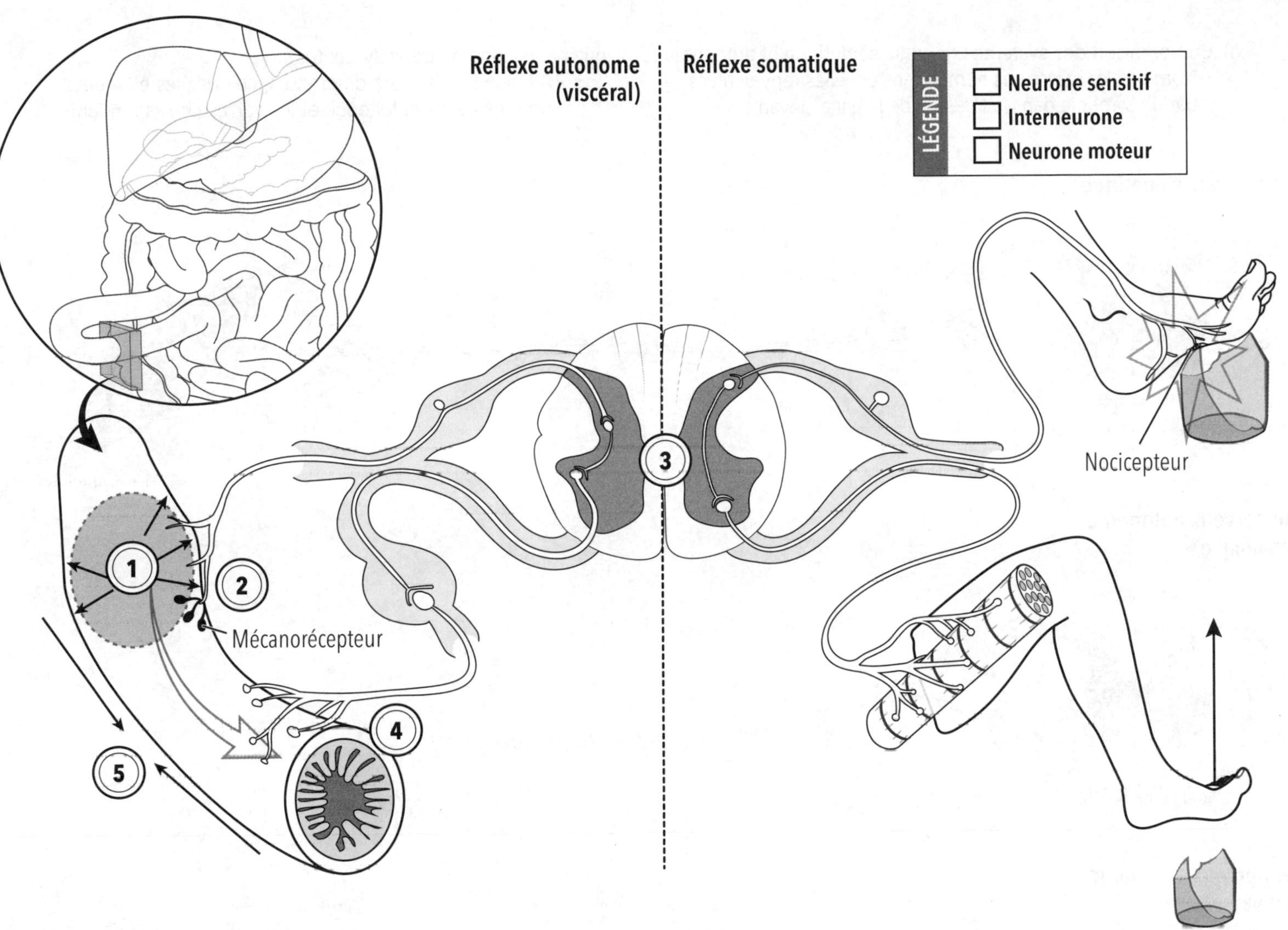

c) Comparaison des divisions parasympathique et sympathique du système nerveux autonome

	Système nerveux parasympathique	Système nerveux sympathique
Situation des corps cellulaires des neurones préganglionnaires		
Emplacement des ganglions et nom du neurotransmetteur libéré par le neurone présynaptique		
Longueur des neurones postganglionnaires par rapport à celle des neurones préganglionnaires		
Neurotransmetteur libéré au niveau de l'effecteur par le neurone postganglionnaire		
Effet général		

d) Comparaison des systèmes nerveux somatique et autonome (divisions parasympathique et sympathique)

- Nommez les structures numérotées et celles représentées par un symbole dans la légende de la page suivante.
- À l'aide de couleurs différentes, coloriez les éléments nommés dans la légende et les carrés correspondants.

Système nerveux somatique

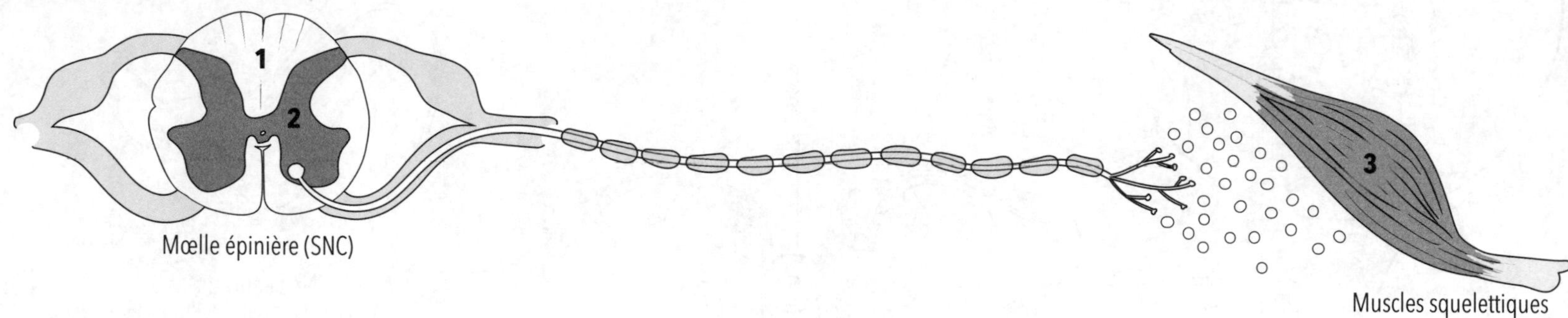

Système nerveux autonome
parasympathique

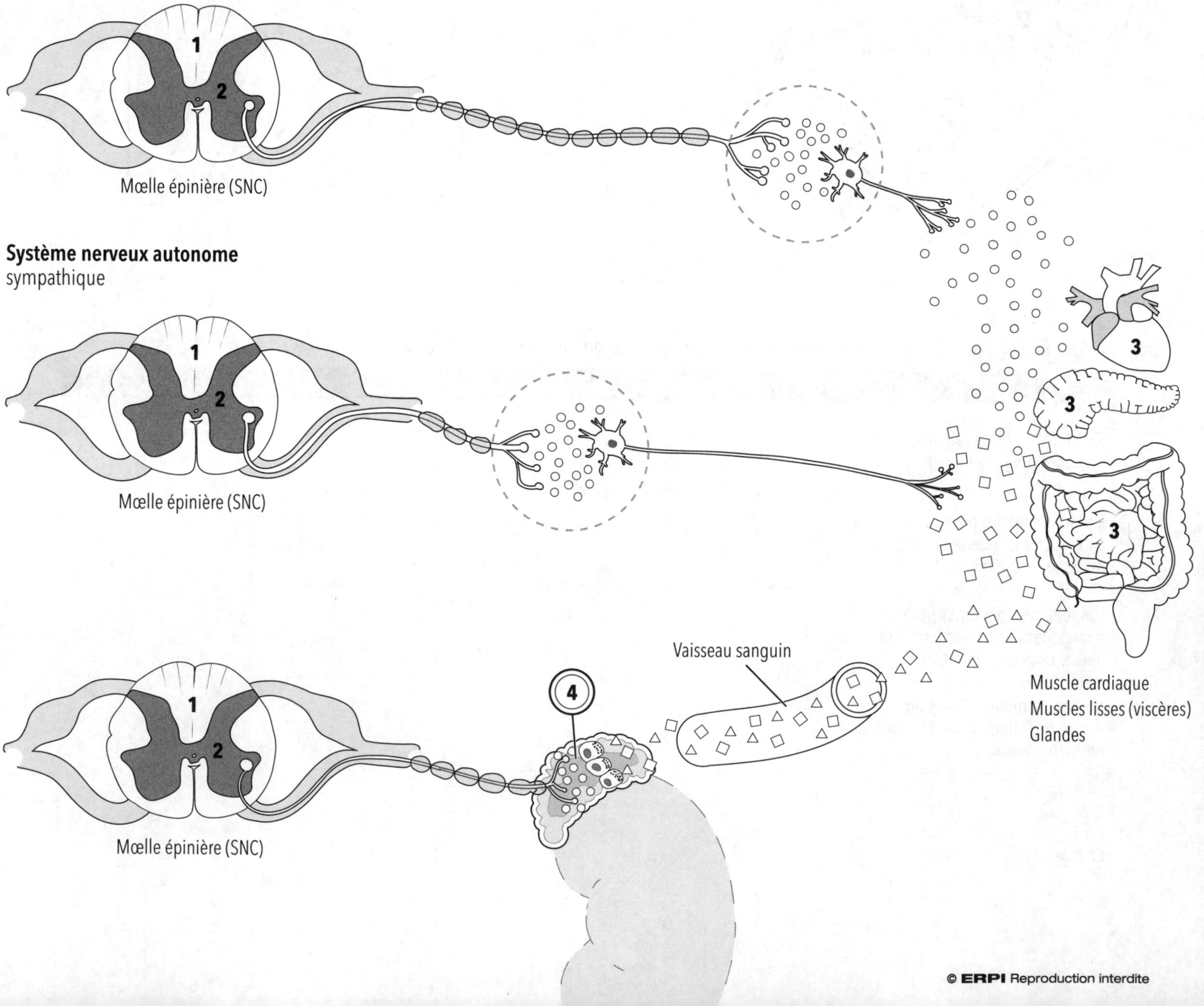

1
2
Mœlle épinière (SNC)

Système nerveux autonome
sympathique

1
2
Mœlle épinière (SNC)

3
3
3

1
2
4
Mœlle épinière (SNC)
Vaisseau sanguin

Muscle cardiaque
Muscles lisses (viscères)
Glandes

LÉGENDE

Neurotransmetteurs

○ ____________________

◇ ____________________

Hormones

◇ ____________________

△ ____________________

Structures

À identifier :

1. ____________________ 3. ____________________

2. ____________________ 4. ____________________

À colorier :

- ☐ **Neurone moteur somatique**
- ☐ **Neurones autonomes préganglionnaires**
- ☐ **Neurones autonomes postganglionnaires**
- ☐ **Ganglions autonomes**
- ☐ **Gaine de myéline**
- ☐ **Muscle volontaire**
- ☐ **Muscles involontaires**
- ☐ **Glandes**

20 Les effets antagonistes des systèmes nerveux autonomes parasympathique et sympathique

a) Indiquez l'effet direct de chacune des branches du SNA sur la réponse de l'effecteur : aucun effet (✕) ; augmentation (↑) ; ou diminution (↓).

Réponse de l'effecteur	Effet du SNA parasympathique	Effet du SNA sympathique
Synthèse de glycogène par le foie		
Fréquence des contractions cardiaques		
Diamètre de la pupille		
Diamètre des bronches		
Motilité intestinale		
Sécrétion de sueur par les glandes sudoripares		
Sécrétion d'adrénaline et de noradrénaline par la médulla surrénale		
Sécrétion de salive par les glandes salivaires		
Production d'urine par les reins		
Vasoconstriction pour diminuer le débit sanguin		

b) La figure ci-dessous illustre l'innervation du système respiratoire par les deux divisions du SNA. À l'aide de couleurs différentes, coloriez les éléments nommés dans la légende et les carrés correspondants.

LÉGENDE

- ☐ **Mœlle épinière**
- ☐ **Neurone préganglionnaire sympathique**
- ☐ **Neurone postganglionnaire sympathique**
- ☐ **Ganglion du système sympathique**
- ☐ **Tronc cérébral**
- ☐ **Neurone préganglionnaire parasympathique**
- ☐ **Neurone postganglionnaire parasympathique**
- ☐ **Ganglion du système parasympathique**

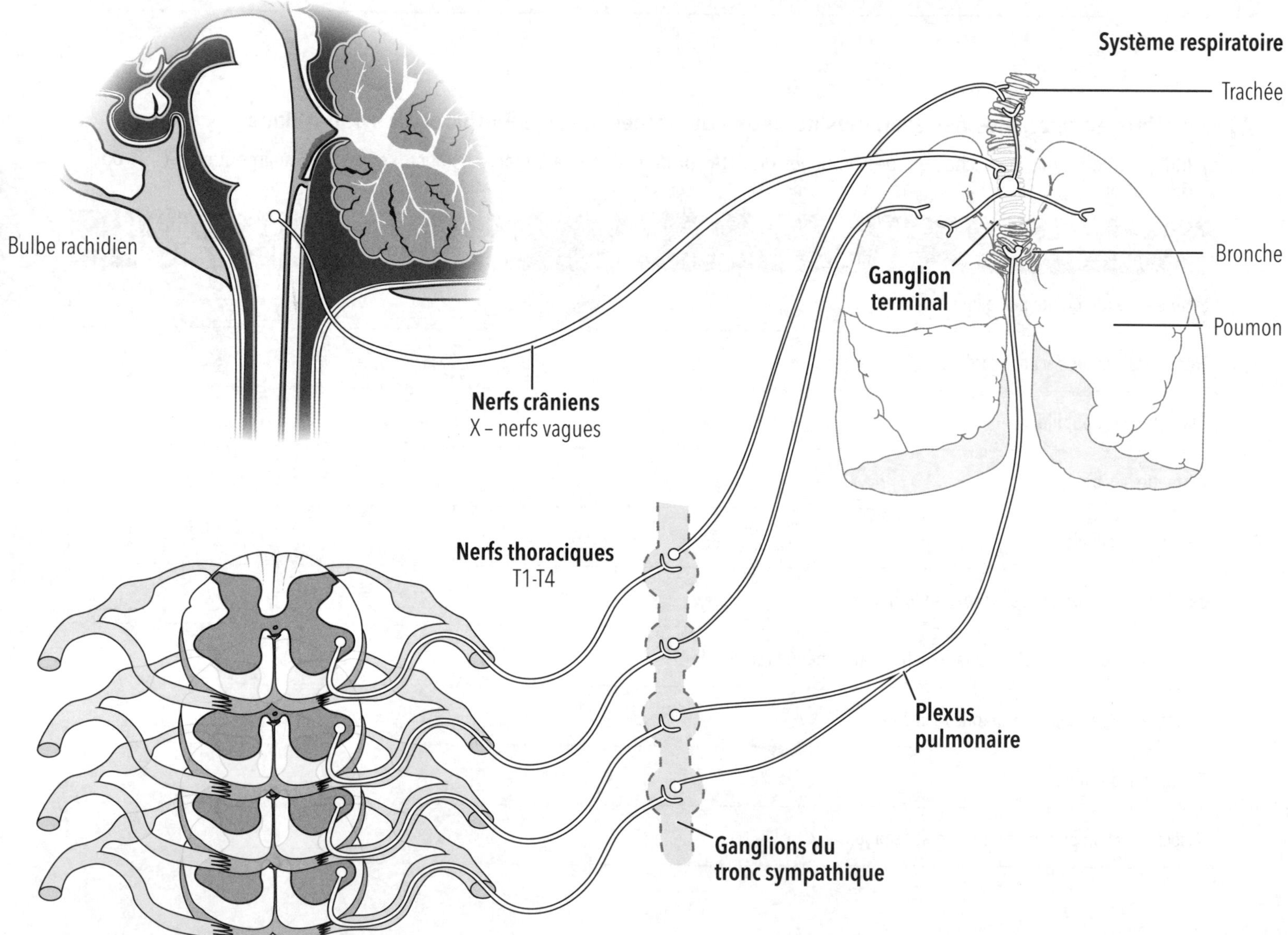

APPLICATION 7.7 : Éloïse a subi une blessure à la tête dans la région du tronc cérébral. Les médecins soupçonnent une lésion au niveau d'un des nerfs vagues. Sur la figure ci-dessus, tracez un X sur la structure lésée et indiquez quels seront les signes et symptômes de la blessée.

____

____

____

____

____

____

____

1 Vocabulaire

À l'aide des définitions suivantes, remplissez la grille de mots croisés ci-dessous.

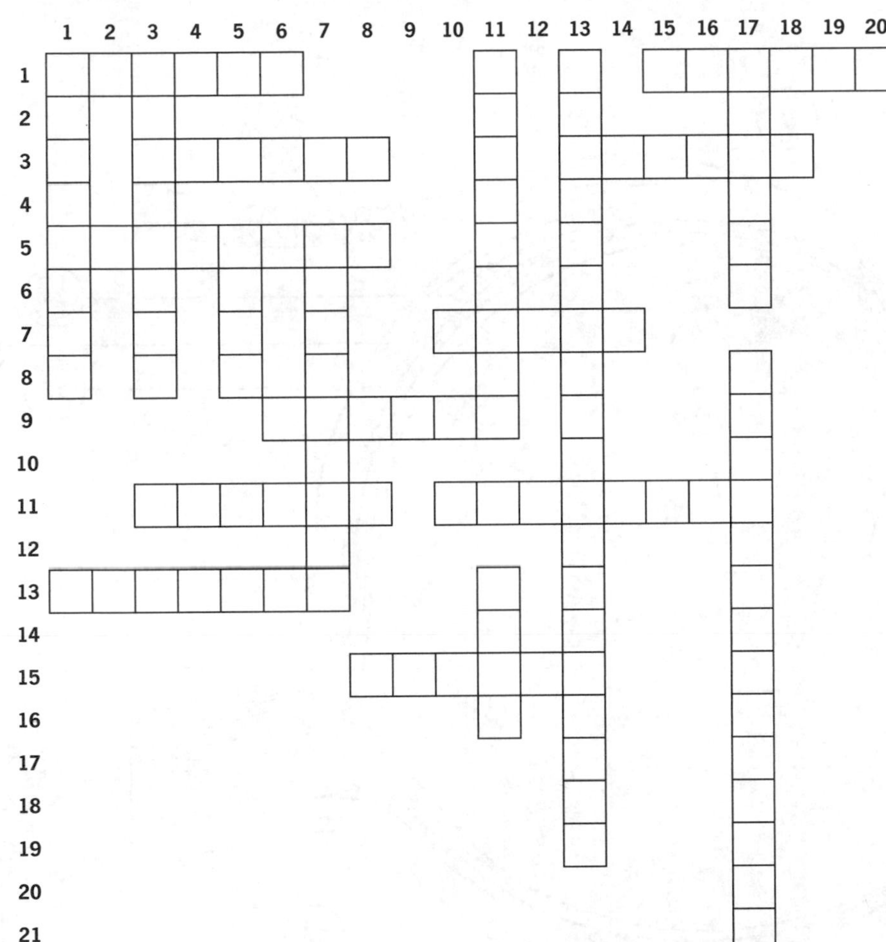

HORIZONTALEMENT

1. Nom donné au sens qui permet de détecter les odeurs (aussi appelé olfaction). Structure osseuse en forme de coquille d'escargot qui renferme l'organe de l'audition. **3.** Qualificatif donné aux substances qui stimulent les cellules gustatives. Couche de tissu conjonctif dense qui colore une grande partie de l'œil en blanc (aussi appelée sclérotique). **5.** Nom donné à la structure qui renferme les récepteurs sensitifs du gout (aussi appelée bourgeon du gout). **7.** Substance produite par les glandes olfactives et qui humidifie la surface de l'épithélium. **9.** Défaut de la vision caractérisé par la formation de l'image devant la rétine. **11.** Membrane qui sépare l'oreille externe de l'oreille moyenne. Cellule spécialisée qui permet de différencier les nuances de gris. **13.** Petite élévation située sur la langue qui peut prendre différentes formes et qui donne à la langue son apparence rugueuse. **15.** Organe récepteur de la vue qui forme l'enveloppe interne du globe oculaire.

VERTICALEMENT

1. Nom du nerf crânien qui transmet les potentiels d'action (influx nerveux) à partir des récepteurs de la cavité nasale vers le système nerveux central (aussi appelé nerf crânien I). **3.** Les plus petits os du corps humain situés dans l'oreille moyenne. **5.** Cellule spécialisée qui permet de distinguer les couleurs. **7.** Nom donné à la glande qui produit les larmes. **11.** Partie centrale du labyrinthe osseux de l'oreille interne. Partie colorée du globe oculaire. **13.** Nerf crânien qui transmet des informations nerveuses liées à l'audition et à l'équilibre vers le système nerveux central (aussi appelé nerf crânien VIII). **17.** Partie transparente du globe oculaire localisée à l'avant de l'œil. Structure spécialisée qui convertit la lumière en potentiel d'action.

L'ŒIL ET LA VISION

2 L'anatomie macroscopique de l'œil

La figure ci-dessous représente une coupe sagittale d'un œil.

a) Nommez les structures numérotées dans la légende.
b) À l'aide de couleurs différentes, coloriez les éléments nommés dans la légende et les carrés correspondants.

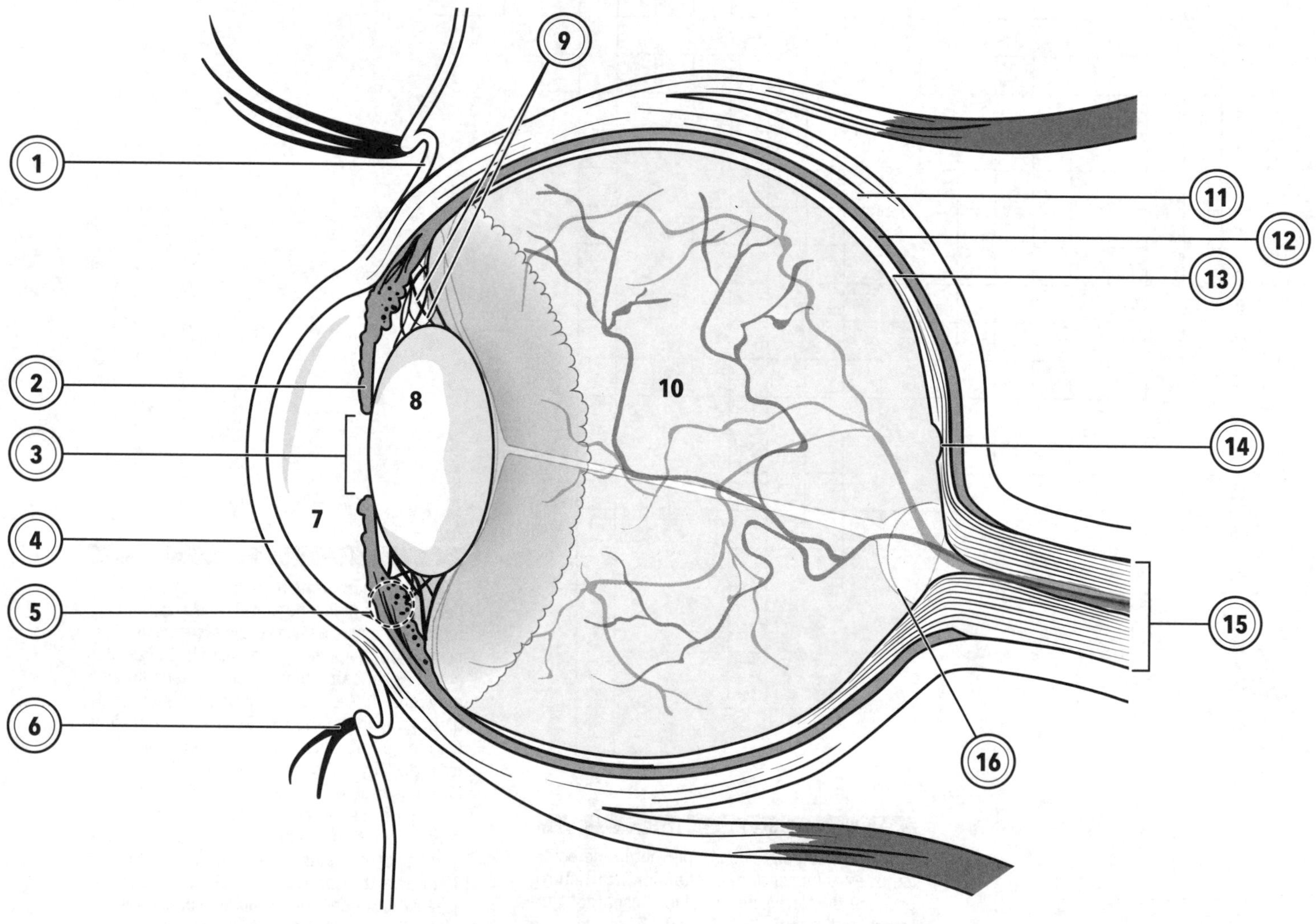

LÉGENDE

À identifier :

1. ______________
2. ______________
3. ______________
4. ______________
5. ______________
6. ______________
7. ______________
8. ______________
9. ______________
10. ______________
11. ______________
12. ______________
13. ______________
14. ______________
15. ______________
16. ______________

À colorier :

- ☐ **Tunique externe (fibreuse)**
- ☐ **Tunique moyenne (vasculaire)**
- ☐ **Tunique interne (rétine)**
- ☐ **Segment antérieur (humeur aqueuse)**
- ☐ **Segment postérieur (corps vitré)**

APPLICATION 8.1 : Sur la figure de la page précédente, tracez un rayon lumineux qui provient de l'extérieur de l'œil et qui se dirige directement vers la macula. À partir de ce tracé, nommez les structures que traverse successivement le rayon pour atteindre la rétine.

Trajet du rayon lumineux :

1. Extérieur de l'œil
2. ____________________
3. ____________________
4. ____________________
5. ____________________
6. ____________________
7. Macula située sur la ____________________

APPLICATION 8.2 : Au cours du vieillissement, cette partie de l'œil devient de plus en plus opaque, ce qui embrouille la vision et peut causer la cécité. Sur l'image de la page précédente, encerclez la partie de l'œil touchée par une cataracte.

APPLICATION 8.3 : À la suite d'une irritation à l'œil, Alexandre souffre d'une conjonctivite. Sur l'image de la page précédente, tracez un X sur la structure qui est enflammée dans ce type d'irritation.

APPLICATION 8.4 : Lorsqu'une personne est inconsciente, le personnel médical a l'habitude de soulever la paupière et de diriger un faisceau lumineux vers l'œil. Pourquoi ?

____

____

____

____

____

____

3 Les anomalies de la forme du globe oculaire

La figure ci-dessous montre le trajet des rayons lumineux dans un œil normal (emmétrope).

a) Sur cette image, tracez la forme d'un œil (globe oculaire) myope et celle d'un œil hypermétrope.

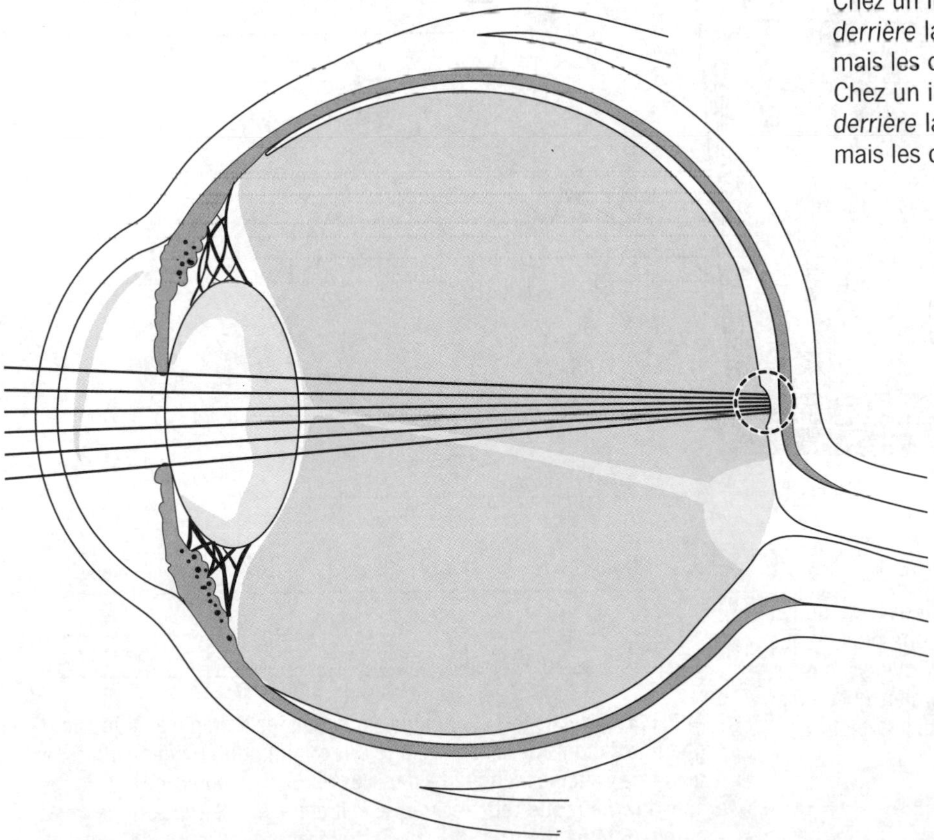

b) Complétez les phrases suivantes en encerclant le terme approprié.
Chez un individu myope, l'image se forme *devant / derrière* la rétine. La vision rapprochée est *claire / floue*, mais les objets éloignés sont *clairs / flous*.
Chez un individu hypermétrope, l'image se forme *devant / derrière* la rétine. La vision rapprochée est *claire / floue*, mais les objets éloignés sont *clairs / flous*.

APPLICATION 8.5 : Assise au fond de la classe, Vanessa a beaucoup de difficulté à lire les consignes au tableau.

Quel problème relatif à la forme du globe oculaire Vanessa présente-t-elle ?

____

De quel type d'anomalie de la vision Vanessa souffre-t-elle ?

____

Quel type de verres correcteurs lui faudrait-il ?

____

4 L'anatomie microscopique de l'œil

La figure ci-dessous représente une coupe de la rétine, ainsi que les photorécepteurs.

a) Nommez les structures numérotées dans la légende.
b) À l'aide de couleurs différentes, coloriez les éléments nommés dans la légende et les carrés correspondants.
c) Coloriez les flèches A et B afin d'indiquer s'il s'agit du trajet de la lumière dans la rétine ou de celui des influx nerveux dans la rétine.

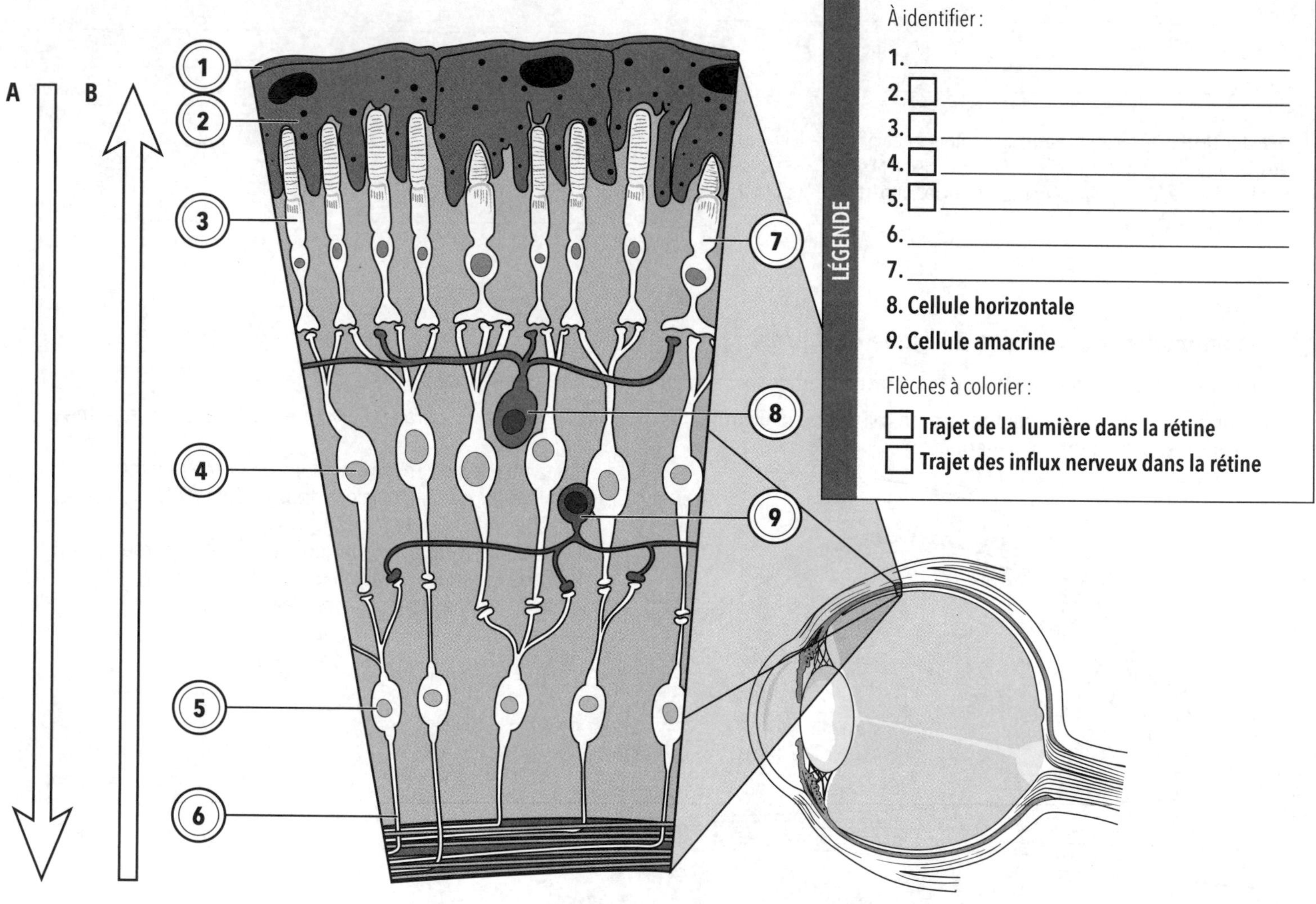

APPLICATION 8.6 : « La nuit, tous les chats sont gris. »
Cette phrase s'explique par un phénomène visuel qui découle du fait qu'un des deux types de photorécepteurs nécessite une plus grande quantité de lumière que l'autre pour être activé. Sur l'image ci-dessus, encerclez le type de photorécepteur très sensible à la lumière qui permet la vision nocturne. Dans la pénombre (la nuit), pourquoi les objets (ainsi que les chats) nous semblent-ils tous gris ?

APPLICATION 8.7 : Dans la forme la plus courante du daltonisme, les individus ont de la difficulté à détecter la lumière dont les longueurs d'onde correspondent au rouge et au vert. Quels types de cellules photoréceptrices sont défectueux chez une personne daltonienne, et dans quelle région de la rétine ces cellules sont-elles le plus abondantes ?

APPLICATION 8.8 : Des scientifiques ont utilisé la thérapie génique pour guérir le daltonisme chez des singes. Ils ont introduit un gène qui code pour une protéine manquante dans les cellules photoréceptrices de ces animaux. Pour que cette technique soit efficace, il faut insérer le gène d'une protéine dans les cellules photoréceptrices. De quelle protéine s'agit-il ? Justifiez votre réponse.

5 Le trajet de la voie visuelle vers le cortex cérébral

La figure ci-dessous représente le trajet de la voie visuelle vers le cortex cérébral.

a) Placez les étapes ci-dessous en ordre et reconstituez la voie visuelle à l'aide des numéros dans l'image.

b) Coloriez de couleurs différentes les deux parties de l'ovale en haut de la figure. Par la suite, tracez des flèches illustrant le trajet des rayons lumineux en provenance de chaque partie du cercle vers les différentes régions de la rétine. Pour chacune des régions de la rétine (deux régions par œil), coloriez de ces mêmes couleurs le chemin que parcourent les influx nerveux.

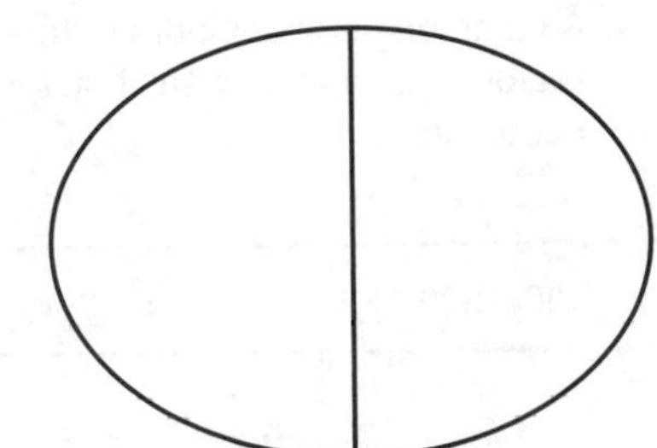

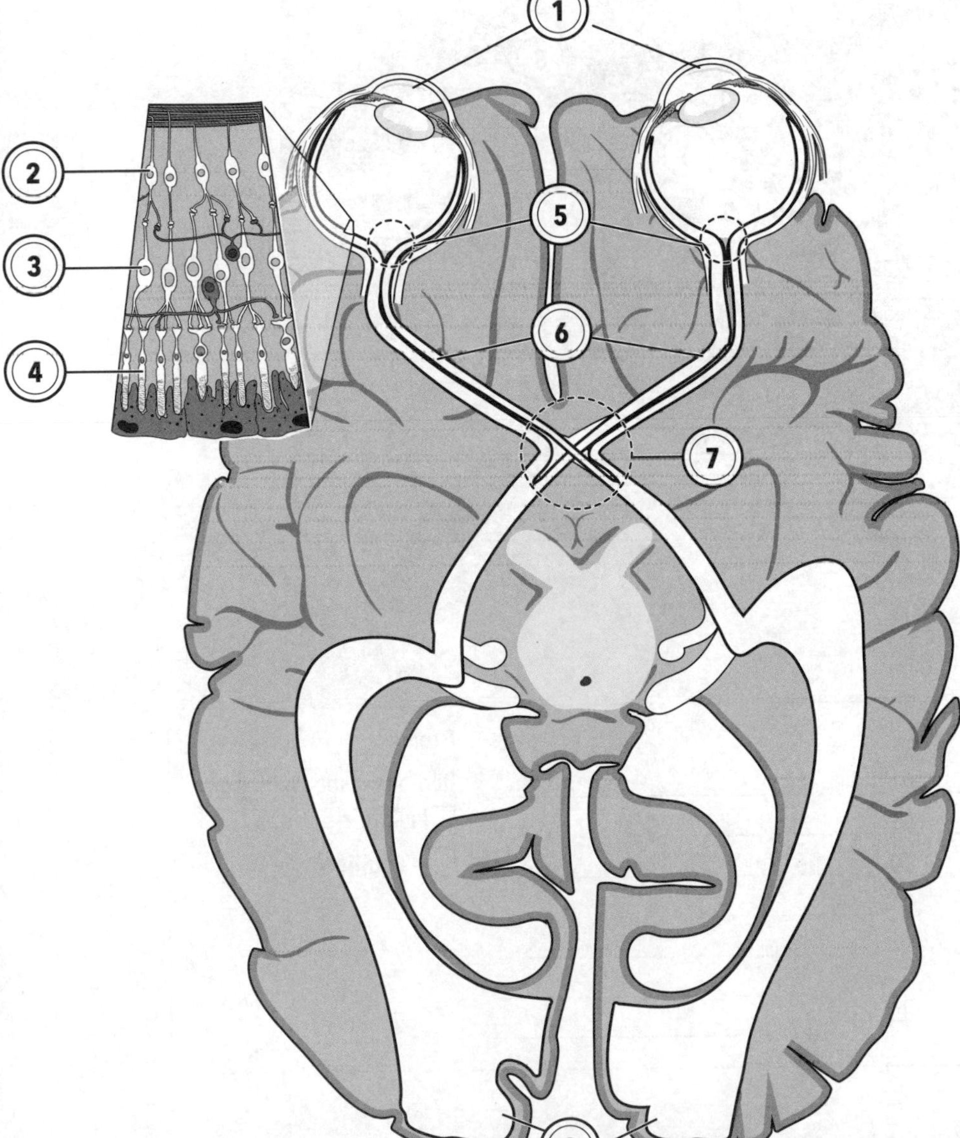

Étapes dans le désordre	
A	Arrivée de l'information dans le cortex visuel
B	Synapse avec des cellules ganglionnaires
C	Transmission de l'influx vers l'encéphale par le nerf optique
D	Propagation de l'influx nerveux vers le disque du nerf optique
E	Stimulation des photorécepteurs (bâtonnets ou cônes) situés dans la rétine
F	Croisement de l'information visuelle au niveau du chiasma optique dans le diencéphale
G	Synapse avec des cellules bipolaires
H	Entrée de la lumière dans l'œil
ORDRE : 1H - ___ - ___ - ___ - ___ - ___ - ___ - ___	

APPLICATION 8.9 : Sachant qu'une personne peut devenir complètement aveugle à la suite d'une lésion de la voie visuelle, encerclez sur l'image ci-dessus la région spécifique où une lésion peut engendrer une cécité complète. Justifiez votre réponse.

____

____

____

L'OUÏE (AUDITION) ET L'ÉQUILIBRE

6 L'anatomie macroscopique de l'oreille

La figure ci-dessous représente une coupe frontale de l'oreille.

a) Nommez les structures numérotées dans la légende.

b) À l'aide de deux couleurs différentes, distinguez les régions intervenant dans l'ouïe et celles intervenant dans l'équilibre.

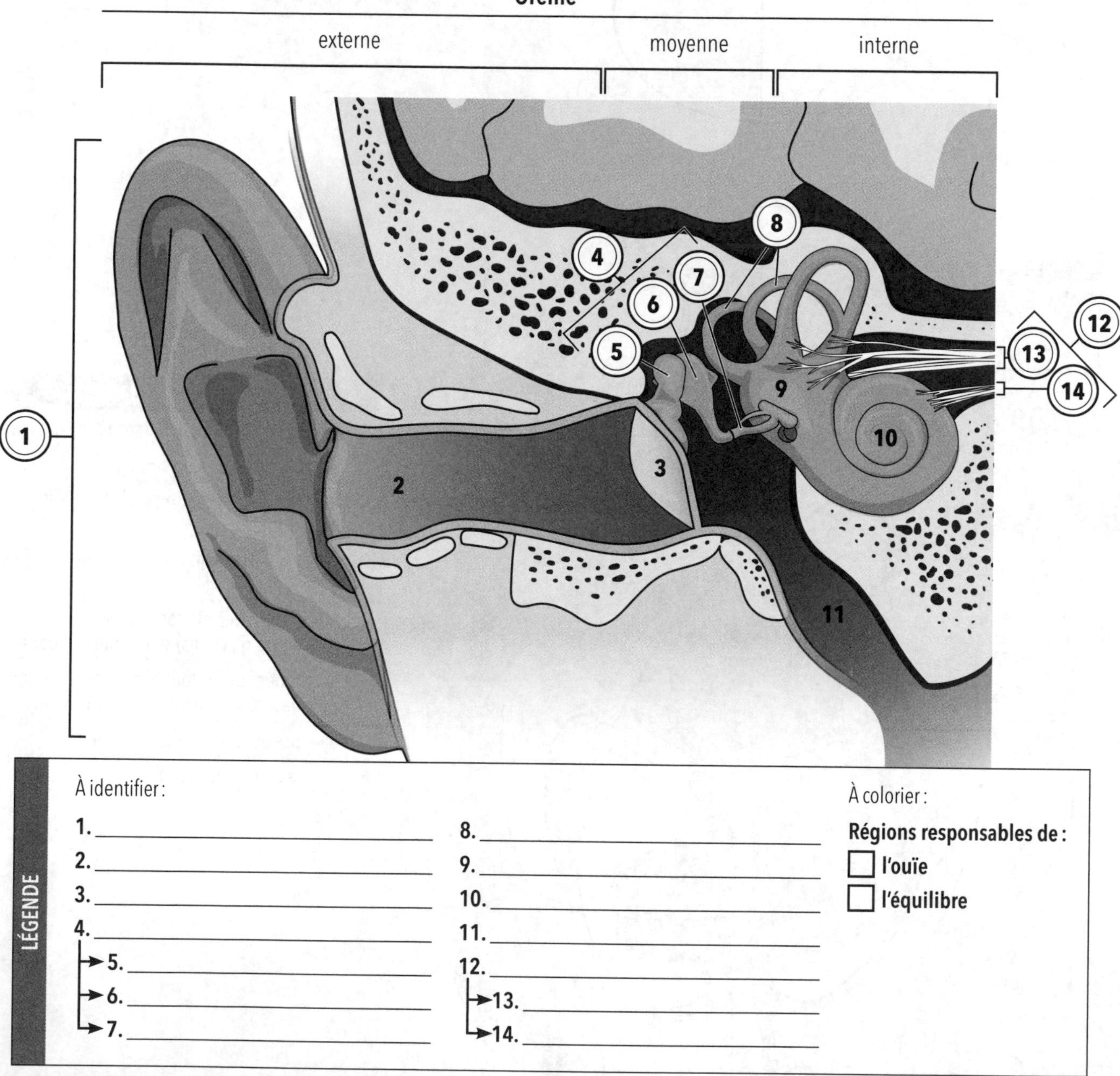

LÉGENDE

À identifier :

1. ______
2. ______
3. ______
4. ______
   → 5. ______
   → 6. ______
   → 7. ______
8. ______
9. ______
10. ______
11. ______
12. ______
   → 13. ______
   → 14. ______

À colorier :

Régions responsables de :

- ☐ **l'ouïe**
- ☐ **l'équilibre**

APPLICATION 8.10 : L'otite externe (otite du baigneur) est souvent causée par une humidité excessive dans le canal auditif (méat acoustique externe), ce qui favorise la croissance de bactéries. De son côté, l'otite moyenne touche la cavité située derrière le tympan (inflammation de l'oreille moyenne). Celle-ci est souvent causée par un virus ou par une bactérie de la gorge qui remonte vers l'oreille moyenne par la trompe auditive, notamment à la suite d'un rhume, et cause une infection. Lorsque ce genre d'otite se produit à plusieurs reprises ou que des problèmes d'audition surviennent, on a recours à la pose de tubes transtympaniques. Ce type de tube traverse le tympan et permet au liquide ou au pus de s'écouler vers l'oreille externe pour diminuer la pression et le risque d'infection de l'oreille moyenne.

Considérant les informations de ce texte, tracez le parcours d'un virus du rhume qui cause une otite moyenne soignée par l'insertion d'un tube.

7 L'anatomie microscopique de l'oreille interne

Les figures ci-dessous représentent plusieurs agrandissements des structures des canaux semi-circulaires, du vestibule et de la cochlée.

a) Nommez les structures numérotées dans la légende.

b) À l'aide de couleurs différentes, coloriez les éléments nommés dans la légende et les carrés correspondants.

c) À l'aide de deux couleurs différentes, distinguez les régions responsables de l'ouïe et celles responsables de l'équilibre au niveau du labyrinthe.

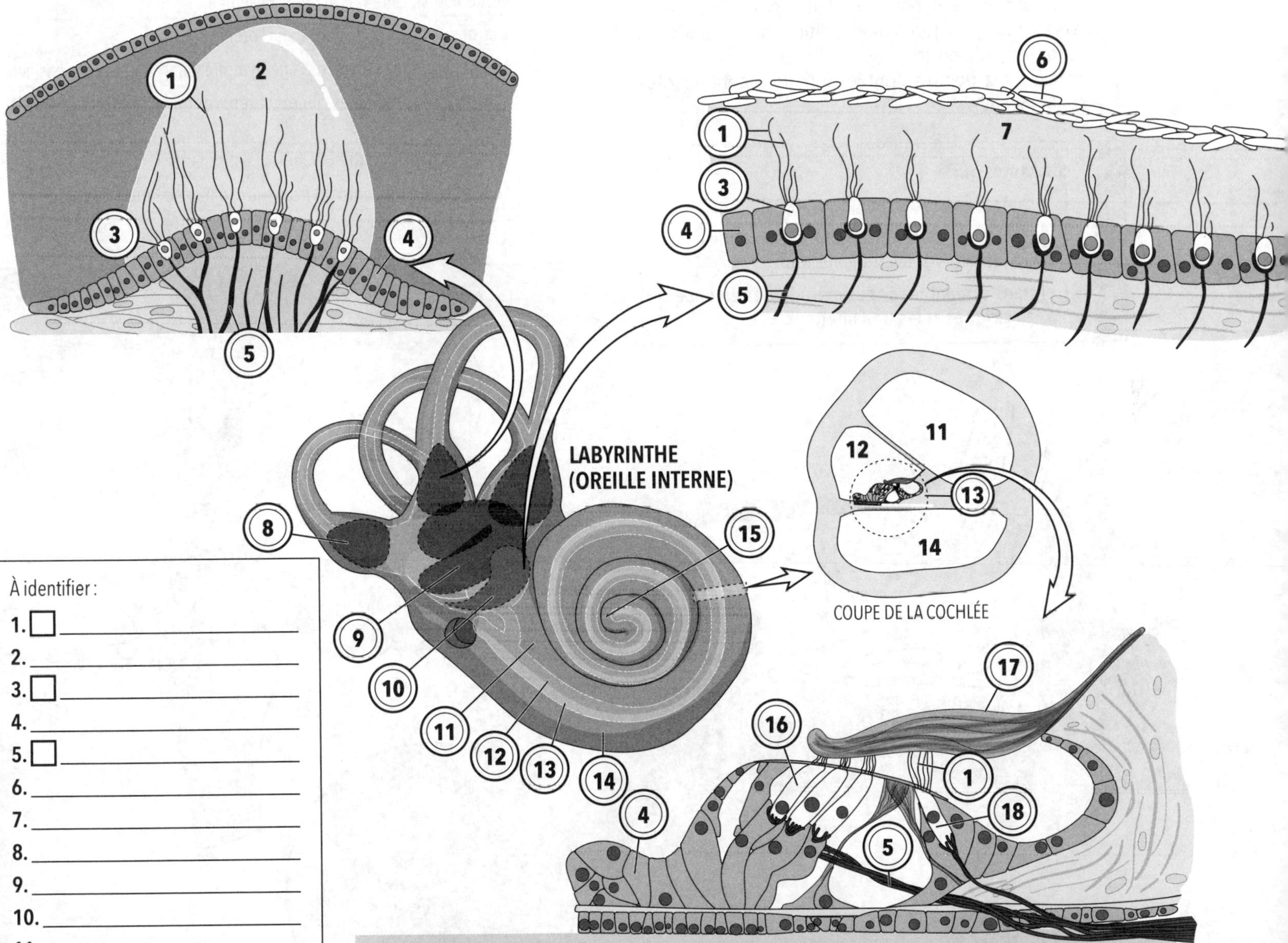

LABYRINTHE (OREILLE INTERNE)

COUPE DE LA COCHLÉE

LÉGENDE

À identifier :

1. ☐ ____________________
2. ____________________
3. ☐ ____________________
4. ____________________
5. ☐ ____________________
6. ____________________
7. ____________________
8. ____________________
9. ____________________
10. ____________________
11. ____________________
12. ____________________
13. ____________________
14. ____________________
15. ____________________
16. ☐ ____________________
17. ☐ ____________________
18. ☐ ____________________

À colorier dans le labyrinthe :

Régions responsables de :

☐ **l'ouïe**

☐ **l'équilibre**

APPLICATION 8.11 : À la suite d'une infection virale, Sonia éprouve des vertiges (sensation d'étourdissement) et elle en perd même l'équilibre. Quelle structure est affectée par cette inflammation ?

____

APPLICATION 8.12 : Au parc d'attractions, Pierre-Luc adore faire des tours de manège. Il aime beaucoup la sensation de confusion que cela lui procure à cause des changements brusques de vitesse et de direction qui jouent sur sa perception de la gravité. Même lorsque le manège s'arrête, Pierre-Luc a encore l'impression que celui-ci est en mouvement. Pourquoi ?

____

8 Le trajet de la voie auditive vers le cortex cérébral

La figure ci-dessous représente le trajet de la voie auditive vers le cortex cérébral.

a) Placez les étapes ci-contre en ordre et reconstituez la voie auditive à l'aide des numéros dans l'image.
b) Sur la figure, illustrez ce trajet en traçant une flèche partant des ondes sonores produites par la bouche, traversant les structures de l'audition, puis se dirigeant vers le nerf et le cortex.
c) Coloriez les structures dont les fonctions sont décrites dans la légende.

Étapes dans le désordre	
A	Les ondes sonores frappent le tympan.
B	L'influx nerveux se propage vers le thalamus, puis vers les aires auditives du cortex cérébral.
C	L'influx nerveux produit est transmis par la branche cochléaire du nerf vestibulocochléaire vers le bulbe rachidien.
D	Des ondes sonores entrent dans l'oreille externe.
E	Des ondes de pression dans la périlymphe déforment la lame basilaire.
F	Les cellules sensorielles ciliées vibrent contre la membrana tectoria du conduit cochléaire.
G	Le stapès frappe contre la fenêtre vestibulaire.
H	Le tympan en mouvement provoque le déplacement des osselets.
ORDRE : 1D - ___ - ___ - ___ - ___ - ___ - ___ - ___	

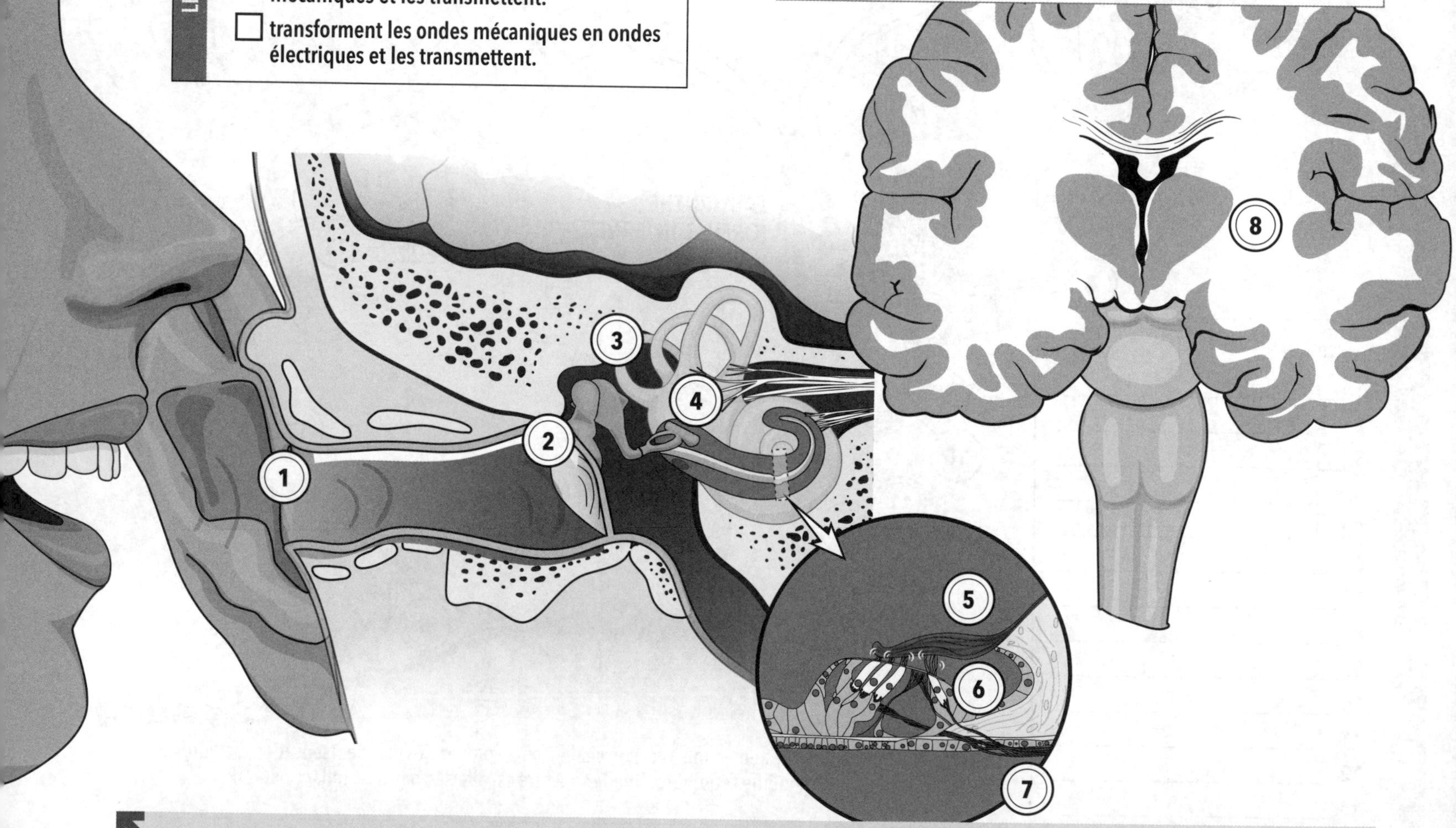

LÉGENDE

Structures qui :

- ☐ **captent et conduisent les ondes sonores.**
- ☐ **transforment les ondes sonores en ondes mécaniques et les transmettent.**
- ☐ **transforment les ondes mécaniques en ondes électriques et les transmettent.**

1 2 3 4 5 6 7 8

APPLICATION 8.13 : Lors d'un voyage dans les Caraïbes, Gilles fait de la plongée sous-marine. Malgré les consignes de l'instructeur de plongée, Gilles ne prend pas le temps d'équilibrer la pression dans ses oreilles (de part et d'autre du tympan). Lorsqu'il atteint une certaine profondeur, la mince membrane de son tympan se tend à l'extrême et éclate ; c'est la perforation du tympan. Quelles sont les conséquences de cette perforation sur l'audition ? À l'aide de l'illustration ci-dessus, justifiez votre réponse.

____

____

____

APPLICATION 8.14 : Andréane est née totalement sourde. Après avoir établi que son nerf cochléaire était fonctionnel, on lui propose un implant cochléaire. Cet implant envoie un signal électrique directement au nerf auditif à l'intérieur de la cochlée. Dans le schéma ci-dessus, encerclez la structure de l'oreille qui effectue habituellement cette fonction. Pourquoi le nerf cochléaire doit-il être fonctionnel pour qu'Andréane puisse recevoir un implant cochléaire ?

____

____

____

LA GUSTATION (GOUT)

9 L'anatomie de la langue et des papilles

Les figures ci-dessous représentent la langue, les quatre types de papilles qui s'y trouvent et un calicule gustatif.

a) Nommez les structures numérotées dans la légende.
b) À l'aide de couleurs différentes, coloriez les éléments nommés dans la légende et les carrés correspondants.

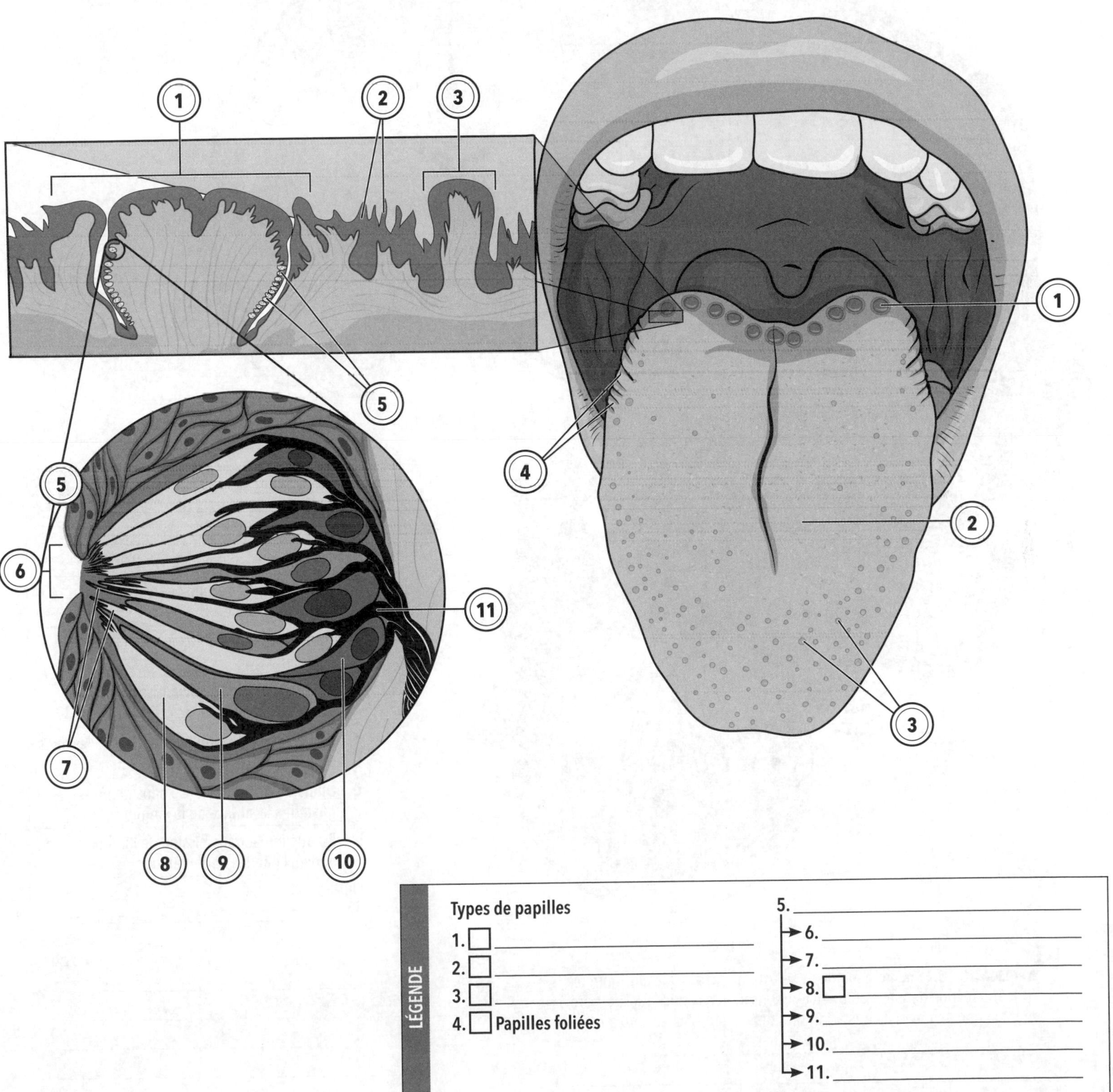

LÉGENDE

Types de papilles

1. ☐ ____________________
2. ☐ ____________________
3. ☐ ____________________
4. ☐ **Papilles foliées**

5. ____________________
→ 6. ____________________
→ 7. ____________________
→ 8. ☐ ____________________
→ 9. ____________________
→ 10. ____________________
→ 11. ____________________

10 Le trajet de la voie gustative vers le cortex cérébral

La figure ci-dessous représente le trajet de la voie gustative vers le cortex cérébral.

a) Placez les étapes ci-dessous en ordre et reconstituez la voie gustative à l'aide des numéros dans l'image.

b) Sur la figure, illustrez ce trajet en traçant une flèche partant de l'extérieur de la bouche et se dirigeant vers le cortex.

c) Coloriez les cellules qui captent le stimulus (récepteurs gustatifs).

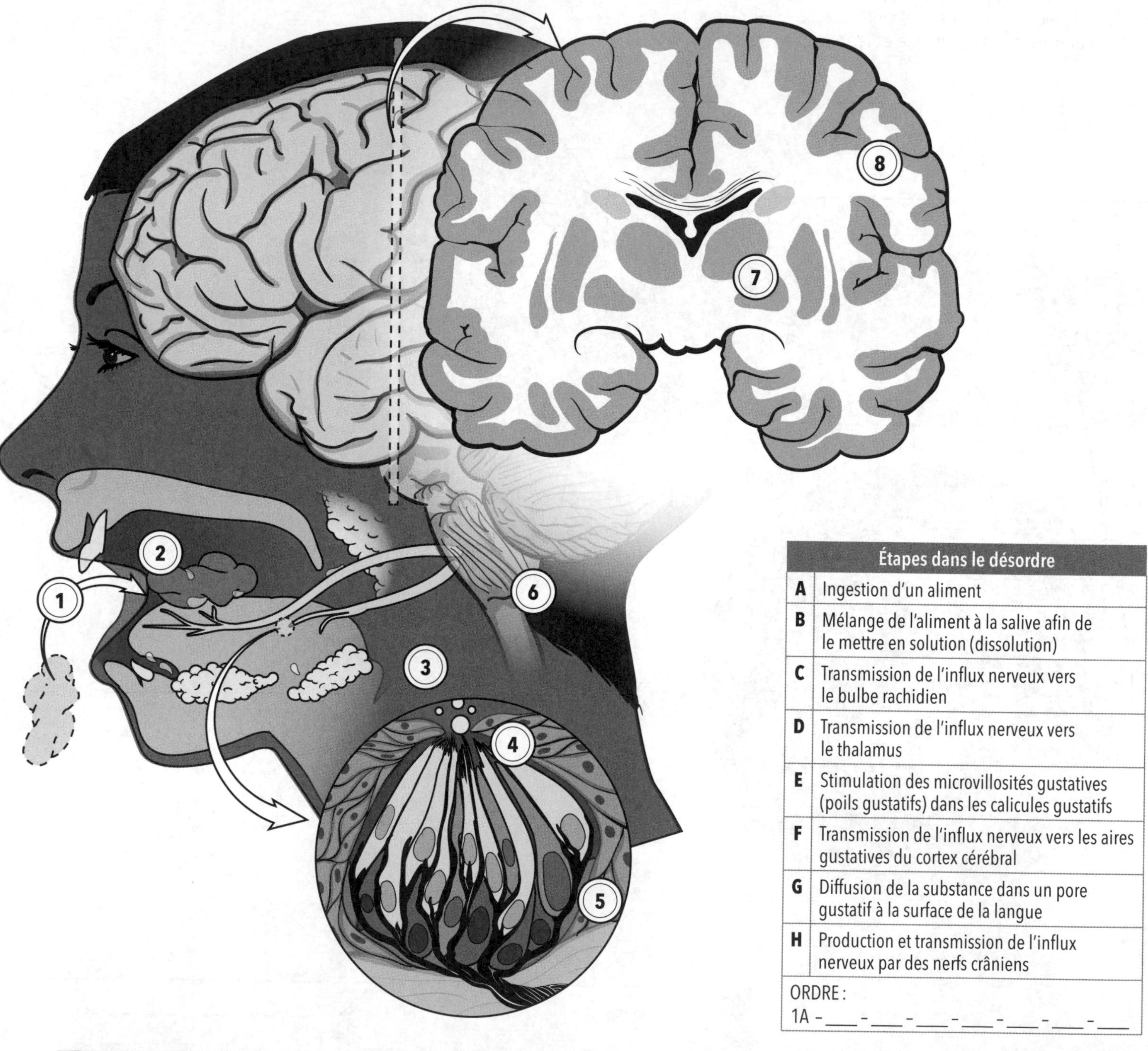

	Étapes dans le désordre
A	Ingestion d'un aliment
B	Mélange de l'aliment à la salive afin de le mettre en solution (dissolution)
C	Transmission de l'influx nerveux vers le bulbe rachidien
D	Transmission de l'influx nerveux vers le thalamus
E	Stimulation des microvillosités gustatives (poils gustatifs) dans les calicules gustatifs
F	Transmission de l'influx nerveux vers les aires gustatives du cortex cérébral
G	Diffusion de la substance dans un pore gustatif à la surface de la langue
H	Production et transmission de l'influx nerveux par des nerfs crâniens
ORDRE : 1A - ___ - ___ - ___ - ___ - ___ - ___ - ___	

APPLICATION 8.15 : Carole souffre de xérostomie, une réduction anormale de la production de salive donnant une sensation de bouche sèche. Comment la perception de la gustation sera-t-elle affectée chez Carole ?

____

____

____

____

____

____

L'OLFACTION (ODORAT)

11 L'anatomie du nez et des récepteurs olfactifs

Les figures ci-dessous représentent la région olfactive dans la cavité nasale et les récepteurs olfactifs qui s'y trouvent.

a) Nommez les structures numérotées dans la légende.
b) À l'aide de couleurs différentes, coloriez sur l'illustration les éléments nommés dans la légende et les carrés correspondants.

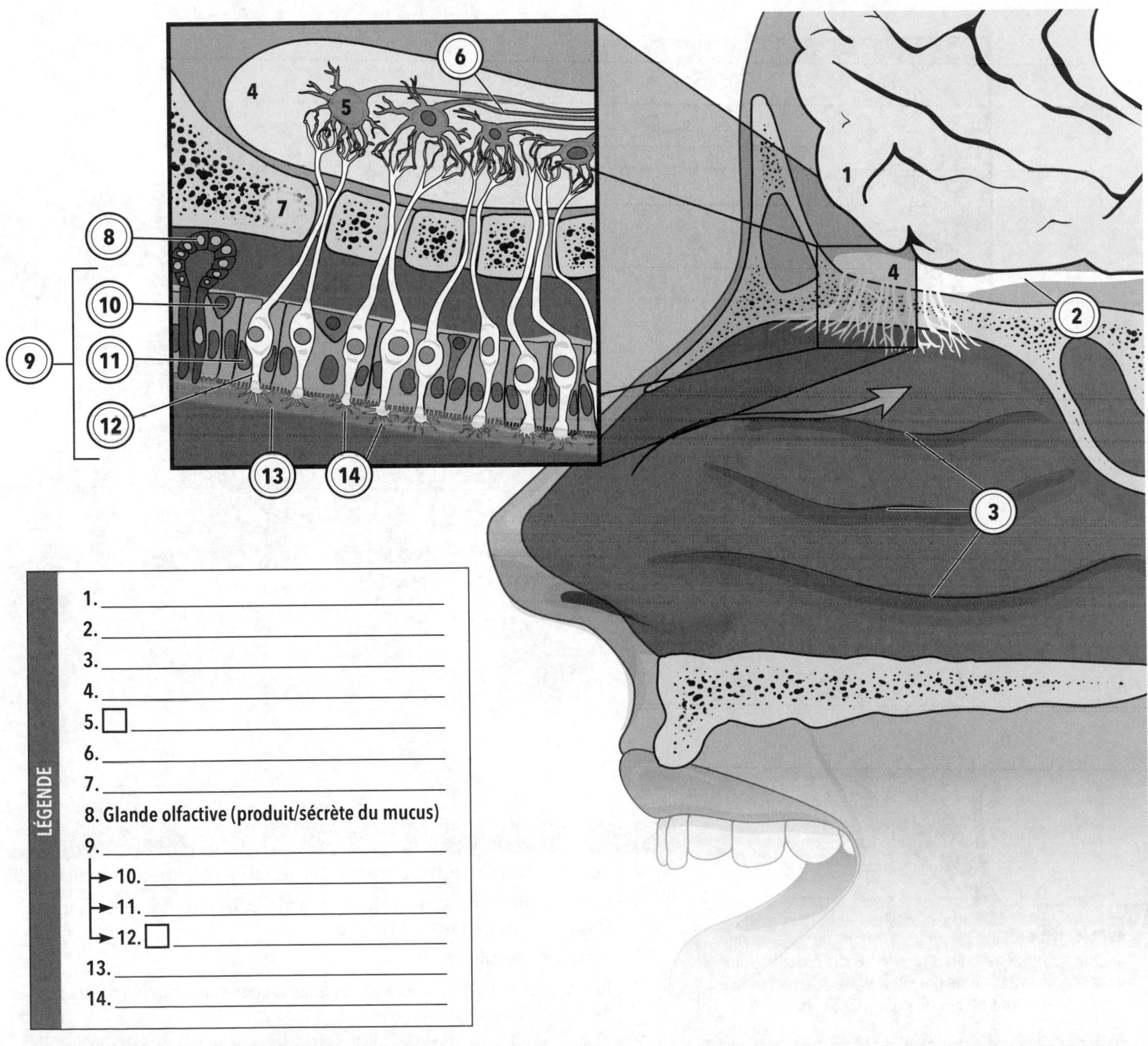

LÉGENDE

1. ______________________
2. ______________________
3. ______________________
4. ______________________
5. ☐ ______________________
6. ______________________
7. ______________________
8. **Glande olfactive (produit/sécrète du mucus)**
9. ______________________
   - → 10. ______________________
   - → 11. ______________________
   - → 12. ☐ ______________________
13. ______________________
14. ______________________

APPLICATION 8.16 : Lorsque Marc arrive dans la salle de conférence, il sent l'odeur d'un parfum très fort qui l'incommode. Quelques minutes plus tard, des collègues viennent le rejoindre dans la salle. Ces derniers se plaignent à leur tour de l'odeur de parfum, mais Marc n'est plus du tout incommodé et ne sent plus du tout cette odeur. Comment expliquer ce phénomène ?

____

____

____

____

12 Le trajet de la voie olfactive vers le cortex cérébral

La figure ci-dessous représente le trajet de la voie olfactive vers le cortex cérébral.

a) Placez les étapes ci-dessous en ordre et reconstituez la voie olfactive à l'aide des numéros dans l'image.

b) Sur la figure d'ensemble, tracez une flèche provenant de l'extérieur du nez et se dirigeant directement vers le cortex. À partir de ce tracé, observez la séquence de structures qui doivent être traversées pour atteindre le cortex.

c) Coloriez les cellules qui captent le stimulus (récepteurs olfactifs).

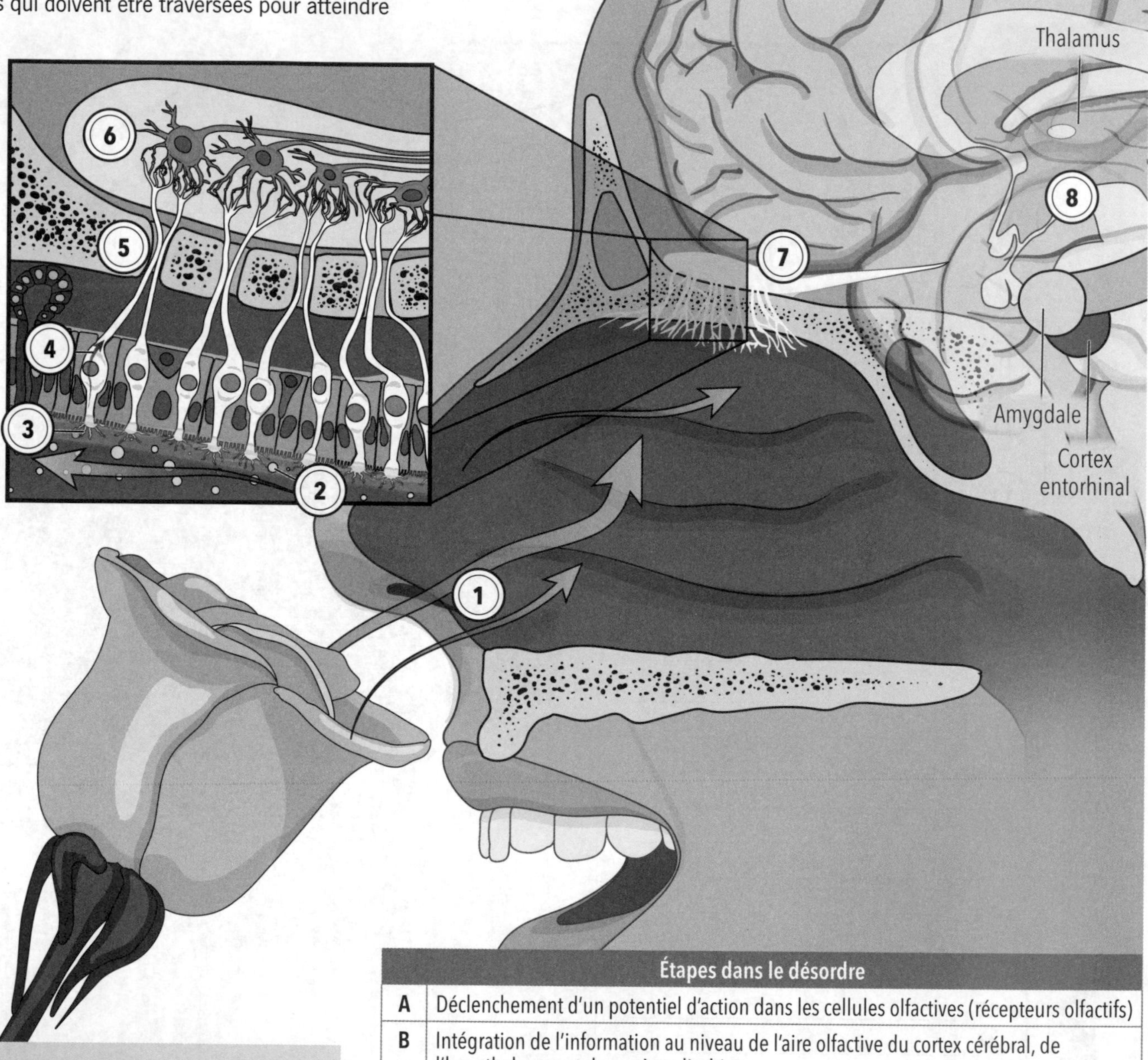

	Étapes dans le désordre
A	Déclenchement d'un potentiel d'action dans les cellules olfactives (récepteurs olfactifs)
B	Intégration de l'information au niveau de l'aire olfactive du cortex cérébral, de l'hypothalamus et du système limbique
C	Stimulation des cils olfactifs
D	Transmission de l'influx nerveux par les faisceaux pénétrant dans la lame criblée de l'os ethmoïde.
E	Synapse avec les neurones sensoriels de deuxième ordre dans le bulbe olfactif
F	Fixation et dissolution des molécules odorantes dans le mucus situé sur l'épithélium de la région olfactive
G	Inspiration de substances odorantes
H	Transmission de l'influx par le tractus olfactif vers l'encéphale

ORDRE : 1G - ___ - ___ - ___ - ___ - ___ - ___ - ___

APPLICATION 8.17 : Sylvain a un rhume, de sorte qu'une grande quantité de mucus couvre les cils olfactifs situés dans son nez. Ainsi, il ne perçoit aucune odeur et trouve aussi que son gout est altéré. Expliquez ce phénomène.

____

____

____

____

____

____

LE SYSTÈME ENDOCRINIEN

CHAPITRE 9

1 Vocabulaire

À l'aide des définitions suivantes, remplissez la grille de mots croisés ci-dessous.

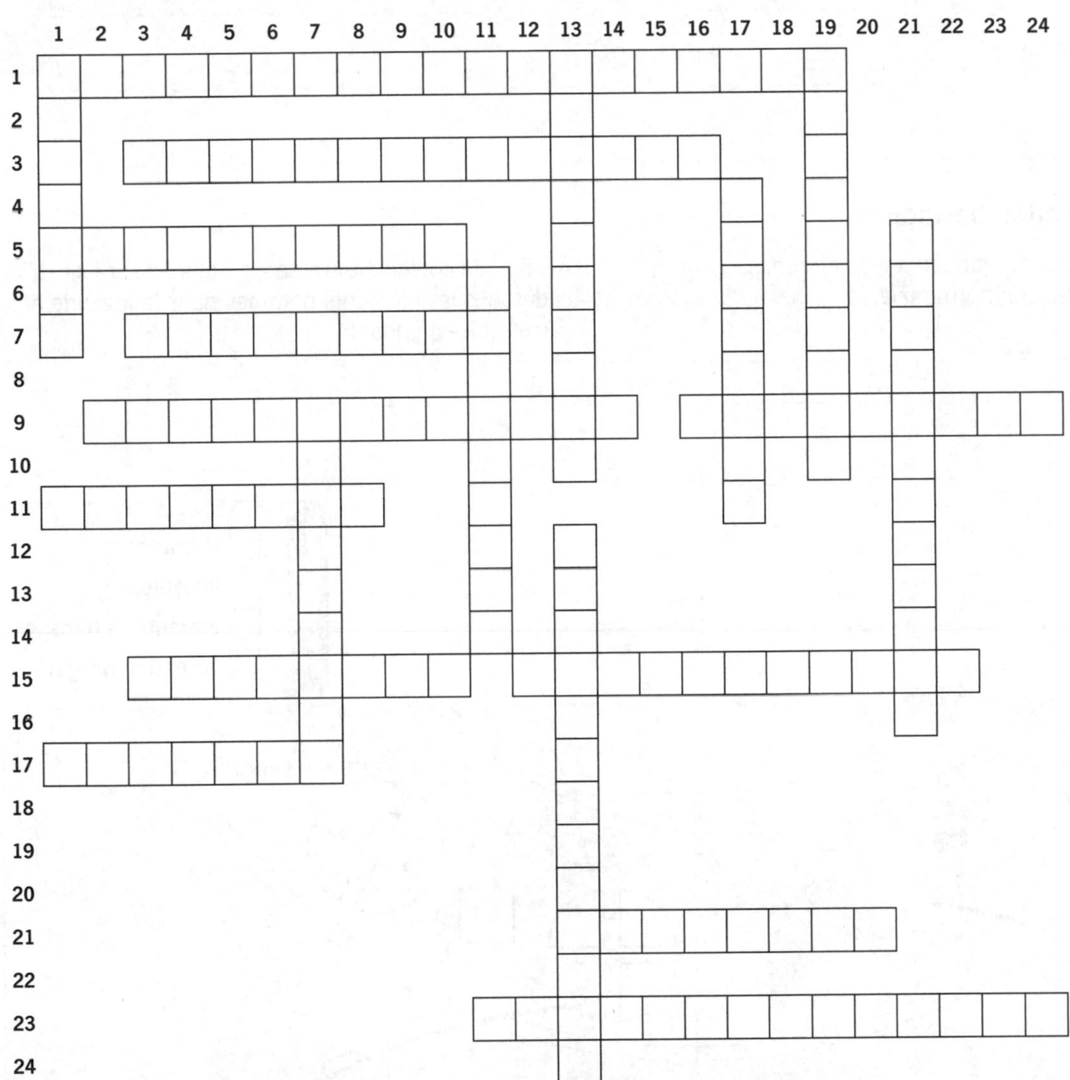

HORIZONTALEMENT

1. Groupe d'hormones du cortex surrénal dont fait partie l'aldostérone et qui contribuent à la régulation de certains minéraux dans le sang comme le sodium et le potassium. **3.** Lobe de l'hypophyse qui libère l'ocytocine et l'hormone antidiurétique (ADH), deux hormones produites par l'hypothalamus. **5.** Type d'hormone produite par l'hypothalamus qui déclenche la sécrétion d'une hormone par l'adénohypophyse. **7.** Hormone libérée par la neurohypophyse qui provoque entre autres l'éjection du lait. **9.** Diminution de la production d'une hormone par une glande ou production insuffisante. Structure située sur les cellules ou à l'intérieur de celles-ci capable de lier spécifiquement certaines hormones. **11.** Glande située à la base du cou qui sécrète des hormones qui modifient le métabolisme et les concentrations de calcium dans le sang. **15.** Glucocorticoïde sécrété par le cortex surrénal et qui influe sur le métabolisme du glucose. Hormone thyroïdienne qui stimule le dépôt de calcium dans les os et qui augmente l'excrétion de calcium par les reins. **17.** Messager chimique libéré dans la circulation sanguine par des glandes ou cellules endocrines. **21.** Hormone libérée par le pancréas lorsque la glycémie augmente. **23.** Lobe de l'hypophyse qui sécrète des hormones qui stimulent à leur tour d'autres glandes endocrines ou les fonctions d'autres organes.

VERTICALEMENT

1. Partie de la glande surrénale qui sécrète l'adrénaline et la noradrénaline. **7.** Type de glande qui sécrète des hormones dans le sang. **11.** Gonade qui sécrète les hormones sexuelles chez l'homme. **13.** Type d'hormone produite par l'hypothalamus qui limite la sécrétion d'une hormone par l'adénohypophyse. Quatre petites glandes situées à l'arrière de la glande thyroïde. **17.** Glande dont la partie endocrine sécrète des hormones qui régulent la glycémie. **19.** Glandes situées sur les reins. **21.** Hormone libérée par les glandes parathyroïdes lorsque la concentration de calcium baisse dans le sang.

2 Comparaison du système nerveux et du système endocrinien

Remplissez le tableau suivant, qui présente les différences entre les systèmes nerveux et endocrinien.

	Système nerveux	Système endocrinien
Type de cellule		
Messager chimique et son mode de transmission		
Vitesse d'action et durée de la réponse		
Effets		

3 Les mécanismes de l'action hormonale

a) Remplissez le tableau suivant, qui décrit les différences entre les mécanismes d'action hormonale.

b) À l'aide de couleurs différentes, coloriez sur l'illustration ci-dessous les éléments nommés dans la légende et les carrés correspondants.

Image illustrant le mécanisme	A	B
Hormone liposoluble ou hydrosoluble		
Mode de transport dans le sang		
Localisation du récepteur de l'hormone		
Mécanisme d'action		

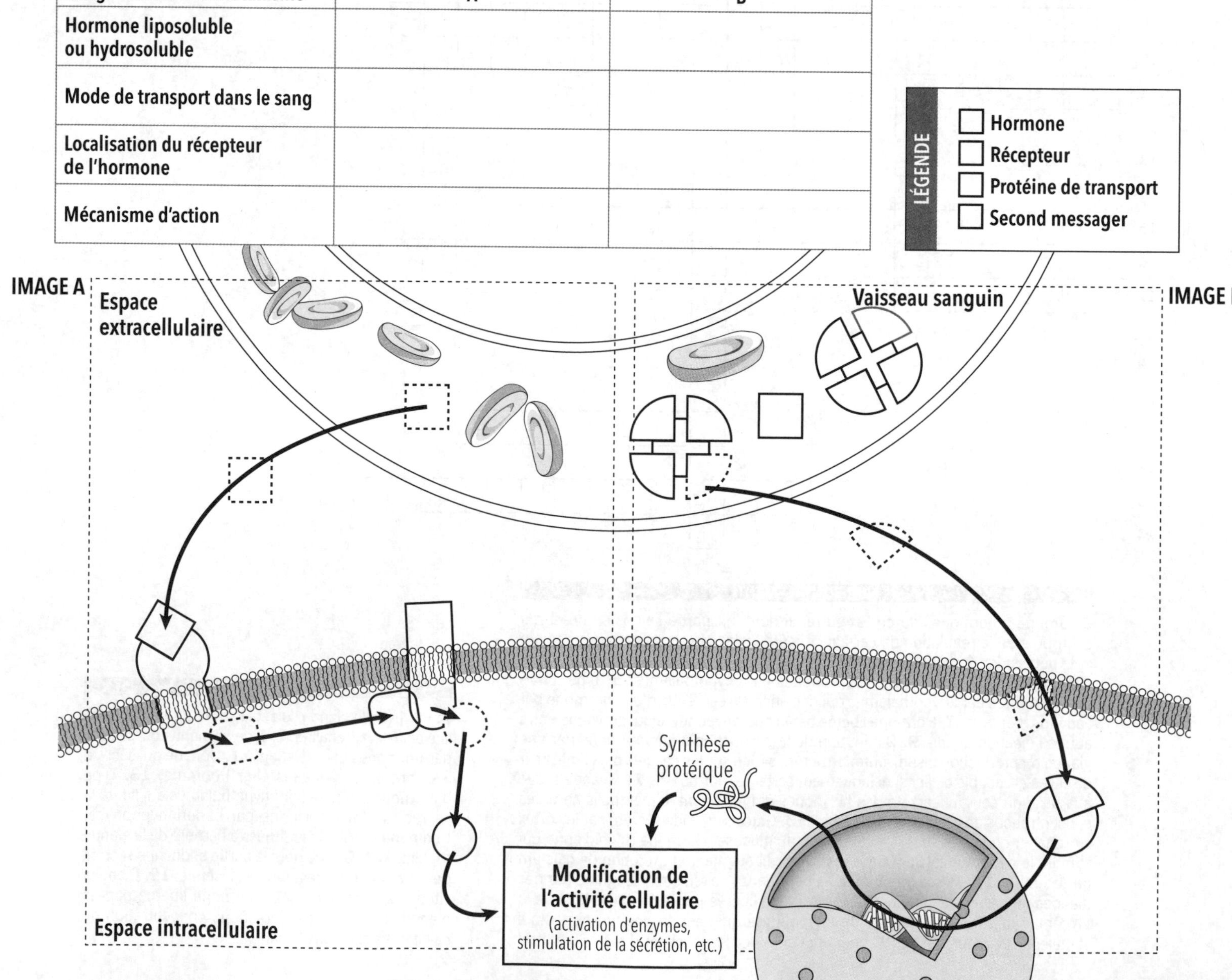

4 Les principales glandes endocrines

La figure ci-dessous représente les principales glandes endocrines.

a) Nommez les structures numérotées dans la légende.
b) À l'aide de couleurs différentes, coloriez les éléments nommés dans la légende et les carrés correspondants.

LÉGENDE

1. ☐ ______________________
→ 2. ☐ ______________________
→ 3. ☐ ______________________
4. ☐ ______________________
5. ______________________
6. ☐ ______________________
7. ☐ ______________________
8. ______________________
9. ☐ ______________________
→ 10. ☐ ______________________
→ 11. ☐ ______________________
12. ______________________
13. ☐ ______________________
14. ☐ ______________________
15. ☐ ______________________

APPLICATION 9.1 : Vous analysez le cas de trois patients. Le premier a subi des lésions aux glandes surrénales, le deuxième a subi des lésions au pancréas et le troisième a subi des lésions à l'hypothalamus.

Lequel des trois aura le plus de problèmes hormonaux, et pourquoi ?

____
____
____
____
____
____
____

5 L'hypothalamus et l'hypophyse

La figure ci-dessous représente les interactions entre l'hypothalamus et l'hypophyse.

a) Nommez les structures, les hormones ainsi que les organes cibles numérotés dans la légende.

b) À l'aide de couleurs différentes, coloriez les deux structures déjà nommées dans la légende et les carrés correspondants.

c) À l'aide de deux couleurs différentes, distinguez les hormones sécrétées par l'adénohypophyse et celles libérées par la neurohypophyse en coloriant les numéros et les flèches dans l'image, ainsi que les carrés de la légende.

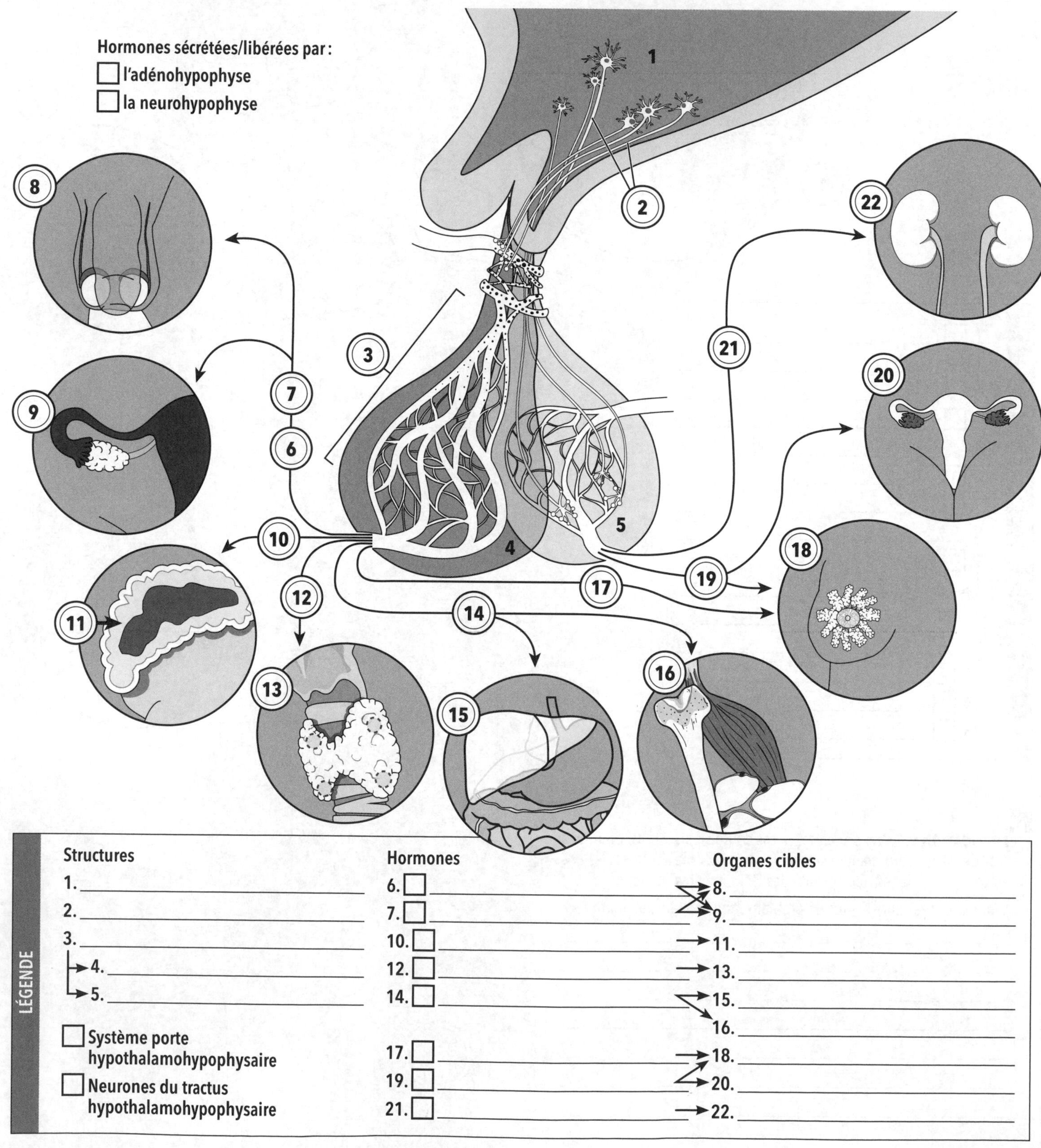

6 L'hormone de croissance

La figure ci-dessous représente le mécanisme de régulation de l'hormone de croissance.

a) Complétez la légende et, à l'aide de couleurs différentes, coloriez les hormones nommées dans la légende et les symboles correspondants.

b) Sur l'illustration, coloriez les flèches selon que les hormones ont un effet d'inhibition ou de stimulation. Donnez-vous un code de couleurs dans la légende pour bien illustrer dans votre dessin les effets des hormones.

c) Décrivez les effets de l'hormone de croissance sur les cinq effecteurs illustrés au bas de l'image.

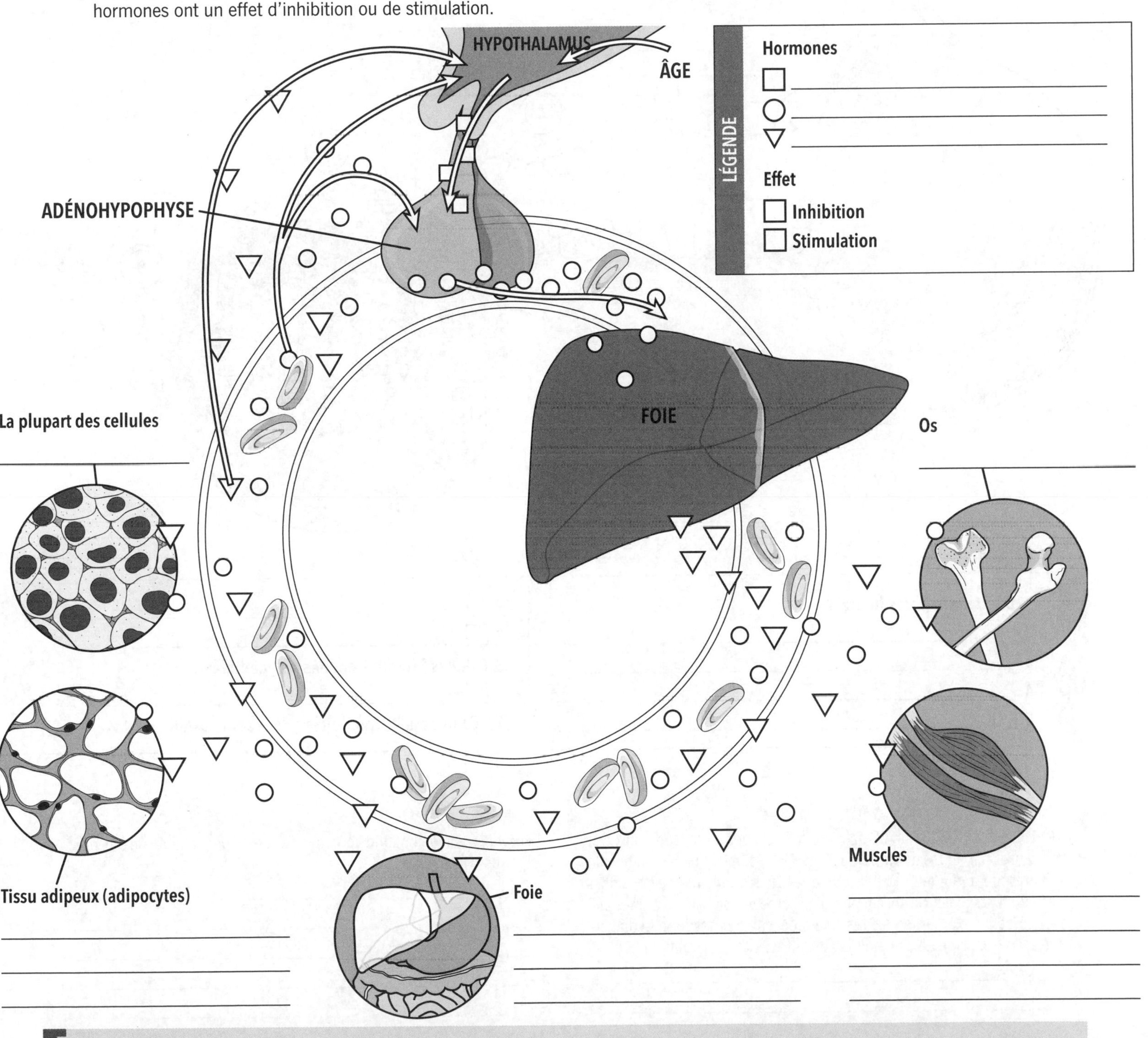

APPLICATION 9.2 : a) Quels seront les effets de la réponse du foie et des adipocytes à la libération de l'hormone de croissance sur la glycémie ? Sur la quantité de lipides dans le sang ?

b) Dans cette même situation, quelle est l'utilité de ce changement de concentration en nutriments dans le corps ?

7 Le pancréas

La figure ci-dessous représente le pancréas et une coupe du pancréas.

a) Nommez les structures numérotées dans la légende.
b) Pour les structures 5, 7 et 9, indiquez entre parenthèses ce qu'elles sécrètent.
c) À l'aide de couleurs différentes, coloriez ces mêmes trois éléments ainsi que les carrés correspondants.

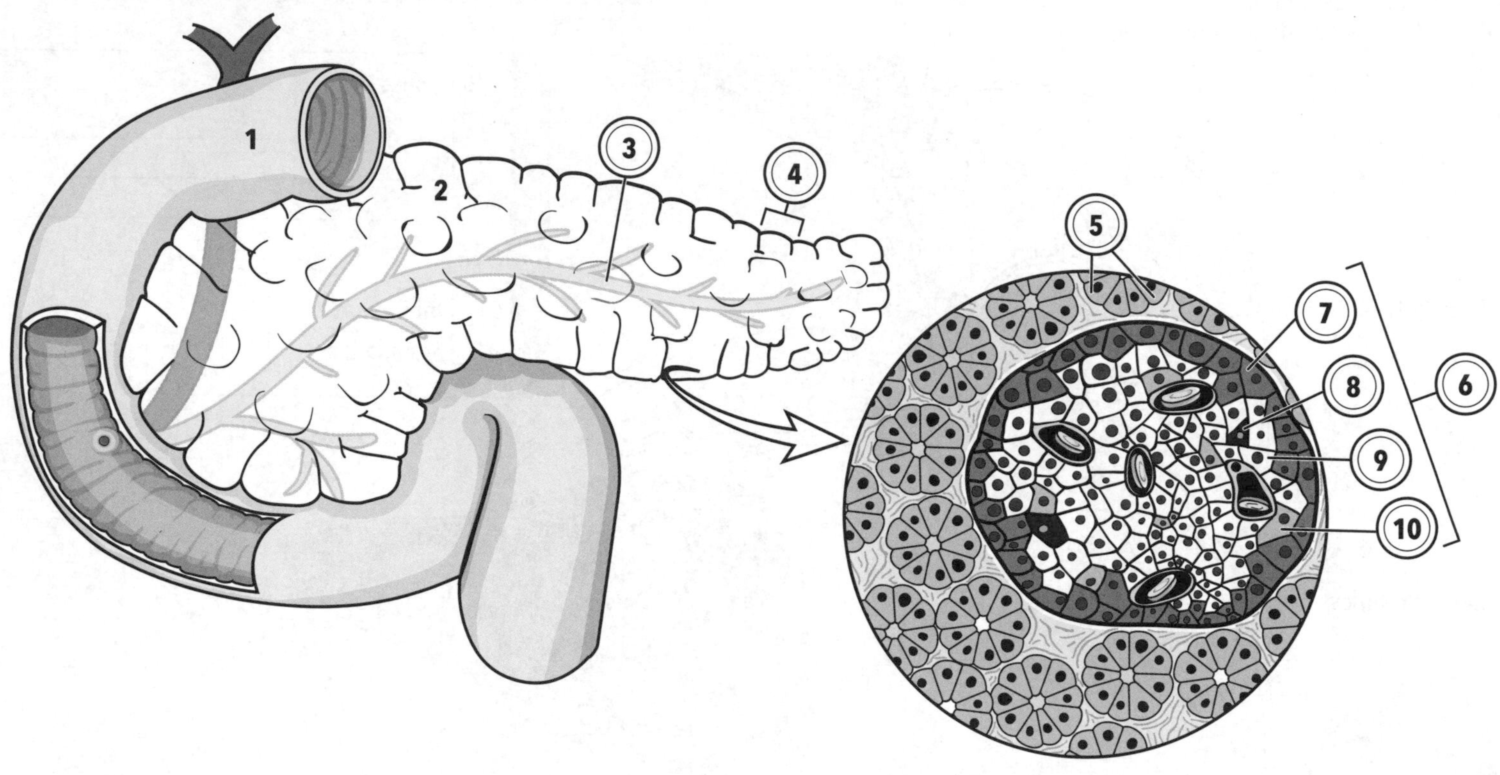

LÉGENDE

1. **Duodénum (intestin grêle)**
2. ______
3. ______
4. ______
5. ☐ ______
6. ______
   - 7. ☐ ______
   - 8. **Cellules F (produisent des polypeptides)**
   - 9. ☐ ______
   - 10. **Cellules delta (produisent de la somatostatine)**

APPLICATION 9.3 : Claire, 50 ans, souffre d'embonpoint (sédentarité et mauvaises habitudes de vie). Depuis peu, elle éprouve une sensation de soif presque continuelle. Depuis quelques mois, Claire montre des signes de fatigue, ses plaies cicatrisent plus difficilement et sa vision est embrouillée. Après un examen et des tests, le médecin diagnostique le diabète sucré. De quel type de diabète Claire souffre-t-elle, et pourquoi ?

______

APPLICATION 9.4 : Il se peut que les individus atteints de diabète aient une glycémie très élevée, mais que leurs cellules présentent un déficit en sucre. Du point de vue physiologique, comment est-ce possible ?

Le cerveau d'un diabétique non traité risque-t-il de manquer de glucose ? Expliquez votre réponse.

______

d) Complétez le schéma du mécanisme de régulation homéostatique ci-dessous décrivant la régulation du glucose sanguin.

e) Cochez la case correspondant au type de stimulation du récepteur/centre de régulation ainsi que celle des effecteurs.

f) Dans le vaisseau sanguin, illustrez la concentration de glucose en circulation afin de représenter l'effet des hormones.

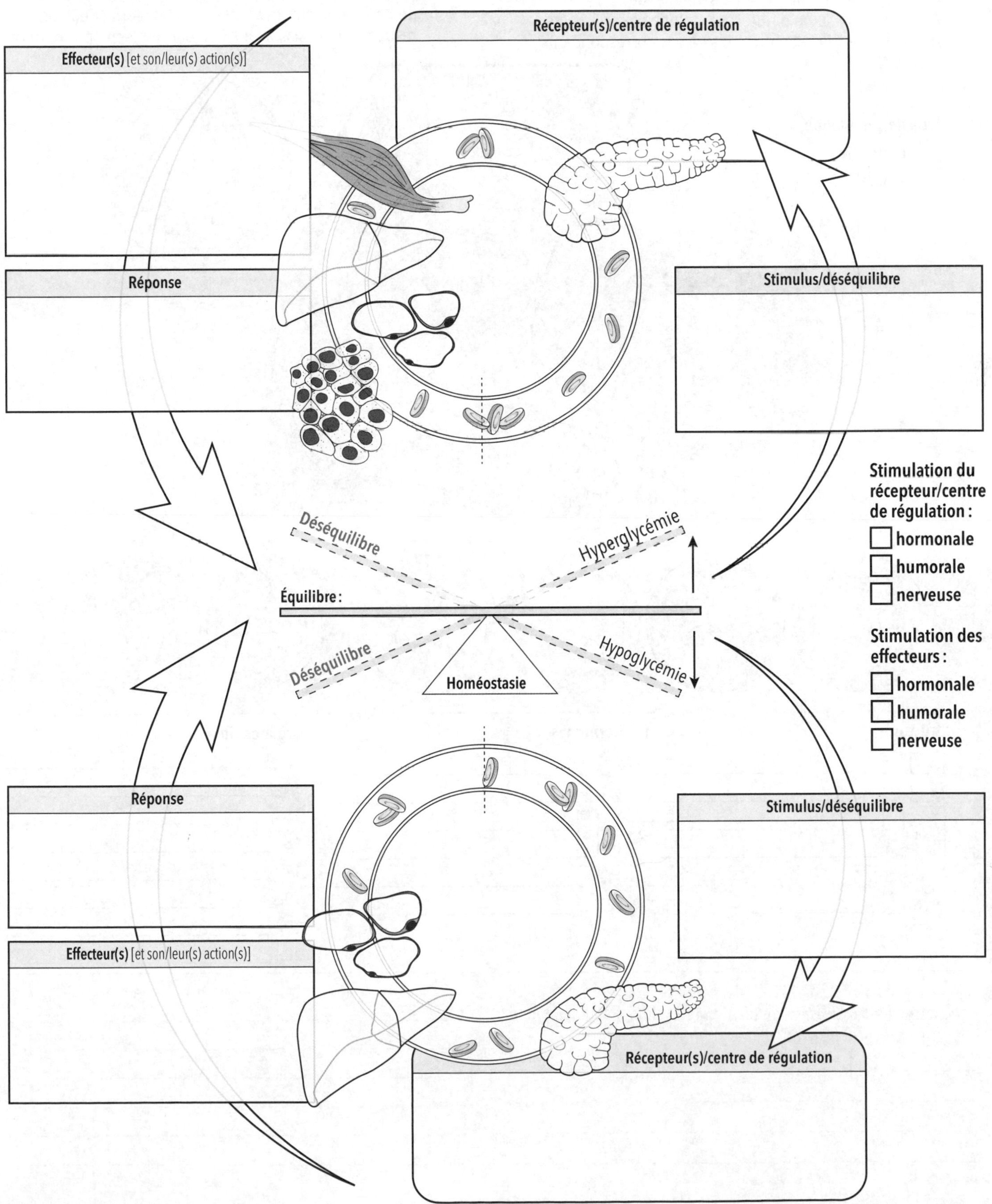

8 La glande thyroïde et les glandes parathyroïdes

Les figures ci-dessous représentent la glande thyroïde et les glandes parathyroïdes, ainsi qu'une coupe de la glande thyroïde.

a) Nommez les structures, les hormones ainsi que les organes cibles numérotés dans la légende.

b) À l'aide de couleurs différentes, coloriez les éléments nommés dans la légende et les carrés correspondants.

c) À l'aide de couleurs différentes, distinguez les stimulations hormonale et humorale en coloriant toutes les flèches dans l'image, ainsi que les carrés de la légende.

d) Ajoutez des flèches partant des hormones thyroïdiennes et de l'hormone parathyroïdienne vers leurs effecteurs respectifs (choisissez une couleur de flèche par hormone).

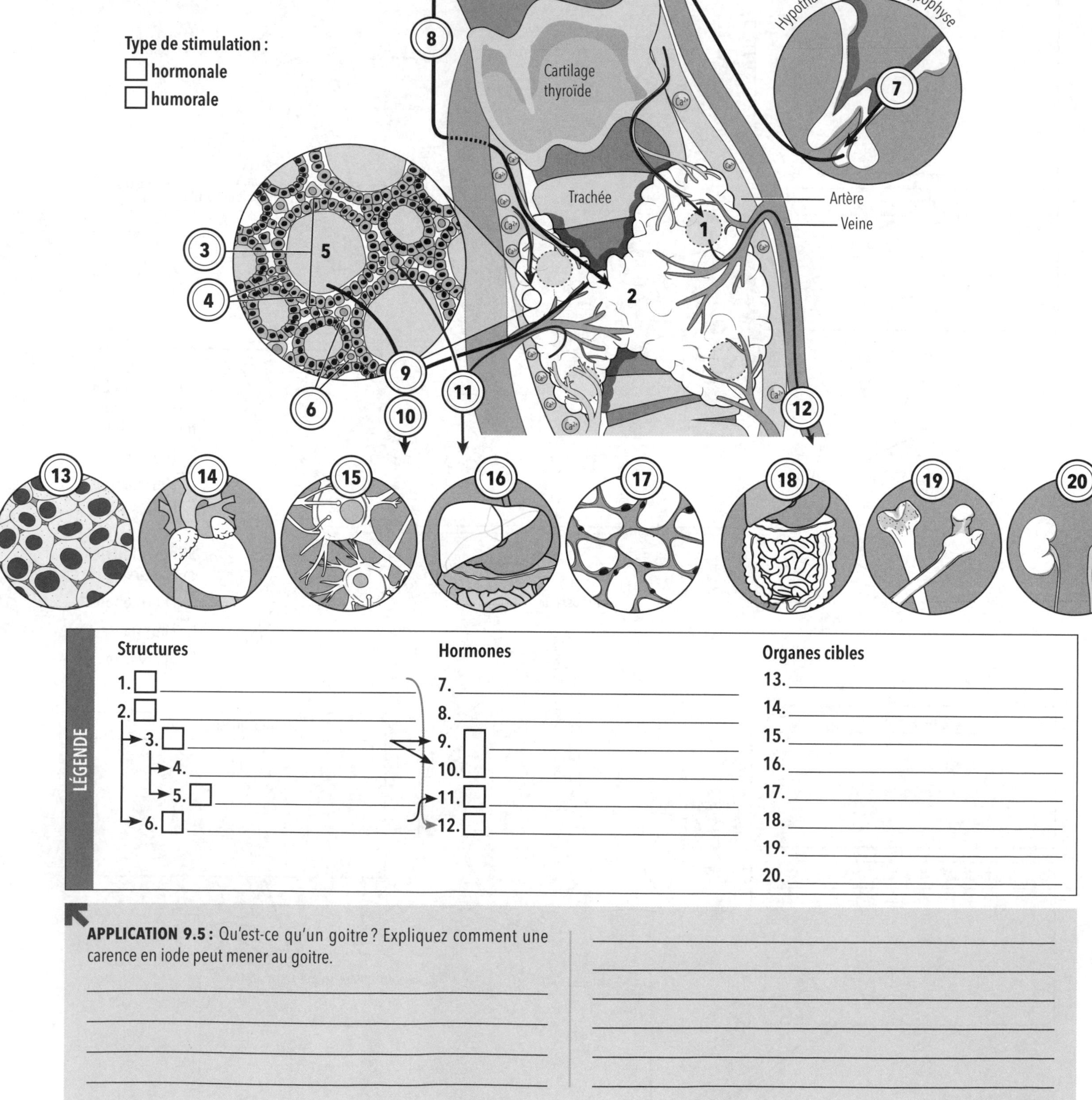

LÉGENDE

Structures	Hormones	Organes cibles
1. ☐ ________	7. ________	13. ________
2. ☐ ________	8. ________	14. ________
3. ☐ ________	9. ☐ ________	15. ________
4. ________	10. ☐ ________	16. ________
5. ☐ ________	11. ☐ ________	17. ________
6. ☐ ________	12. ☐ ________	18. ________
		19. ________
		20. ________

APPLICATION 9.5 : Qu'est-ce qu'un goitre ? Expliquez comment une carence en iode peut mener au goitre.

____

e) Complétez le schéma du mécanisme de régulation homéostatique ci-dessous décrivant la régulation du calcium sanguin.

f) Cochez la case correspondant au type de stimulation du récepteur/centre de régulation ainsi que celle des effecteurs.

g) Dans le vaisseau sanguin, illustrez la concentration de calcium en circulation afin de représenter l'effet des hormones.

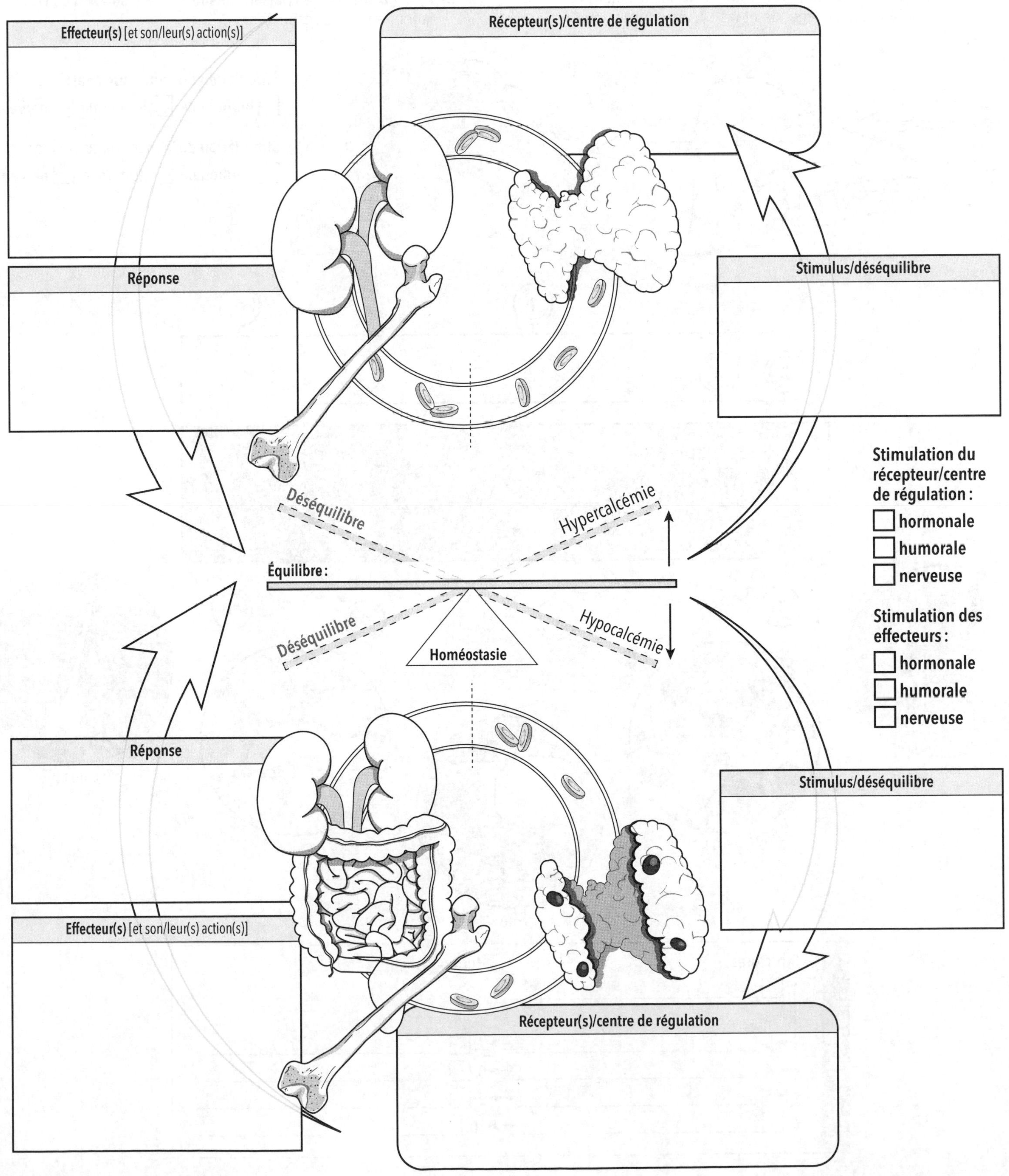

Stimulation du récepteur/centre de régulation :

- ☐ hormonale
- ☐ humorale
- ☐ nerveuse

Stimulation des effecteurs :

- ☐ hormonale
- ☐ humorale
- ☐ nerveuse

9 Les glandes surrénales

La figure ci-dessous représente la coupe d'une des glandes surrénales.

a) Nommez les structures et les hormones numérotées dans la légende.
b) À l'aide de couleurs différentes, coloriez les éléments nommés dans la légende et les carrés correspondants.
c) Cochez le(s) type(s) de stimulation déclenchant l'activité de chacune des parties de la glande surrénale.
d) Ajoutez des flèches partant des hormones surrénales vers leurs effecteurs respectifs.

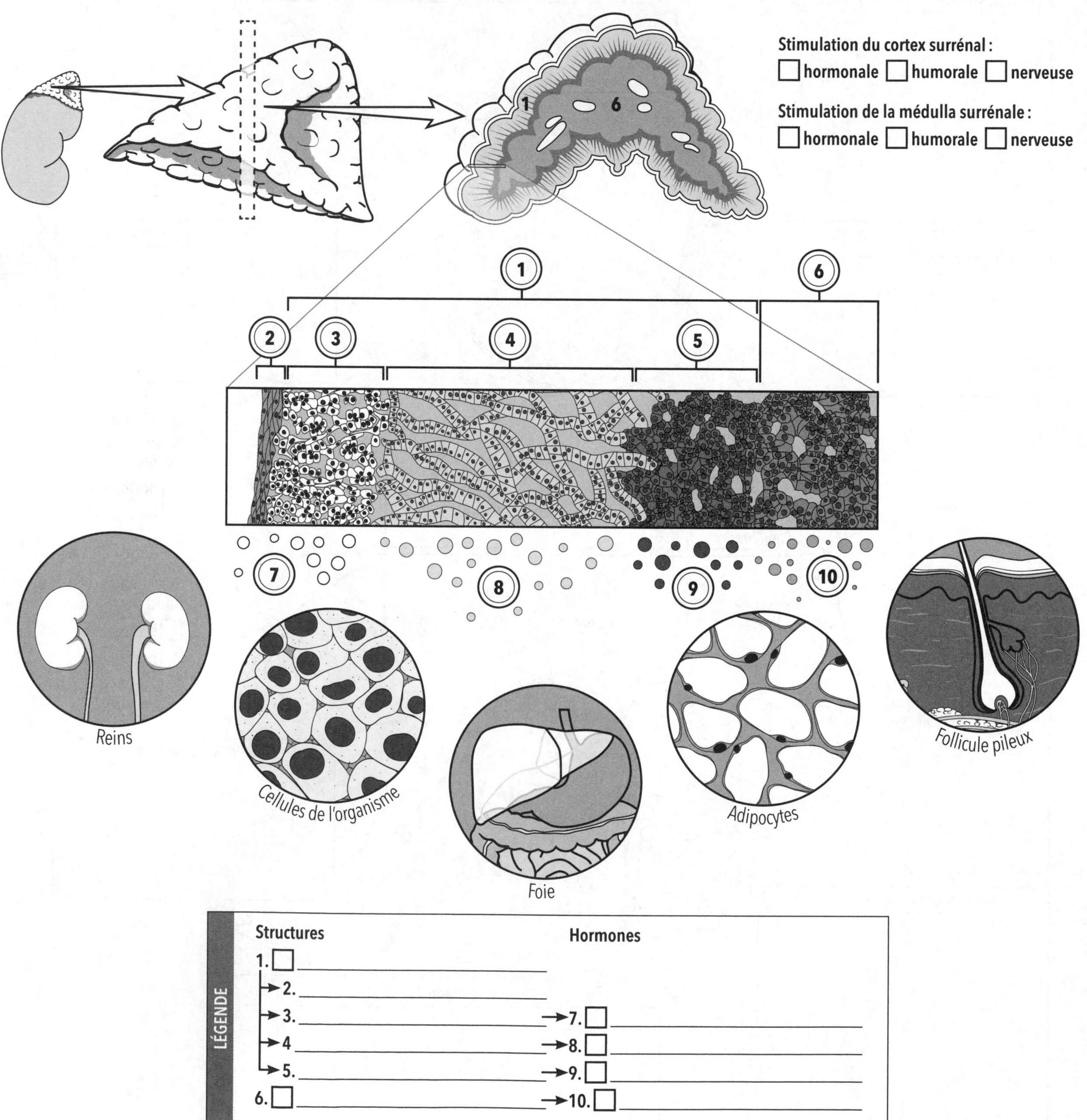

LÉGENDE

Structures

1. ☐ __________
   - → 2. __________
   - → 3. __________
   - → 4 __________
   - → 5. __________
6. ☐ __________

Hormones

→ 7. ☐ __________
→ 8. ☐ __________
→ 9. ☐ __________
→ 10. ☐ __________

10 Le cortisol

La figure ci-dessous représente le mécanisme de régulation du cortisol.

a) Complétez la légende et, à l'aide de couleurs différentes, coloriez les hormones nommées dans la légende et les symboles correspondants.

b) Sur l'illustration, coloriez les flèches selon que les hormones ont un effet d'inhibition ou de stimulation. Donnez-vous un code de couleurs dans la légende pour compléter votre dessin.

c) Décrivez les effets du cortisol sur les trois effecteurs illustrés au bas de l'image.

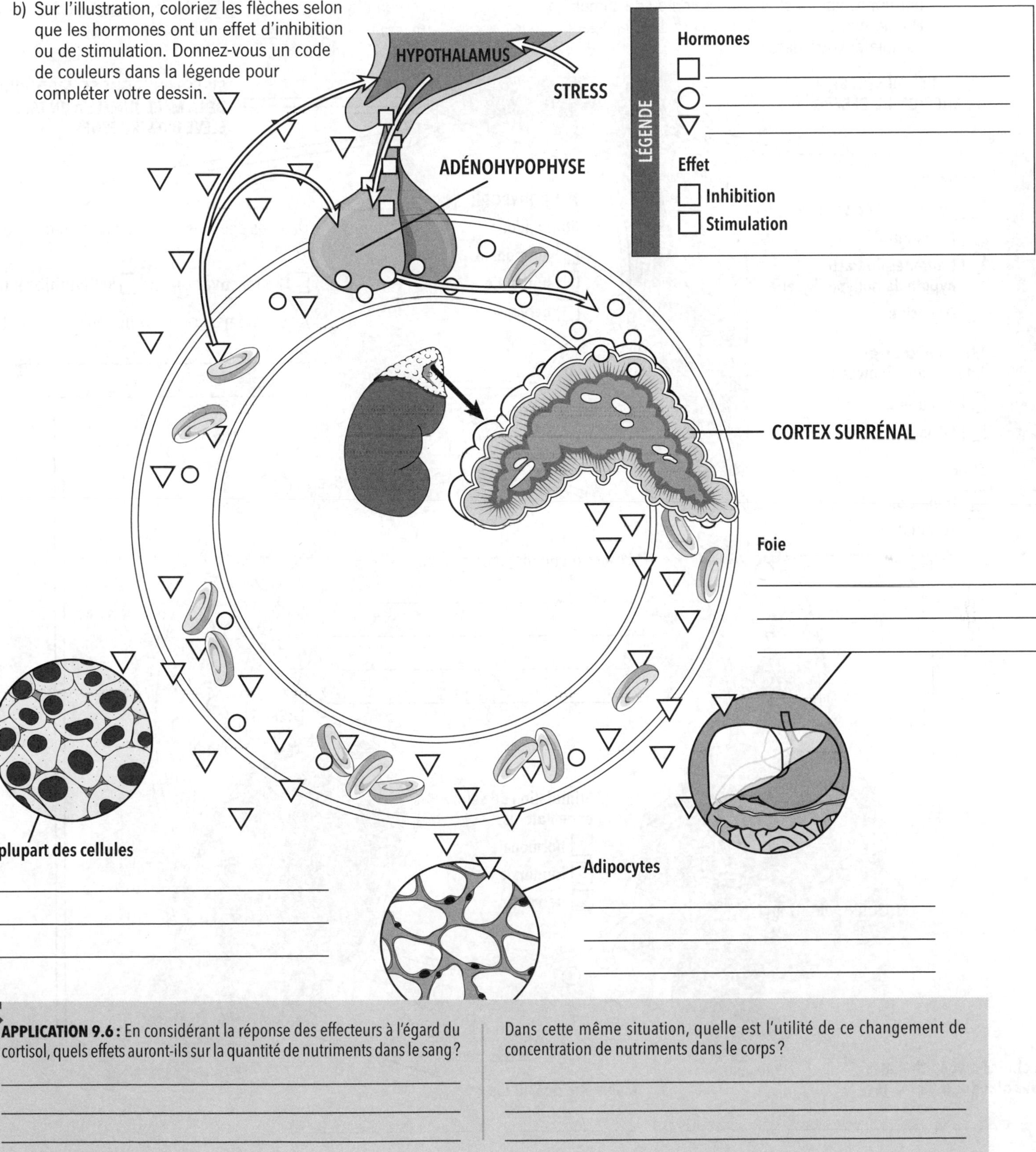

APPLICATION 9.6 : En considérant la réponse des effecteurs à l'égard du cortisol, quels effets auront-ils sur la quantité de nutriments dans le sang?

Dans cette même situation, quelle est l'utilité de ce changement de concentration de nutriments dans le corps?

11 L'ocytocine

La figure ci-dessous représente le mécanisme de régulation de l'ocytocine lors de l'allaitement et de l'accouchement.

a) À l'aide de couleurs différentes, coloriez les éléments nommés dans la légende et les carrés correspondants.
b) Sur l'illustration, coloriez les flèches selon que les hormones ont un effet d'inhibition ou de stimulation. Donnez-vous un code de couleurs dans la légende pour compléter votre dessin.
c) Décrivez les effets de l'ocytocine sur les deux effecteurs illustrés au bas de l'image.
d) Cochez le type de stimulation au niveau de la neurohypophyse ainsi qu'au niveau du sein et de l'utérus.
e) Répondez aux questions ci-dessous.

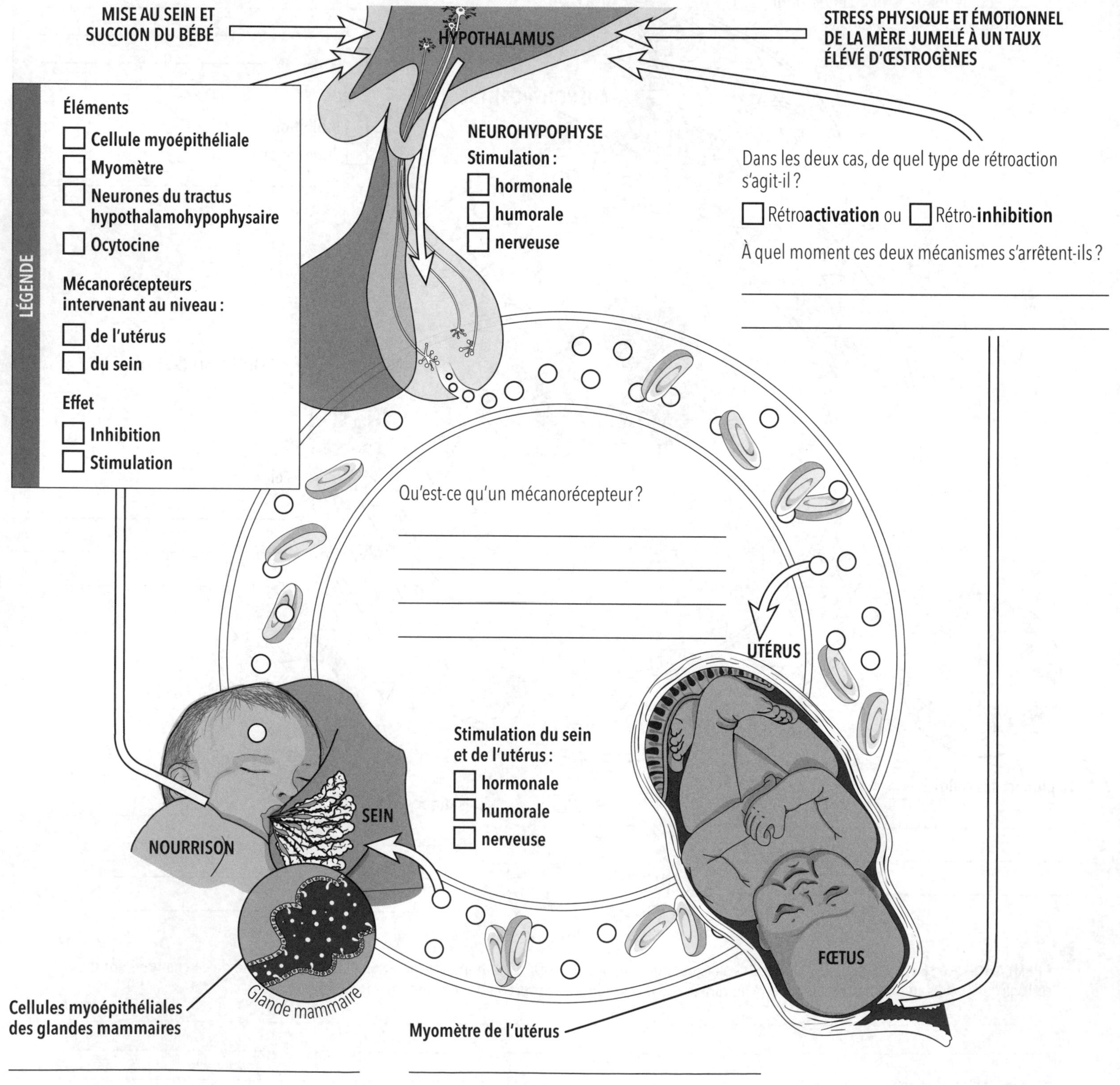

12 Les principales hormones

Remplissez le tableau suivant, qui décrit les principales hormones dans le corps humain. (Dans la dernière colonne, ne remplissez que les cases blanches.)

Stimulus déclenchant la sécrétion	Type de stimulus (hormonal, humoral ou nerveux)	Glande sécrétant l'hormone	Hormone(s)	Tissu(s) ou organe(s) cible(s) de l'hormone	Effet(s) de l'hormone sur le corps humain	Déséquilibre(s) (effets d'une hyposécrétion ou d'une hypersécrétion)
			Prolactine (PRL)			
			Hormone de croissance (GH)			Hyposécrétion : Hypersécrétion :
			Gonadotrophines (FSH et LH)		Femme : Homme :	
			Thyréotrophine (TSH)			
			Corticotrophine (ACTH)			

Stimulus déclenchant la sécrétion	Type de stimulus (hormonal, humoral ou nerveux)	Glande sécrétant l'hormone	Hormone(s)	Tissu(s) ou organe(s) cible(s) de l'hormone	Effet(s) de l'hormone sur le corps humain	Déséquilibre(s) (effets d'une hyposécrétion ou d'une hypersécrétion)
			Ocytocine (OT)			
			Hormone antidiurétique (ADH)			
			Triiodothyronine (T_3) et thyroxine (T_4)			Hyposécrétion : Hypersécrétion :
			Calcitonine (CT)			
			Parathormone (PTH)			

Stimulus déclenchant la sécrétion	Type de stimulus (hormonal, humoral ou nerveux)	Glande sécrétant l'hormone	Hormone(s)	Tissu(s) ou organe(s) cible(s) de l'hormone	Effet(s) de l'hormone sur le corps humain	Déséquilibre(s) (effets d'une hyposécrétion ou d'une hypersécrétion)
			Adrénaline			
			Aldostérone (minéralocorticoïde)			
			Cortisol (glucocorticoïde)			
			Insuline			Hyposécrétion :
			Glucagon			

RÉSUMÉ ILLUSTRÉ DES CONNAISSANCES DU CHAPITRE 9 : LE SYSTÈME ENDOCRINIEN

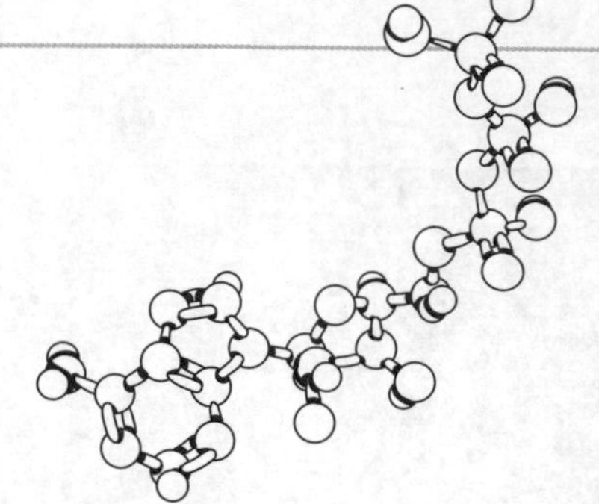

Dans cette page, résumez ou illustrez les principaux concepts sur le système endocrinien liés aux objectifs d'apprentissage de votre cours de biologie. Vous pouvez vous servir de cette page comme aide-mémoire lors de votre étude.

LE SYSTÈME CARDIOVASCULAIRE

CHAPITRE 10

1 Vocabulaire

À l'aide des définitions suivantes, remplissez la grille de mots croisés ci-dessous.

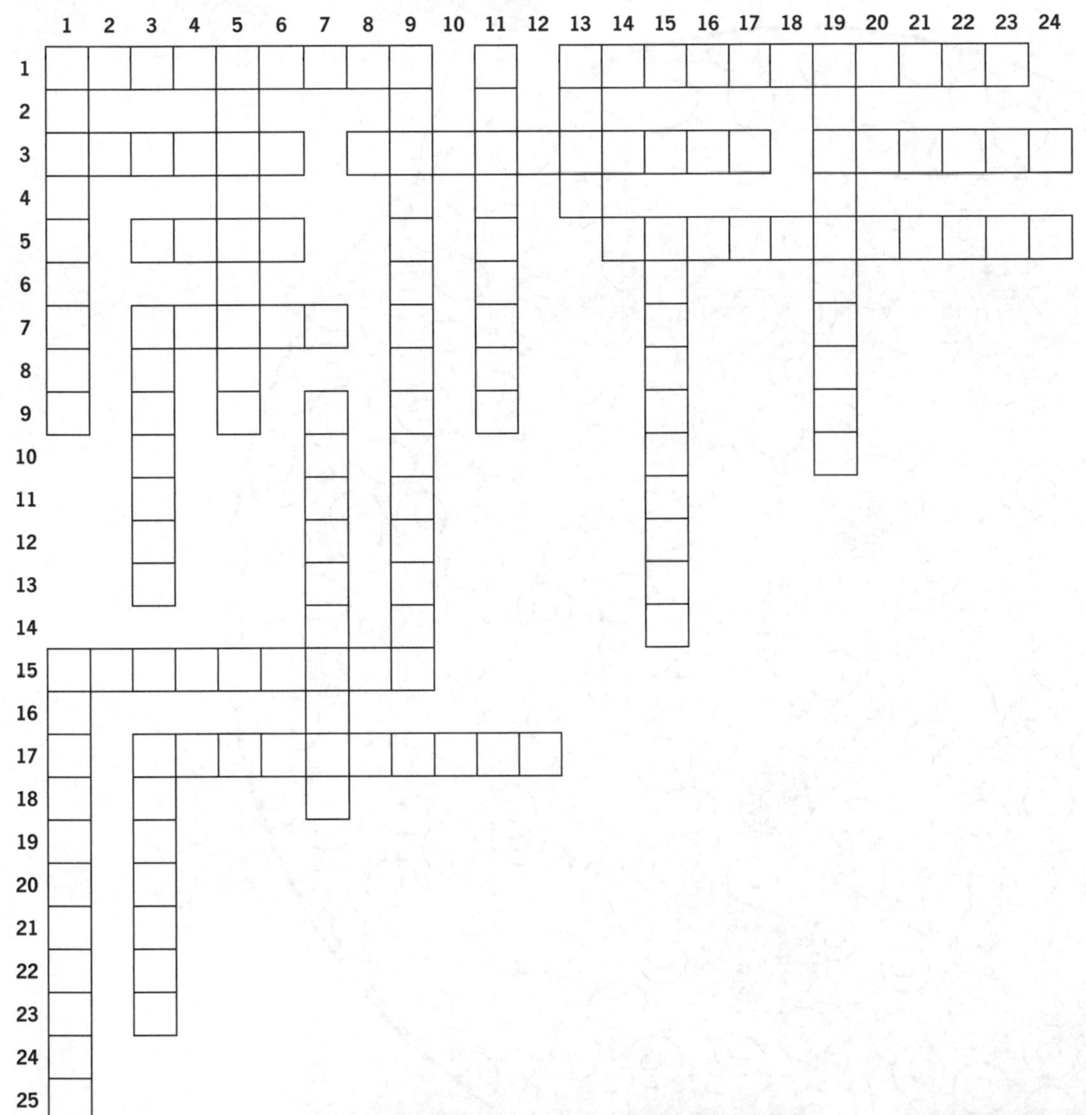

HORIZONTALEMENT

1. Enveloppe du cœur formée de deux feuillets. Pourcentage du volume du sang total occupé par les érythrocytes. **3.** Vaisseau sanguin qui transporte le sang du cœur vers les capillaires. Type de circulation sanguine qui apporte le sang aux tissus du corps. Portion liquide du sang. **5.** Tissu conjonctif formé de plasma et d'éléments figurés. Série d'étapes complexes menant à la formation du caillot sanguin. **7.** Vaisseau sanguin qui transporte le sang des capillaires vers le cœur. **15.** Processus physiologique qui regroupe toutes les étapes permettant de faire cesser un saignement. **17.** Cavité inférieure du cœur qui propulse le sang dans la circulation.

VERTICALEMENT

1. Petit fragment de cellule nécessaire à l'hémostase (aussi appelé thrombocyte). Protéine de l'érythrocyte composée d'hème et de globine. **3.** Veine à paroi mince qui reçoit le sang des capillaires. Structure des veines qui empêche le reflux du sang. **5.** Type de vaisseaux qui irrigue le cœur. **7.** Type de circulation sanguine qui achemine le sang aux poumons afin de permettre les échanges gazeux. **9.** Hormone qui stimule la production des érythrocytes. **11.** Petite ramification des artères qui débouche sur un réseau capillaire. **13.** Pigment rouge qui porte un ion fer nécessaire au transport de l'oxygène. **15.** Cavité supérieure du cœur qui reçoit le sang en provenance de la circulation. **19.** Vaisseau sanguin qui permet les échanges entre le sang et le liquide interstitiel.

LE SANG

2 L'anatomie du tissu sanguin

La figure ci-dessous représente la composition du sang.

a) Nommez les structures numérotées dans la légende.
b) À l'aide de couleurs différentes, coloriez les éléments nommés dans la légende et les carrés correspondants.

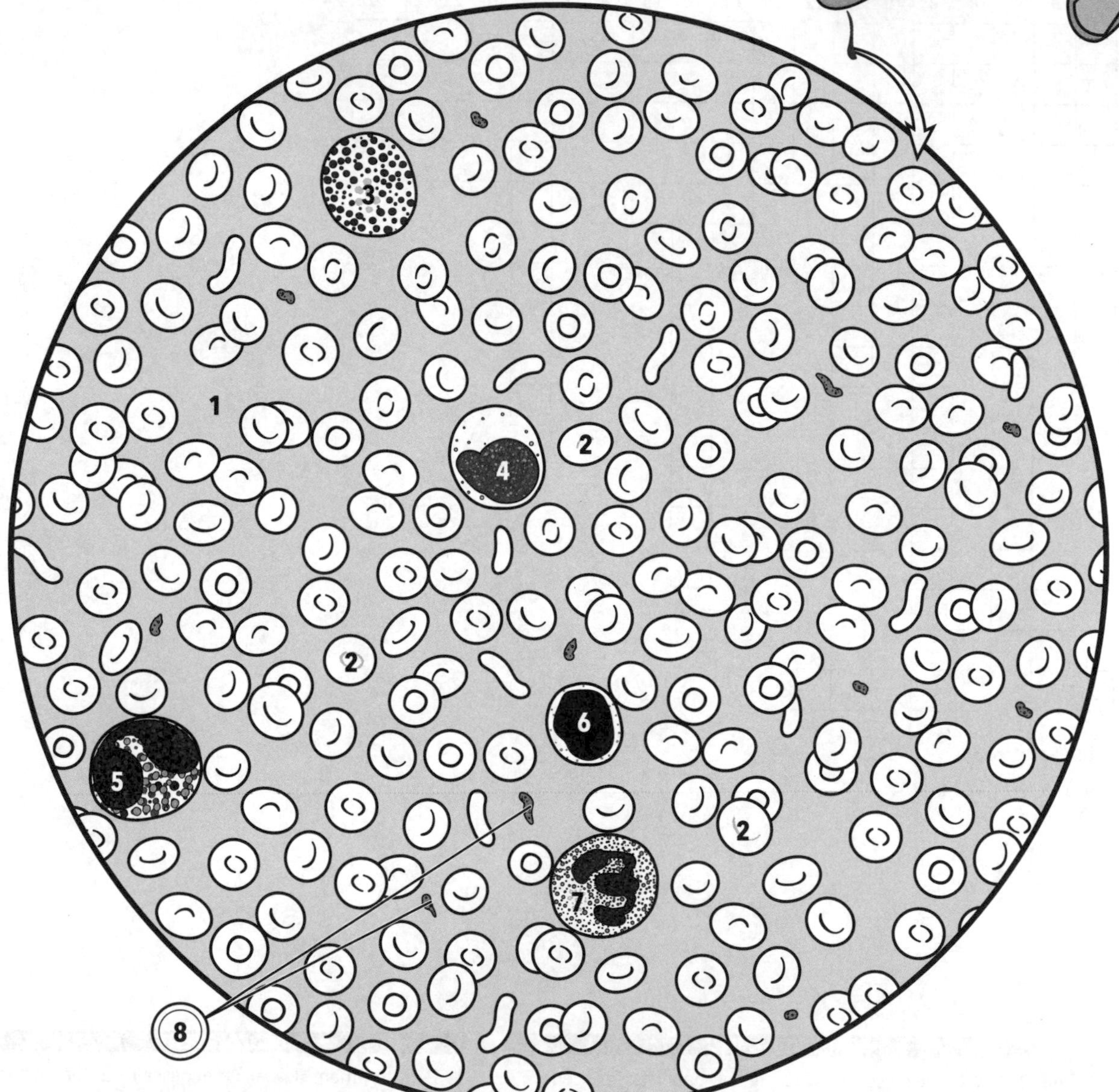

APPLICATION 10.1 : L'anémie ferriprive est causée par une carence en fer. Le fer est un composant important du pigment « hème » de l'hémoglobine, car il interagit avec l'oxygène afin de transporter cette molécule aux cellules du corps. Tracez un X sur l'élément du sang qui est déficitaire en présence de cette forme d'anémie.

LÉGENDE

1. ______
2. ☐ ______
3. ☐ ______
4. ☐ ______
5. ☐ ______
6. ☐ ______
7. ☐ ______
8. ☐ ______

3 La composition du sang

Complétez le schéma de concepts ci-dessous en ajoutant les chiffres de l'exercice précédent dans les cercles et les termes de la liste ci-contre dans les cases. (Chaque terme ne doit être utilisé qu'une seule fois.)

albumine • autres solutés • CO_2 et déchets • eau • électrolytes • éléments figurés • érythrocytes • fibrinogène • globulines • granulocytes basophiles • granulocytes éosinophiles • granulocytes neutrophiles • leucocytes • lymphocytes • monocytes • O_2 et nutriments • plasma • protéines • sang total • thrombocytes • 38 °C • 4 à 5 L • 5 à 6 L • 7,35 à 7,45

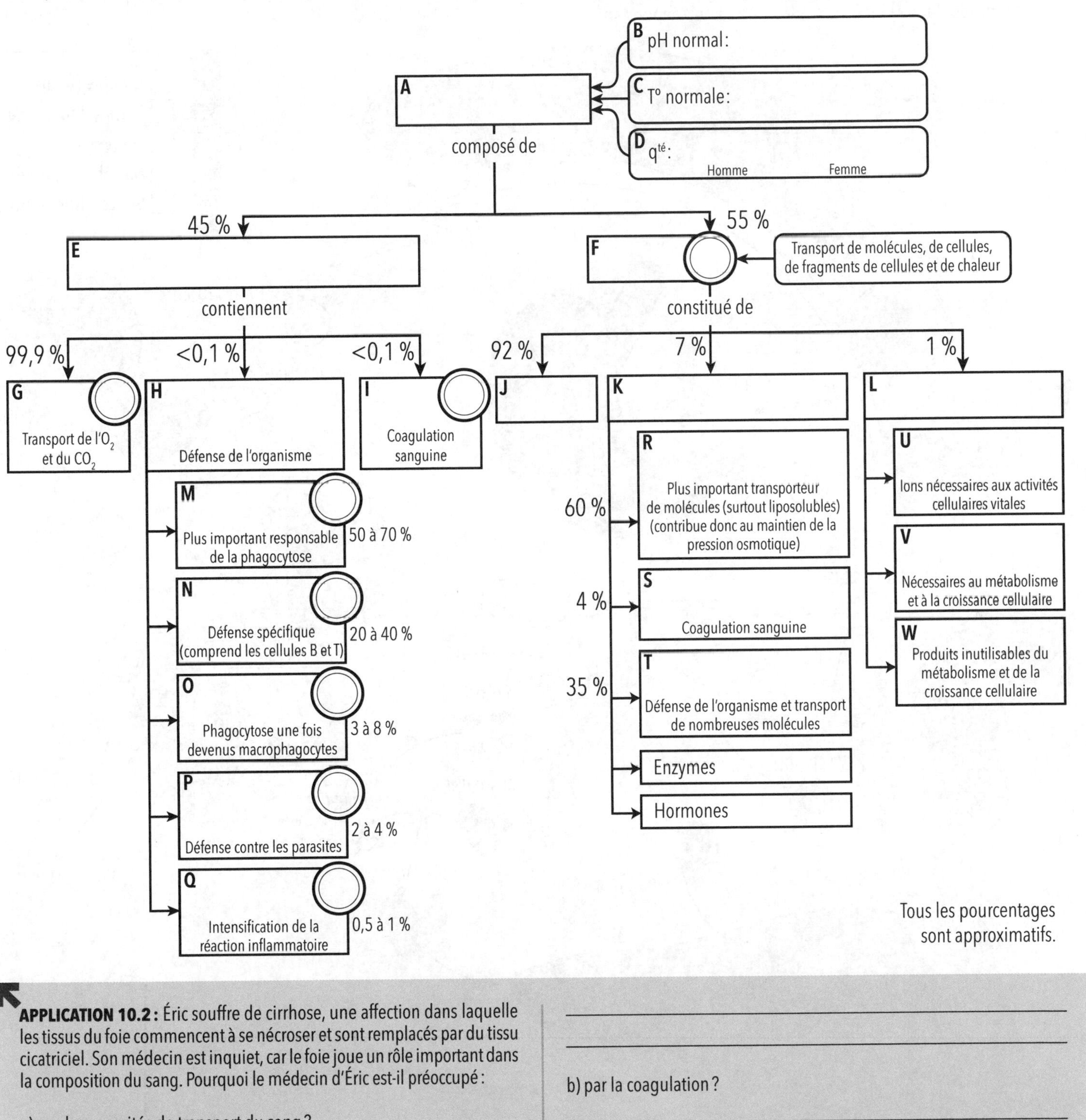

Tous les pourcentages sont approximatifs.

APPLICATION 10.2 : Éric souffre de cirrhose, une affection dans laquelle les tissus du foie commencent à se nécroser et sont remplacés par du tissu cicatriciel. Son médecin est inquiet, car le foie joue un rôle important dans la composition du sang. Pourquoi le médecin d'Éric est-il préoccupé :

a) par les capacités de transport du sang ?

____

____

____

____

b) par la coagulation ?

____

____

____

____

4 La formation et la destruction des érythrocytes

La figure ci-dessous représente la formation et la destruction des érythrocytes.

a) Nommez les structures numérotées dans la figure.
b) À l'aide des couleurs suggérées, coloriez les éléments nommés dans la légende et les carrés correspondants.

APPLICATION 10.3 : La bilirubine directe est en grande partie éliminée dans l'intestin par le conduit cholédoque. Si le conduit cholédoque est bloqué, par quelle autre voie le corps peut-il se débarrasser de la bilirubine ? Dans quel liquide biologique se retrouve-t-elle ? Illustrez votre réponse sur la figure ci-dessous.

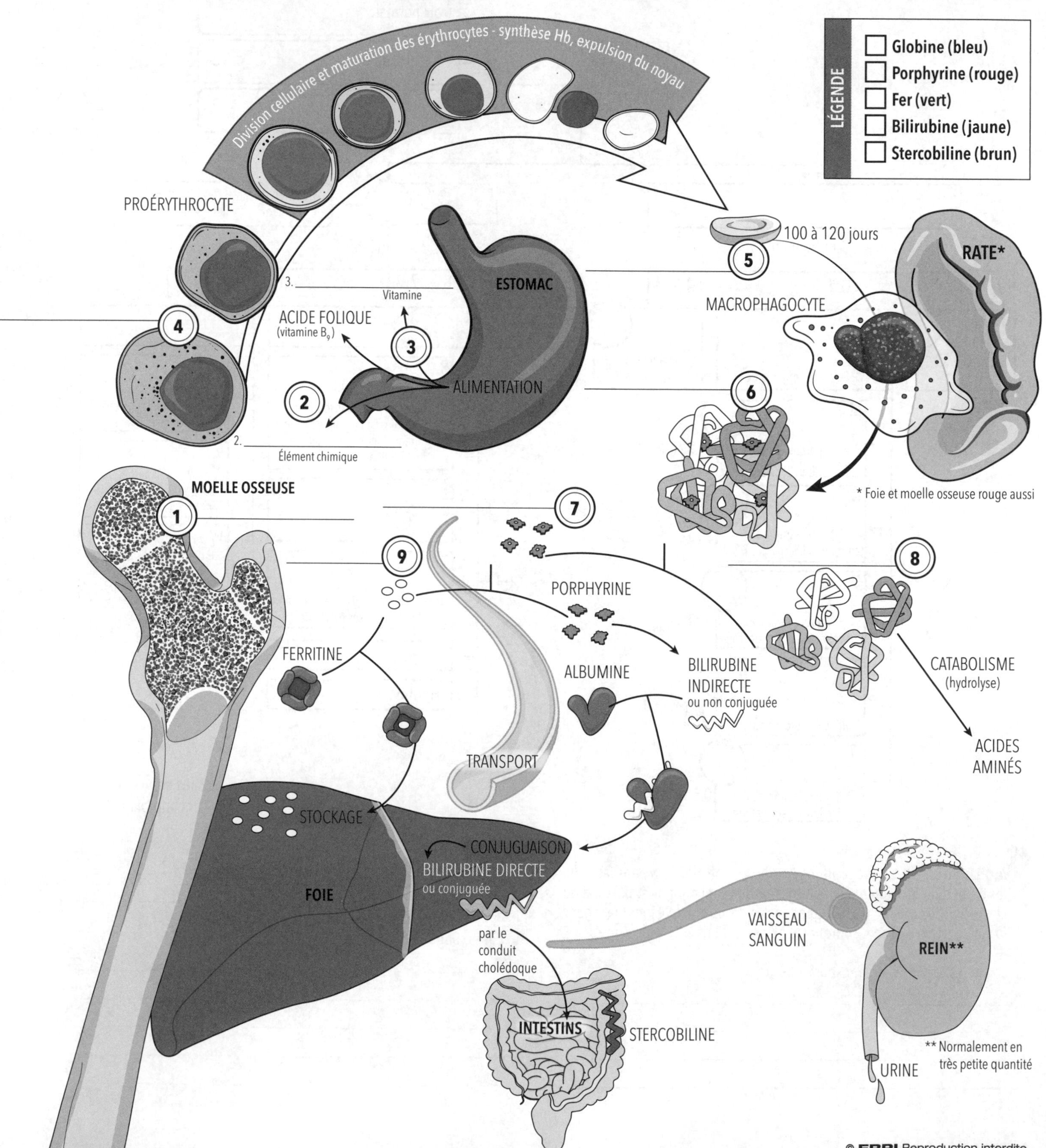

5 La régulation de la production d'érythrocytes

a) Complétez le schéma du mécanisme de régulation homéostatique ci-dessous, qui agit en cas d'anémie menant à la diminution de l'O_2 dans le sang.

b) S'agit-il d'un mécanisme de rétro-inhibition ou de rétroactivation ? Encerclez la bonne réponse et justifiez votre choix en cochant ci-dessous la case appropriée pour indiquer si le déséquilibre est amplifié ou réduit.

c) Le mécanisme est-il contrôlé par le système nerveux ou par le système endocrinien ? Cochez la case correspondant à votre choix.

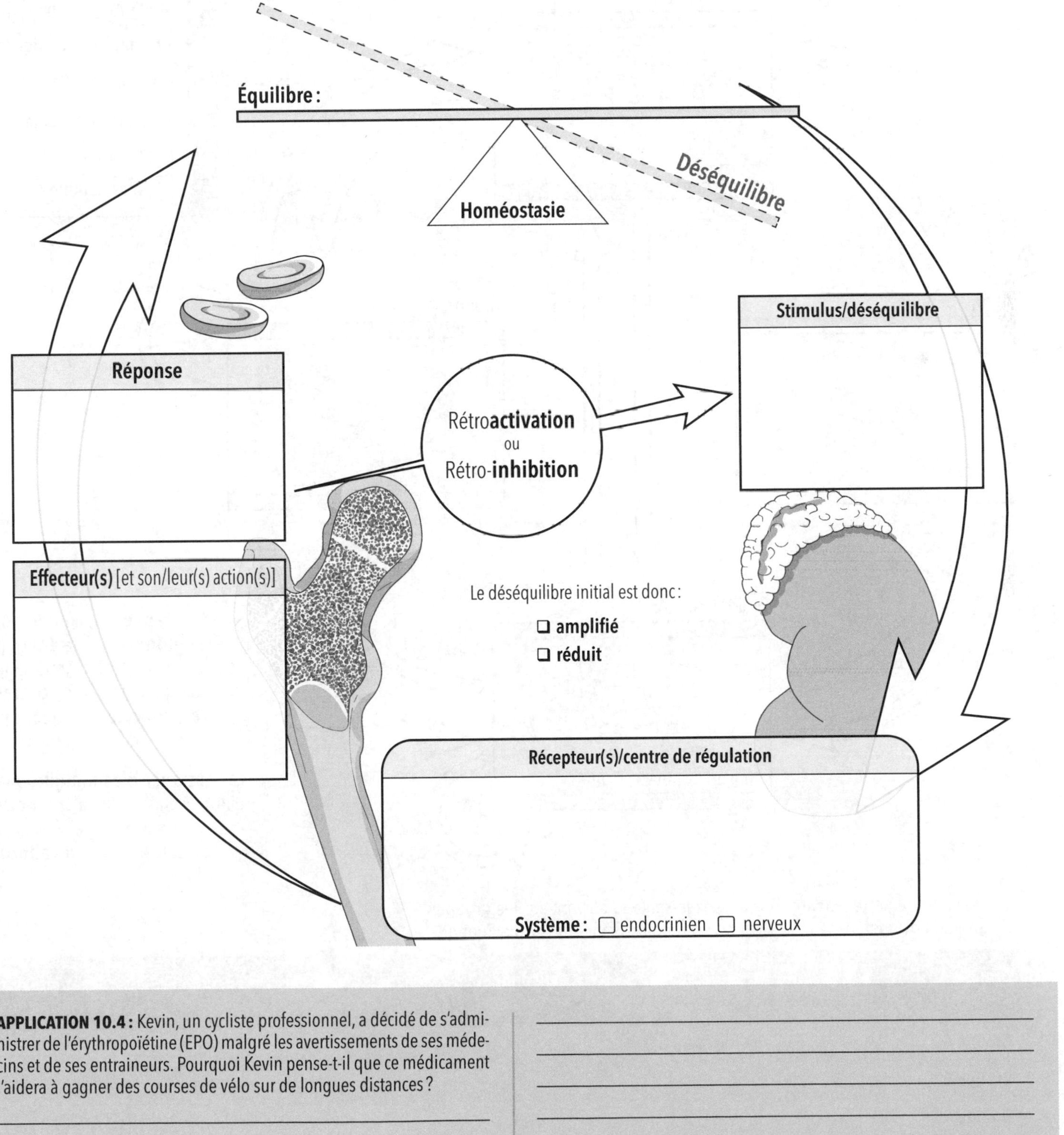

APPLICATION 10.4 : Kevin, un cycliste professionnel, a décidé de s'administrer de l'érythropoïétine (EPO) malgré les avertissements de ses médecins et de ses entraineurs. Pourquoi Kevin pense-t-il que ce médicament l'aidera à gagner des courses de vélo sur de longues distances ?

6 Les groupes sanguins et la transfusion sanguine et plasmatique

a) • Pour chaque figure représentant un groupe sanguin du système ABO, ajoutez l'élément manquant (anticorps ou antigènes), puis déterminez le groupe sanguin. Référez-vous à la légende pour illustrer le schéma.

• Coloriez les flèches illustrant la transfusion sécuritaire d'érythrocytes (transfusion sanguine) ou de plasma (transfusion plasmatique) d'un groupe du système ABO à l'autre. (Les flèches peuvent porter deux couleurs.)

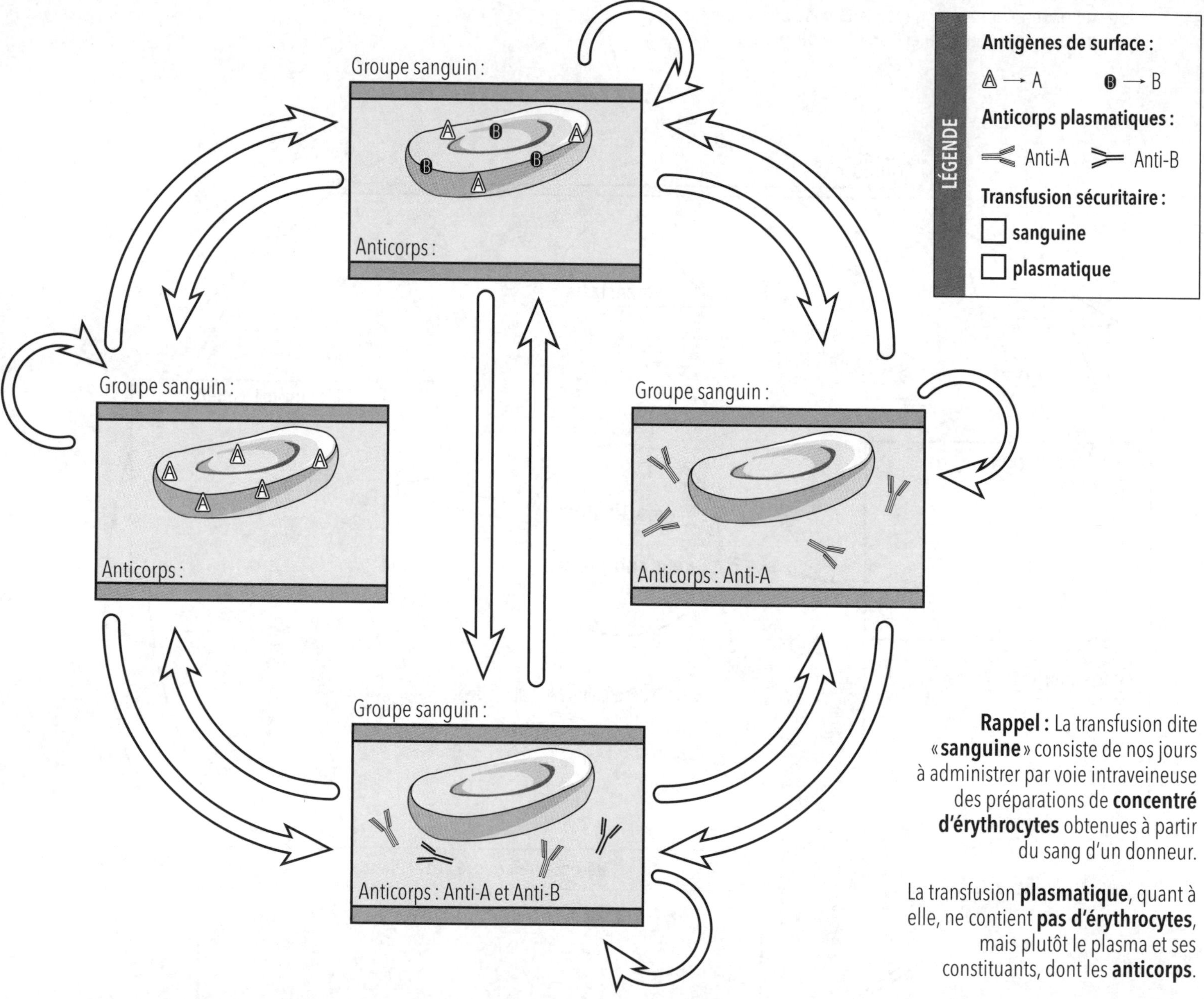

Rappel : La transfusion dite « **sanguine** » consiste de nos jours à administrer par voie intraveineuse des préparations de **concentré d'érythrocytes** obtenues à partir du sang d'un donneur.

La transfusion **plasmatique**, quant à elle, ne contient **pas d'érythrocytes**, mais plutôt le plasma et ses constituants, dont les **anticorps**.

b) À la suite de cette activité, remplissez le tableau suivant sur les groupes sanguins du système ABO et les compatibilités sanguine et plasmatique.

Groupe sanguin	Antigène de surface (agglutinogènes)	Anticorps du plasma (agglutinines)	Peut donner du sang à…	Peut recevoir du sang de…	Peut donner du plasma à…	Peut recevoir du plasma de…
Groupe A		Anti-B				
Groupe B	B					
Groupe AB			AB			
Groupe O						

c) Résolvez les mises en situation suivantes concernant les transfusions sanguines.

A. À la suite d'une hémorragie, Benoit doit recevoir une transfusion sanguine. On procède à un test d'agglutination afin de déterminer son groupe sanguin selon les systèmes ABO et Rhésus (Rh). Voici le résultat des épreuves de détermination du groupe sanguin :

Sérum anti-A	Sérum anti-B	Sérum anti-Rh
Agglutination	Aucune réaction	Agglutination

À quel groupe sanguin Benoit appartient-il ?

____

B. Annick et Francine peuvent donner du sang à Charles, mais Annick ne peut donner du sang à Francine. Sachant que Francine est de groupe sanguin A et qu'Annick et Charles sont de groupes sanguins différents, quels sont les groupes sanguins du système ABO d'Annick et de Charles ? (Coloriez aussi dans les cercles les résultats des épreuves de détermination du groupe sanguin.)

Résultat de l'épreuve de Francine :
Groupe sanguin A

Sérum anti-A	Sérum anti-B
Agglutination	Aucune réaction

Résultat de l'épreuve d'Annick :
Groupe sanguin _____

Sérum anti-A	Sérum anti-B

Résultat de l'épreuve de Charles :
Groupe sanguin _____

Sérum anti-A	Sérum anti-B

C. Plusieurs passagers blessés sont amenés aux services des urgences à la suite de l'atterrissage forcé de l'avion dans lequel ils ont voyagé. Afin qu'on puisse transfuser du sang à ces patients, déterminez leur groupe sanguin des systèmes ABO et Rh à l'aide des résultats suivants.

Patient	Sérum anti-A	Sérum anti-B	Sérum anti-Rh	Groupe sanguin
1	Aucune réaction	Aucune réaction	Aucune réaction	
2	Agglutination	Agglutination	Agglutination	
3	Aucune réaction	Agglutination	Agglutination	
4	Agglutination	Aucune réaction	Aucune réaction	
5	Aucune réaction	Aucune réaction	Agglutination	

D. La transfusion sanguine consiste à administrer par voie intraveineuse des préparations de concentrés d'érythrocytes (concentrés globulaires) obtenues à partir de sang de donneurs. Remplissez le tableau en respectant cette règle absolue : **éviter le conflit antigène contre anticorps**. Ainsi, les globules rouges du donneur sont dits compatibles avec le sang du receveur si le receveur ne possède pas d'anticorps dirigés contre un antigène érythrocytaire du donneur.

Transfusion	Donneur	Receveur	Transfusion possible ? (oui ou non)
1	A^+	AB^+	
2	AB^-	O^-	
3	B^-	AB^-	
4	O^+	B^+	
5	O^-	A^+	
6	AB^+	AB^-	
7	AB^-	AB^+	
8	O^+	A^-	

7 L'hémostase

a) À l'aide de la liste de termes, complétez les énoncés ci-dessous présentés dans le désordre.

coagulation • collagène • contraction • éléments figurés du sang • fibrine • fibrinogène • formation du clou plaquettaire • membrane basale • réduction • spasme vasculaire • substances chimiques • thrombocytes • vaisseau

b) Dans les cercles de la séquence d'images représentant l'hémostase, écrivez le numéro de chacune des étapes dans le bon ordre.

c) Sur les lignes prévues à cet effet, écrivez le nom des trois phases de l'hémostase.

Énoncés dans le désordre

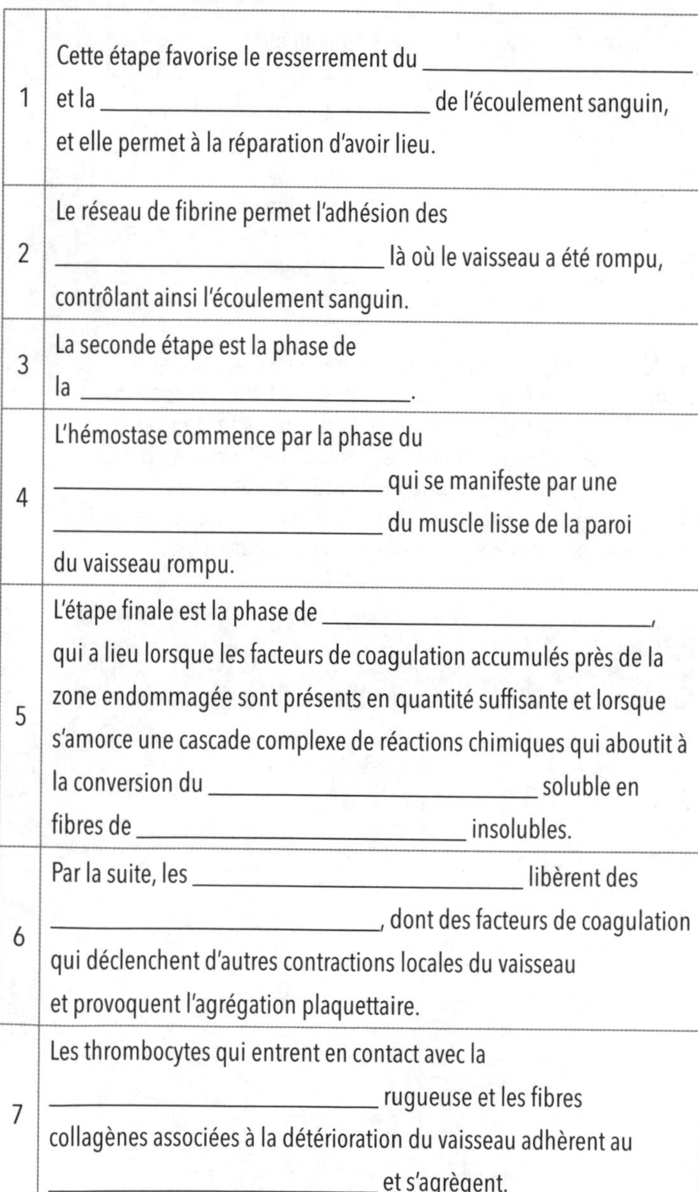

1	Cette étape favorise le resserrement du ____________ et la ____________ de l'écoulement sanguin, et elle permet à la réparation d'avoir lieu.
2	Le réseau de fibrine permet l'adhésion des ____________ là où le vaisseau a été rompu, contrôlant ainsi l'écoulement sanguin.
3	La seconde étape est la phase de la ____________.
4	L'hémostase commence par la phase du ____________ qui se manifeste par une ____________ du muscle lisse de la paroi du vaisseau rompu.
5	L'étape finale est la phase de ____________, qui a lieu lorsque les facteurs de coagulation accumulés près de la zone endommagée sont présents en quantité suffisante et lorsque s'amorce une cascade complexe de réactions chimiques qui aboutit à la conversion du ____________ soluble en fibres de ____________ insolubles.
6	Par la suite, les ____________ libèrent des ____________, dont des facteurs de coagulation qui déclenchent d'autres contractions locales du vaisseau et provoquent l'agrégation plaquettaire.
7	Les thrombocytes qui entrent en contact avec la ____________ rugueuse et les fibres collagènes associées à la détérioration du vaisseau adhèrent au ____________ et s'agrègent.

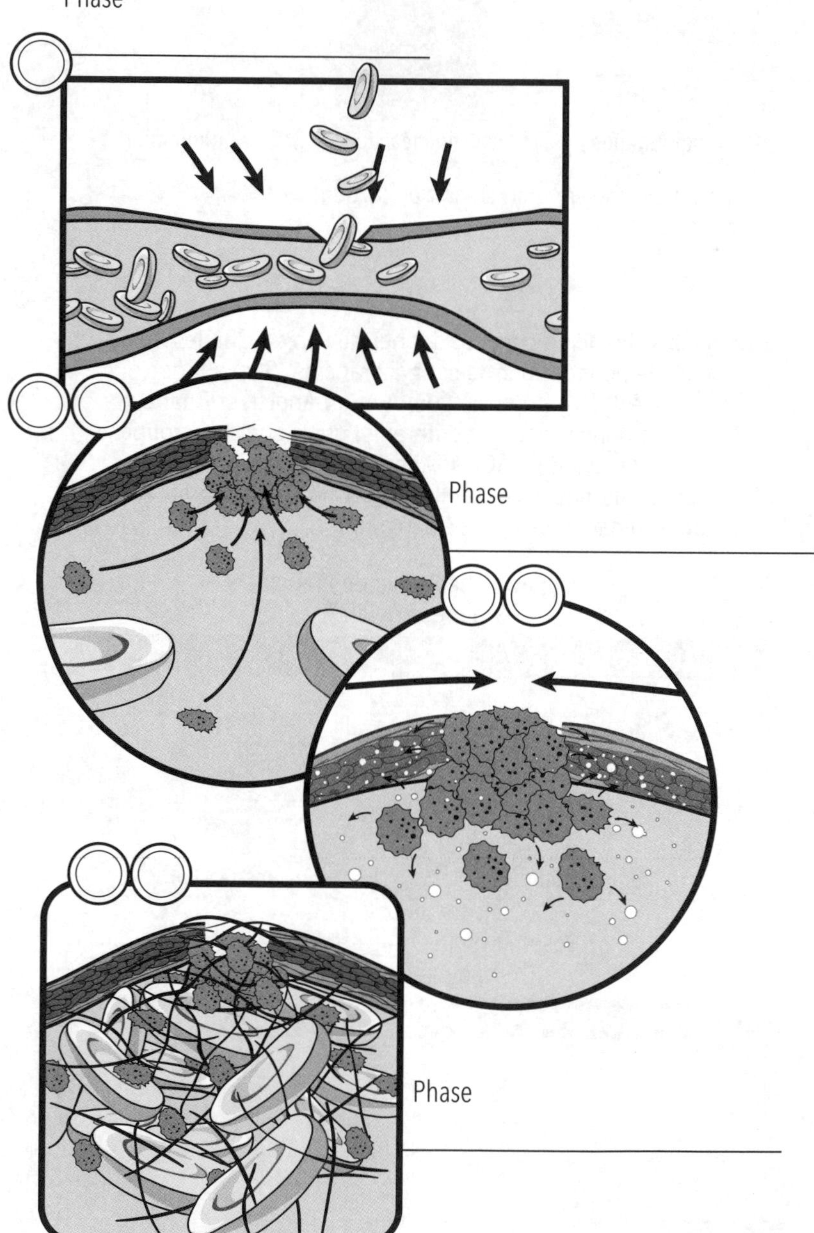

APPLICATION 10.5 : L'hémophilie est une maladie génétique souvent causée par la production insuffisante d'un seul facteur de coagulation. Si la figure ci-dessus représentait l'hémostase chez un hémophile, à quel endroit traceriez-vous un X sur l'élément qui ferait défaut et sur la phase qui décrit cette étape ?

LE CŒUR, LA FONCTION CARDIOVASCULAIRE ET LES VAISSEAUX SANGUINS

8 La circulation pulmonaire et systémique

La figure ci-contre représente la circulation du sang dans tout le corps.

a) Nommez les structures numérotées dans la légende.
b) Ajoutez des flèches de couleurs différentes pour indiquer le sens de la circulation du sang. Utilisez les éléments nommés dans la légende et les carrés correspondants pour construire le parcours du sang.

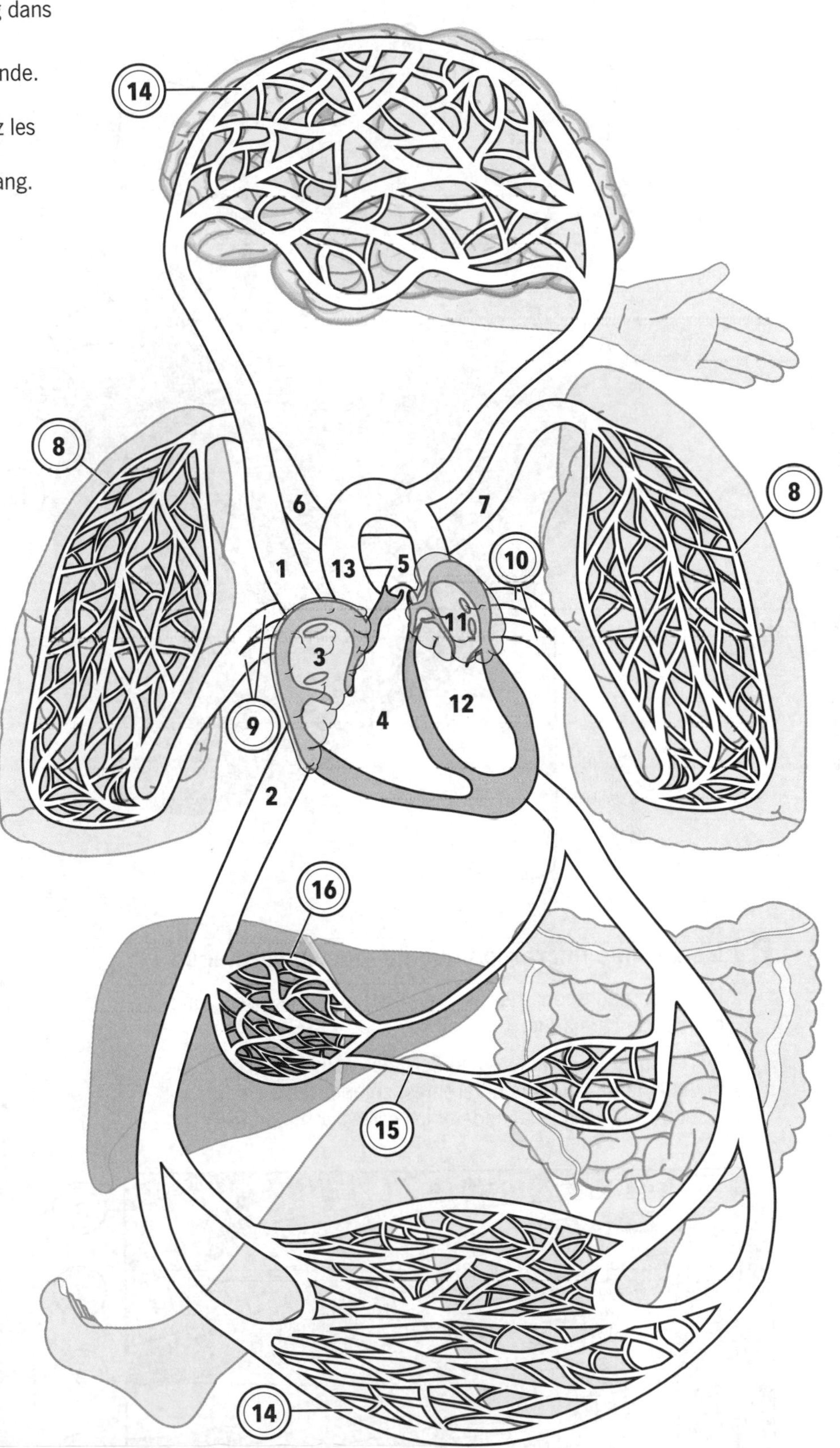

LÉGENDE

À identifier :

1. ______________________
2. ______________________
3. ______________________
4. ______________________
5. ______________________
6. ______________________
7. ______________________
8. ______________________
9. ______________________
10. ______________________
11. ______________________
12. ______________________
13. ______________________
14. ______________________
15. ______________________
16. ______________________

Flèches à colorier :

☐ **Sang oxygéné**

☐ **Sang désoxygéné**

APPLICATION 10.6 : Un embole est une particule (caillot sanguin, masse adipeuse, bulle d'air, etc.) qui se déplace dans les vaisseaux sanguins. Lorsque l'embole est un caillot sanguin, il se forme habituellement dans un vaisseau sanguin assez gros, puis s'engage dans des vaisseaux de plus petit diamètre où il finit par rester coincé, ce qui obstrue le vaisseau. Sachant que dans l'embolie pulmonaire, l'embole, généralement formé dans la jambe, va se loger dans l'une des artères pulmonaires, tracez un cercle à l'endroit où se forme l'embole et un X là où il crée une obstruction, puis reliez les deux symboles en montrant le chemin parcouru par cet embole.

9 L'anatomie externe du cœur

La figure ci-dessous représente l'anatomie externe du cœur.

a) Nommez les structures numérotées dans la légende.
b) Coloriez de deux couleurs différentes les structures où circule le sang oxygéné et celles où circule le sang désoxygéné.

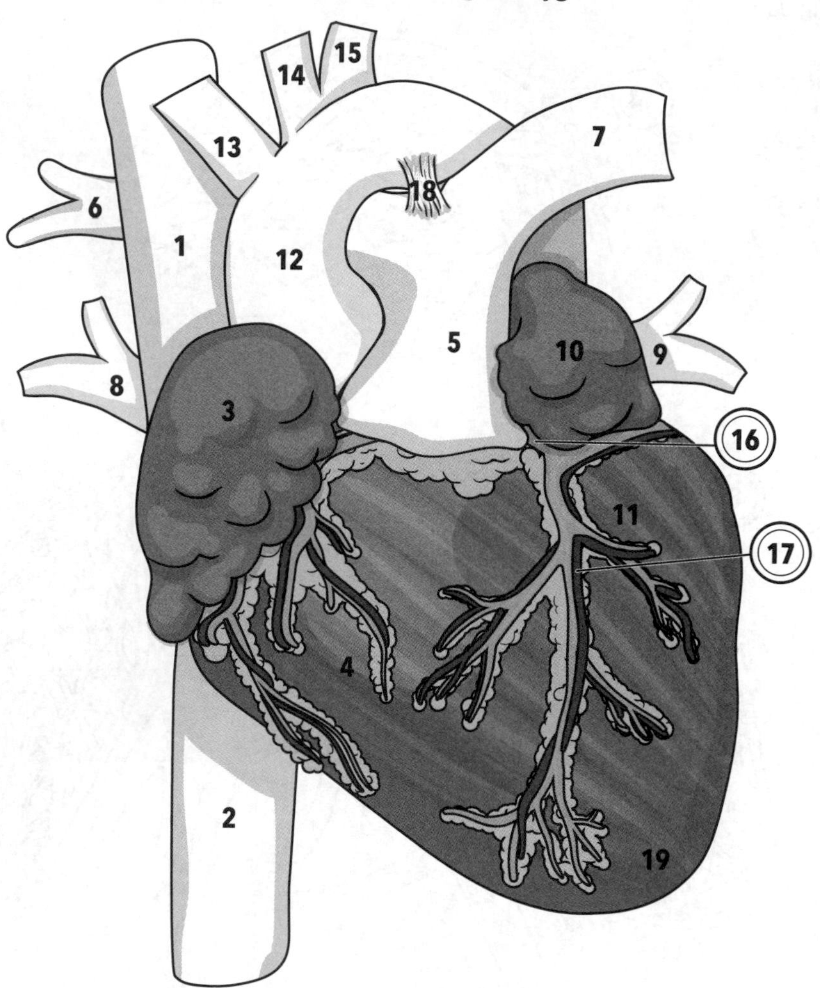

LÉGENDE

À identifier :

1. ______
2. ______
3. ______
4. ______
5. ______
6. ______
7. ______
8. ______
9. ______
10. ______
11. ______
12. ______
13. ______
14. ______
15. ______
16. ______
17. ______
18. ______
19. ______

À colorier :

☐ **Sang oxygéné**
☐ **Sang désoxygéné**

10 L'anatomie microscopique du muscle cardiaque

La figure ci-dessous représente l'anatomie microscopique du muscle cardiaque.

a) Nommez les structures numérotées dans la légende.
b) À l'aide de couleurs différentes, coloriez les éléments nommés dans la légende et les carrés correspondants.

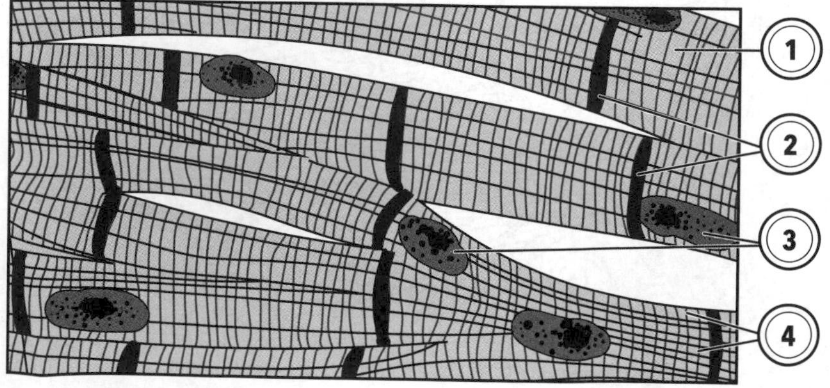

LÉGENDE

1. ☐ ______
2. ☐ ______
3. ☐ ______
4. ☐ ______

11 L'anatomie interne du cœur

La figure ci-dessous représente l'anatomie interne du cœur.

a) Nommez les structures numérotées dans la légende.
b) À l'aide de couleurs différentes, coloriez les éléments nommés dans la légende et les carrés correspondants.
c) Ajoutez des flèches de couleurs différentes indiquant le sens de la circulation du sang oxygéné et du sang désoxygéné dans le cœur et dans ses principaux vaisseaux.

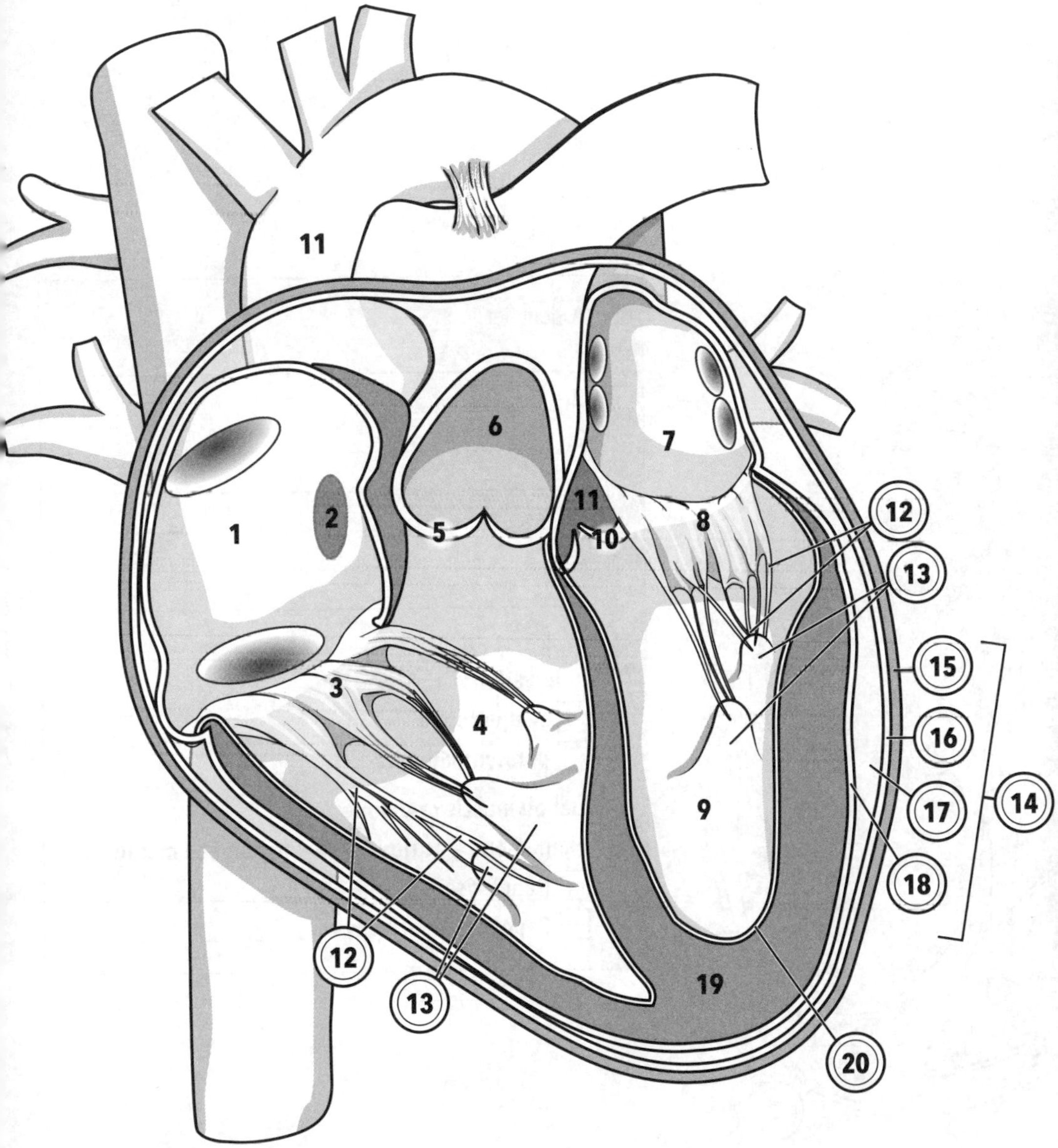

LÉGENDE

À identifier :

1. ______
2. ______
3. ☐ ______
4. ______
5. ☐ ______
6. ______
7. ______
8. ☐ ______
9. ______
10. ☐ ______
11. ______
12. ______
13. ______
14. ______
   - 15. ______
   - 16. ☐ ______
   - 17. ☐ ______
   - 18. ☐ ______
19. ______
20. ______

Flèches à colorier :

☐ **Sang oxygéné**

☐ **Sang désoxygéné**

APPLICATION 10.7 : L'insuffisance aortique, aussi appelée régurgitation aortique, est une affection dans laquelle la valve de l'aorte ne se ferme pas hermétiquement et laisse refluer le sang. Quelle cavité du cœur est directement touchée par cette anomalie, et pourquoi ?

______

______

12 Le système de conduction du cœur

La figure ci-dessous représente le système de conduction du cœur.

a) Nommez les structures numérotées dans la légende.
b) Ajoutez des flèches indiquant le sens de la propagation des influx électriques dans le cœur.
c) Complétez la légende en indiquant le phénomène mécanique qui découle de l'état électrique du cœur.
d) Lorsque l'influx nerveux est retardé au niveau du nœud auriculoventriculaire, quel est l'état des différentes cavités du muscle cardiaque? Utilisez la légende à colorier pour illustrer votre réponse.
e) Coloriez les endroits innervés par le système sympathique et/ou parasympathique.

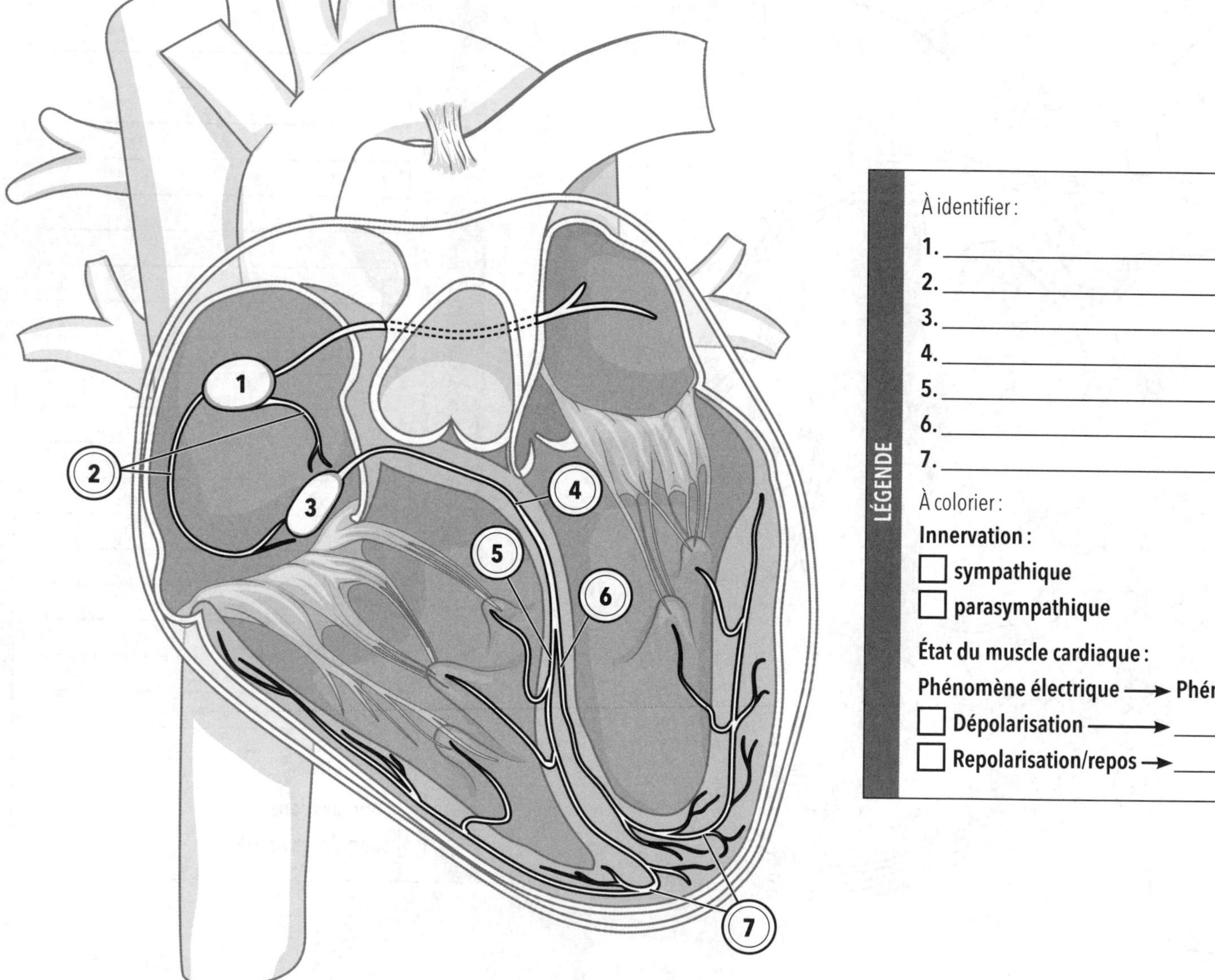

LÉGENDE

À identifier :

1. ______
2. ______
3. ______
4. ______
5. ______
6. ______
7. ______

À colorier :

Innervation :

☐ **sympathique**
☐ **parasympathique**

État du muscle cardiaque :

Phénomène électrique ⟶ Phénomène mécanique

☐ **Dépolarisation** ⟶ ______
☐ **Repolarisation/repos** ⟶ ______

APPLICATION 10.8 : Le bloc de branche fait partie des troubles cardiaques affectant la conduction des impulsions électriques (influx nerveux) à l'intérieur des branches du faisceau auriculoventriculaire. Il se caractérise par un retard d'activation d'un ventricule du cœur par rapport à l'autre. Dans le cas d'un bloc de branche droit, le ventricule droit commence à se contracter légèrement après le ventricule gauche, ce qui peut perturber la fonction cardiaque. Tracez un X à l'endroit où peut se produire le bloc de branche droit.

13 La révolution cardiaque (cycle cardiaque)

a) La série d'images de la page suivante représente la séquence chronologique des évènements de la révolution cardiaque.
   - Écrivez dans les cercles le numéro correspondant à chacun des évènements en utilisant les descriptions du tableau.
   - À l'aide de couleurs différentes, coloriez les éléments nommés dans la légende et les carrés correspondants.

b) Complétez le graphique de la page 131 selon les directives suivantes :
   - Dans les bulles, ajoutez les évènements numérotés de 1 à 7 dans la partie a).
   - Dans le graphique de l'électrocardiogramme (ECG) :
     - Par une accolade, indiquez la durée d'une révolution cardiaque.
     - Identifiez les ondes P, Q, R, S et T.
   - Dans la section sur l'état du muscle cardiaque :
     - Indiquez tous les moments de systole et de diastole pour les oreillettes et les ventricules.
     - Par une accolade, indiquez la durée de la diastole générale.
   - Dans le graphique des bruits du cœur :
     - Indiquez les deux bruits du cœur les plus importants (toc et tac).
   - Dans le graphique de l'état des valves du cœur :
     - Indiquez si les valves sont fermées ou ouvertes.
   - Dans le graphique du volume ventriculaire :
     - Indiquez dans les cases les différents volumes (VTD, VS et VTS).

APPLICATION 10.9 : Les médecins ont diagnostiqué chez Vincent une maladie appelée bloc sinoatrial, ou dysfonction sinusale. Le cœur de Vincent bat de façon anormale et plus lentement (bradycardie). Dans cette affection, le nœud sinusal ne fonctionne pas normalement, ce qui empêche les ondes électriques de cette région d'atteindre les oreillettes. Ces dernières sont donc incapables de se contracter normalement. Par contre, dans cette maladie, les ventricules continuent de se contracter.

a) Considérant la dysfonction du nœud sinusal chez Vincent, quelle différence devrait-on observer entre son ECG et celui d'une personne en bonne santé ? Justifiez votre réponse et illustrez-la ci-dessous.

b) Si le nœud sinusal est dysfonctionnel, comment se fait-il que les ventricules continuent de se contracter ?

c) Pourquoi le cœur de Vincent bat-il plus lentement ?

ECG d'un individu en bonne santé (tracé normal)

ECG de Vincent

Nº	Description de l'évènement
1	Les valves auriculoventriculaires se ferment lorsque les ventricules commencent à se contracter.
2	Lors de la diastole ventriculaire, les valves de l'aorte et du tronc pulmonaire se ferment parce que la pression exercée par le sang dans le tronc pulmonaire et dans l'aorte est plus grande que la pression dans les ventricules.
3	Les valves auriculoventriculaires sont ouvertes, les valves de l'aorte et du tronc pulmonaire sont fermées et le sang s'écoule des oreillettes vers les ventricules.
4	La pression dans le ventricule gauche atteint la pression diastolique dans l'aorte et la pression dans le ventricule droit atteint la pression diastolique dans l'artère pulmonaire.
5	La pression ventriculaire chute au-dessous de la pression auriculaire et les valves auriculoventriculaires s'ouvrent, ce qui permet aux ventricules de se remplir à nouveau.
6	Les valves de l'aorte et du tronc pulmonaire s'ouvrent et la phase d'éjection ventriculaire débute.
7	Les oreillettes se contractent, propulsant un volume supplémentaire de sang vers les ventricules.

Séquence chronologique

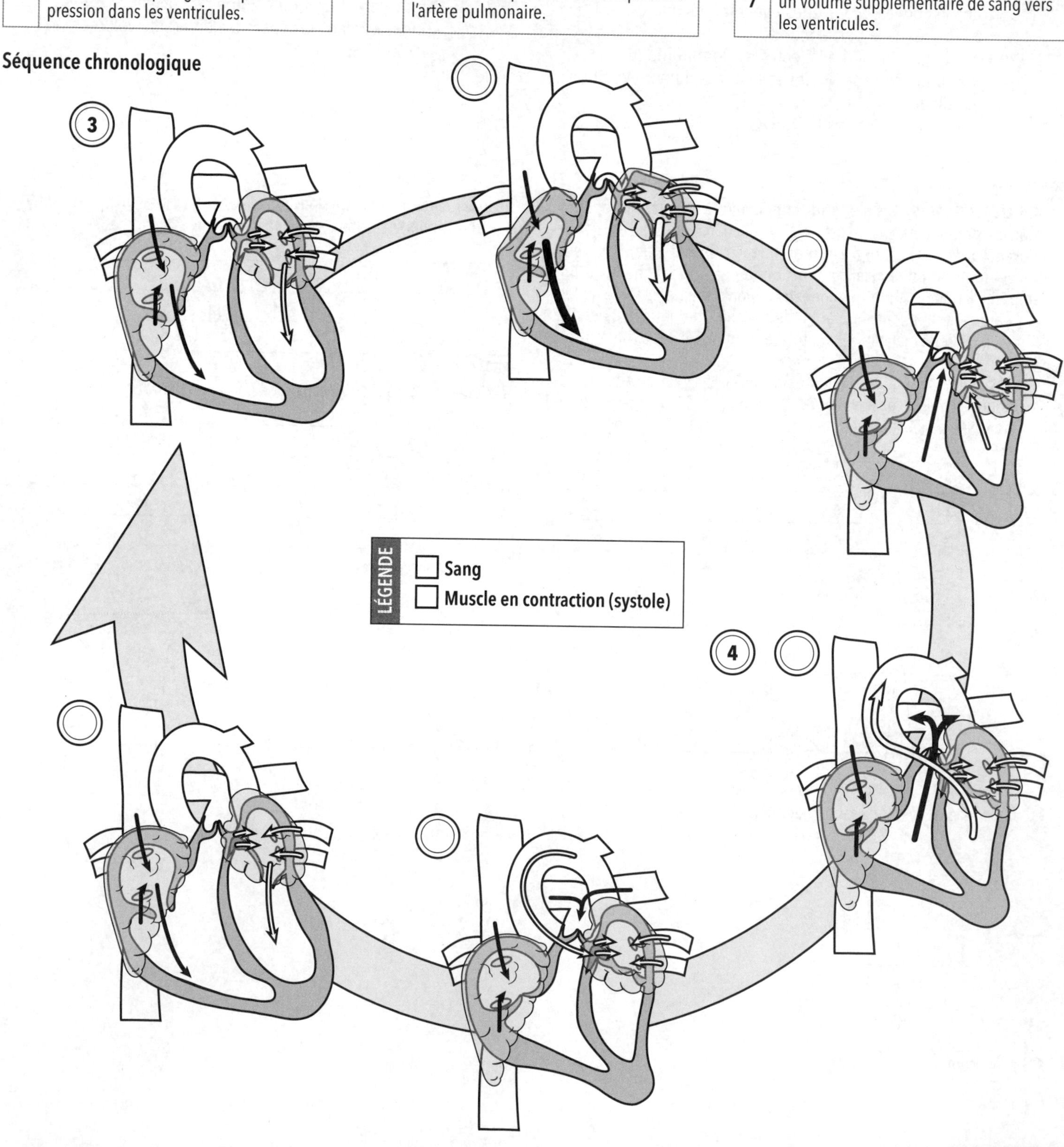

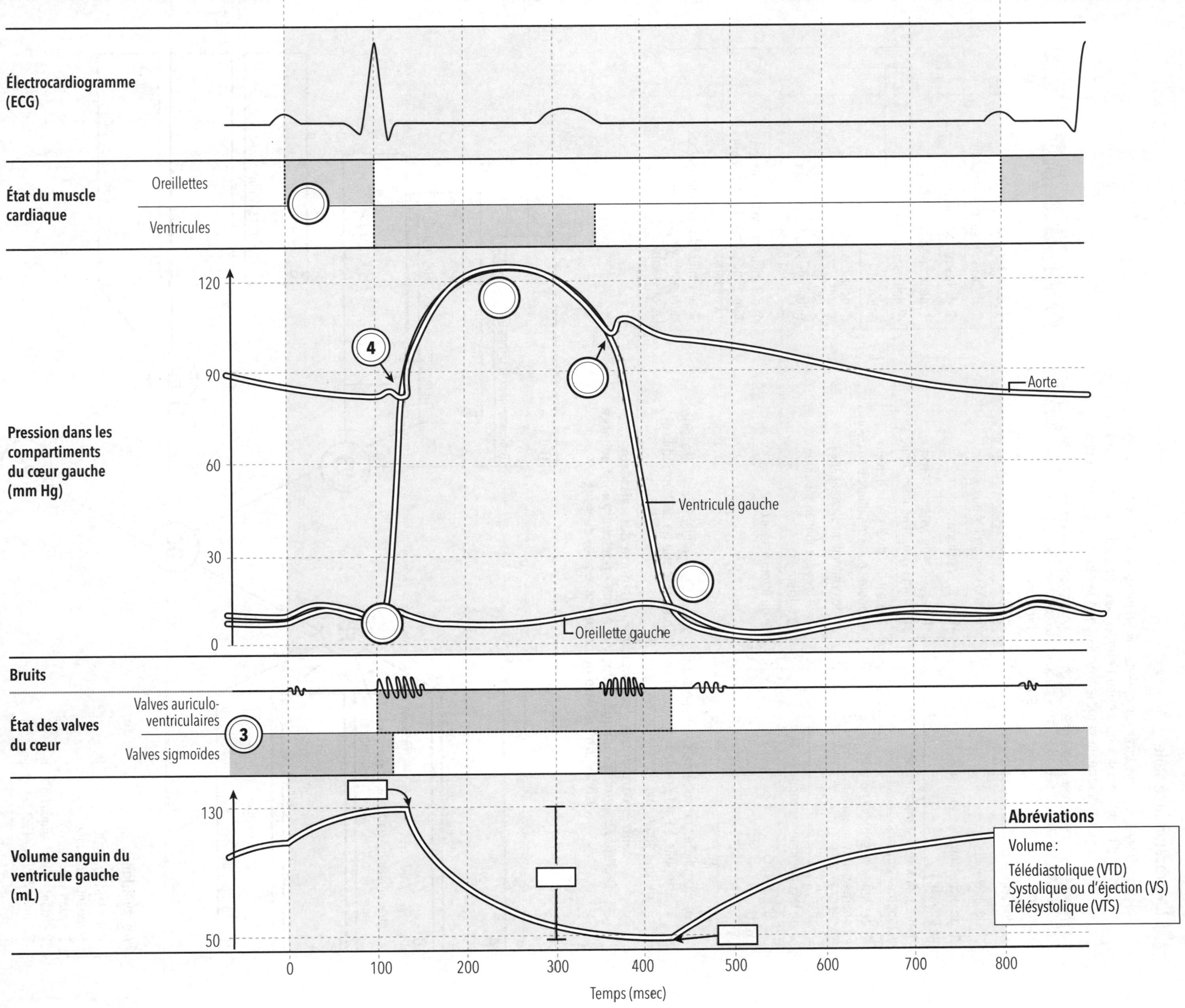
Électrocardiogramme (ECG)
État du muscle cardiaque
Oreillettes
Ventricules
Pression dans les compartiments du cœur gauche (mm Hg)
120
90
60
30
0
4
Aorte
Ventricule gauche
Oreillette gauche
Bruits
État des valves du cœur
Valves auriculo-ventriculaires
Valves sigmoïdes
3
Volume sanguin du ventricule gauche (mL)
130
50
Abréviations
Volume :
Télédiastolique (VTD)
Systolique ou d'éjection (VS)
Télésystolique (VTS)
0
100
200
300
400
500
600
700
800
Temps (msec)

14 La pression artérielle

a) Remplissez les trois tableaux ci-dessous en indiquant l'effet (augmentation « ↑ », diminution « ↓ » ou « Aucun effet ») de chacun des facteurs sur la fréquence cardiaque, le volume systolique et la résistance périphérique.

Fréquence cardiaque	
Facteurs	**Effet**
↑ de l'activité du nœud sinusal	
↑ de la température	
↑ de la concentration sanguine de potassium	
↑ des influx du système nerveux autonome sympathique au cœur	
↑ des influx du système nerveux autonome parasympathique au cœur	
↑ de la libération d'adrénaline	
↑ de la concentration sanguine de calcium	
Exercice	

Volume systolique	
Facteurs	**Effet**
↑ de la précharge	
↑ de la contractilité du cœur	
↑ de la postcharge	
↑ des influx du système nerveux autonome sympathique au cœur	
↑ des influx du système nerveux autonome parasympathique au cœur	
↑ de la libération d'adrénaline	
↑ de la concentration sanguine de calcium	
↑ du retour veineux	

Résistance périphérique	
Facteurs	**Effet**
↑ de la viscosité du sang	
↑ de la longueur des vaisseaux	
↑ de la vasoconstriction	
↑ de la vasodilatation	
↑ de l'hématocrite	
Anémie	
↑ de la déshydratation	
↑ des influx du système nerveux autonome sympathique sur les vaisseaux	
↑ des influx du système nerveux autonome parasympathique sur les vaisseaux	
↓ des influx du système nerveux autonome sympathique sur les vaisseaux	

b) Complétez ce schéma synthèse sur les facteurs qui influent sur la pression artérielle à l'aide de la liste de termes. (Chaque terme ne doit être utilisé qu'une seule fois.)

centres cardiaques • contractilité • diamètre des vaisseaux • facteurs sanguins • longueur des vaisseaux • postcharge • précharge • rythme intrinsèque du cœur • viscosité du sang

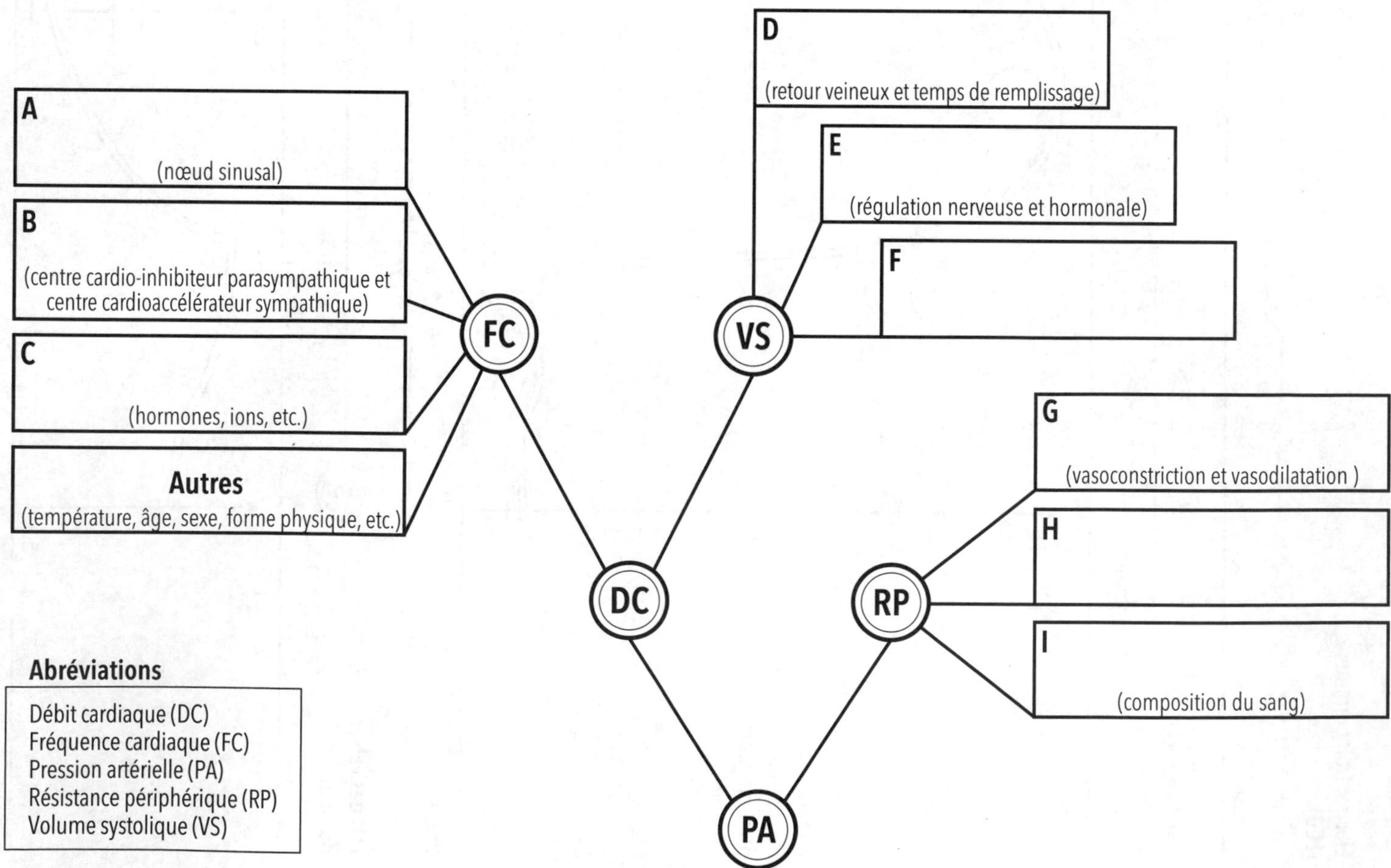

c) En vous référant au schéma de la pression artérielle de la page précédente, répondez aux questions de ces quatre mises en situation afin de mettre en lumière l'influence de certains facteurs sur la pression artérielle.

SITUATION 1

Catherine est hospitalisée depuis une semaine à la suite d'une intervention chirurgicale. Malheureusement, à cause d'une mauvaise hygiène des mains du personnel soignant, Catherine a contracté une infection du sang causée par *Clostridium difficile*. Cette bactérie produit une toxine aux effets vasodilatateurs menant au choc septique (vasodilatation généralisée ; choc d'origine vasculaire). Quel effet cette infection aura-t-elle sur la pression artérielle de Catherine ? Expliquez comment les différents facteurs susceptibles de faire varier la pression artérielle entrent en jeu dans cette situation.

SITUATION 2

L'examen final du cours de biologie a lieu dans une heure. En parlant avec son amie Catherine, Rémi se rend compte qu'il a complètement oublié de préparer sa question d'intégration qui vaut pour au moins 20 % de l'examen. Quel effet cette situation très stressante aura-t-elle sur la pression artérielle de Rémi ? Expliquez comment les différents facteurs susceptibles de faire varier la pression artérielle entrent en jeu dans cette situation.

SITUATION 3

Dominic vient de s'acheter une nouvelle scie à chaine. En voulant l'essayer, il se coupe gravement à la jambe et perd beaucoup de sang. Quel effet cette perte de sang importante aura-t-elle sur la pression artérielle de Dominic ? Expliquez comment les différents facteurs susceptibles de faire varier la pression artérielle entrent en jeu dans cette situation.

SITUATION 4

Martin est un ami de Dominic. Il s'entraine pour le marathon et se fait injecter de l'Epogen (érythropoïétine synthétique) régulièrement. Il prétend qu'il sera plus performant. Nous avons vu dans le chapitre portant sur le sang que Martin avait raison quant à l'action de cette hormone (accroissement de la quantité d'oxygène transporté dans le sang). Toutefois, Martin néglige les risques reliés à l'utilisation de cette hormone (épaississement du sang). Quel effet les nombreuses injections d'Epogen auront-elles sur la pression artérielle au repos de Martin ? Expliquez comment les différents facteurs susceptibles de faire varier la pression artérielle entrent en jeu dans cette situation.

APPLICATION 10.10 : Olivia est enceinte et doit accoucher dans un mois. Son médecin lui recommande d'éviter de dormir sur le dos ou le côté droit, afin que son bébé ne comprime pas sa veine cave inférieure. Quel effet la compression de la veine cave inférieure d'Olivia aurait-elle sur son débit cardiaque, et pourquoi ?

15 La régulation nerveuse du débit cardiaque

La figure ci-dessous représente la régulation nerveuse du débit cardiaque.

a) À l'aide de couleurs différentes, coloriez les structures nommées dans la légende et les carrés correspondants.

b) Écrivez sur les lignes placées dans la légende l'effet de cette innervation sur le cœur (augmentation « ↑ » ou diminution « ↓ »).

LÉGENDE

- ☐ Innervation sympathique
  - _______ Fréquence (rythme) cardiaque
  - _______ Force de contraction
- ☐ Innervation parasympathique
  - _______ Fréquence (rythme) cardiaque

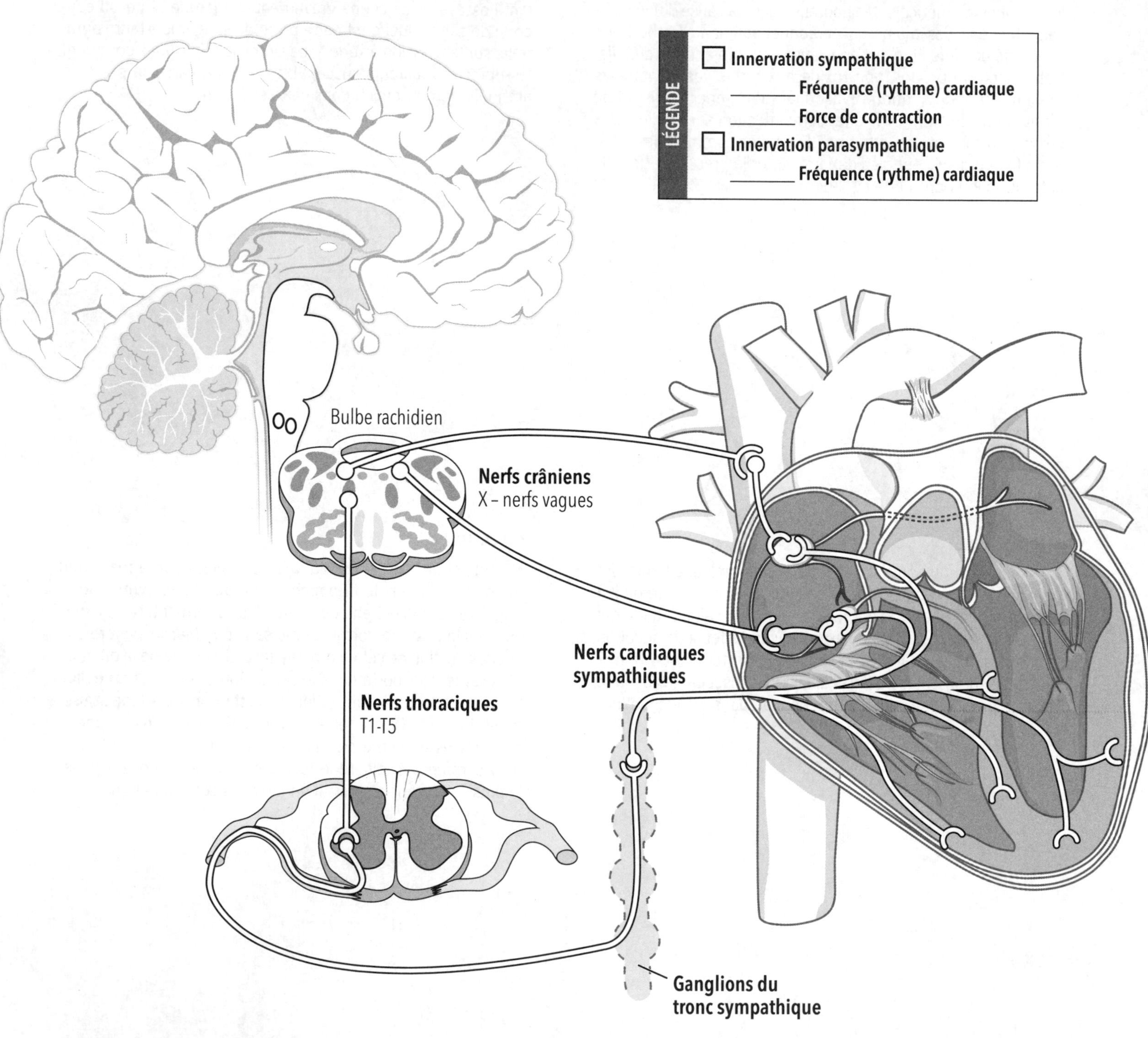

APPLICATION 10.11 : Lors d'une transplantation cardiaque, le chirurgien coupe toutes les innervations sympathiques et parasympathiques afin de sortir le cœur de la cavité thoracique. Pourtant, le cœur continue de battre dans les mains du chirurgien. Qu'est-ce qui est à l'origine de ces contractions cardiaques ? À quel rythme battra le cœur ? Pourquoi ?

____

____

____

____

16 La régulation nerveuse de la pression artérielle

a) Complétez le schéma du mécanisme de régulation homéostatique ci-dessous, qui décrit la régulation nerveuse de la pression artérielle par le centre cardiovasculaire du bulbe rachidien (centres cardiaques) et par le centre vasomoteur.

b) À l'aide de couleurs différentes, coloriez les barorécepteurs et les structures activées par le centre de régulation, ainsi que les carrés correspondants dans la légende.

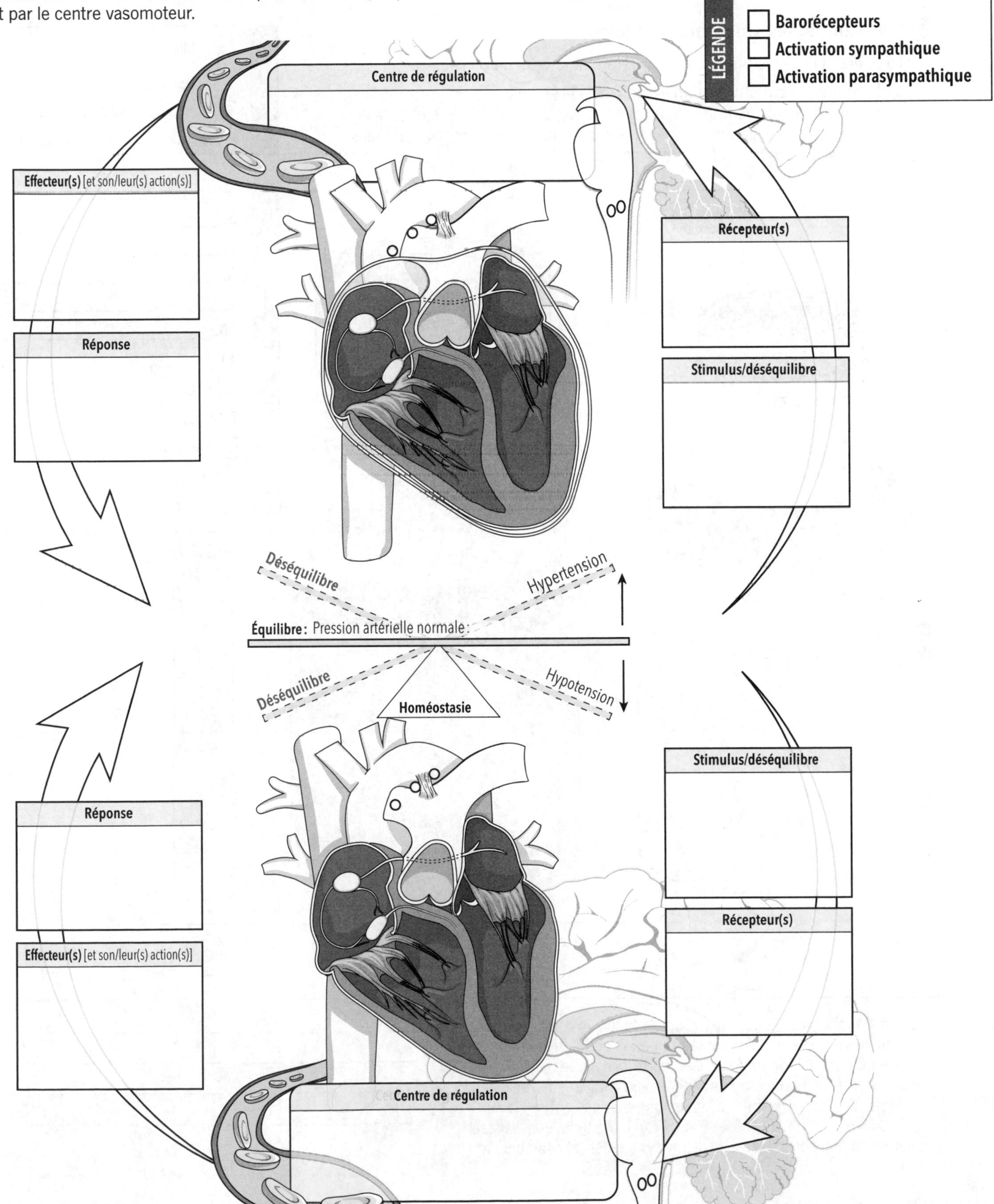

APPLICATION 10.12 : En présence d'une diminution du volume sanguin causée par une hémorragie, la pression artérielle va-t-elle varier ? Quelle voie du système nerveux autonome sera activée ? Comment la pression artérielle sera-t-elle rétablie ? Afin de répondre à ces questions, entourez la boucle qui illustre cette situation dans le schéma de la page précédente.

17 L'anatomie des vaisseaux sanguins

La figure ci-dessous représente une artère, une veine et un capillaire.

a) Nommez les structures numérotées dans la légende.

b) À l'aide de couleurs différentes, coloriez sur les illustrations 1 et 2, les éléments de la légende et les carrés correspondants. (Il peut y avoir plus d'une structure dans chacune des tuniques.)

LÉGENDE

À identifier :

1. ______
2. ______
3. ______
4. ______
5. ______
6. ______
7. ______
8. ______
9. ______
10. ______
11. ______

À colorier :

Tunique :

☐ **interne**
☐ **moyenne**
☐ **externe**

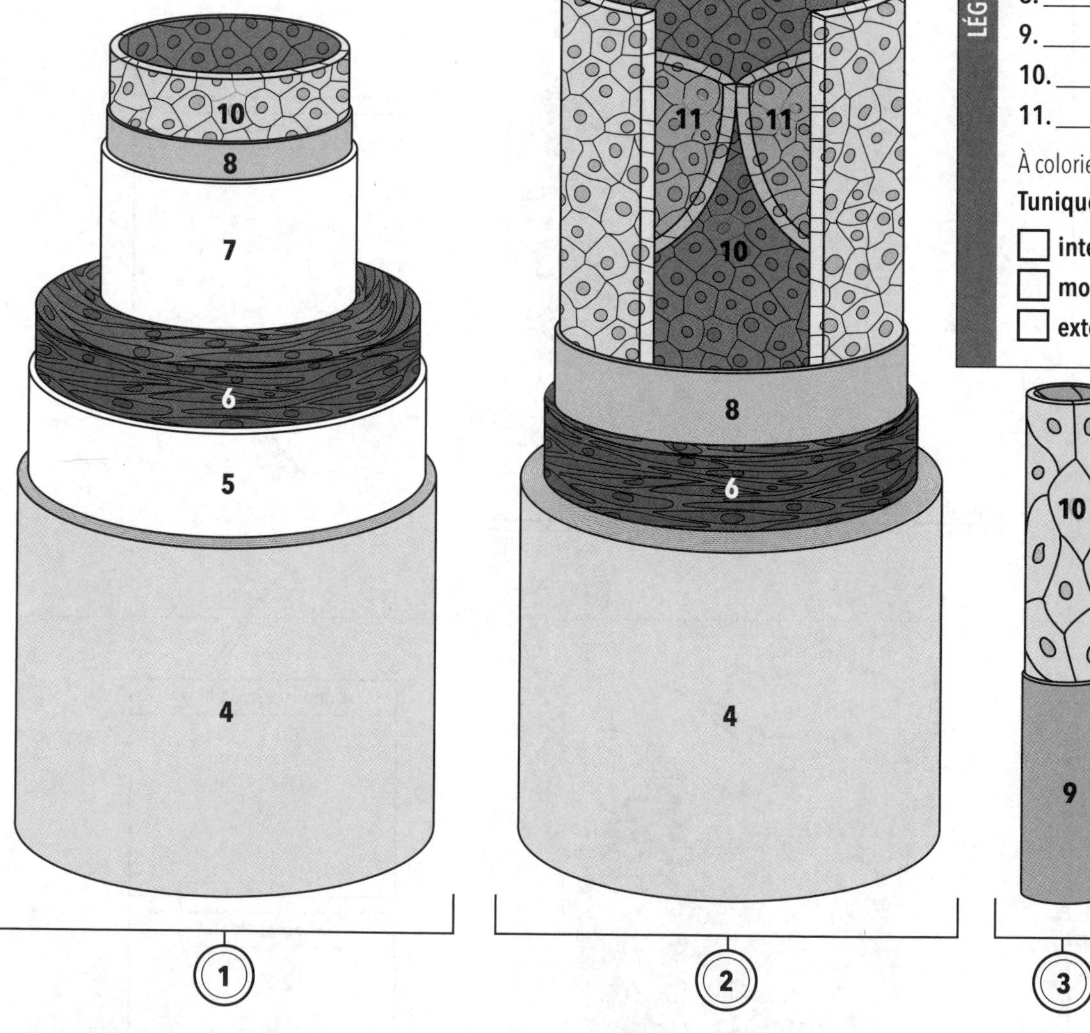

APPLICATION 10.13 : Pendant un cours de biologie, votre enseignant projette une animation montrant le comportement d'un gros vaisseau sanguin. Chaque fois que le cœur se contracte (systole), le vaisseau s'étire pour accueillir l'afflux de sang qui y pénètre. Lorsque le cœur se détend (diastole), le vaisseau reprend sa forme d'origine, poussant vers l'avant le sang qu'il contient. Sur la base d'un tel comportement, quel vaisseau sanguin est probablement l'objet de cette animation, et pourquoi ?

______
______
______
______
______

18 Les échanges capillaires

La figure ci-dessous représente les échanges se produisant entre les capillaires sanguins et lymphatiques.

a) Nommez les structures numérotées dans la légende.
b) Sous la figure, utilisez le symbole « > » (plus grand) ou « < » (plus petit) pour démontrer la différence entre la pression hydrostatique (PH) et la pression osmotique (PO) dans chaque région.
c) Ajoutez une pointe de flèche à côté des cases A et B pour indiquer le sens net du mouvement de liquide, créant une **filtration** ou une **réabsorption**.
d) À l'aide de couleurs différentes, coloriez les éléments nommés dans la légende et les carrés correspondants.

LÉGENDE

À identifier :

1. ______
2. ______
3. ______
4. ______
5. ______

A. ______

B. ______

À colorier :

☐ **Sang oxygéné**

☐ **Sang désoxygéné**

Flèches à colorier :

☐ **Pression hydrostatique (PH)**

☐ **Pression osmotique (PO)**

☐ **Pression nette de filtration (PNF)**

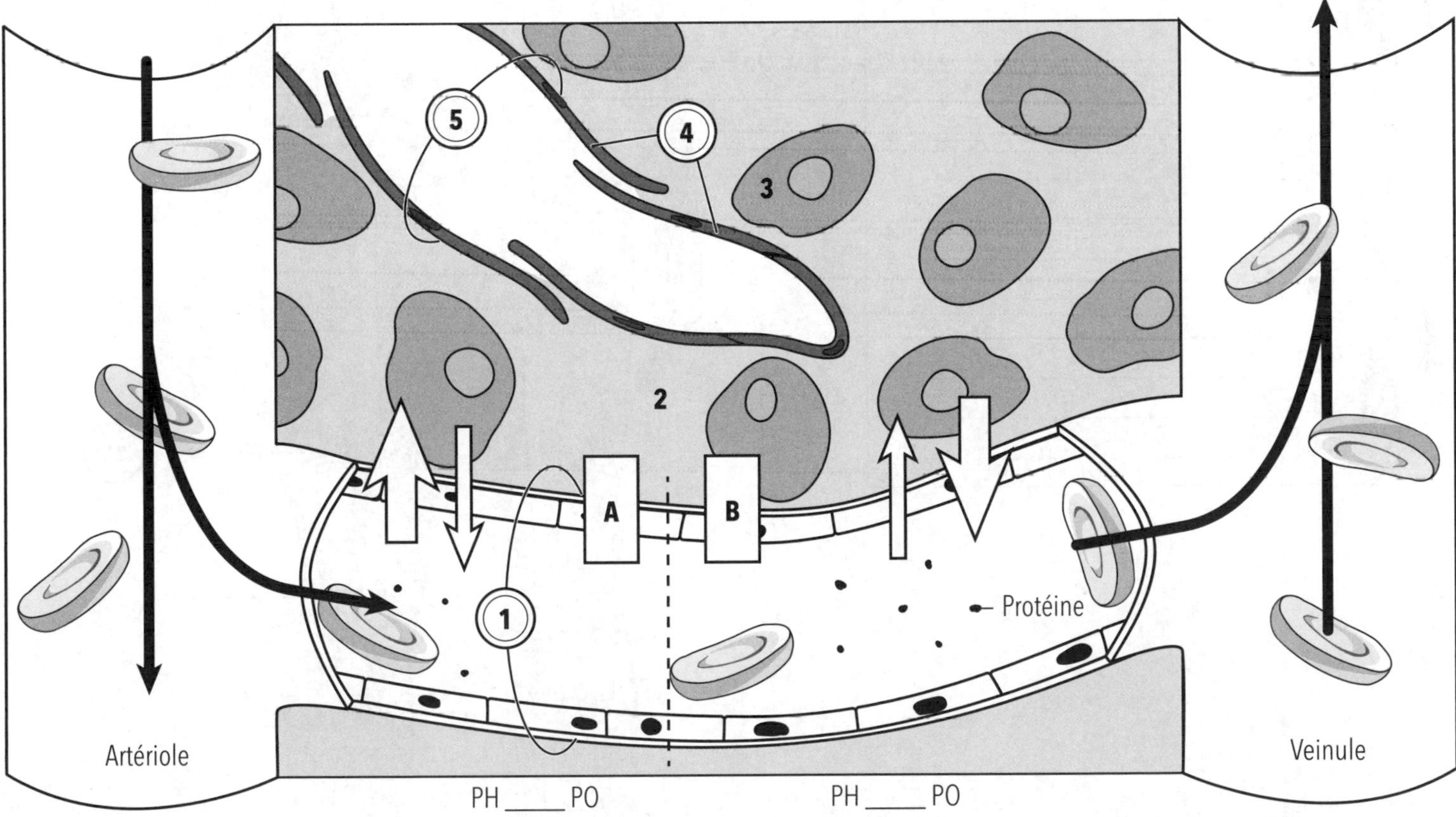

APPLICATION 10.14 : Alerté par divers symptômes, un homme se présente au service des urgences, où on diagnostique rapidement une très forte hypertension artérielle. Sur quel type de pression cette hypertension a-t-elle une conséquence directe : la pression hydrostatique ou la pression osmotique ? Quelles seront les conséquences de cette variation de pression sur la filtration ou la réabsorption capillaire ?

______
______
______
______
______

19 Les principaux vaisseaux sanguins

Les figures ci-contre représentent les principales artères et veines du corps humain.

a) Nommez les structures numérotées dans la légende.
b) Si vous le désirez, à l'aide de couleurs différentes, vous pouvez délimiter les différents vaisseaux nommés dans la légende.

A. PRINCIPALES ARTÈRES

LÉGENDE

1. ______
2. ______
3. ______
4. ______
5. ______
6. ______
7. ______
8. ______
9. ______
10. ______
11. ______
12. ______
13. ______
14. ______

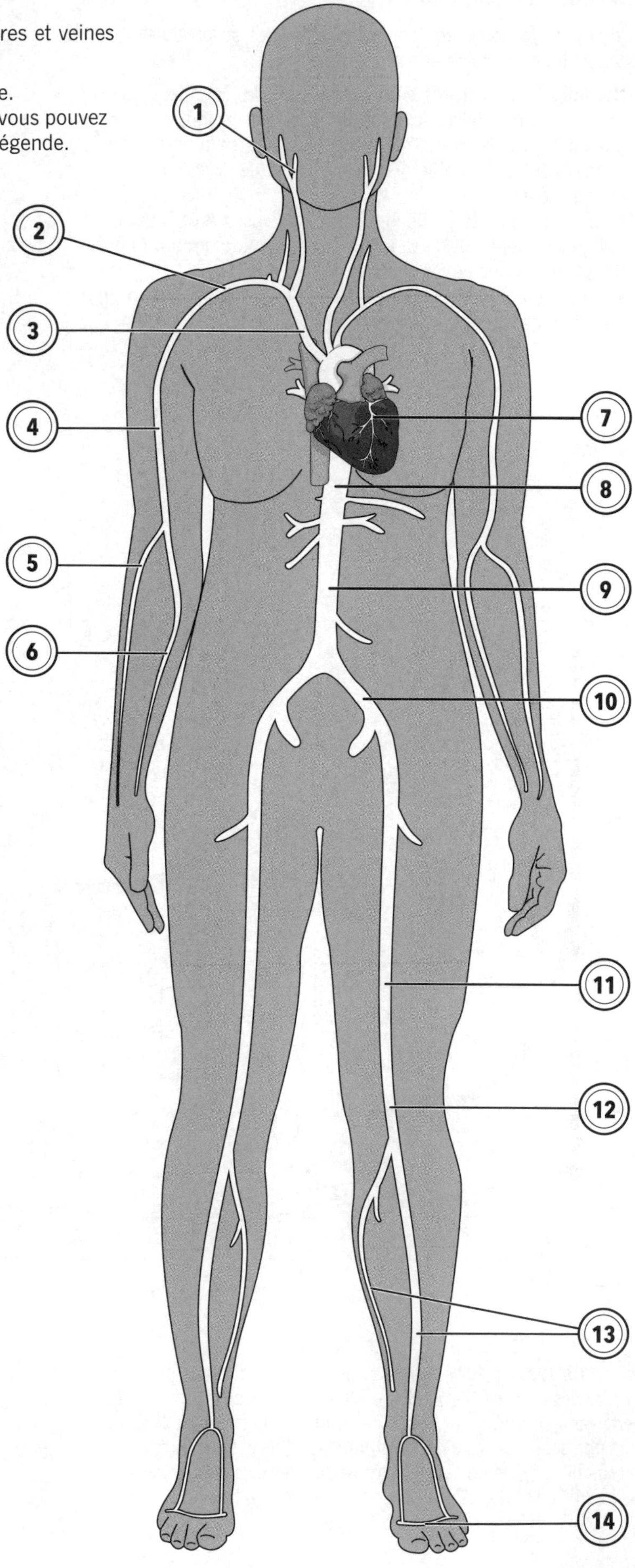

B. PRINCIPALES VEINES

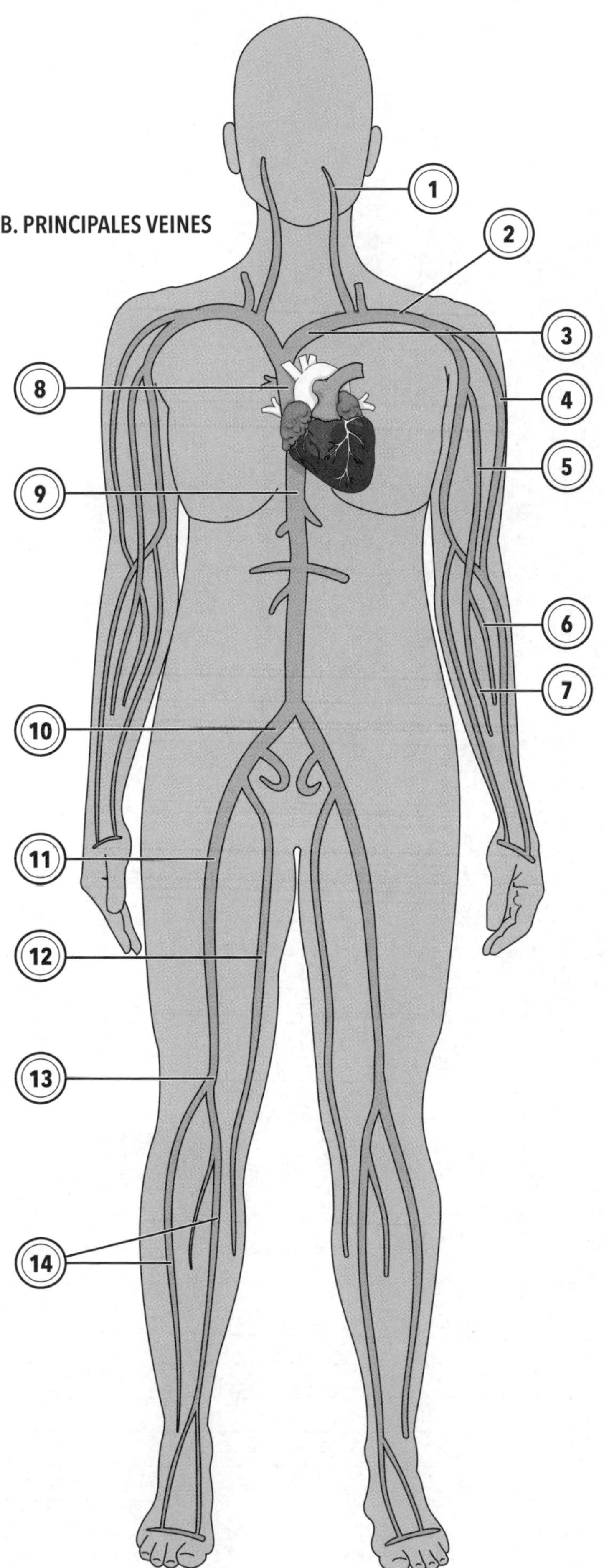

LÉGENDE

1. ______
2. ______
3. ______
4. ______
5. ______
6. ______
7. ______
8. ______
9. ______
10. ______
11. ______
12. ______
13. ______
14. ______

APPLICATION 10.15 : Après un voyage de plus six heures en autobus entre Montréal et Chicoutimi, Xavier descend de l'autobus et commence à agiter ses jambes. Son amie Marie qui l'attendait au terminus d'autobus lui demande pourquoi il fait ces pas de danse. Xavier lui dit qu'après un long voyage sans bouger, ces mouvements l'aident à activer sa circulation sanguine. Marie, plus ou moins convaincue, lui dit qu'il devrait plutôt prendre de grandes respirations pour activer la circulation du sang. Expliquez le propos de Xavier et celui de Marie.

20 Le système porte hépatique

a) Nommez les structures numérotées dans la légende.
b) À l'aide de couleurs différentes, coloriez les éléments nommés dans la légende et les carrés correspondants.

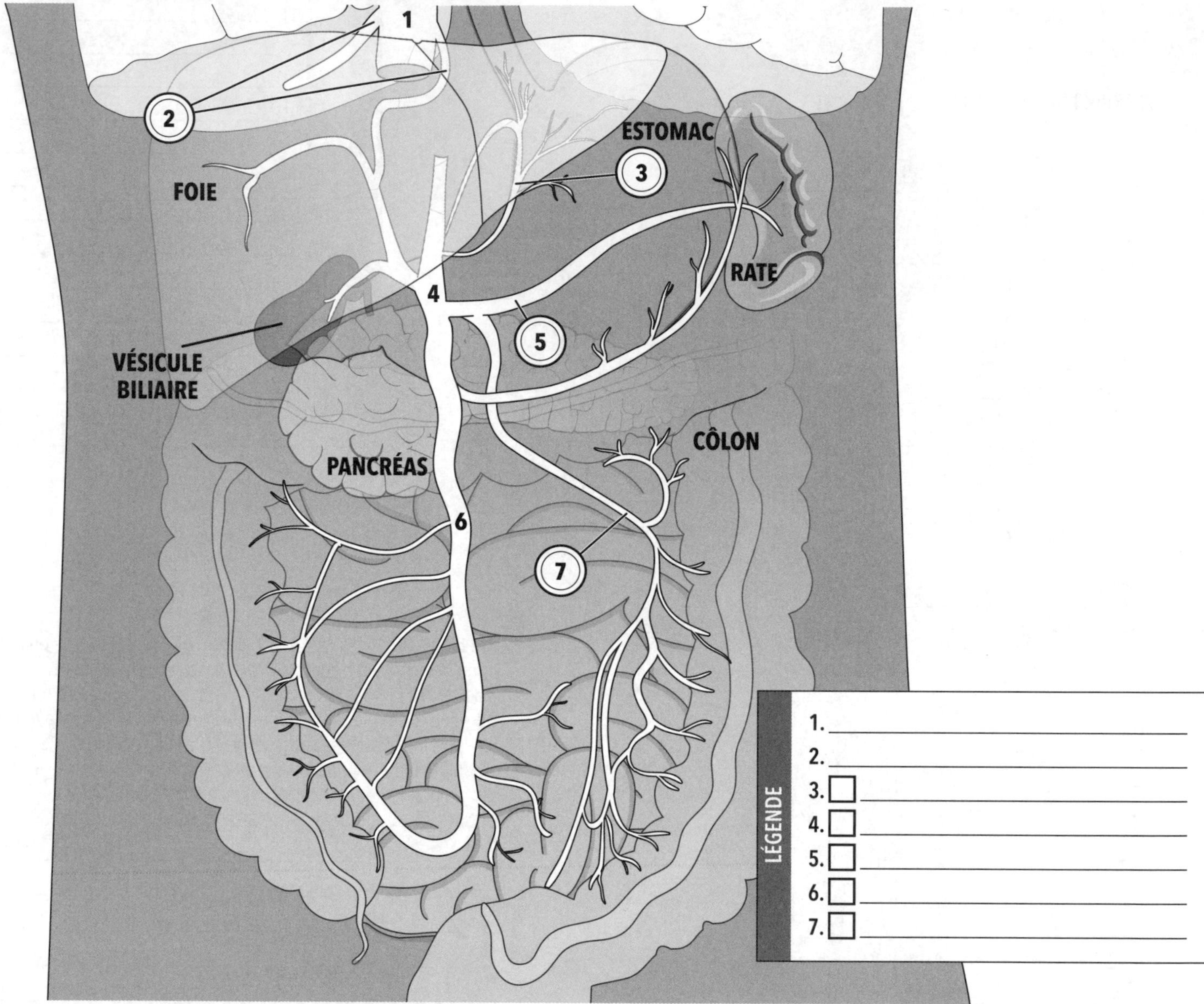

LÉGENDE

1. ______
2. ______
3. ☐ ______
4. ☐ ______
5. ☐ ______
6. ☐ ______
7. ☐ ______

APPLICATION 10.16 : a) Qu'est-ce qu'un système porte?

______

b) Quelle est l'utilité du système porte hépatique?

______

c) Nommez le système porte qui se trouve dans le système endocrinien.

______

d) Quelle est l'utilité de ce système porte?

______

LE SYSTÈME LYMPHATIQUE

CHAPITRE 11

1 Vocabulaire

À l'aide des définitions suivantes, remplissez la grille de mots croisés ci-dessous.

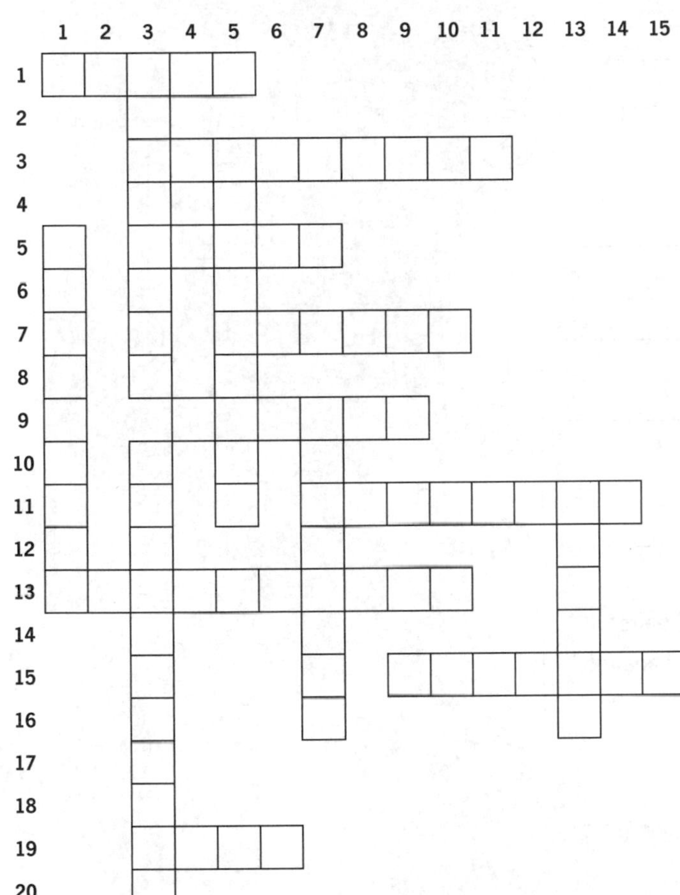

HORIZONTALEMENT

1. Structure présente le long des vaisseaux lymphatiques et servant à filtrer la lymphe (aussi appelée ganglion). **3.** Amas de tissu lymphatique surtout présent dans le tissu conjonctif des muqueuses digestive, respiratoire, urinaire et génitale (aussi appelé nodule). **5.** Type de moelle osseuse contenant des cellules souches qui se transforment en lymphocytes T et B. **7.** Accumulation anormale de liquide interstitiel dans les tissus pouvant être causée par le blocage d'un vaisseau lymphatique. **9.** Nom donné au liquide circulant dans les vaisseaux lymphatiques. **11.** Capacité de l'organisme à combattre les agressions et les maladies (aussi appelée résistance). **13.** Qualificatif donné aux organes lymphoïdes où se produisent les réponses immunitaires. **15.** Structure présente à l'intérieur des vaisseaux lymphatiques qui permet l'écoulement de la lymphe dans une seule direction. **19.** Plus gros organe lymphoïde du corps dont la principale fonction est de débarrasser le sang des agents pathogènes.

VERTICALEMENT

1. Amas de tissu lymphoïde présents au niveau de la cavité orale, de la cavité nasale et de la gorge (aussi appelés tonsilles palatines). **3.** Type de vaisseau lymphatique par lequel la lymphe quitte le nœud lymphatique. Veine située à gauche dans laquelle est drainée la majorité de la lymphe. **5.** Type de cellules sanguines important pour les réponses immunitaires (aussi appelé globule blanc). **7.** Qualificatif donné aux organes lymphoïdes où se déroulent la division et la maturation des lymphocytes. **13.** Organe bilobé situé au-dessus du cœur et dans lequel se déroule la maturation finale des lymphocytes T.

2 L'anatomie du système lymphatique

La figure ci-contre représente l'anatomie du système lymphatique.

a) Nommez les structures numérotées dans la légende.
b) Nommez les conduits drainant les régions ombrées.
c) À l'aide de couleurs différentes, distinguez les structures lymphoïdes primaires (participant à la formation et à la maturation des lymphocytes) et les structures lymphoïdes secondaires (accueillant les lymphocytes matures).
d) Nommez les trois grandes fonctions du système lymphatique :

____

____

____

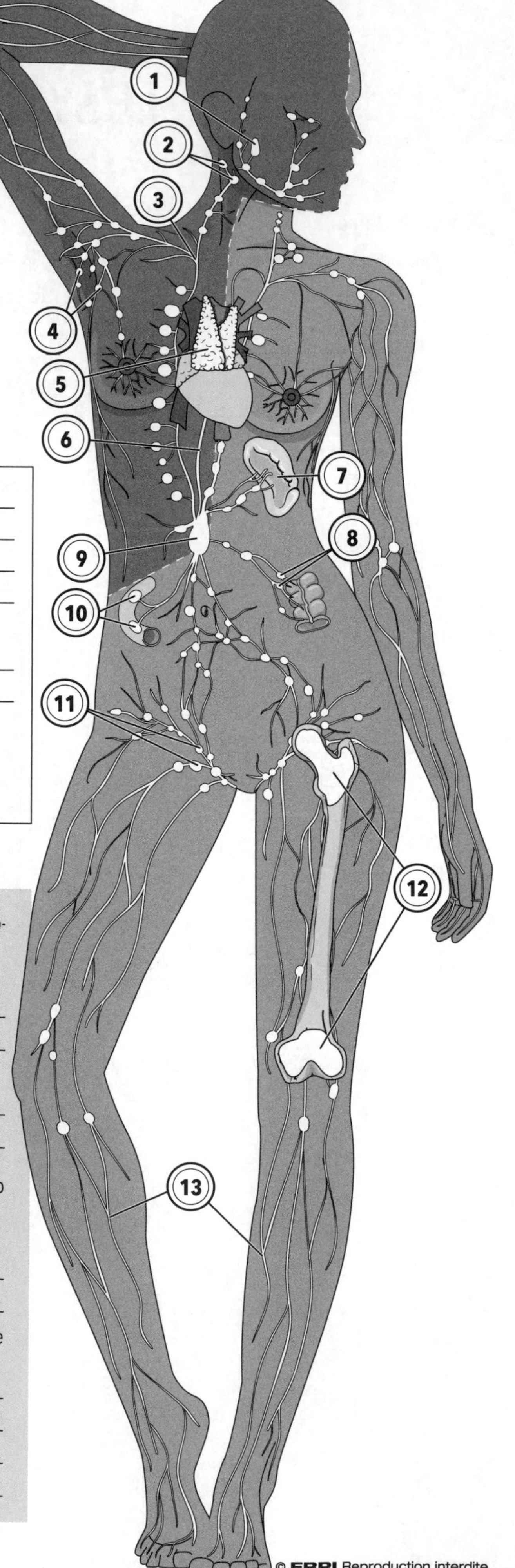

LÉGENDE

À identifier :

1. ______________
2. ______________
3. ______________
4. ______________
5. ______________
6. ______________
7. ______________
8. ______________
9. ______________
10. ______________
11. ______________
12. ______________
13. ______________

Région drainée par :

le conduit ______________

le conduit ______________

À colorier :

☐ **Structures lymphoïdes primaires**

☐ **Structures lymphoïdes secondaires**

APPLICATION 11.1 : Un garçon né avec le syndrome de Di George (syndrome vélocardio-facial) présente un développement anormal du thymus (hypoplasie).

a) Quels lymphocytes seront le plus directement touchés, et comment ?

____

____

b) Quelles seront les conséquences sur l'immunité du garçon ?

____

____

APPLICATION 11.2 : Lors d'un combat médiéval amateur, Sacha reçoit un violent coup d'épée sur le côté gauche du corps, ce qui provoque la rupture de la rate.

a) Quelles sont les conséquences immédiates d'une rupture de la rate ?

____

____

b) Sacha peut-il vivre sans sa rate ? Quels autres organes sont en mesure de prendre le relais des fonctions de la rate ?

____

____

____

____

3 La circulation lymphatique

La figure ci-dessous représente la circulation lymphatique.

a) Nommez les structures numérotées dans la légende.
b) À l'aide de couleurs différentes, coloriez les éléments nommés dans la légende et les carrés correspondants.
c) Indiquez par des flèches le sens de l'écoulement de la lymphe et du sang.
d) Dans la figure, indiquez sur la ligne si la circulation est associée aux poumons ou aux membres inférieurs.

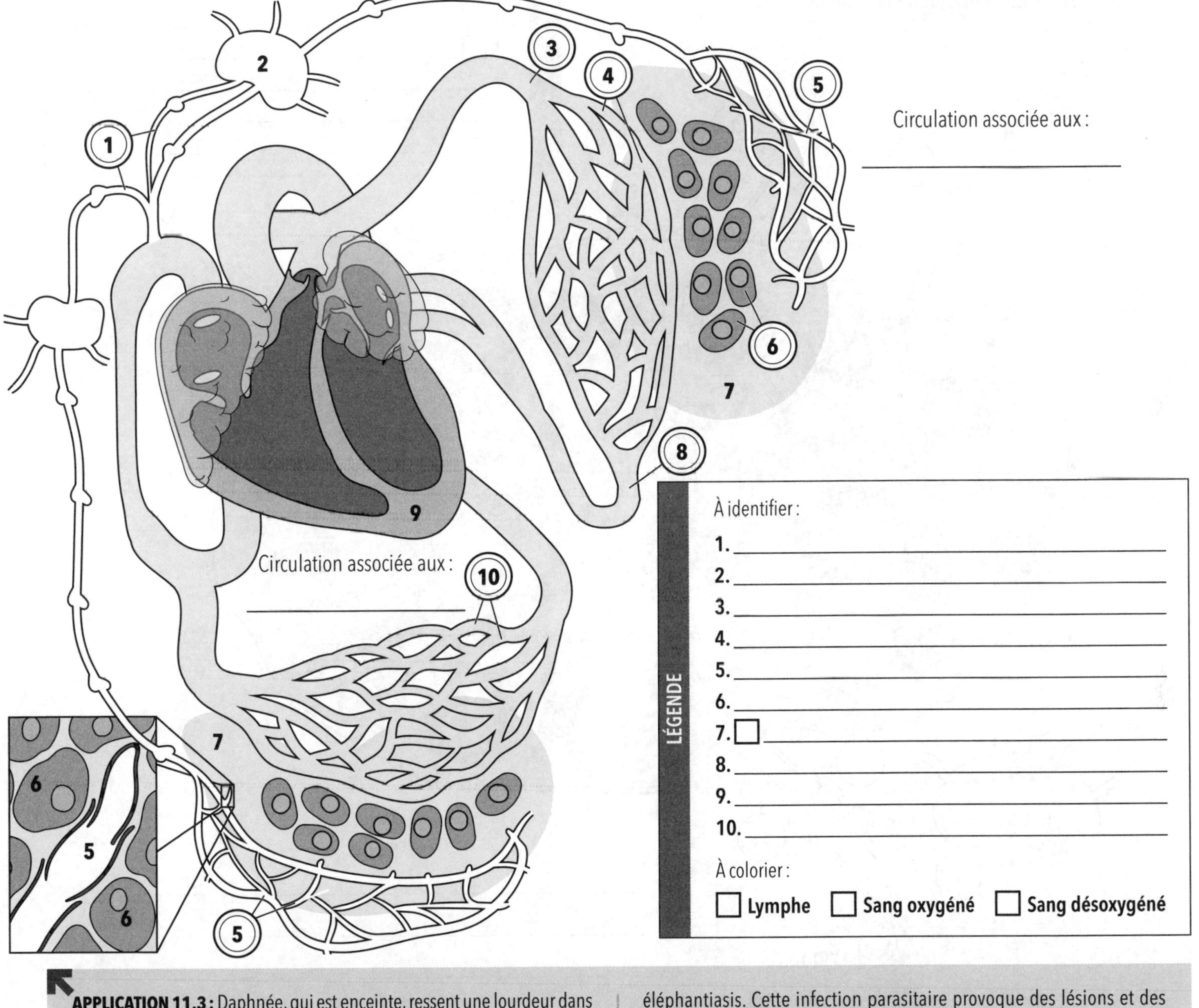

LÉGENDE

À identifier :

1. ______
2. ______
3. ______
4. ______
5. ______
6. ______
7. ☐ ______
8. ______
9. ______
10. ______

À colorier :

☐ **Lymphe** ☐ **Sang oxygéné** ☐ **Sang désoxygéné**

APPLICATION 11.3 : Daphnée, qui est enceinte, ressent une lourdeur dans les jambes. En les regardant, Daphnée constate qu'elles sont très enflées, à cause d'une accumulation de liquide entre les cellules du tissu sous la peau (œdème). Elle décide alors de surélever ses jambes afin de favoriser la circulation sanguine et lymphatique. Sur la figure ci-dessus, encerclez l'endroit où s'est formé l'œdème de Daphnée et indiquez par des flèches le trajet de ce surplus de liquide vers la lymphe pour revenir à la circulation sanguine.

APPLICATION 11.4 : Après son retour d'un long voyage en Inde, Amélie remarque que des parties de son corps sont de plus en plus enflées. Le médecin diagnostique une filariose lymphatique, communément appelée éléphantiasis. Cette infection parasitaire provoque des lésions et des blocages des vaisseaux lymphatiques entrainant une augmentation anormale du volume de certaines parties du corps (lymphœdème). Comment ce lymphœdème pourrait-il être traité ?

______
______
______
______
______
______

4 Le nœud lymphatique

La figure ci-dessous représente un nœud lymphatique.

a) Nommez les structures numérotées dans la légende.
b) À l'aide de couleurs différentes, coloriez les éléments nommés dans la légende et les carrés correspondants.
c) Indiquez par des flèches le sens de l'écoulement de la lymphe.
d) Décrivez la composition de la lymphe.

LÉGENDE

1. ☐ ____________________
2. ____________________
3. ____________________
4. ____________________
5. ____________________
6. ☐ ____________________
7. ☐ ____________________
8. ____________________
9. ☐ ____________________
10. ____________________

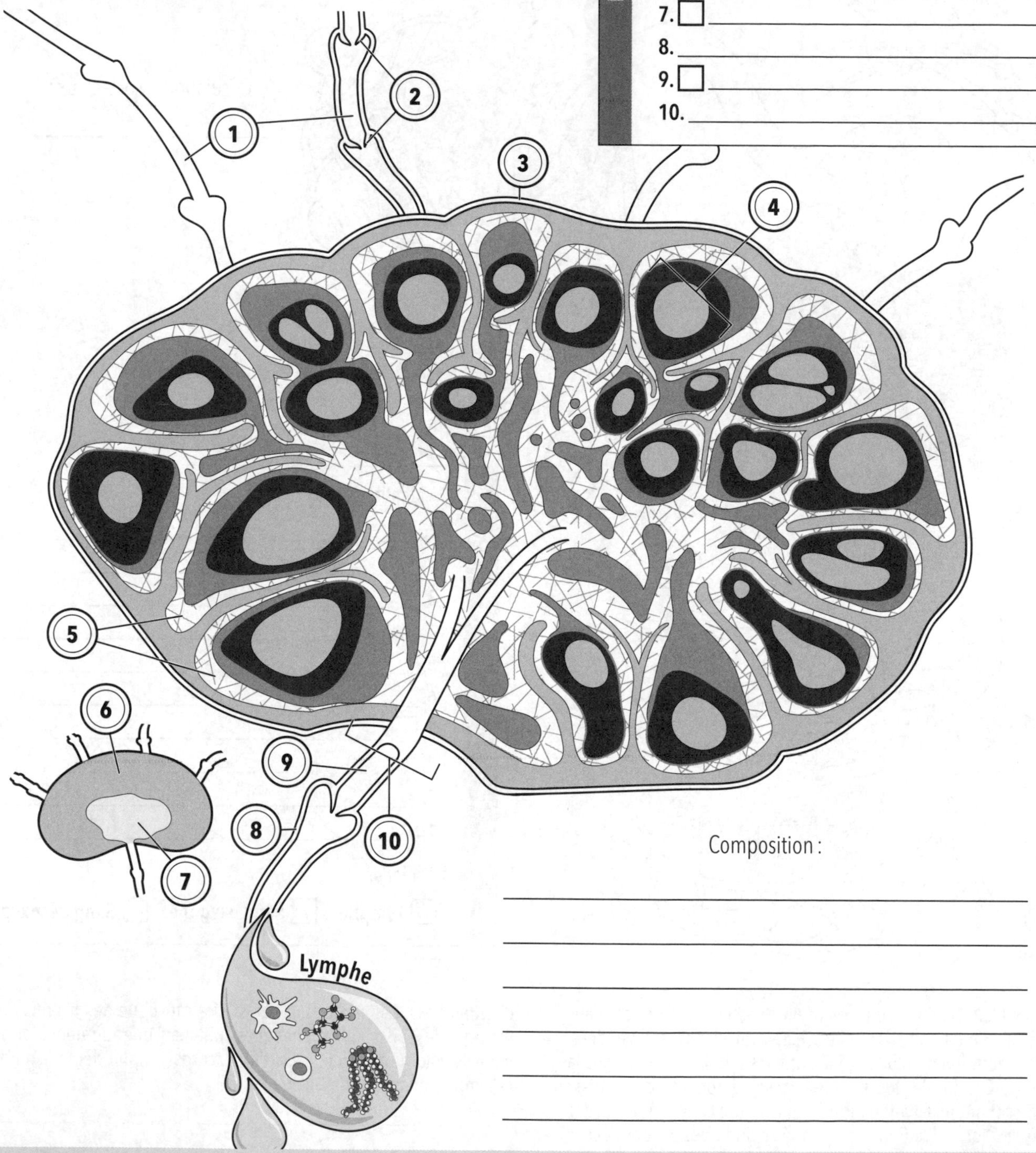

1 2 3 4 5 6 7 8 9 10

Lymphe

Composition :

____
____
____
____
____
____

APPLICATION 11.5 : Sachant que la lymphe peut faire circuler les cellules cancéreuses de l'emplacement où le cancer a pris naissance jusqu'aux nœuds (ganglions) lymphatiques, quels nœuds lymphatiques seront à surveiller chez une patiente atteinte du cancer du sein ? (Pour vous aider, consultez le schéma de l'exercice 2.)

____
____
____
____

LE SYSTÈME RESPIRATOIRE

CHAPITRE 12

1 Vocabulaire

À l'aide des définitions suivantes, remplissez la grille de mots croisés ci-dessous.

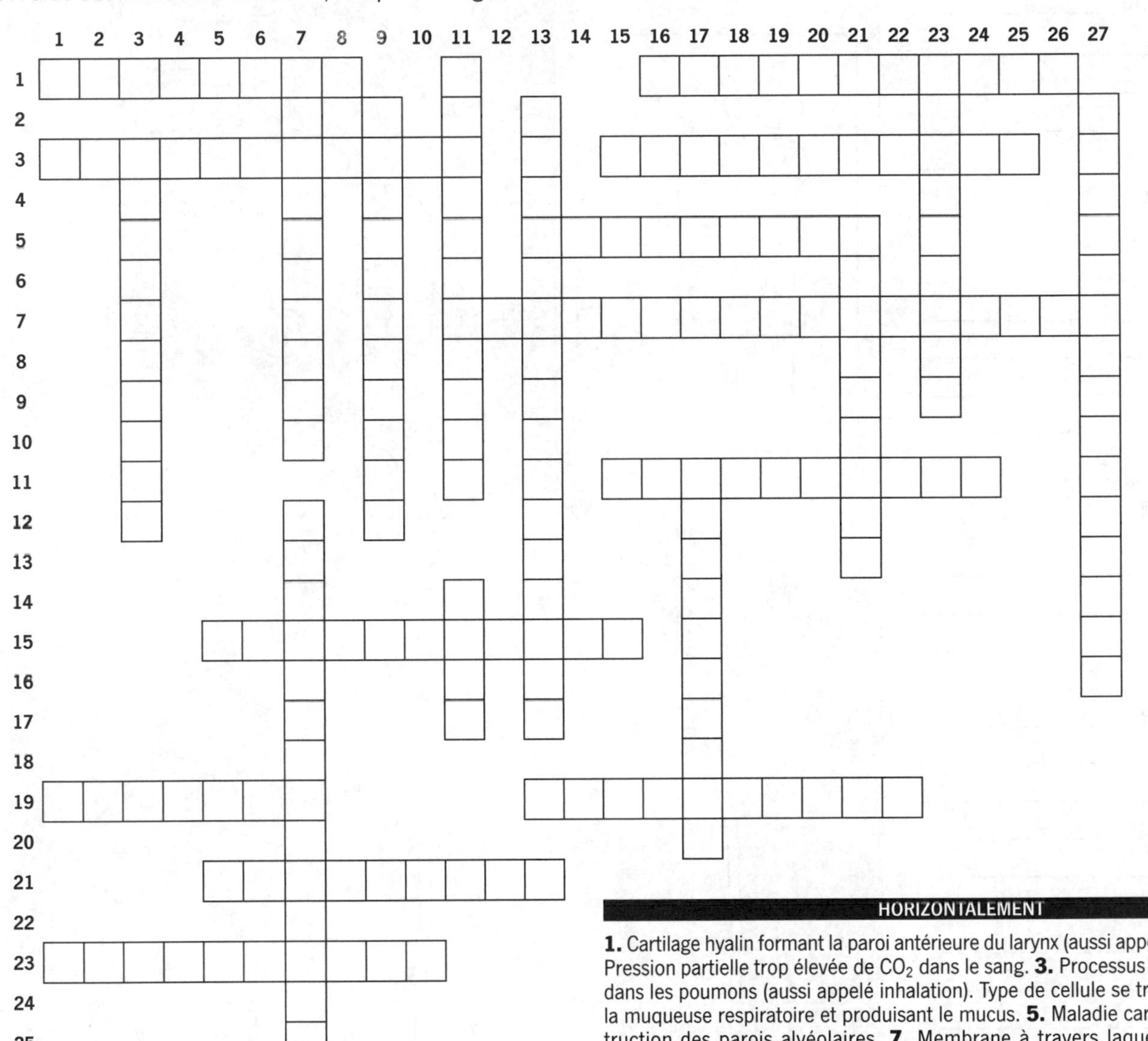

HORIZONTALEMENT

1. Cartilage hyalin formant la paroi antérieure du larynx (aussi appelé pomme d'Adam). Pression partielle trop élevée de CO_2 dans le sang. **3.** Processus par lequel l'air entre dans les poumons (aussi appelé inhalation). Type de cellule se trouvant au niveau de la muqueuse respiratoire et produisant le mucus. **5.** Maladie caractérisée par la destruction des parois alvéolaires. **7.** Membrane à travers laquelle s'effectuent les échanges gazeux (aussi appelée membrane respiratoire). **11.** Liquide produit par les pneumocytes de type II (épithéliocytes II) qui contribue à garder les alvéoles pulmonaires ouvertes. **15.** Protéine assurant le transport de la majeure partie de l'O_2. **19.** Déficit d'O_2 dans les tissus. Pression partielle de CO_2 trop faible dans le sang. **21.** Infection ou inflammation des alvéoles pulmonaires. **23.** Processus par lequel l'air sort des poumons.

VERTICALEMENT

3. Appareil servant à mesurer la fréquence respiratoire, les volumes et les capacités respiratoires. **7.** Muscle squelettique responsable en grande partie de la ventilation pulmonaire. Type de récepteur sensitif qui détecte les concentrations sanguines d'O_2 et de CO_2. **9.** Ion intervenant dans le transport de la majeure partie du CO_2 dans le plasma. **11.** Processus par lequel l'air entre et sort des poumons. Structure du tronc cérébral qui régule en partie la ventilation pulmonaire. **13.** Ventilation rapide et profonde. **17.** Nom donné à la force qui s'oppose au passage de l'air dans les voies aériennes. **21.** Cartilage élastique qui ferme le larynx pendant la déglutition. **23.** Se dit de la pression d'un gaz donné dans un mélange de gaz. **27.** Diminution de la fréquence respiratoire.

2 L'anatomie du système respiratoire

La figure ci-dessous représente l'anatomie du système respiratoire.

a) Nommez les structures numérotées dans la légende et distinguez les structures du système respiratoire supérieur et inférieur.

b) À l'aide de couleurs différentes, coloriez les éléments nommés dans la légende et les carrés correspondants.

LÉGENDE

Système respiratoire ______________

1. ______________
2. ______________
3. ______________
   - → 4. ______________
   - → **5. Méats nasaux**
   - → **6. Vestibule nasal**
7. ______________
8. ______________
9. ______________
10. ______________
11. ☐ ______________

Système respiratoire ______________

12. ☐ ______________
13. ______________
14. ______________
15. ______________
16. ______________
17. ☐ ______________
18. ______________
19. ______________
20. ______________
21. ☐ ______________
22. ☐ ______________
23. ☐ ______________
24. ☐ ______________
25. ☐ ______________
26. ☐ ______________

---

27. ☐ ______________

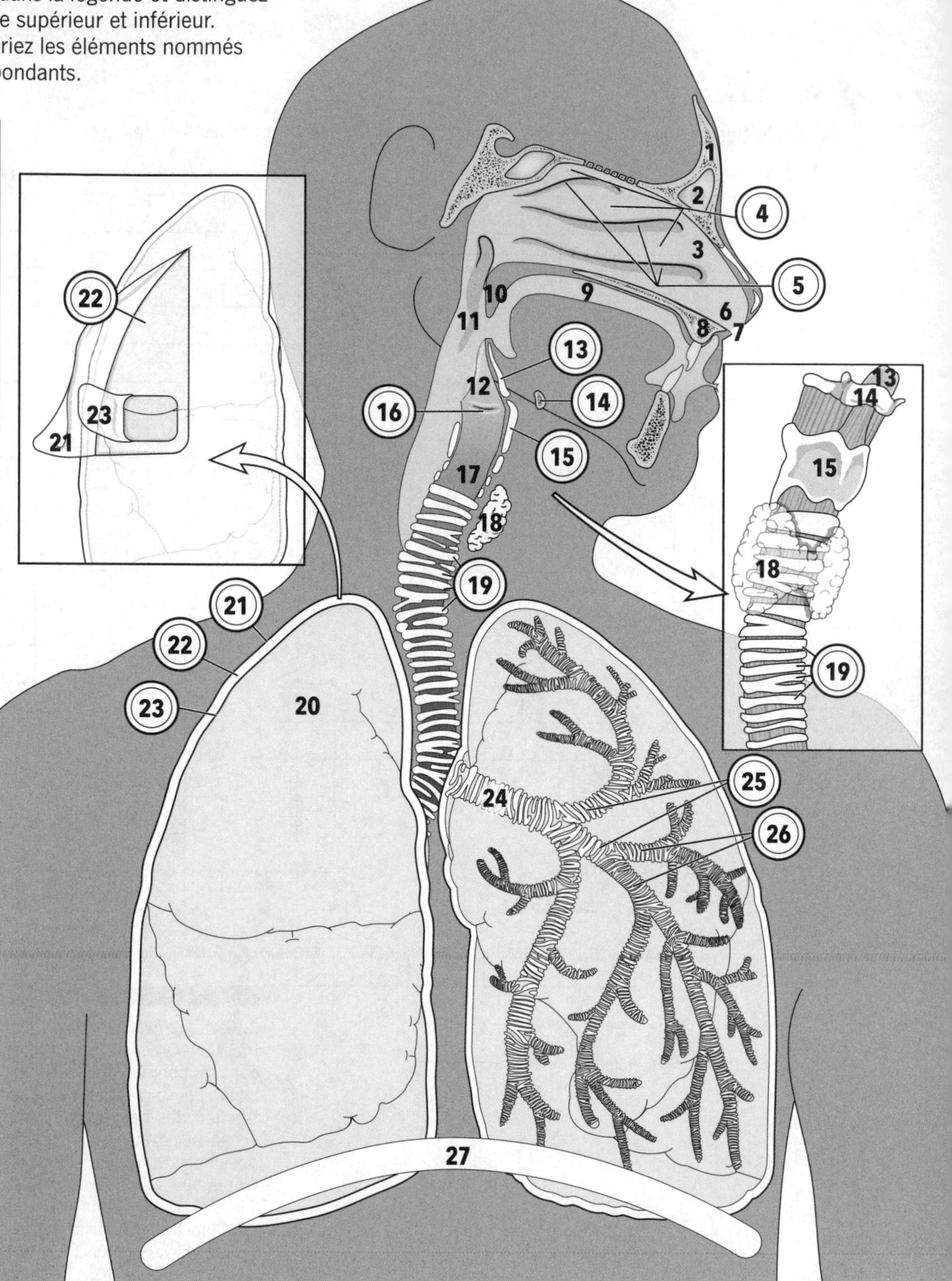

APPLICATION 12.1 : Émilie mastique un morceau de nourriture et l'avale. À cet instant, elle se met à tousser et respire difficilement : des aliments sont entrés dans ses voies respiratoires. Encerclez la structure commune au système digestif et respiratoire qui permet le passage de l'air et de la nourriture, et dont l'obstruction (blocage) a causé l'étouffement. Tracez un X sur la structure qui n'a malheureusement pas fait son travail pour protéger les voies respiratoires.

APPLICATION 12.2 : Pendant une partie de hockey sur glace, Jocelyn reçoit un coup de bâton sur la pomme d'Adam (cartilage thyroïde). En colère, Jocelyn ouvre la bouche pour injurier son adversaire, mais aucun son ne sort. Quelle est la cause de ce silence ?

____

____

____

3 Le voyage d'une molécule d'oxygène

La figure ci-dessous représente l'anatomie du système respiratoire et de la membrane alvéolocapillaire.

a) Nommez les structures numérotées dans la légende et indiquez entre parenthèses la fonction des structures 7, 8 et 11 à l'aide de la lettre correspondante.
b) À l'aide de couleurs différentes, coloriez les éléments nommés dans la légende et les carrés correspondants.
c) Dessinez une série de flèches illustrant le parcours d'une molécule d'oxygène (O_2) à partir de l'extérieur du corps jusqu'au sang.
d) Au niveau de la membrane alvéolocapillaire, illustrez le mouvement des gaz en ajoutant des pointes aux flèches représentées sur le schéma.

LÉGENDE

À identifier :

1. ______
2. ______
3. ______
4. ______
5. ______
6. ______
7. ☐ ______ ( )
8. ☐ ______ ( )
9. ☐ ______
10. ______
    - 11. ☐ ______ ( )
    - 12. ______
    - 13. ☐ ______
14. ______

À colorier :

☐ Zone de conduction
☐ Zone d'échange (respiratoire)

Fonctions des cellules des alvéoles pulmonaires

A. Forme la barrière de diffusion lors des échanges gazeux.
B. Sécrète le liquide intraalvéolaire (surfactant) qui humidifie et soutient l'alvéole.
C. Élimine les poussières et les débris de l'espace alvéolaire.

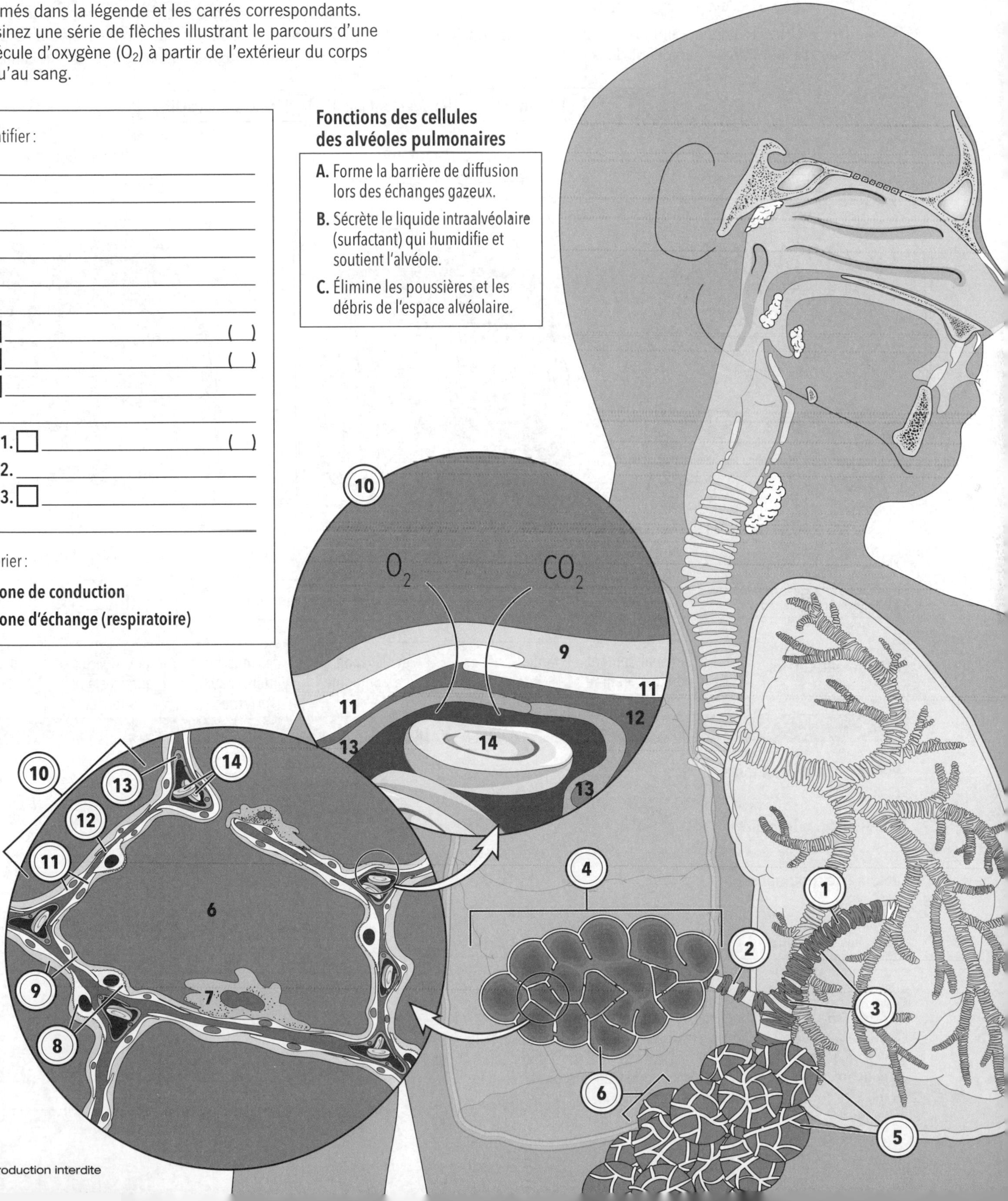

4 Le mouvement des muscles intervenant dans la ventilation

Rappel : À température constante, la pression est inversement proportionnelle au volume, et réciproquement. Autrement dit, lorsque le volume diminue, la pression augmente, et lorsque le volume augmente, la pression diminue. De plus, chaque gaz diffuse de la région où sa pression partielle est la plus élevée vers la région où elle est plus faible.

La figure ci-dessous représente la ventilation et les principaux muscles respiratoires intervenant dans ce processus.

a) Associez les images 1, 2 et 3 à l'étape de la ventilation inscrite dans le tableau.

b) À l'aide de couleurs différentes, coloriez les structures et les flèches selon la légende.

c) Remplissez le tableau ci-dessous. Pour l'activité musculaire, indiquez s'il s'agit d'une contraction ou d'une relaxation ; pour les changements occasionnés, ajoutez des flèches (↑ pour une augmentation et ↓ pour une diminution).

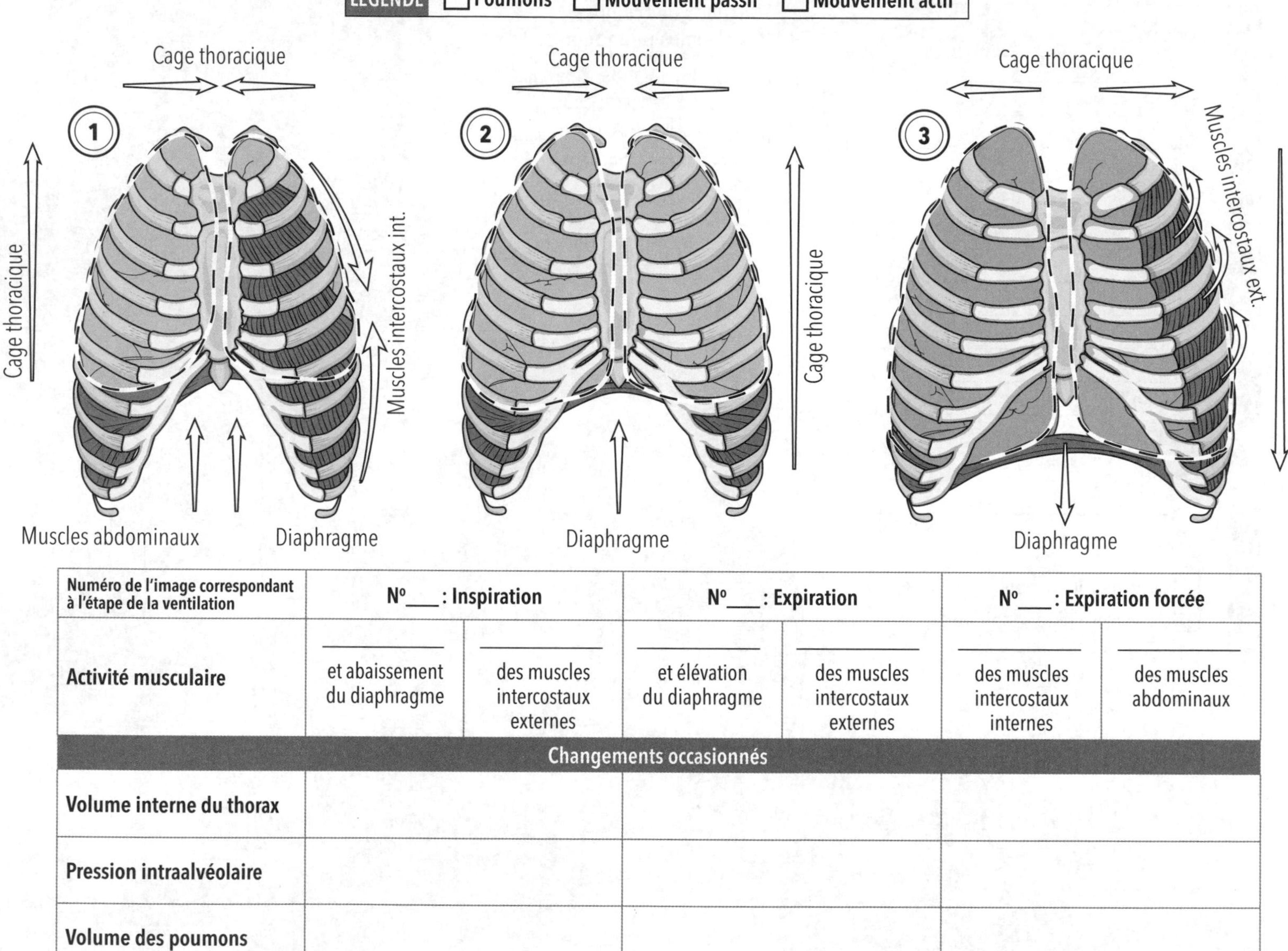

Numéro de l'image correspondant à l'étape de la ventilation	N°___ : Inspiration		N°___ : Expiration		N°___ : Expiration forcée	
Activité musculaire	___ et abaissement du diaphragme	___ des muscles intercostaux externes	___ et élévation du diaphragme	___ des muscles intercostaux externes	___ des muscles intercostaux internes	___ des muscles abdominaux
Changements occasionnés						
Volume interne du thorax						
Pression intraalvéolaire						
Volume des poumons						
Direction de l'air (Tracez une flèche entre ces deux structures.)	Poumons Extérieur		Poumons Extérieur		Poumons Extérieur	

APPLICATION 12.3 : Simon fait de l'emphysème. En raison de cette maladie, ses poumons sont fortement distendus et il a beaucoup de difficulté à expirer normalement. Il est épuisé à force de faire constamment des efforts pour arriver à chasser l'air de ses poumons. Lorsque Simon respire, quels muscles doivent probablement accomplir un travail supplémentaire ?

___

___

___

___

5 La variation des pressions partielles et le mode de transport des gaz

La figure ci-dessous représente les différents échanges gazeux au niveau des alvéoles et des tissus.

a) Indiquez les valeurs numériques des pressions partielles des gaz, ou à l'aide d'un symbole positif (+) ou négatif (–), indiquez la différence de pression entre les deux milieux.
b) Ajoutez des pointes de flèche pour illustrer le sens des échanges gazeux et le mouvement de l'ion HCO_3^-.
c) Dans chacun des cercles, inscrivez la proportion de gaz déplacés par les différents modes de transport.
d) Sur la molécule d'hémoglobine, coloriez les sites de liaison pour les molécules inscrites dans la légende.
e) Indiquez par une flèche si le mouvement des gaz élève (↑) ou diminue (↓) le pH sanguin.

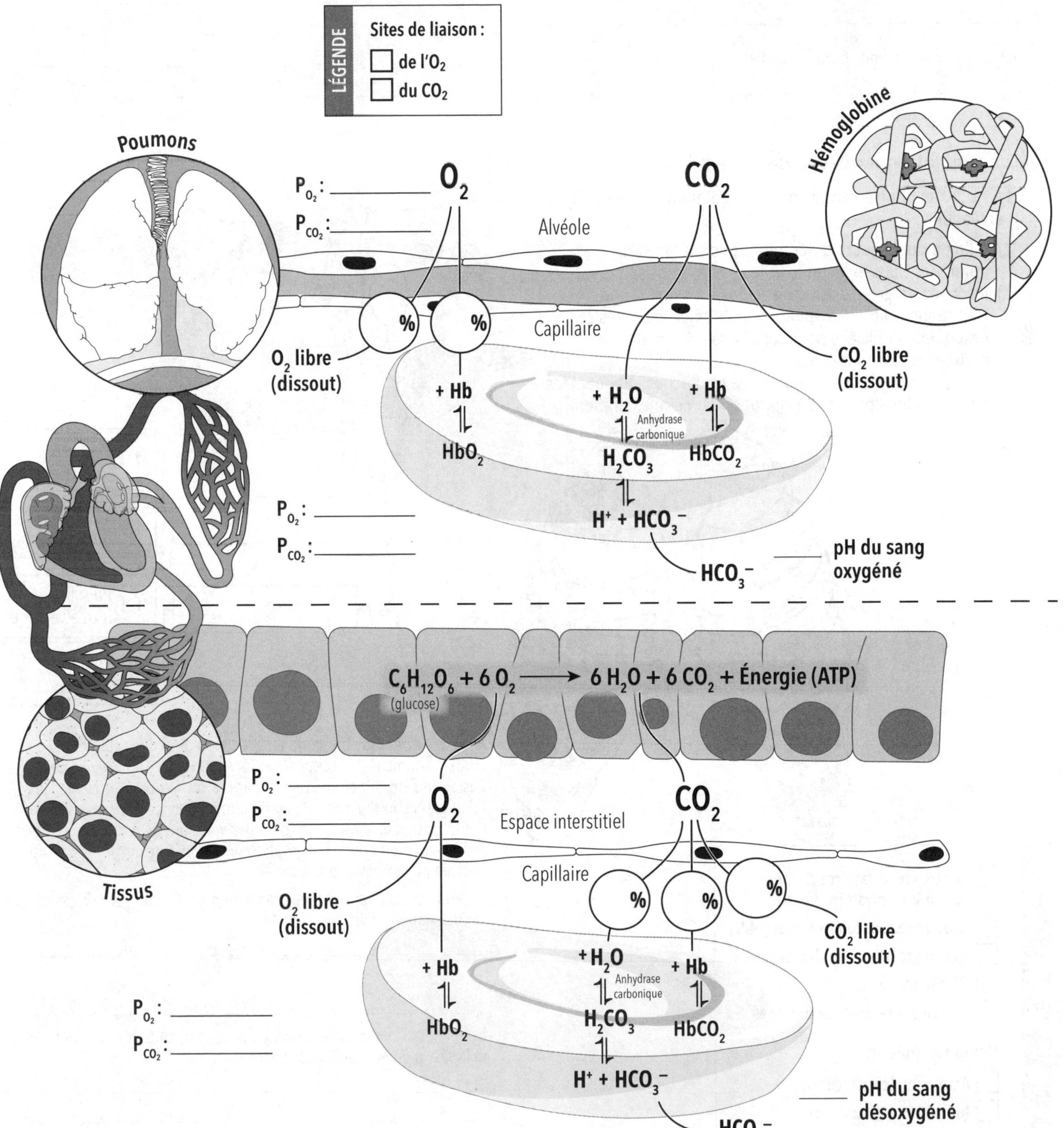

APPLICATION 12.4 : Dans chacune des situations suivantes, comment les problèmes mentionnés peuvent-ils affecter les échanges gazeux ?

a) Pauline vient d'être hospitalisée pour une pneumonie bactérienne, car son état s'est dégradé dans les derniers jours. Le médecin lui annonce que « de l'eau » s'est accumulée dans ses alvéoles pulmonaires.

b) Manon est une grande fumeuse de tabac.

c) Raphaëlle souffre d'une carence en fer, ce qui entraine une diminution de la quantité d'hémoglobine dans les érythrocytes de son sang.

6 La régulation nerveuse de la ventilation

La figure ci-contre représente la régulation nerveuse de la ventilation.

a) À l'aide de couleurs différentes, coloriez les structures nommées dans la légende et les carrés correspondants.
b) Inscrivez dans les deux cases vides s'il s'agit d'une inspiration ou d'une expiration et coloriez les cases selon les couleurs utilisées pour caractériser les neurones moteurs dans la légende.
c) Dans les cases à droite, encerclez les flèches indiquant les effets produits par cette inspiration ou cette expiration.

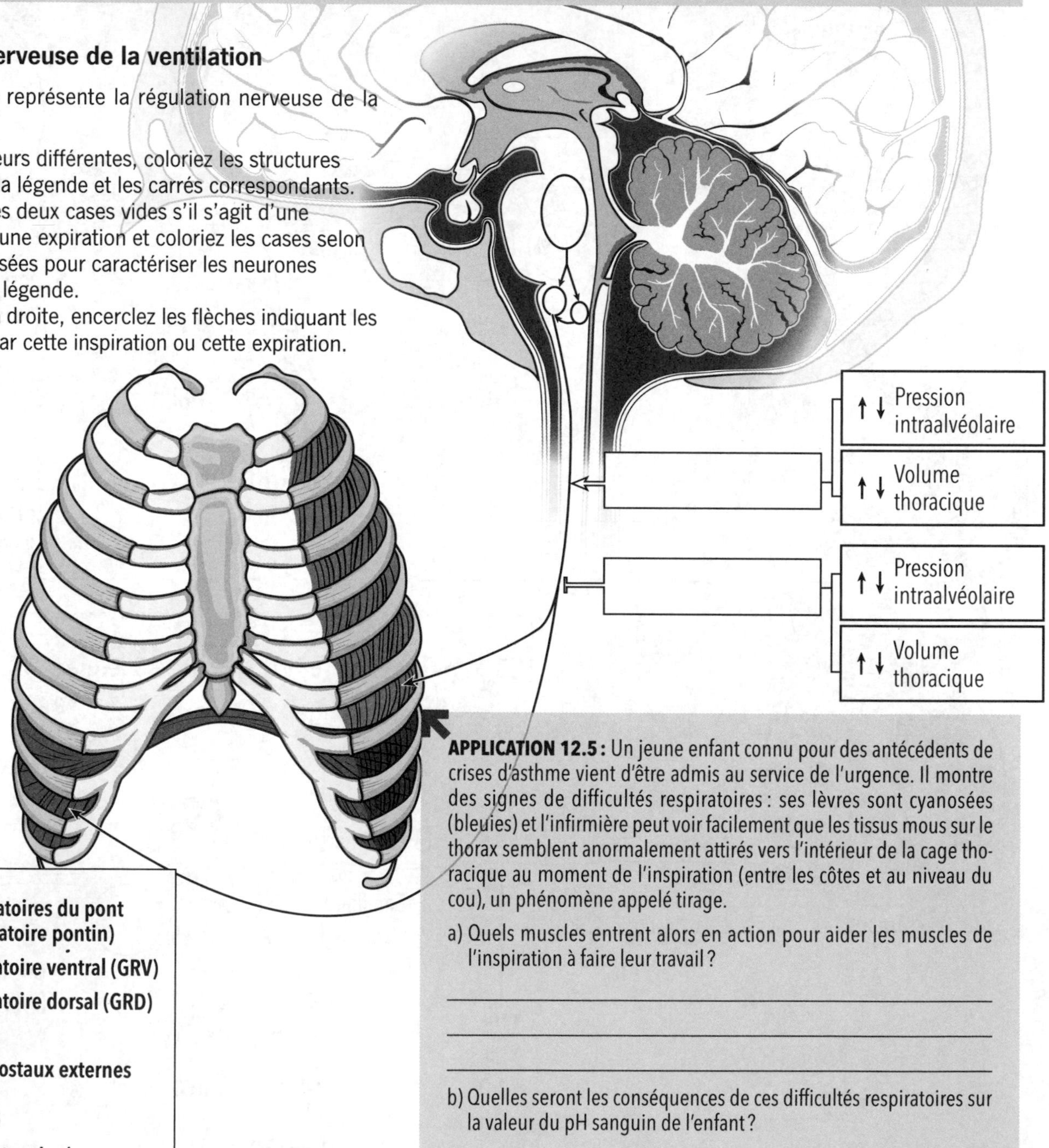

↑ ↓ Pression intraalvéolaire

↑ ↓ Volume thoracique

↑ ↓ Pression intraalvéolaire

↑ ↓ Volume thoracique

LÉGENDE

- ☐ Centres respiratoires du pont (groupe respiratoire pontin)
- ☐ Groupe respiratoire ventral (GRV)
- ☐ Groupe respiratoire dorsal (GRD)
- ☐ Diaphragme
- ☐ Muscles intercostaux externes

Neurones moteurs

- ☐ Activation (contraction)
- ☐ Inhibition (relaxation)

APPLICATION 12.5 : Un jeune enfant connu pour des antécédents de crises d'asthme vient d'être admis au service de l'urgence. Il montre des signes de difficultés respiratoires : ses lèvres sont cyanosées (bleuies) et l'infirmière peut voir facilement que les tissus mous sur le thorax semblent anormalement attirés vers l'intérieur de la cage thoracique au moment de l'inspiration (entre les côtes et au niveau du cou), un phénomène appelé tirage.

a) Quels muscles entrent alors en action pour aider les muscles de l'inspiration à faire leur travail ?

b) Quelles seront les conséquences de ces difficultés respiratoires sur la valeur du pH sanguin de l'enfant ?

7 L'homéostasie de la respiration

a) Complétez le schéma ci-dessous qui décrit le mécanisme de régulation homéostatique de la respiration.

b) À l'aide de couleurs différentes, coloriez les structures nommées dans la légende et les carrés correspondants.

c) Dans le vaisseau sanguin, dessinez des molécules de dioxyde de carbone pour illustrer la concentration de CO_2 en circulation afin de représenter l'effet de la régulation.

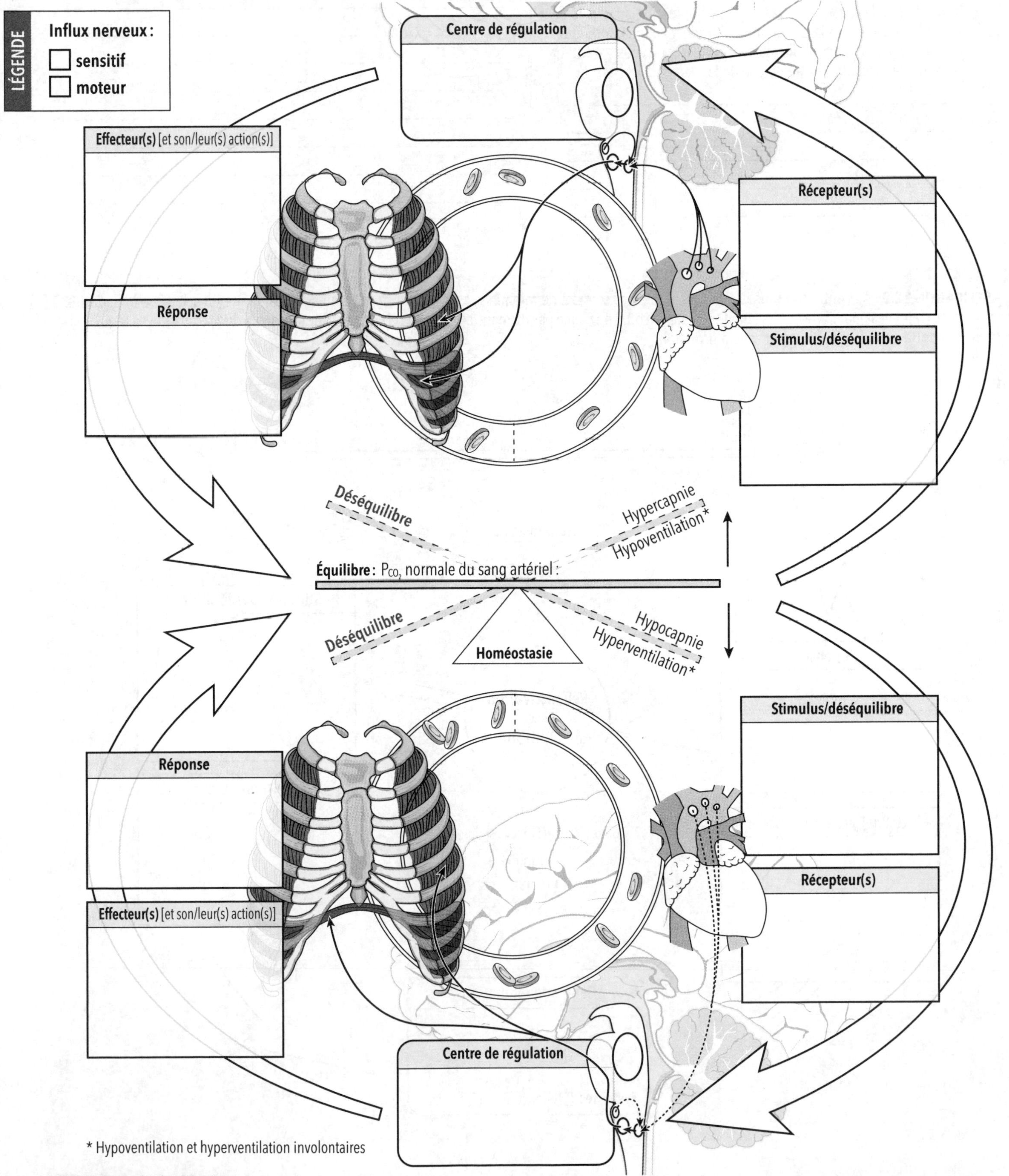

* Hypoventilation et hyperventilation involontaires

APPLICATION 12.6 : Un alpiniste a grimpé trop rapidement jusqu'au sommet d'une montagne très élevée. Il souffre du mal de l'altitude. Les symptômes comprennent des essoufflements, des étourdissements et des troubles du sommeil. On peut également observer une cyanose, une hémoptysie (toux avec expectoration sanguine), un état de confusion et une diminution de la conscience. Sachant que la pression au niveau de la mer est plus élevée que la pression en altitude, expliquez pourquoi l'altitude élevée provoque des difficultés respiratoires en vous basant sur le mécanisme de la respiration au niveau de la mer.

APPLICATION 12.7 : Les avions sont munis de masques à oxygène que les passagers peuvent utiliser si la pression de l'air vient à baisser dans la cabine. Expliquez, du point de vue de la physiologie respiratoire, pourquoi ces masques sont nécessaires.

APPLICATION 12.8 : Au centre commercial, un enfant menace sa mère de retenir sa respiration jusqu'à ce que cette dernière lui achète ce qu'il désire. La mère ne craint pas pour la vie de son enfant, car elle sait qu'il ne risque pas de mourir en faisant cela. Complétez le schéma du mécanisme de régulation homéostatique suivant afin d'illustrer cette affirmation.

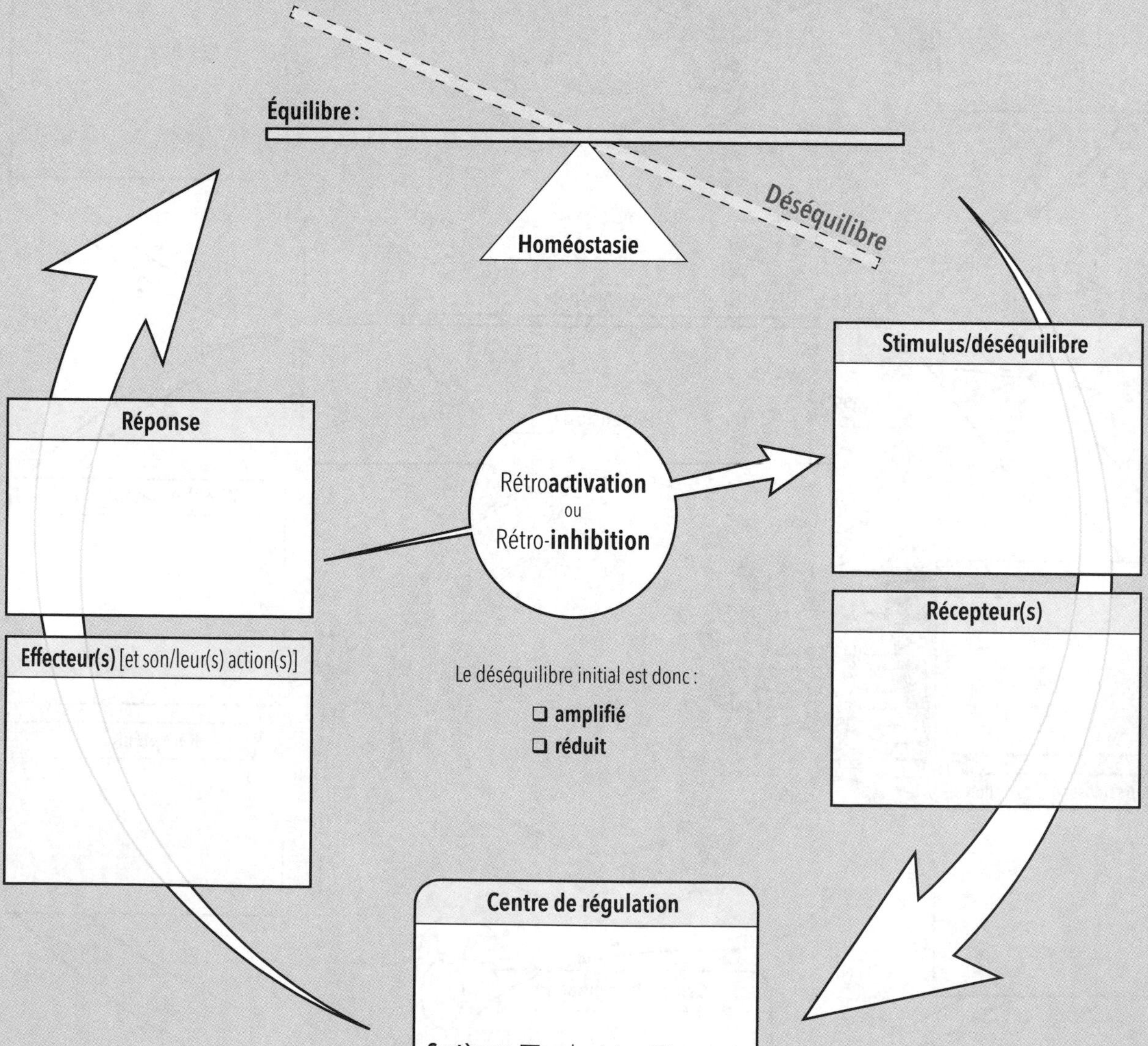

Équilibre :

Homéostasie

Déséquilibre

Stimulus/déséquilibre

Récepteur(s)

Centre de régulation

Système : ☐ endocrinien ☐ nerveux

Effecteur(s) [et son/leur(s) action(s)]

Réponse

Rétro**activation**
ou
Rétro-**inhibition**

Le déséquilibre initial est donc :

- ❑ **amplifié**
- ❑ **réduit**

LE SYSTÈME DIGESTIF

CHAPITRE 13

1 Vocabulaire

À l'aide des définitions suivantes, remplissez la grille de mots croisés ci-dessous.

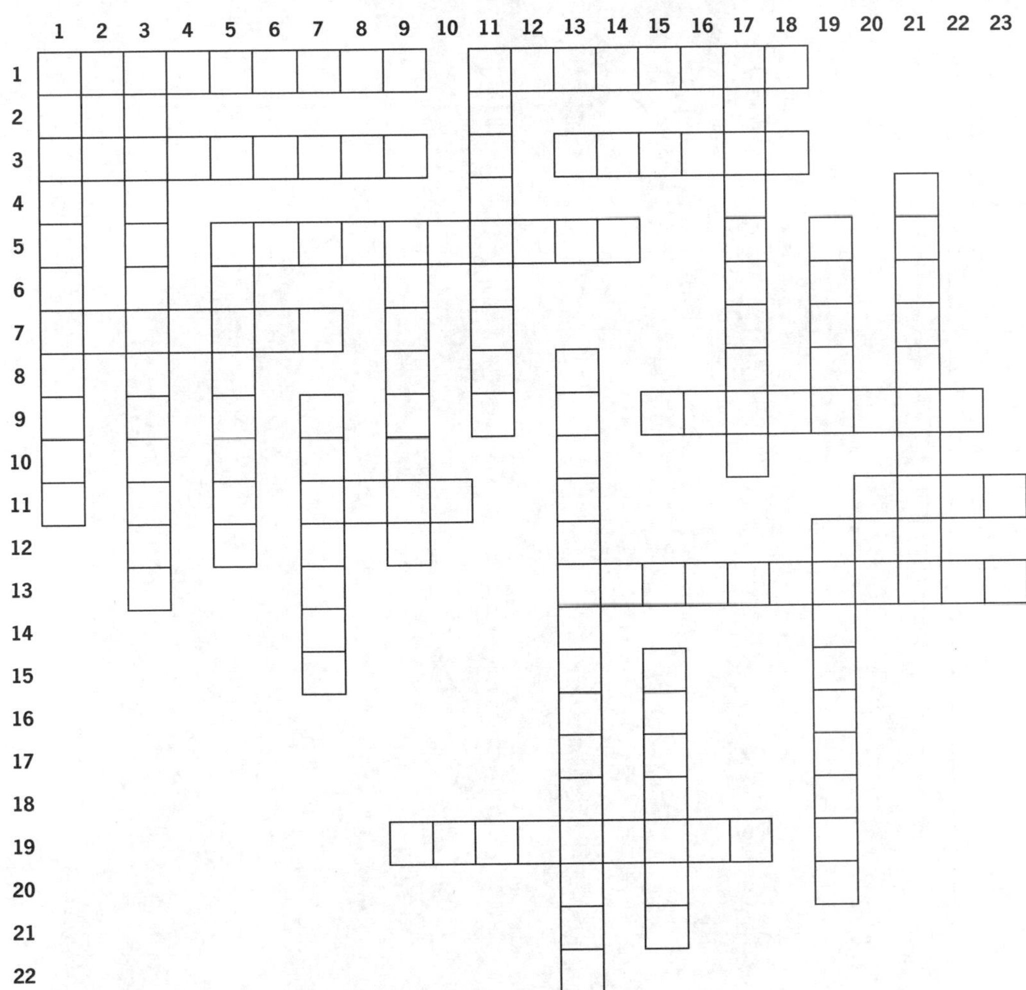

HORIZONTALEMENT

1. Se dit du type de digestion qui broie les aliments, les mélange aux sécrétions et les propulse dans le tube digestif. Glande située sous l'estomac et qui sécrète des sucs digestifs dans le duodénum et des hormones dans la circulation sanguine. **3.** Glande qui produit la salive. Enzyme permettant de digérer les triglycérides. **5.** Processus par lequel les fèces sont expulsées à l'extérieur du corps. **7.** Enzyme capable de digérer les polysaccharides (sucres complexes). **9.** Premier segment de l'intestin grêle. **11.** Ouverture inférieure du tube digestif fermée par un sphincter. Liquide sécrété par le foie et entreposé dans la vésicule biliaire, qui permet, entre autres, une meilleure digestion des lipides. **13.** Expulsion forte du contenu du tube digestif par la bouche. **19.** Enzyme qui dégrade les peptides en acides aminés.

VERTICALEMENT

1. Processus mécanique par lequel les aliments sont mélangés, coupés et broyés par la langue et les dents. **3.** Nom de l'acide sécrété par des cellules épithéliales de la muqueuse de l'estomac. **5.** Augmentation de la fréquence, du volume et du contenu des fèces en eau résultant d'une motilité intestinale accrue et d'une diminution de l'absorption. **7.** Structure en forme de tube allant de la cavité nasale à l'œsophage et faisant partie à la fois du système digestif et du système respiratoire. **9.** Type de digestion caractérisé par le fractionnement des grosses molécules par les enzymes digestives. **11.** Séreuse du tube digestif. **13.** Prolongements microscopiques se trouvant à la surface des cellules épithéliales de la muqueuse de l'intestin grêle. **15.** Enzyme qui dégrade le lactose en un glucose et un galactose. **17.** Processus par lequel les nutriments passent de la lumière du tube digestif vers la circulation sanguine. **19.** Liquide épais formé par le mélange du bol alimentaire avec les sucs gastriques. Repli péritonéal qui rattache les intestins à la paroi abdominale. **21.** Pigment jaune verdâtre de la bile provenant de la dégradation des érythrocytes.

2 L'anatomie du système digestif

La figure ci-contre représente les différentes parties du tube digestif et les glandes annexes du système digestif.

a) Nommez les structures numérotées dans la légende.
b) Afin de les distinguer, coloriez le tube digestif et ses glandes annexes ainsi que les carrés correspondants de deux couleurs différentes.

LÉGENDE

À identifier :

1. ______
2. ______
3. ______

Glandes salivaires

- 4. ______
- 5. ______
- 6. ______

7. ______
8. ______
9. ______
10. ______
11. ______
12. ______

Intestin grêle

- 13. ______
- 14. ______
- 15. ______

Gros intestin

- 16. ______
- 17. ______
- 18. ______
- 19. ______
- 20. ______
- 21. ______
- 22. ______

23. ______

À colorier :

☐ **Tube digestif**
☐ **Glandes annexes**

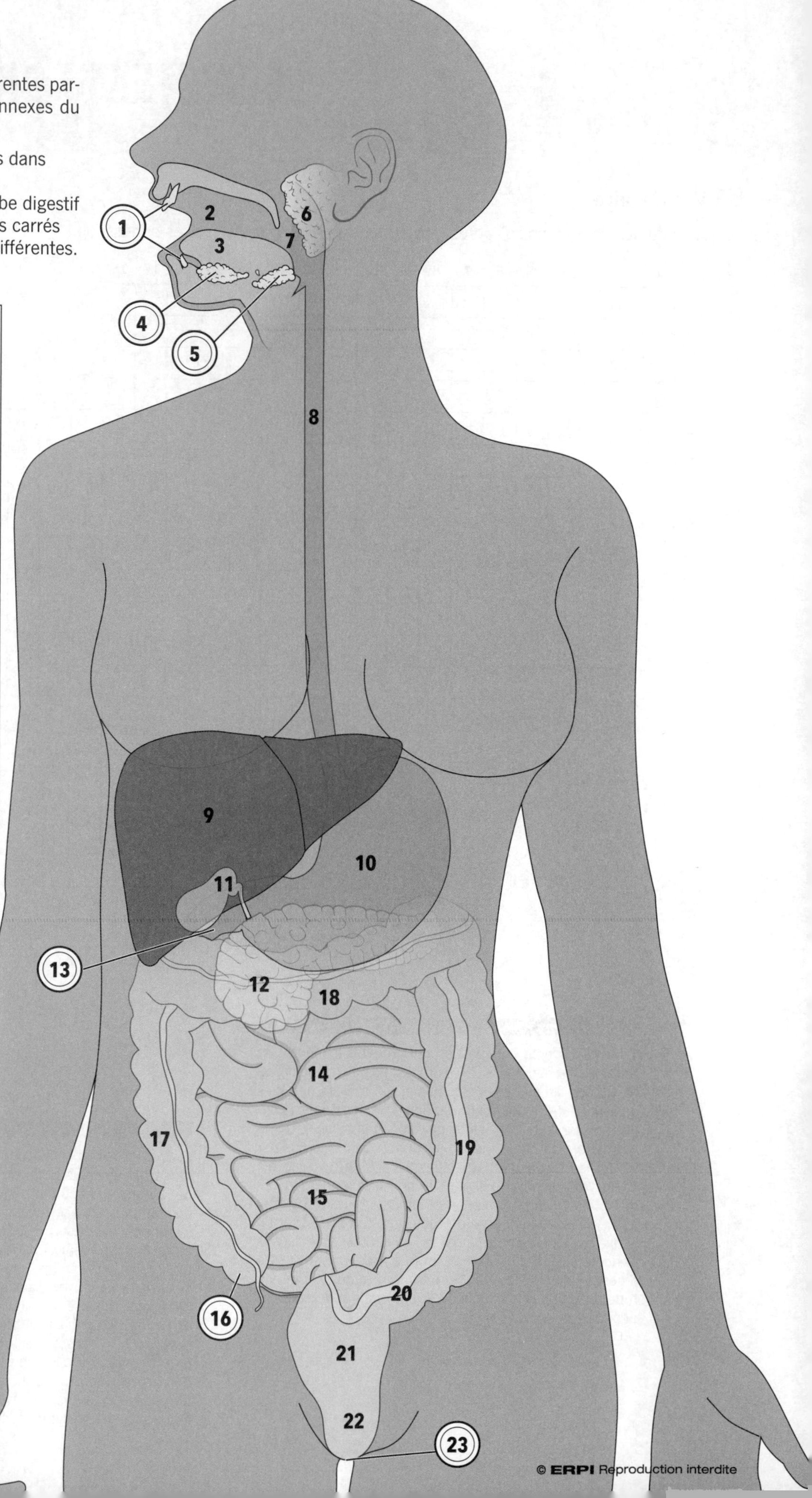

3 L'histologie du tube digestif

La figure ci-contre représente les différentes couches du tube digestif.

a) Nommez les structures numérotées dans la légende.

b) À l'aide de couleurs différentes, coloriez les éléments nommés dans la légende et les carrés correspondants.

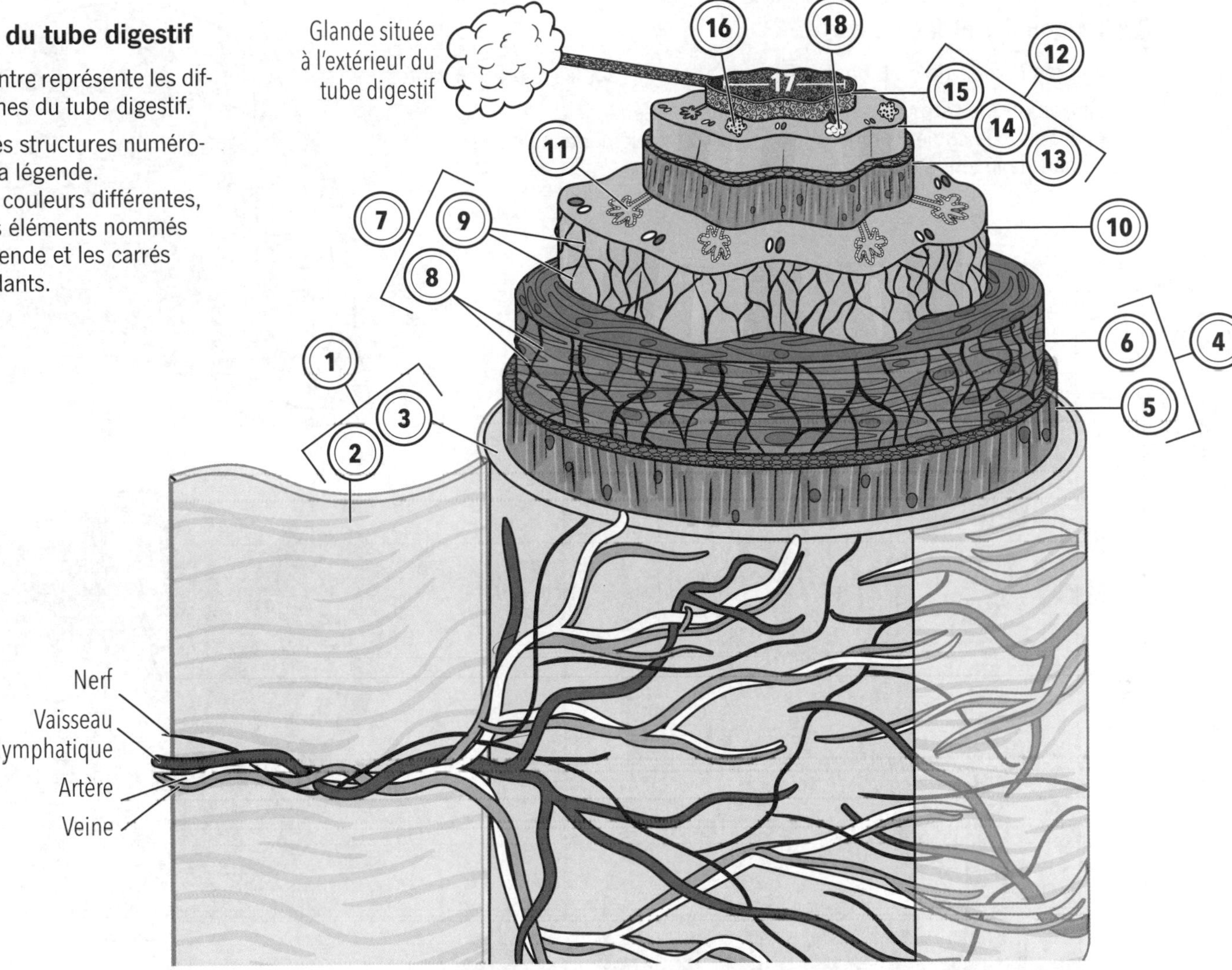

LÉGENDE

1. ☐ ____________________
 ↳ 2. ____________________
 ↳ 3. ____________________
4. ☐ ____________________
 ↳ 5. ____________________
 ↳ 6. ____________________
7. ____________________
 ↳ **8. SNE de la musculeuse (plexus myentérique)**
 ↳ **9. SNE de la sous-muqueuse (plexus sous-muqueux)**
10. ☐ ____________________
11. ____________________
12. ☐ ____________________
 ↳ 13. ____________________
 ↳ 14. ____________________
 ↳ 15 ____________________
16. Follicule lymphatique (MALT)
17. ____________________
18. ____________________

APPLICATION 13.1 : Antoine se présente à l'hôpital en raison d'importants vomissements teintés de sang. Depuis plusieurs heures, il se plaint d'une douleur dans la région épigastrique. Après plusieurs tests, le gastroentérologue lui confirme qu'il souffre d'une péritonite et qu'il est porteur de la bactérie résistante à l'acidité *Helicobacter pylori*, responsable de la majorité des ulcères gastriques.

a) Pourquoi y a-t-il du sang dans l'estomac d'Antoine ?

____

b) Comment un ulcère peut-il provoquer une péritonite ?

____

4 La bouche et les dents

La première partie du tube digestif est la bouche. Sur les figures suivantes :

a) Nommez les structures numérotées dans la légende.
b) À l'aide de couleurs différentes, coloriez les éléments nommés dans la légende et les carrés correspondants.

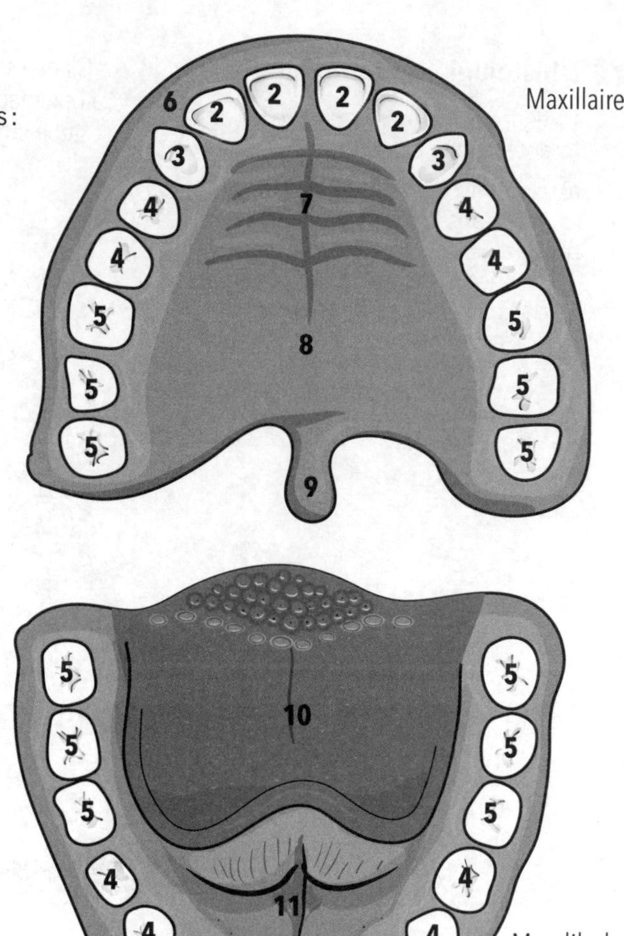

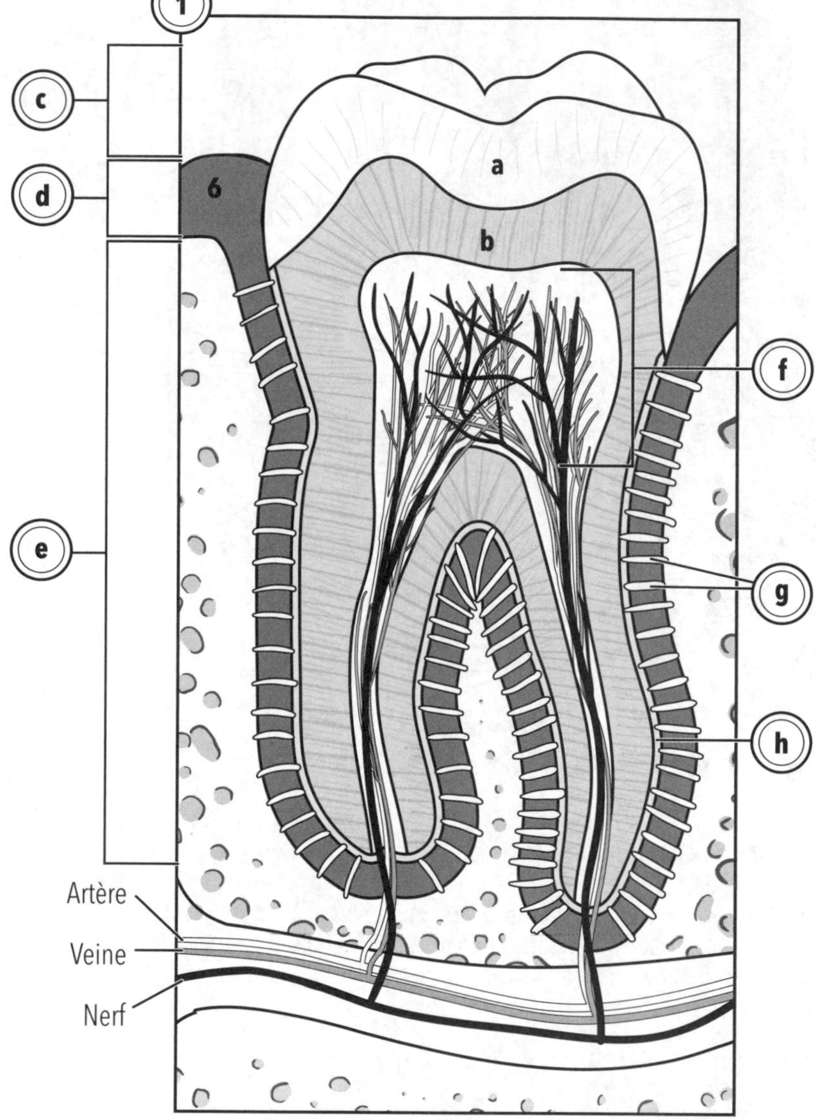

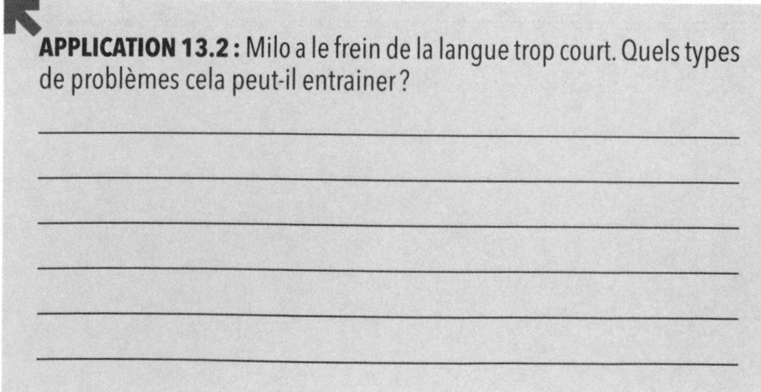

APPLICATION 13.2 : Milo a le frein de la langue trop court. Quels types de problèmes cela peut-il entrainer ?

5 Le pharynx, l'œsophage et la déglutition

La bouche, le pharynx et l'œsophage participent à la déglutition.

a) Nommez les structures numérotées dans la légende.
b) À l'aide de couleurs différentes, coloriez les éléments nommés dans la légende et les carrés correspondants.
c) Écrivez la lettre de la figure correspondant à chacune des étapes du processus de la déglutition dans le tableau ci-dessous.
d) En utilisant les termes de la légende que vous venez de remplir, complétez les énoncés du tableau au sujet des trois phases de la déglutition.

LÉGENDE

1. ☐ ____________________
2. ☐ ____________________
3. ☐ ____________________
4. ____________________
5. ____________________
6. ____________________
7. ____________________
8. ____________________
   - 9. ☐ ____________________
   - 10. ☐ ____________________
   - 11. ☐ ____________________

A

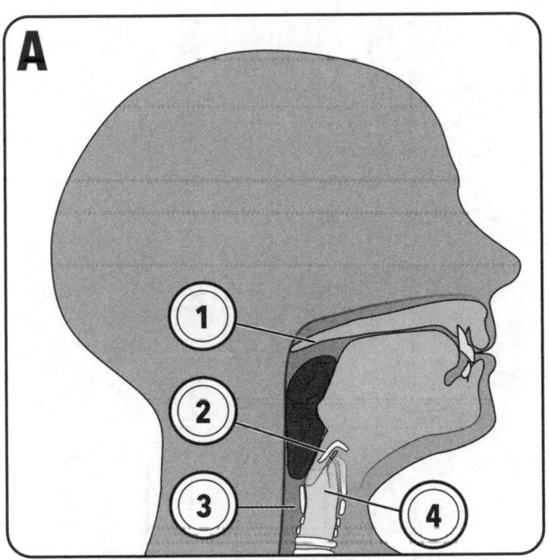

B

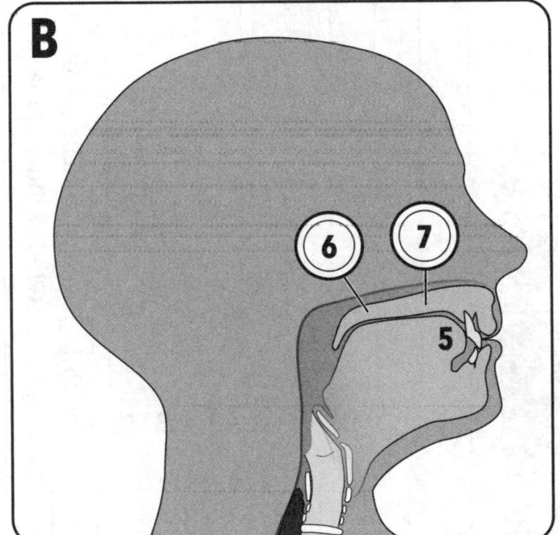

C

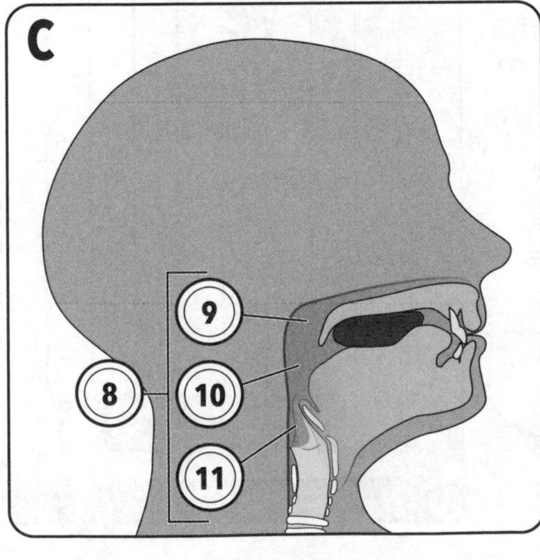

Étapes du processus de la déglutition

1re ÉTAPE : Étape orale ↓ ____________ (temps buccal de la déglutition)	L'étape orale débute lorsque le bol alimentaire est comprimé contre le ____________________. La langue se rétracte et pousse le bol alimentaire dans l'____________________. Ce mouvement volontaire stimule les récepteurs tactiles sensibles à l'étirement dans le pharynx, ce qui enclenche la deuxième étape.
2e ÉTAPE : Étape pharyngienne ↓ ____________ (temps pharyngien de la déglutition)	Pendant l'étape pharyngienne, le centre de la déglutition situé dans le bulbe rachidien commande les contractions coordonnées des muscles qui élèvent le ____________________, font remonter l'____________________ vers le nasopharynx, afin de fermer cette cavité, et abaissent l'____________________ pour couvrir le ____________________. Les muscles pharyngiens involontaires poussent alors le bol alimentaire dans l'œsophage.
3e ÉTAPE : Étape œsophagienne ↓ ____________ (temps œsophagien de la déglutition)	L'étape œsophagienne commence par des contractions coordonnées circulaires et longitudinales des muscles de l'____________________. Ce péristaltisme conduit le bol alimentaire dans l'estomac.

APPLICATION 13.3 : Lors d'un souper entre amis, Jean a commandé un plat de crevettes et un verre de vin.

a) Alors qu'il avale une bouchée de crevette, il se met à tousser fortement, car la crevette est descendue vers ses voies respiratoires. Encerclez la structure qui n'a pas fonctionné correctement.

b) Quelques minutes plus tard, Jean éclate de rire quand un de ses amis raconte une bonne blague. Malheureusement, Jean était alors en train d'avaler une gorgée de vin et le vin lui sort par le nez. Tracez un X sur la structure qui n'a pas bien fait son travail.

6 L'estomac

La figure ci-dessous représente les différentes parties de l'estomac.

a) Dans la légende, nommez les structures numérotées dans la légende et associez aux structures 18, 20, 22, 23 et 24 une ou plusieurs des lettres qui correspondent à leur fonction.

b) À l'aide de couleurs différentes, coloriez les éléments nommés dans la légende et les carrés correspondants.

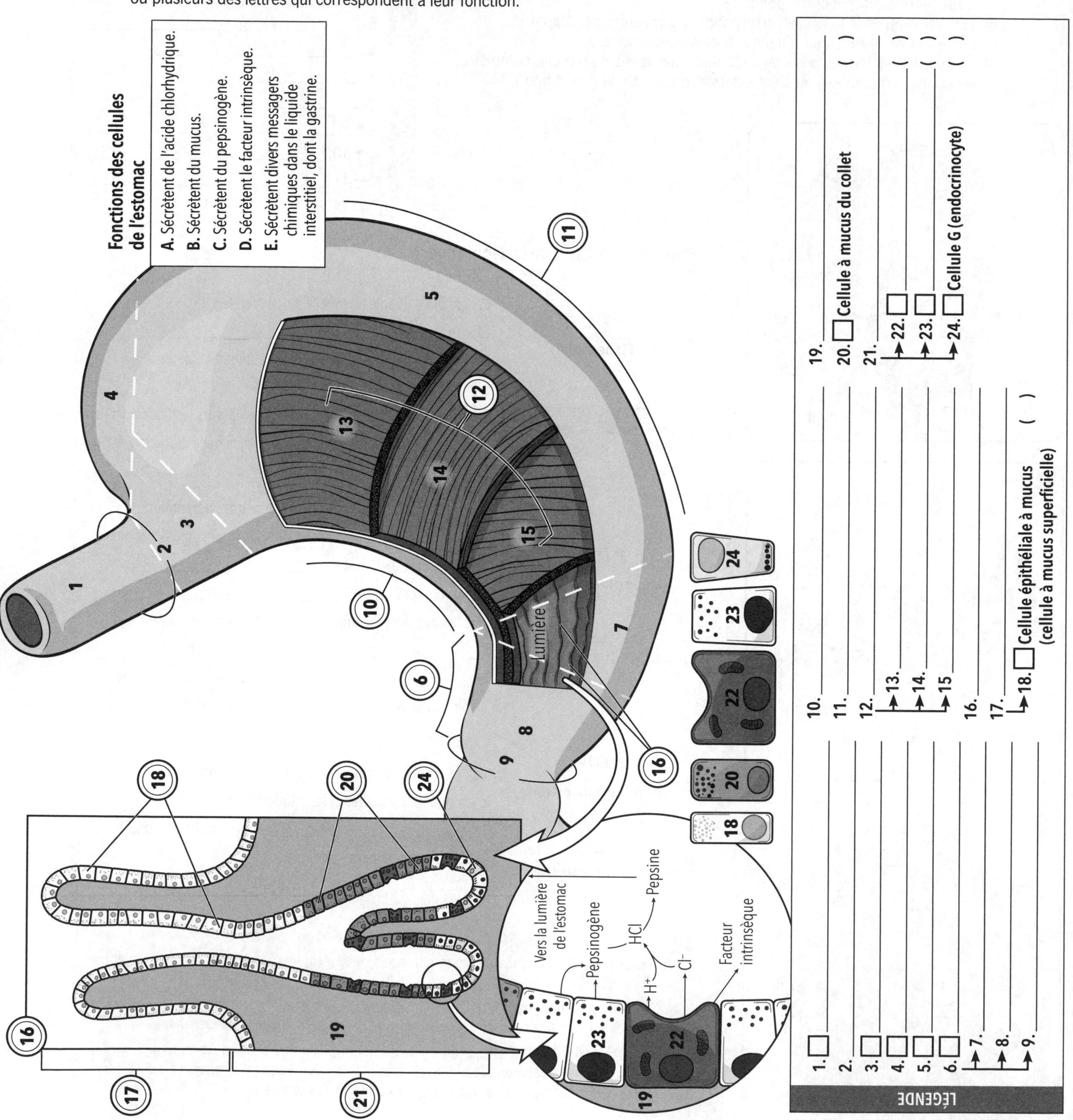

APPLICATION 13.4 : Martha se plaint de brulures d'estomac causées par le reflux gastro-œsophagien.

a) Encerclez la structure qui est légèrement dysfonctionnelle dans cette affection.

b) À quoi est due cette sensation de brulure (pyrosis) et est-ce que l'expression « brulure d'estomac » fait bien référence au bon organe ?

____
____
____
____
____
____
____

APPLICATION 13.5 : Les bactéries qui colonisent notre estomac préfèrent souvent s'installer dans les zones de cet organe qui contiennent relativement peu de cellules pariétales. Pourquoi les bactéries préfèrent-elles s'installer loin de ce type de cellules ?

____
____
____
____

7 Le foie, la vésicule biliaire, le pancréas et le duodénum

La figure suivante représente les relations anatomiques entre le foie, la vésicule biliaire, le pancréas et le duodénum.

a) Nommez les structures numérotées dans la légende.
b) À l'aide de couleurs différentes, coloriez les éléments nommés dans la légende et les carrés correspondants.

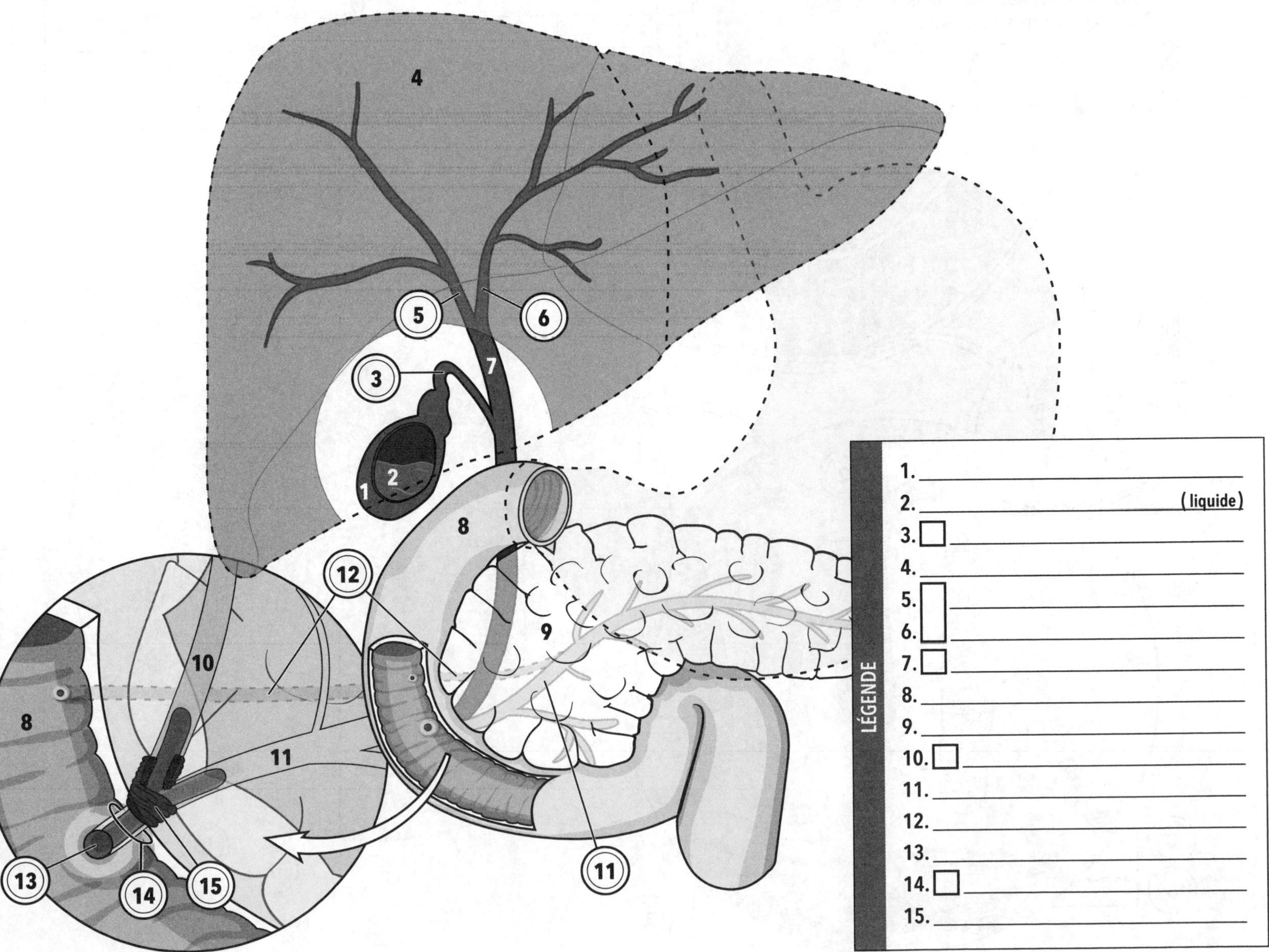

APPLICATION 13.6 : À la suite d'un repas riche en gras, Maryse ressent de fortes douleurs dans la région thoracique droite. Maryse reconnait cette douleur qui la fait souffrir régulièrement : sa vésicule biliaire étant « paresseuse », les composants de la bile se cristallisent pour former des calculs biliaires. Les calculs emprisonnés peuvent causer une inflammation de la vésicule (cholécystite) ou l'obstruction des conduits hépatique et pancréatique. Afin de remédier à son problème, Maryse envisage de se faire retirer la vésicule biliaire (cholécystectomie).

a) Est-il possible de vivre normalement sans vésicule biliaire ? Expliquez.

____

____

____

____

____

____

b) Maryse devra-t-elle changer son alimentation ? Expliquez.

____

____

____

____

8 L'intestin grêle

La figure ci-dessous représente l'intestin grêle.

a) Nommez les structures numérotées dans la légende.
b) À l'aide de couleurs différentes, coloriez les éléments nommés dans la légende et les carrés correspondants.

LÉGENDE

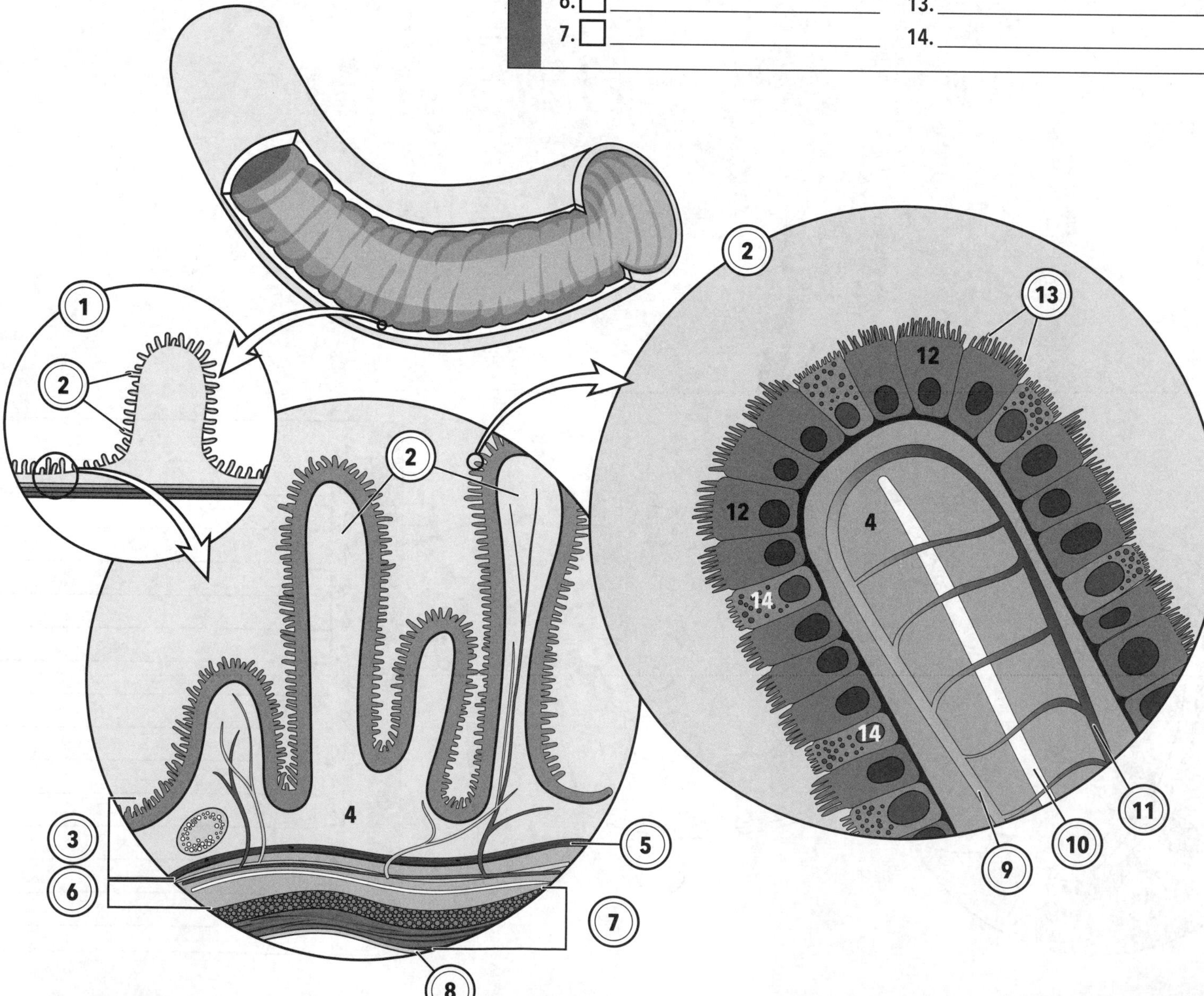

1. ______	8. ______
2. ______	9. ☐ ______
3. ☐ ______	10. ☐ ______
4. ______	11. ☐ ______
5. ☐ ______	12. ______
6. ☐ ______	13. ______
7. ☐ ______	14. ______

9 La digestion des molécules organiques et l'absorption des nutriments

La digestion des molécules organiques requiert l'action de plusieurs enzymes.

a) Remplissez le tableau ci-dessous sur les quatre groupes de molécules organiques : les types de molécules, leurs sources alimentaires et leur devenir une fois qu'elles ont atteint la circulation dans l'organisme.
b) Dans les légendes des figures A et B sur les deux prochaines pages, nommez les enzymes numérotées.
c) Dans la figure A, coloriez à l'aide de couleurs différentes les triangles représentant les types de transport des nutriments nommés dans la légende et les carrés correspondants. (Un triangle peut porter plus d'une couleur.)
d) Dans les figures A et B, tracez des flèches indiquant la destination des nutriments (circulation sanguine ou lymphatique).
e) Dans la figure B, coloriez les flèches blanches selon les actions mentionnées dans la légende.

	Acides nucléiques	Glucides	Protéines	Lipides
Exemples	ADN, ARN		Protéines complètes et incomplètes	
Sources alimentaires	Dans les noyaux de toutes les cellules ingérées Viandes, fruits, légumes, céréales, fruits de mer, etc.			
Circulation empruntée			Voie sanguine (capillaires des villosités intestinales)	
Destination		Foie (par la veine porte hépatique)		
Utilisation	Synthèse d'ADN et d'ARN par les cellules Éléments de base pour former de l'ATP			Transformation des chylomicrons (extraction des triglycérides et combinaison du cholestérol avec des LDL) Synthèse de sels biliaires, de membranes, d'hormones, etc. Stockage dans les adipocytes Catabolisme par certaines cellules pour former de l'ATP

A.

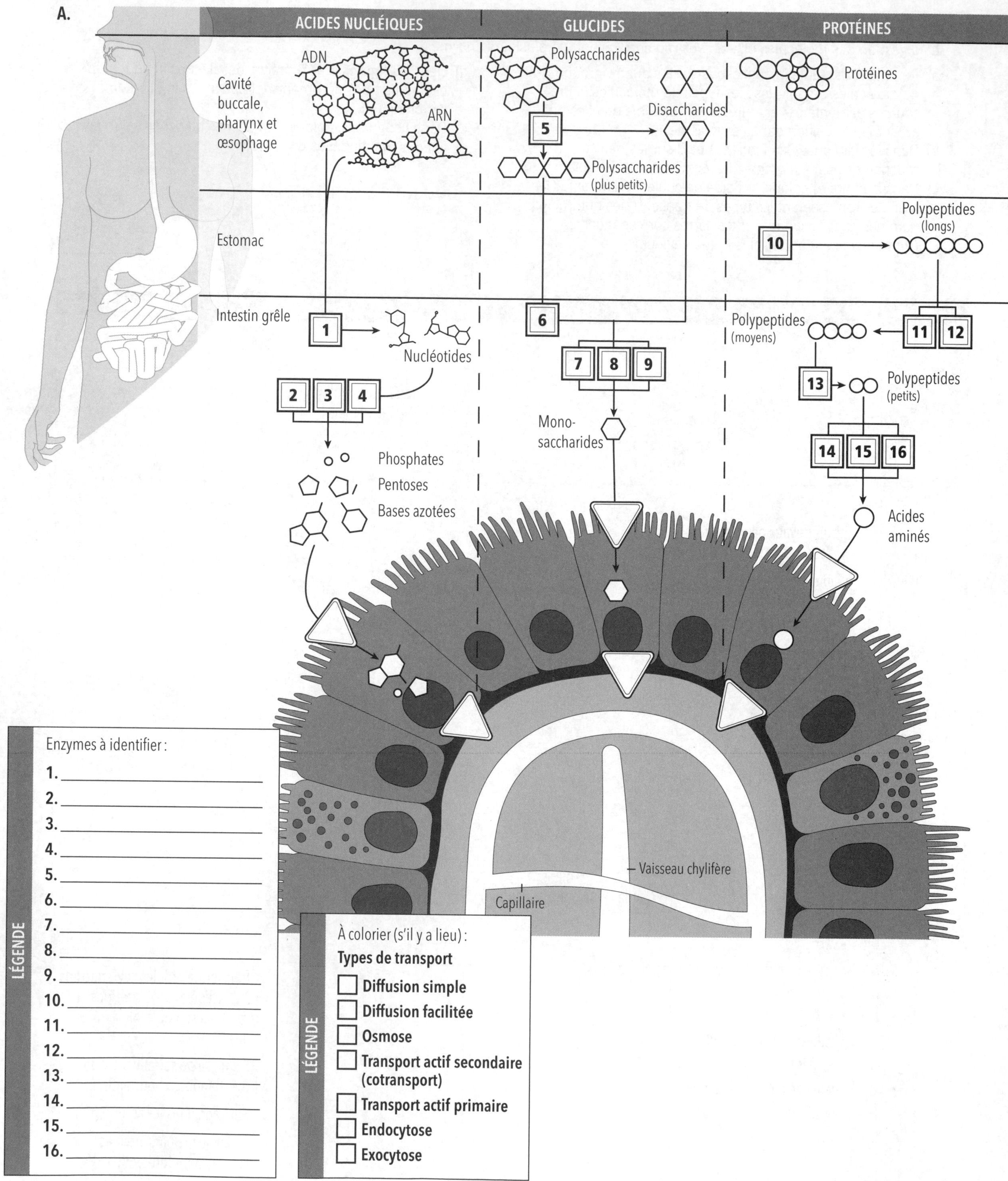
ACIDES NUCLÉIQUES
GLUCIDES
PROTÉINES
Cavité buccale, pharynx et œsophage
Estomac
Intestin grêle
ADN
ARN
Polysaccharides
Disaccharides
Polysaccharides (plus petits)
Protéines
Polypeptides (longs)
Polypeptides (moyens)
Polypeptides (petits)
Nucléotides
Mono-saccharides
Phosphates
Pentoses
Bases azotées
Acides aminés
1
2
3
4
5
6
7
8
9
10
11
12
13
14
15
16
Vaisseau chylifère
Capillaire
LÉGENDE
Enzymes à identifier :
1.
2.
3.
4.
5.
6.
7.
8.
9.
10.
11.
12.
13.
14.
15.
16.
LÉGENDE
À colorier (s'il y a lieu) :
Types de transport
Diffusion simple
Diffusion facilitée
Osmose
Transport actif secondaire (cotransport)
Transport actif primaire
Endocytose
Exocytose

B.

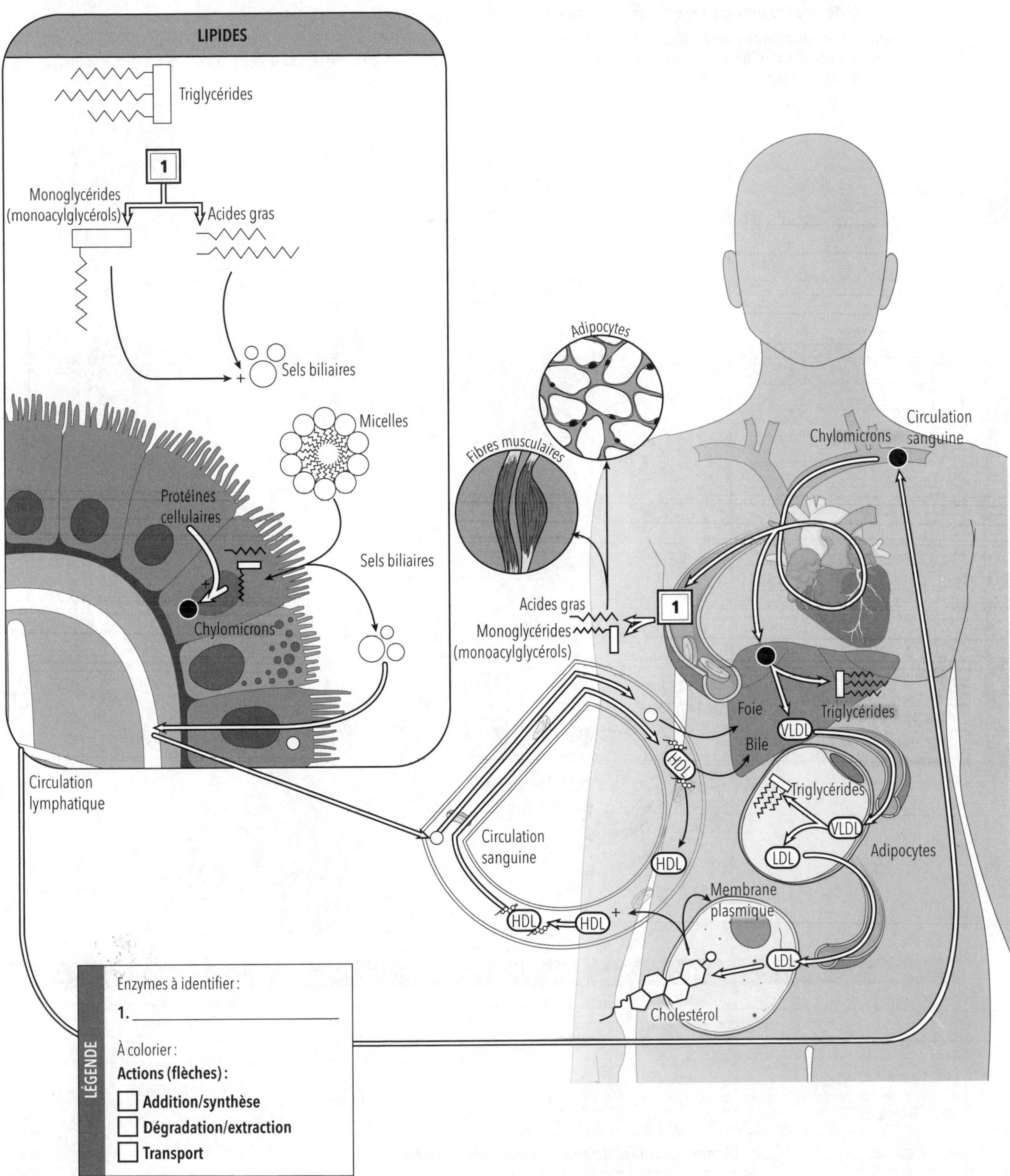

LIPIDES
Triglycérides
1
Monoglycérides (monoacylglycérols)
Acides gras
Sels biliaires
Micelles
Protéines cellulaires
Sels biliaires
Chylomicrons
Circulation lymphatique
Adipocytes
Fibres musculaires
Acides gras
Monoglycérides (monoacylglycérols)
1
Chylomicrons
Circulation sanguine
Foie
Bile
Triglycérides
VLDL
HDL
Triglycérides
VLDL
LDL
Adipocytes
Circulation sanguine
HDL
Membrane plasmique
HDL
HDL
LDL
Cholestérol
LÉGENDE
Enzymes à identifier :
1. ____________________
À colorier :
Actions (flèches) :
Addition/synthèse
Dégradation/extraction
Transport

10 Le gros intestin

La figure ci-dessous représente les différentes parties du gros intestin, ainsi que l'arc réflexe de la défécation.

a) Nommez les structures numérotées dans la légende.
b) À l'aide de couleurs différentes, coloriez les éléments nommés dans la légende et les carrés correspondants.
c) Indiquez par des flèches le sens de l'influx nerveux de l'arc réflexe de la défécation et complétez le tableau ci-dessous.

LÉGENDE

À identifier :

1. ______
2. ☐ ______
3. ______
4. ______
5. ______
6. ______
7. ☐ ______
8. ☐ ______
9. ☐ ______
10. ☐ ______
11. ______
12. ☐ ______
13. ☐ ______
14. ☐ ______
15. ☐ ______
16. ______

Neurone(s) à colorier :

☐ **sensitif(s)**
☐ **moteurs involontaires (parasympathiques)**
☐ **moteurs volontaires (somatiques)**

Nº	Composants du réflexe	Réflexe autonome de la défécation
1	Stimulus	
2	Récepteur	
3	Centre d'intégration	
4	Effecteur(s)	
5	Réponse	Compression du contenu vers l'extérieur jusqu'au sphincter anal externe

11 La régulation nerveuse et endocrinienne des activités digestives

Cette année, c'est chez votre grand-mère que se déroule la réunion de famille du temps des Fêtes. Dès que vous entrez, vous voyez les différents plats sur la table du buffet et l'odeur du ragout et de la dinde vous vient aux narines. Une fois dans la salle à manger, vous dégustez un peu de tous ces plats préparés avec tant d'amour.

a) Complétez les schémas des mécanismes de régulation homéostatique suivants, qui décrivent la régulation des différentes phases de l'activité digestive.

b) Dans les trois mécanismes, indiquez s'il s'agit d'un mécanisme de rétro-inhibition ou de rétroactivation. Justifiez votre choix, en cochant la case appropriée pour indiquer si le déséquilibre est amplifié ou réduit.

c) Dans les trois mécanismes, le mécanisme est-il contrôlé par le système nerveux, le système endocrinien ou les deux? Cochez la ou les case(s) appropriée(s).

La phase céphalique

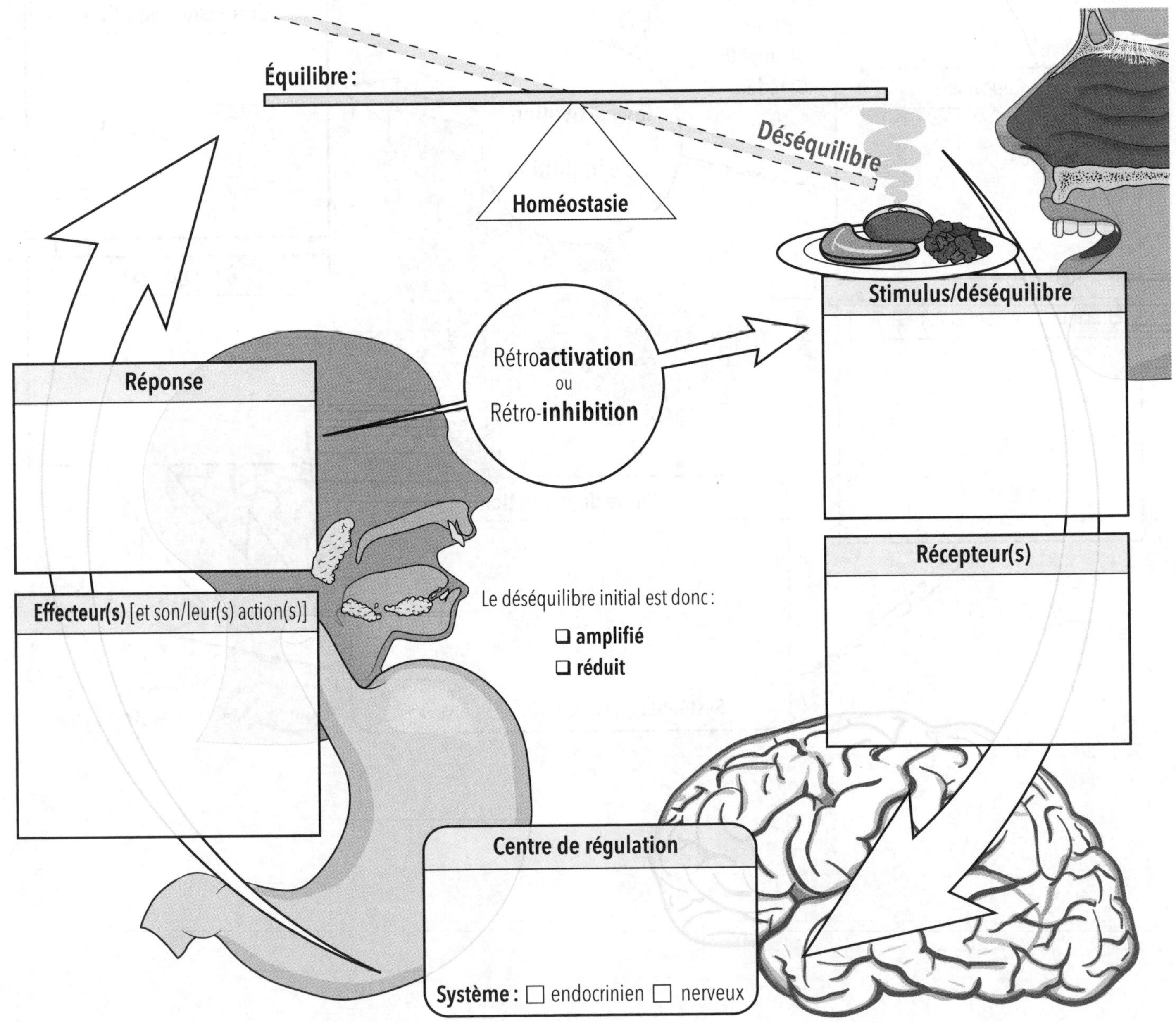

La phase gastrique

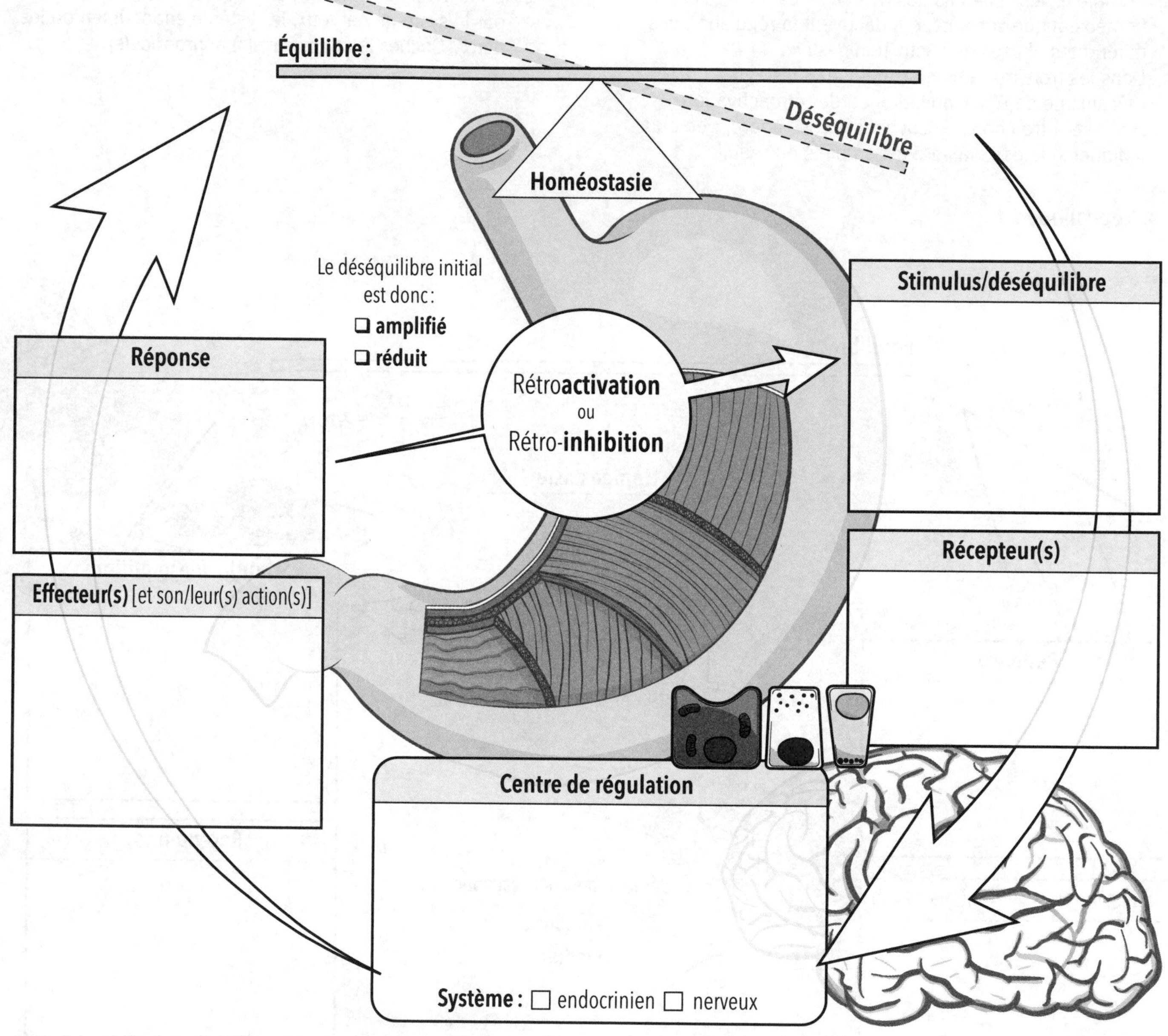

La phase intestinale

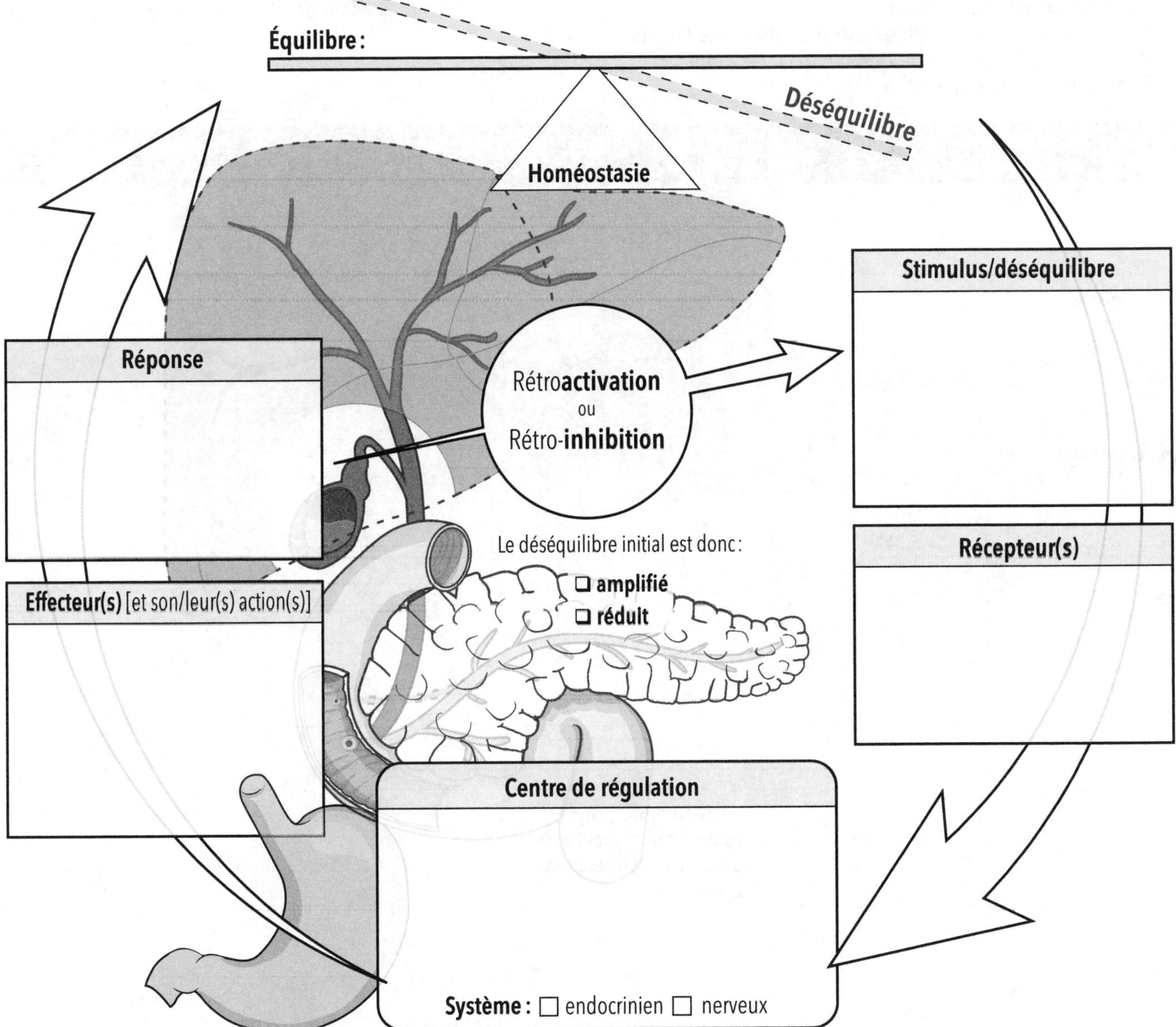

12 Le résumé de la digestion

Remplissez le tableau ci-dessous.

a) Écrivez dans les colonnes **Digestion chimique**, le nom des **enzymes** qui dégradent les molécules organiques, ainsi que ceux de leur **substrat** et du ou des **produits** résultant de leur dégradation.

b) Écrivez dans la colonne **Digestion mécanique** le type de digestion mécanique qui se déroule dans les différentes parties du système digestif.

c) Écrivez dans la colonne **Autres fonctions** les fonctions générales qui ne relèvent pas des digestions chimique et mécanique, ainsi que toutes les autres fonctions importantes des différentes parties du système digestif.

Origine des sécrétions	Digestion chimique des glucides	Digestion chimique des protéines	Digestion chimique des lipides	Digestion chimique des acides nucléiques
Bouche, glandes salivaires				
Pharynx, œsophage				
Estomac				
Pancréas		Protéases (trypsine, chymotrypsine et carboxypeptidase) : dégradent les polypeptides en petits peptides.		
Intestin grêle	Maltase : Sucrase : Lactase :			Nucléotidases, nucléosidases et phosphatase :
Foie				
Gros intestin				

Origine des sécrétions	Digestion mécanique	Autres fonctions
Bouche, glandes salivaires		
Pharynx, œsophage		
Estomac	**Pétrissage** (formation du chyme)	**Sécrétion** (sécrète du mucus, du pepsinogène, du HCl et le facteur intrinsèque, qui permet l'absorption de la vitamine B_{12}) **Absorption** (un peu) **Propulsion** (péristaltisme) Production de la gastrine (une hormone)
Pancréas		
Intestin grêle		
Foie		
Gros intestin		

APPLICATION 13.7 : Compte tenu des fonctions des différentes régions du tube digestif, pourquoi l'œsophage se compose-t-il d'un épithélium stratifié squameux, alors que l'intestin grêle est tapissé d'un épithélium cylindrique simple ?

RÉSUMÉ ILLUSTRÉ DES CONNAISSANCES DU CHAPITRE 13 : LE SYSTÈME DIGESTIF

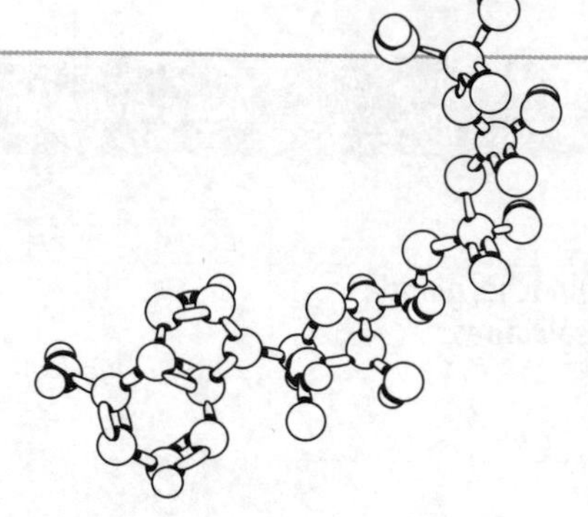

Dans cette page, résumez ou illustrez les principaux concepts sur le système digestif liés aux objectifs d'apprentissage de votre cours de biologie. Vous pouvez vous servir de cette page comme aide-mémoire lors de votre étude.

LE MÉTABOLISME

CHAPITRE 14

1 Vocabulaire

À l'aide des définitions suivantes, remplissez la grille de mots croisés ci-dessous.

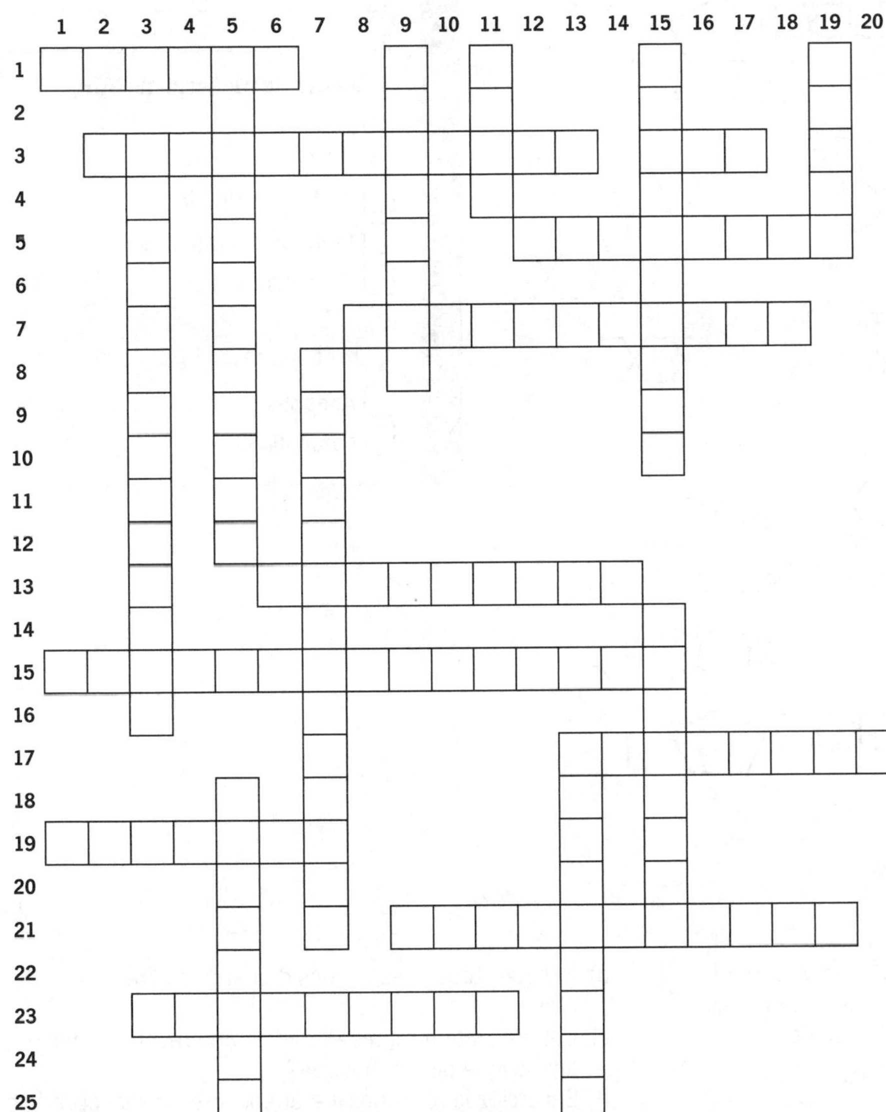

HORIZONTALEMENT

1. Protéine globulaire qui remplit les fonctions de catalyseur biologique des réactions chimiques dans le corps. **3.** Se dit de l'état métabolique survenant durant les 4 heures suivant l'ingestion d'un repas et caractérisé par une importante absorption de nutriments. Abréviation désignant la molécule organique capable de stocker et de libérer l'énergie essentielle au fonctionnement de toutes les cellules de l'organisme. **5.** Réaction métabolique permettant de dégrader les triglycérides en acides gras et en glycérol. **7.** Réaction de dégradation au cours de laquelle des molécules complexes sont transformées en constituants plus simples et de l'énergie est libérée. **13.** Substance absorbée à l'issue de la digestion et utilisée par l'organisme pour produire de l'énergie ou fabriquer des constituants cellulaires. **15.** Réaction chimique au cours de laquelle une molécule de phosphate est ajoutée à une autre molécule. **17.** Hormone hyperglycémiante produite par le pancréas. **19.** Principal glucide sanguin dont la formule chimique est $C_6H_{12}O_6$. **21.** Réaction métabolique permettant de former du glycogène à partir de molécules de glucose. **23.** Polysaccharide mis en réserve dans le foie et les muscles.

VERTICALEMENT

3. Ensemble de réactions chimiques de dégradation se déroulant dans les cellules de l'organisme et au cours desquelles des électrons sont échangés et de l'énergie est produite. **5.** Organite responsable de la synthèse de la majorité de l'ATP utilisée par les cellules. Cofacteur organique associé à un enzyme, tels le NAD^+ et la FAD. **7.** Réaction métabolique effectuée principalement par le foie et permettant de former du glucose à partir de molécules non glucidiques. **9.** Glande mixte située derrière l'estomac produisant des sécrétions endocrines, l'insuline et le glucagon, et des sécrétions exocrines, les enzymes digestives. **11.** Organe volumineux possédant de nombreuses fonctions métaboliques et régulatrices. **13.** Première étape de la respiration cellulaire durant laquelle le glucose est dégradé en acide pyruvique (pyruvate). **15.** Terme désignant un ensemble de réactions de synthèse de composés complexes à partir de constituants plus simples et dont le déroulement nécessite un apport d'énergie. Hormone hypoglycémiante produite par le pancréas. **19.** État métabolique de l'organisme caractérisé par l'arrêt de l'absorption alimentaire et par la dégradation des réserves pour fournir de l'énergie.

2 L'adénosine triphosphate

L'adénosine triphosphate est un composé de grande énergie.

a) Nommez les structures numérotées dans la légende.
b) À l'aide de couleurs différentes, coloriez les éléments nommés dans la légende et les carrés correspondants.
c) Encerclez la molécule la plus riche en énergie, entre la molécule complexe et les molécules simples.

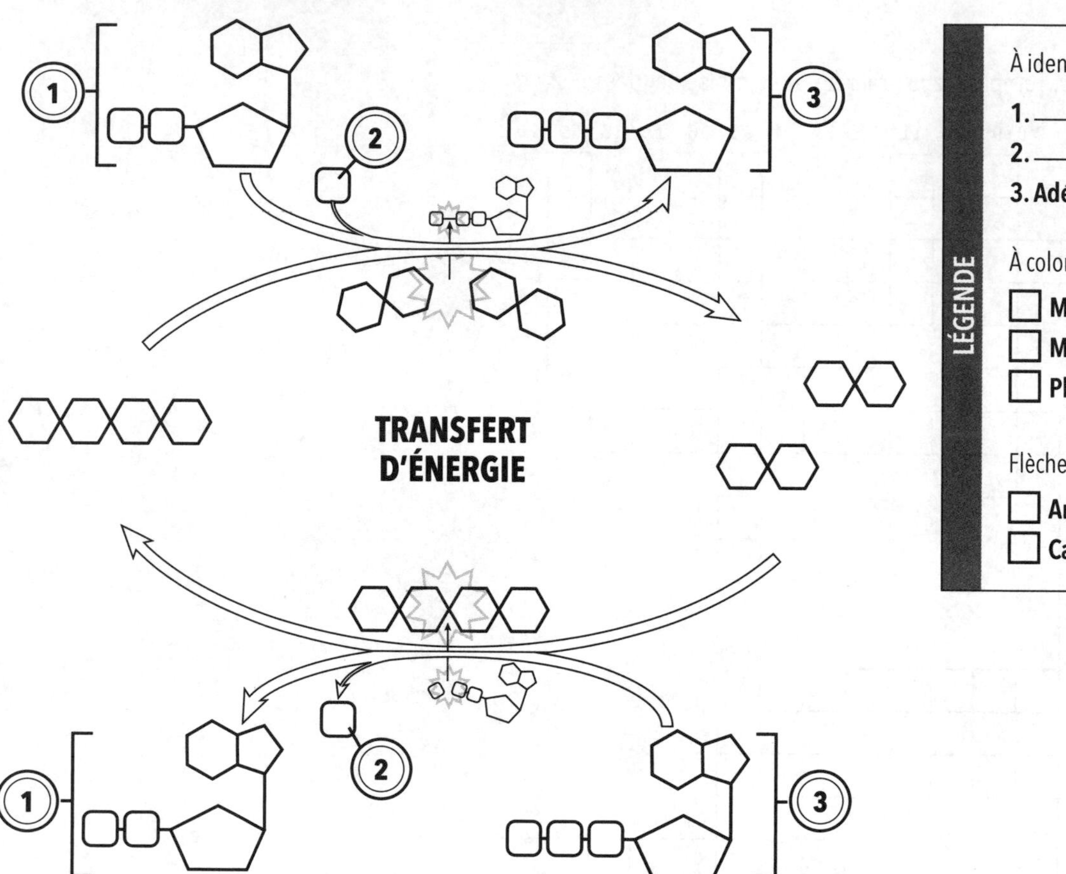

LÉGENDE

À identifier :

1. ____________________
2. ____________________
3. **Adénosine triphosphate (ATP)**

À colorier :

☐ **Molécules simples**
☐ **Molécules complexes**
☐ **Phosphates**

Flèches (réactions) :

☐ **Anabolisme**
☐ **Catabolisme**

3 La respiration cellulaire

La respiration cellulaire est une réaction d'oxydoréduction convertissant l'énergie chimique contenue dans les nutriments en énergie nécessaire au fonctionnement de la cellule.

a) Complétez l'équation chimique de la respiration cellulaire en utilisant une molécule de glucose.
b) À l'aide de couleurs différentes, coloriez les éléments nommés dans la légende et les carrés correspondants.
c) Montrez que cette équation est équilibrée. (Le nombre d'atomes de carbone, d'hydrogène et d'oxygène du côté des réactifs doit être équivalent à celui du côté des produits.)
d) Indiquez toutes les formes d'énergie libérée par cette réaction.
e) Cette équation représente-t-elle une réaction chimique anabolique ou catabolique ?
f) Encerclez le réactif oxydé et encadrez le réactif réduit.

LÉGENDE ☐ **Produits** ☐ **Réactifs**

.... **+ 6** **..........** **⟶ 6** **..........** **+ 6** **..........** **+ 30-32** **..........** **+ Chaleur**

Réaction : ____________________

4 La glycolyse

La première étape du processus de la respiration cellulaire est la glycolyse.

a) Nommez les structures numérotées dans la légende.
b) À l'aide de couleurs différentes, coloriez les éléments nommés dans la légende et les carrés correspondants.
c) Ajoutez le nombre de molécules d'ATP intervenant dans chacune des étapes, s'il y a lieu.
d) Faites un bilan en comptant le nombre de molécules.

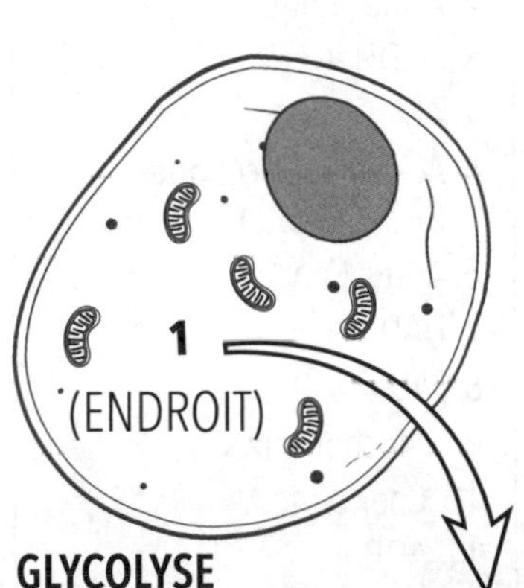

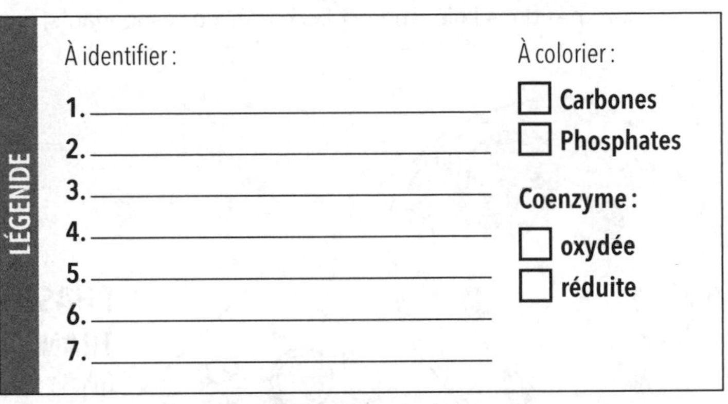

GLYCOLYSE

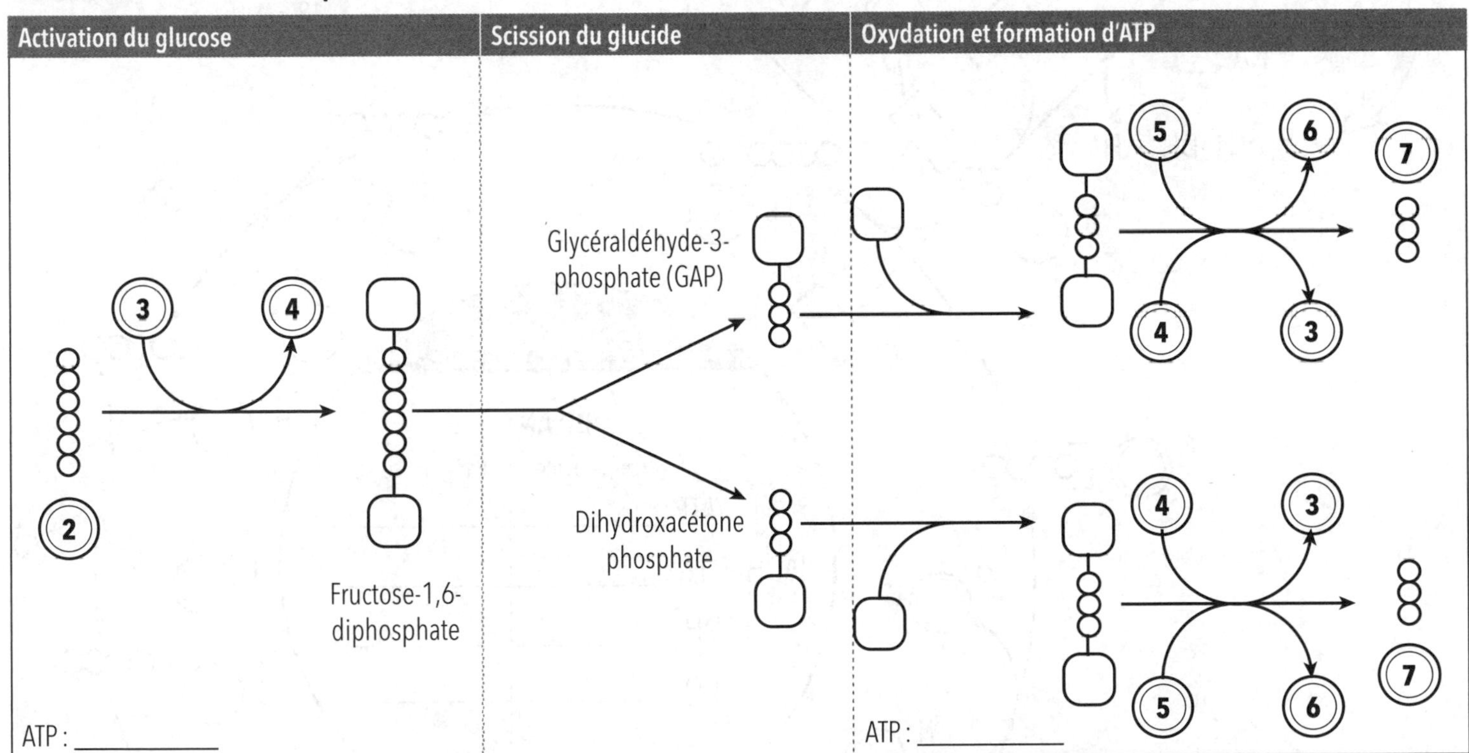

BILAN : ATP : ____ NADH + H⁺ : ____ Molécules sortantes (nom × nombre) : ____

5 Le cycle de Krebs (cycle de l'acide citrique ou cycle du citrate)

La deuxième étape du processus de la respiration cellulaire est le cycle de Krebs.

a) Dans la figure ci-dessous, associez chacune des lettres à un des numéros des termes de la liste. (Un numéro peut être utilisé plus d'une fois.)

b) À l'aide de couleurs différentes, coloriez les éléments nommés dans la légende et les carrés correspondants.

c) Complétez le bilan du cycle de Krebs au centre de l'image, puis le bilan total au bas de la page en additionnant le nombre de molécules.

LÉGENDE

À colorier :

☐ Carbones

Coenzymes :

☐ NADH + H⁺

☐ $FADH_2$

1. Dioxyde de carbone (CO_2)
2. Acide citrique (citrate)
3. NADH + H^+
4. ATP
5. Acide oxaloacétique (oxaloacétate)
6. Acétyl CoA
7. NAD^+
8. FAD
9. Mitochondrie
10. Coenzyme A
11. ADP
12. $FADH_2$

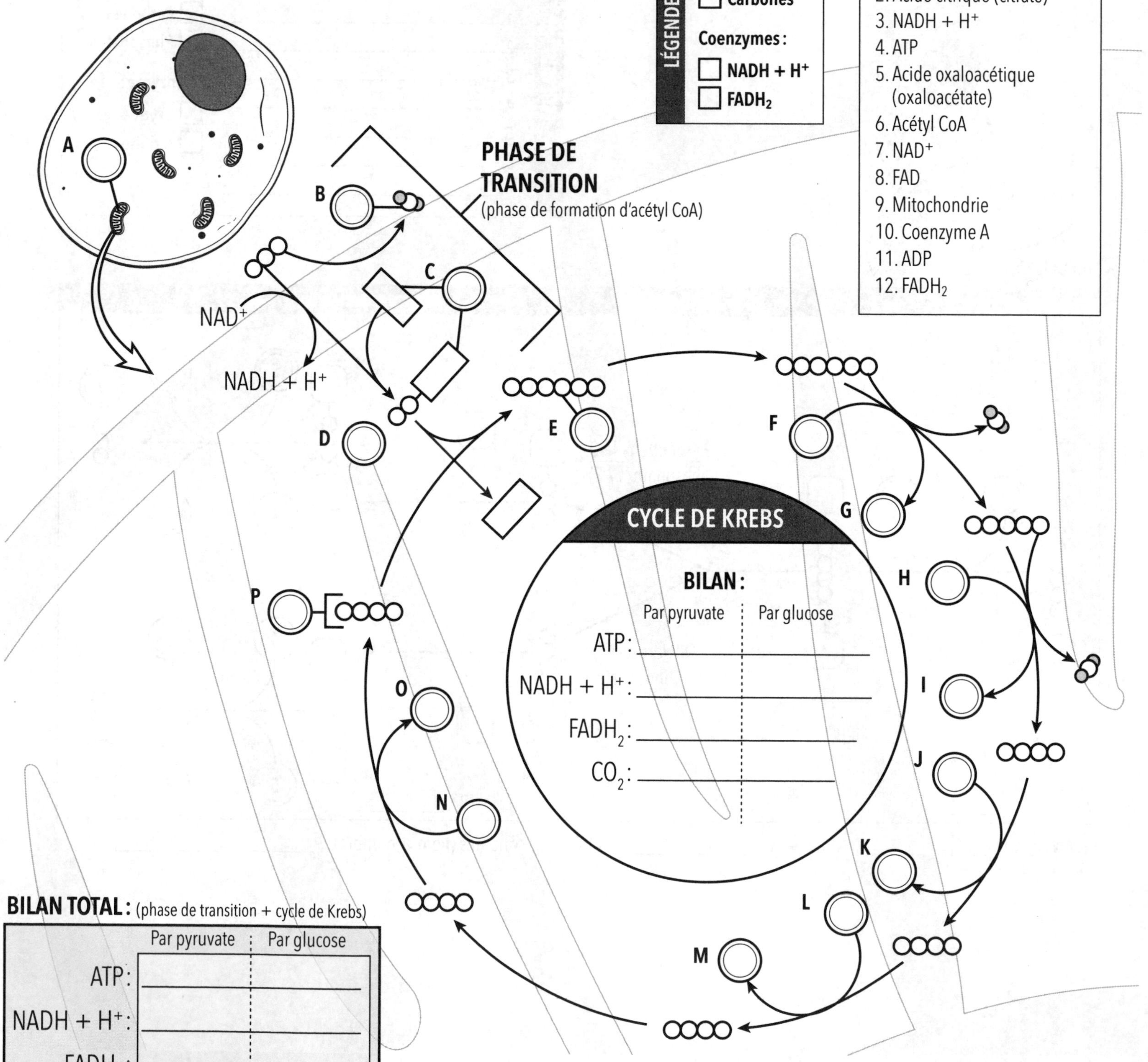

BILAN :

	Par pyruvate	Par glucose
ATP :		
NADH + H^+ :		
$FADH_2$:		
CO_2 :		

BILAN TOTAL : (phase de transition + cycle de Krebs)

	Par pyruvate	Par glucose
ATP :		
NADH + H^+ :		
$FADH_2$:		
CO_2 :		

6 La chaine de transport des électrons (phosphorylation oxydative)

La troisième étape du processus de la respiration cellulaire est la chaine de transport des électrons.

a) Écrivez la lettre associée à chacun des termes de la liste au bon endroit dans la figure ci-dessous.
b) Tracez une flèche pour illustrer le chemin qu'empruntent les électrons dans la chaine de transport.
c) À l'aide de couleurs différentes, coloriez les éléments nommés dans la légende et les carrés correspondants.
d) Tracez des pointes de flèche pour illustrer le sens qu'empruntent les protons (H^+) dans la chaine de transport.
e) Encerclez l'accepteur final d'électrons (l'oxydant).
f) Complétez le bilan en bas de la figure en compilant le nombre d'ATP.

LÉGENDE
- ☐ **Chemin des électrons**
- ☐ **Protons**

A. ATP synthétase
B. FAD
C. $FADH_2$
D. H_2O
E. NAD^+
F. $NADH + H^+$
G. O_2

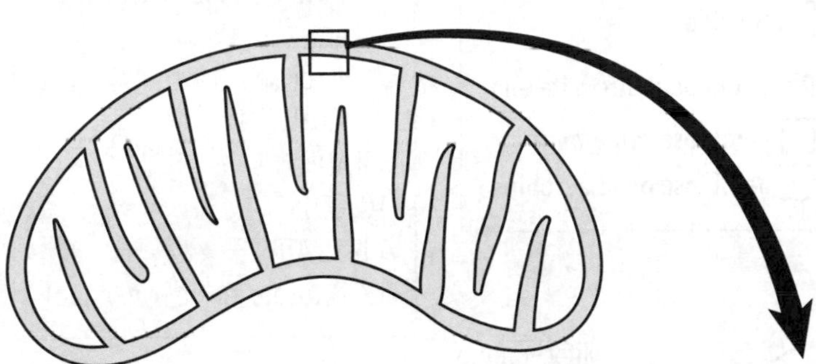

CHAINE DE TRANSPORT DES ÉLECTRONS ET PHOSPHORYLATION OXYDATIVE

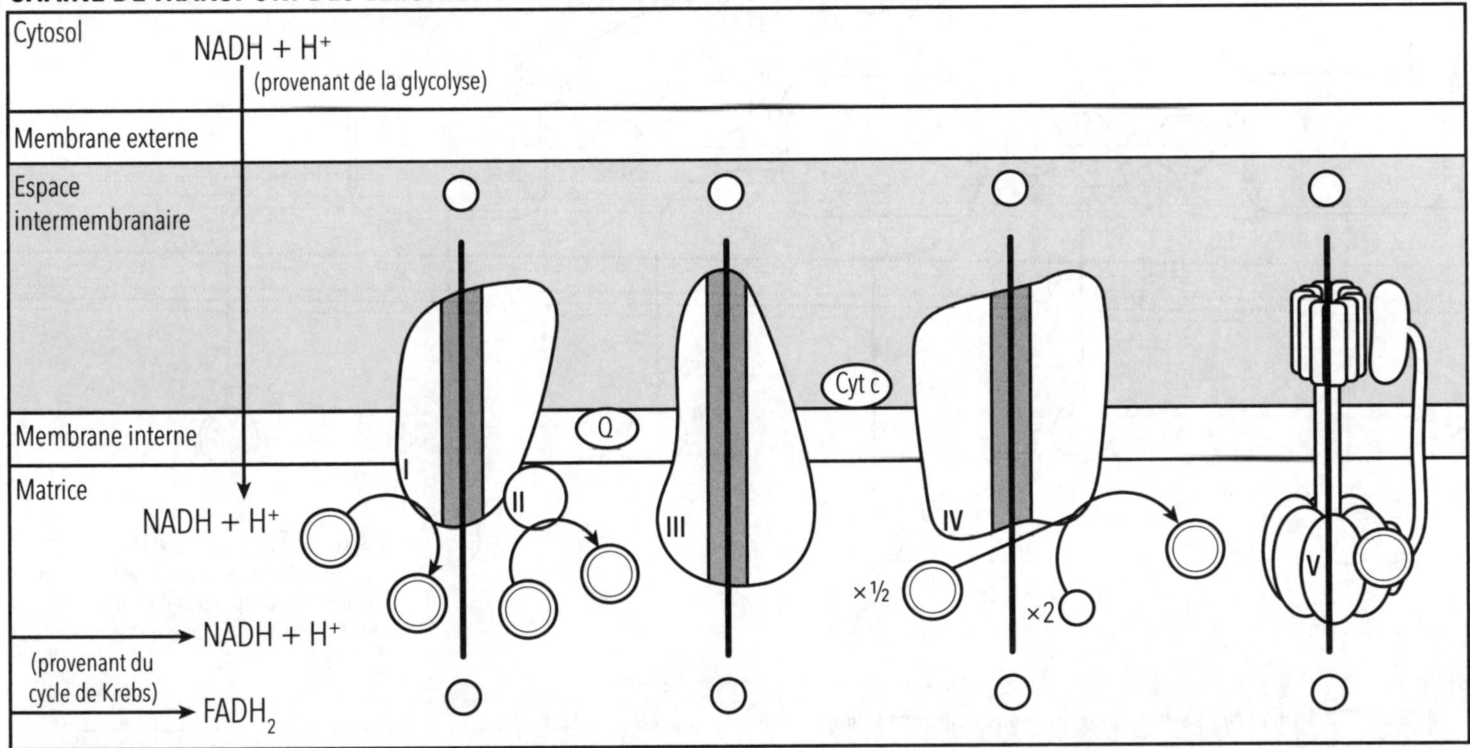

BILAN : Par glucose
$NADH + H^+$: ____ **× 2,5 ATP ch. =** ____________
$FADH_2$: ____ **× 1,5 ATP ch. =** ____________

TOTAL : ______ **ATP**

7 Les trois étapes de la respiration cellulaire

La figure ci-dessous illustre l'ensemble du processus de la respiration cellulaire.

a) Dans la figure ci-dessous, associez chacune des lettres à un des numéros des termes de la liste. (Un numéro peut être utilisé plus d'une fois.)

b) À l'aide de couleurs différentes, coloriez les éléments nommés dans la légende et les carrés correspondants.

c) Complétez le bilan net en bas de la figure en compilant le nombre de molécules d'ATP.

LÉGENDE

À colorier :

- ☐ **ATP**
- ☐ **Coenzymes réduits**
- ☐ **Dioxyde de carbone**
- ☐ **Eau**
- ☐ **Glucide**

Phase qui peut être faite en :

- ☐ **aérobiose seulement**
- ☐ **aérobiose ou anaérobiose**

1. Acétyl CoA
2. 2 ATP
3. Glucose
4. Cycle de Krebs
5. Transport des électrons et phosphorylation oxydative
6. Eau
7. Glycolyse
8. NADH + H^+
9. $FADH_2$
10. CO_2
11. 28 ATP
12. Pyruvate (acide pyruvique)

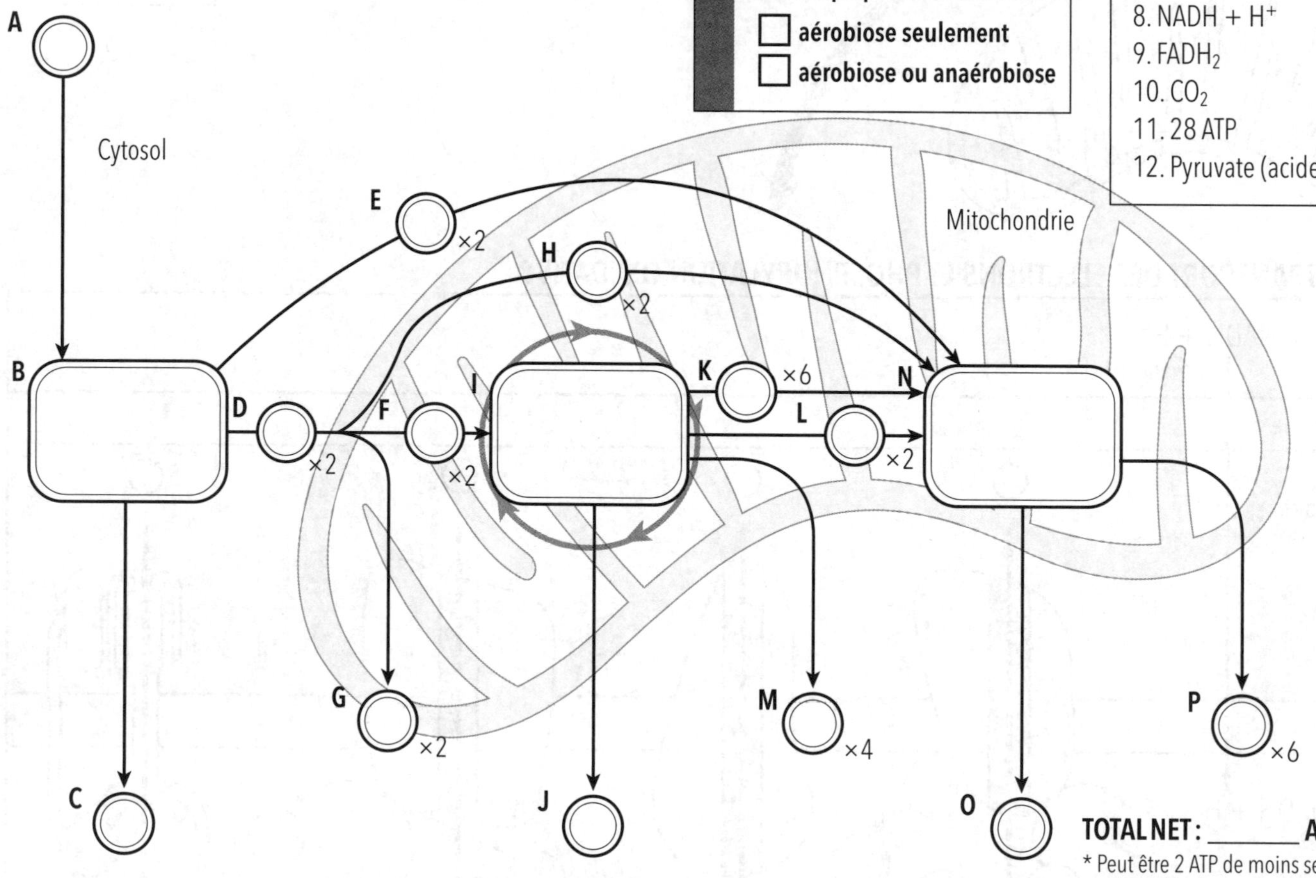

A

Cytosol

E ×2

H ×2

Mitochondrie

B

D ×2

F ×2

I

K ×6

L ×2

N

G ×2

M ×4

P ×6

C

J

O

TOTAL NET : _______ ATP

* Peut être 2 ATP de moins selon la navette utilisée lors du transport du NADH + H^+ vers l'intérieur de la mitochondrie.

APPLICATION 14.1 : Nous savons tous que nous mourrons si nous arrêtons de respirer, mais pourquoi en est-il ainsi ? Expliquez pourquoi les échanges gazeux sont nécessaires pour les réactions chimiques qui se déroulent dans les mitochondries.

____

____

____

____

____

____

____

____

____

____

APPLICATION 14.2 : D'où provient la majorité des molécules de CO_2 que nous expirons ?

____

____

8 Le métabolisme aérobie et anaérobie

Le métabolisme aérobie regroupe les réactions métaboliques qui requièrent de l'oxygène, alors que les réactions anaérobies n'en requièrent pas.

a) Complétez la figure ci-dessous en écrivant les mots appropriés sur les lignes prévues à cet effet.
b) À l'aide de couleurs différentes, coloriez les éléments nommés dans la légende et les carrés correspondants.

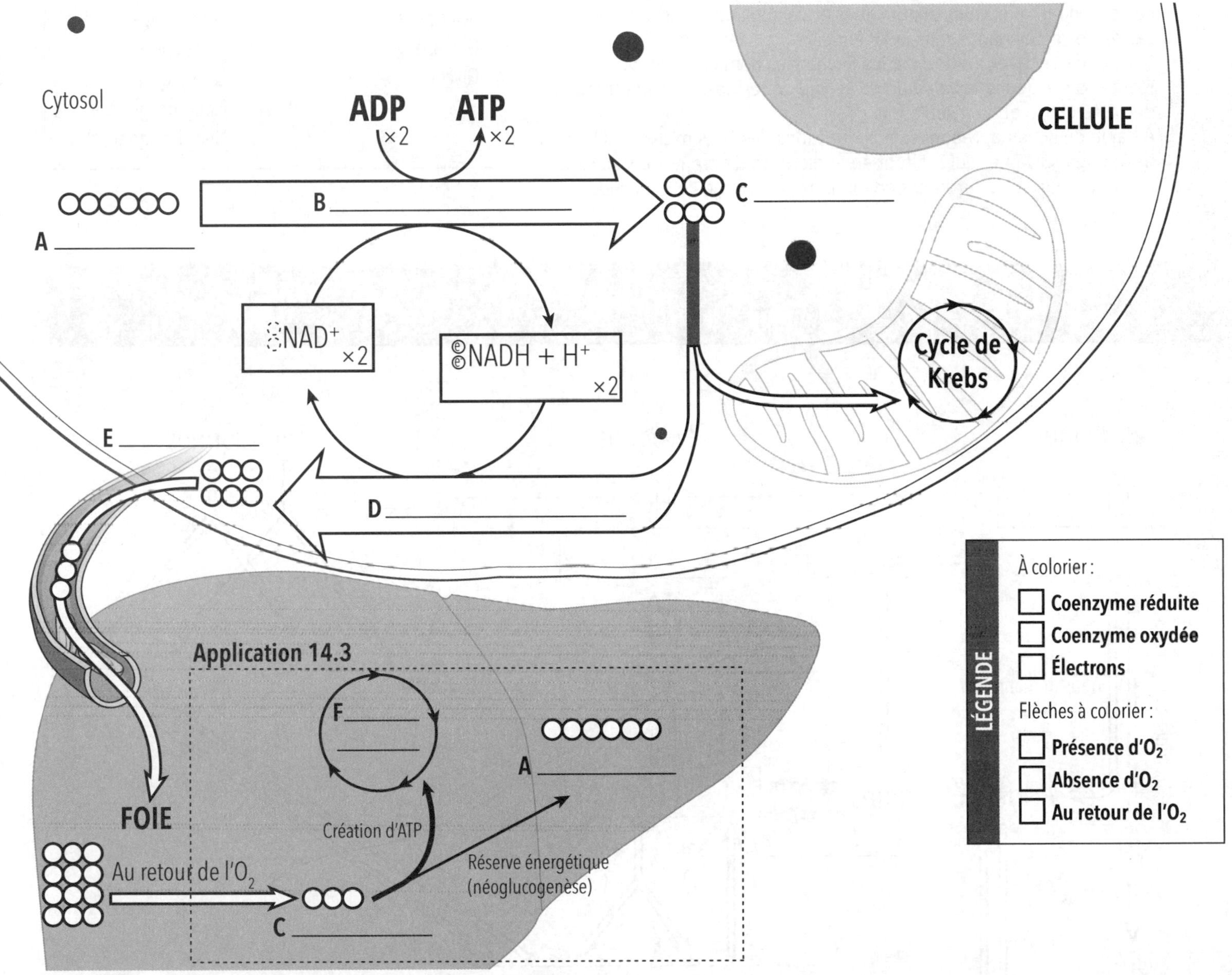

LÉGENDE

À colorier :
- ☐ **Coenzyme réduite**
- ☐ **Coenzyme oxydée**
- ☐ **Électrons**

Flèches à colorier :
- ☐ **Présence d'O_2**
- ☐ **Absence d'O_2**
- ☐ **Au retour de l'O_2**

APPLICATION 14.3 : Lors d'un exercice physique intense, la quantité d'oxygène est insuffisante et une partie de l'acide pyruvique (pyruvate) est transformé en acide lactique (lactate). Lorsque l'intensité de l'exercice diminue, l'oxygène redevient disponible. Dans la partie inférieure de la figure ci-dessus, complétez la séquence d'évènements qui se déroule dans le foie au retour de l'oxygène selon les besoins de l'organisme.

APPLICATION 14.4 : Dans quel type de cellules (tissu), des conditions anaérobies peuvent-elles avoir lieu pendant quelques minutes sans endommager le tissu (lorsque les besoins en oxygène dépassent l'apport réel pendant que l'apport en glucides, lui, est maintenu) ?

____

____

____

____

APPLICATION 14.5 : Quelle est l'utilité de la fermentation (transformation du pyruvate en acide lactique), sachant que ce processus (voie anaérobie) se déroule sans conduire à la production d'ATP ?

____

____

____

9 Le métabolisme des nutriments

Le tableau ci-dessous illustre le métabolisme des nutriments (protéines, glucides et lipides).

a) Remplissez les cases du schéma ci-dessous à l'aide de la liste de termes. (Chaque terme ne doit être utilisé qu'une seule fois.)
b) À l'aide de couleurs différentes, coloriez les flèches blanches correspondant aux voies anaboliques et cataboliques ainsi que les carrés correspondants dans la légende.
c) S'il y a lieu, écrivez au-dessus des flèches les noms spécifiques des réactions métaboliques à l'aide de la liste de termes. (Chaque terme ne doit être utilisé qu'une seule fois.)
d) À l'aide du schéma, répondez aux questions des trois mises en situation de la page suivante, qui mettent en lumière les différentes possibilités de conversion d'un nutriment en un autre au sein de l'organisme.

Dans les cases :	**Vis-à-vis des flèches :**
Acétyl CoA	β-oxydation
Acide lactique	Glycogenèse
Acide pyruvique (pyruvate)	Glycogénolyse
Acides aminés	Glycolyse
Acides gras	Lipogenèse
Glucose	Lipogenèse
Glycérol	Lipolyse
	Néoglucogenèse
	Néoglucogenèse

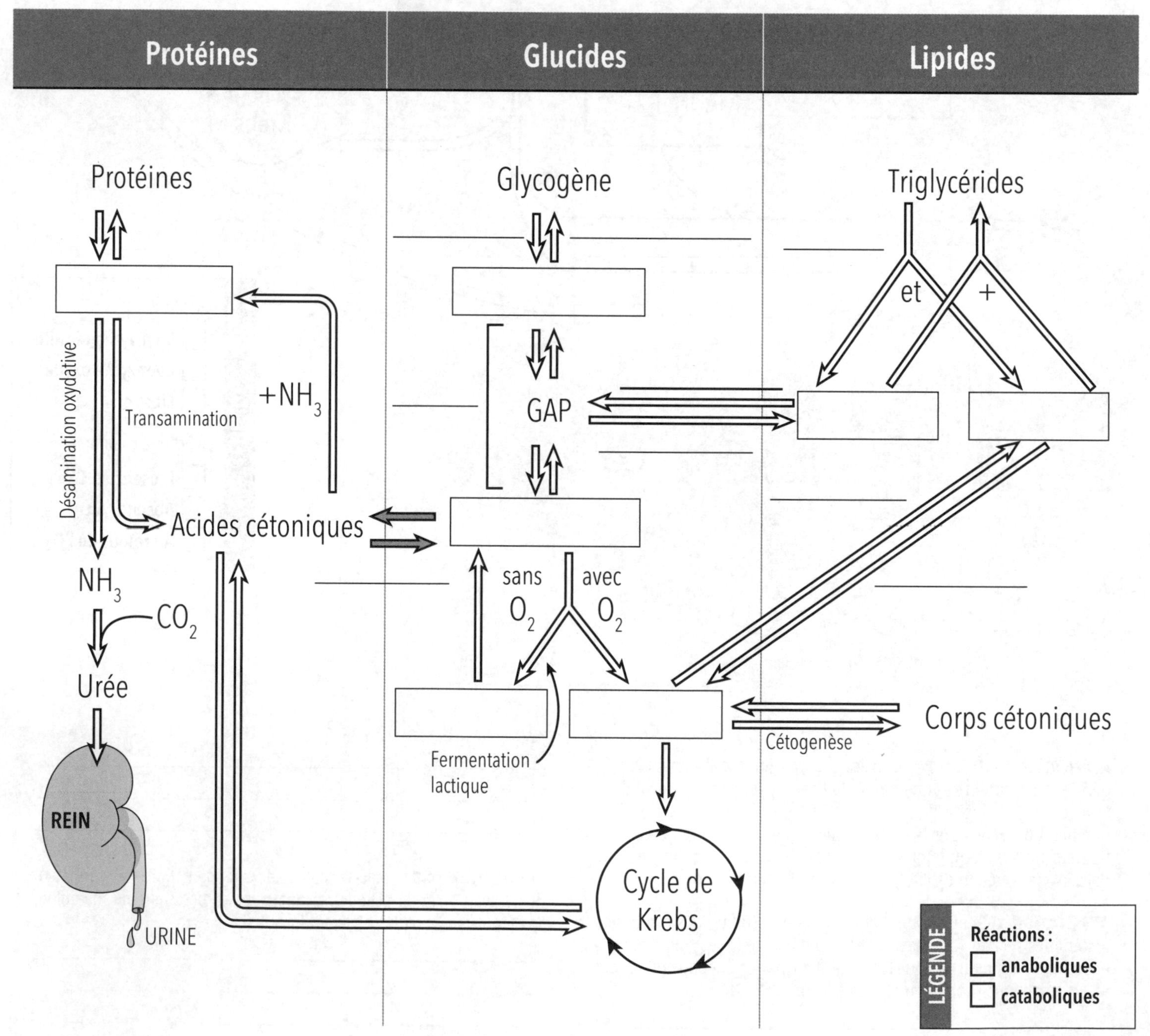

SITUATION 1

Pour mieux se préparer à sa prochaine saison de compétitions de vélo, Jean-François souhaite adopter un nouveau régime à base de protéines. D'après ses lectures, ce régime devrait lui permettre d'augmenter sa masse musculaire, tout en perdant une partie de sa masse graisseuse. Une nutritionniste explique à Jean-François que ce type de régime lui permettra de maintenir sa glycémie. Elle lui conseille également de ne pas dépasser la quantité de protéines suggérée, car il risquerait de prendre du poids.

Décrivez les voies de production de glucose et de triglycérides à partir des protéines.

SITUATION 2

Claudine a décidé de perdre du poids. Pour ce faire, elle veut couper les lipides de son alimentation, mais sans diminuer son apport calorique. Son régime est maintenant très riche en protéines et en glucides. Elle pense que c'est un bon choix qui lui permettra d'atteindre un poids santé. Or, après quelque temps, elle n'obtient aucun résultat. Son amie nutritionniste, Lise-Andrée, lui explique qu'un régime faible en gras peut quand même entrainer la formation de graisses dans le corps.

Dans ce cas, quelles voies métaboliques du schéma des voies d'interconversion seront utilisées ?

Illustrez la voie par laquelle l'organisme peut produire des lipides à partir de protéines, ou bien à partir de glucides.

SITUATION 3

Geneviève a entendu dire que « sur un pèse-personne, le muscle pèse plus que la graisse ». Elle décide donc de couper toute source de protéines afin de perdre du poids. Son ami Isaac lui dit que c'est totalement faux, car 1 kg de muscle équivaut à 1 kg de graisse. Par contre, le tissu graisseux est plus volumineux que le tissu musculaire, c'est-à-dire que 1 kg de muscle occupe moins de volume que 1 kg de graisse.

Geneviève n'écoute pas son ami et commence son régime riche en matières grasses.

D'un point de vue métabolique, comment le corps de Geneviève contournerait-il le problème ? Illustrez la voie de production d'acides aminés à partir des lipides.

Si Geneviève a conservé son poids de départ tout au long de ce régime, sa silhouette va-t-elle se modifier ?

10 La régulation du taux sanguin de nutriments

Le schéma ci-dessous représente deux mécanismes de régulation homéostatique : celui de l'état de jeûne et celui de l'état postprandial.

a) Complétez le schéma ci-dessous.

b) Pour chacun des mécanismes, indiquez s'il s'agit de l'état de jeûne ou de l'état postprandial en cochant la case appropriée.

c) S'agit-il d'un mécanisme de rétro-inhibition ou de rétroactivation ? Encerclez la bonne réponse.

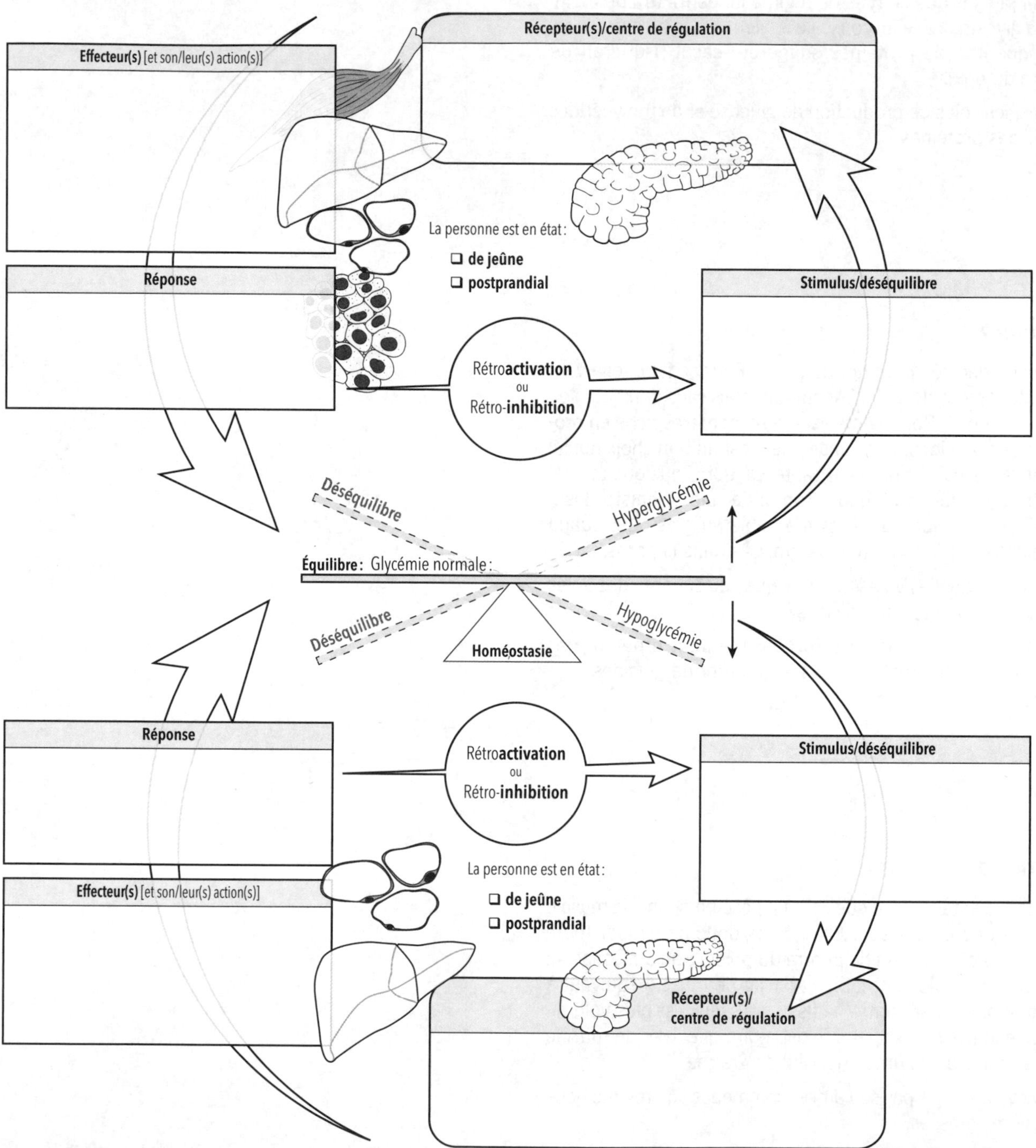

APPLICATION 14.6 : Louis-Charles est né avec une maladie génétique rare qui empêche son corps de produire la leptine. Sachant que la leptine est une hormone régulatrice de l'appétit à long terme qui stimule le centre de la satiété, comment ce trouble affecte-t-il le comportement de Louis-Charles, ainsi que son équilibre énergétique ?

____

____

____

____

____

11 La thermorégulation

Le schéma ci-dessous représente le mécanisme de régulation homéostatique de la régulation nerveuse de la température corporelle chez un adulte.

a) Complétez le schéma ci-dessous.
b) S'agit-il d'un mécanisme de rétro-inhibition ou de rétroactivation ? Encerclez la bonne réponse.
c) Remplissez le tableau de la page suivante sur les réactions homéostatiques pour la thermorégulation en indiquant par un X à quelle situation appartient la réaction homéostatique.

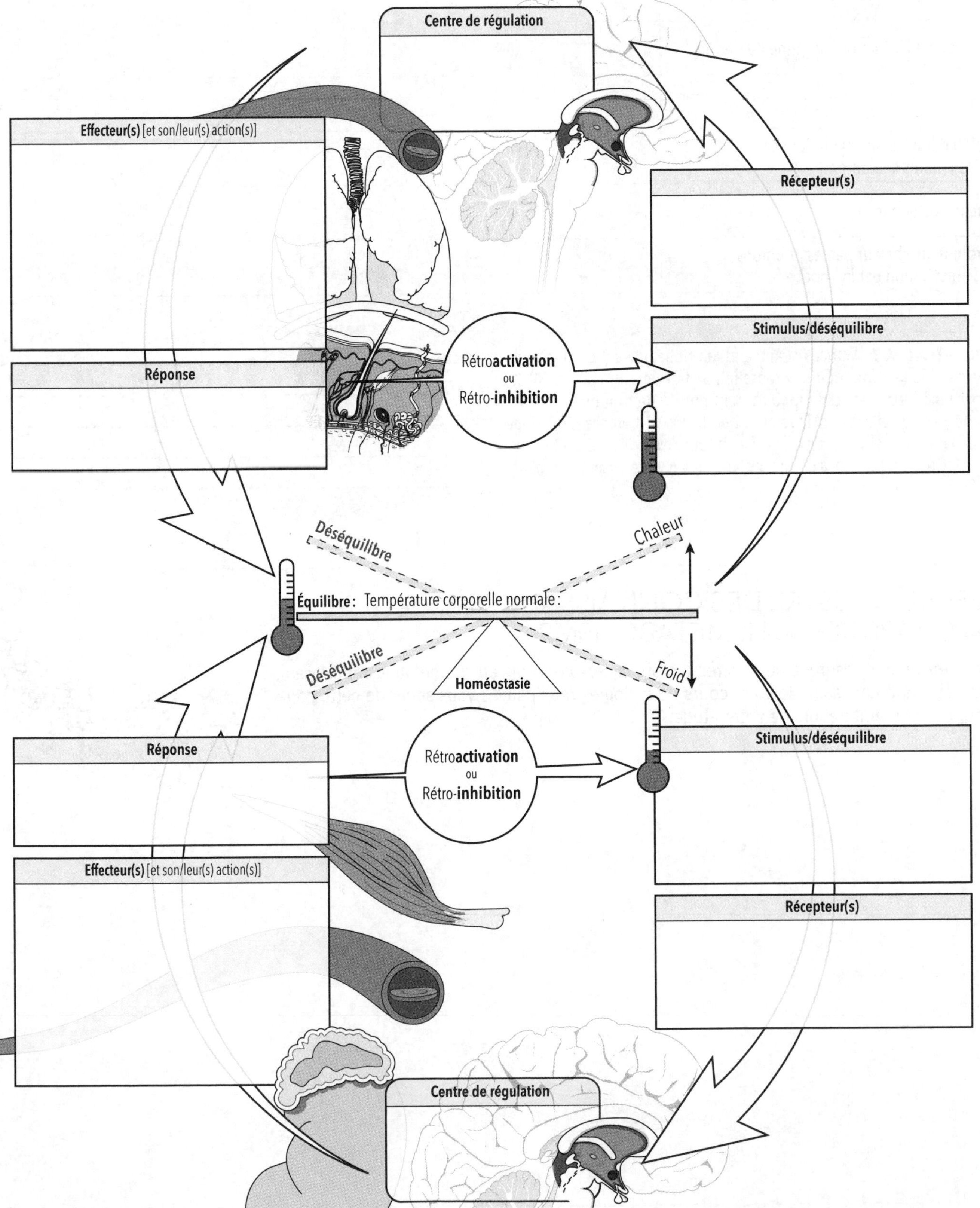

Réaction homéostatique face à la situation	Situation de grande chaleur/ augmentation de la température interne	Situation de grand froid/ diminution de la température interne
Activation du centre de la thermolyse		
Activation du centre de la thermogenèse		
Vasodilatation et irrigation sanguine du derme		
Diminution de l'irrigation sanguine du derme		
Frisson		
Sécrétion d'hormones thyroïdiennes (chez les enfants seulement)		
Production de sueur		
Déperdition de chaleur par les poumons liée à la respiration par la bouche		

APPLICATION 14.7 : France est alitée et fait de la fièvre (augmentation anormale de la température corporelle). Sa température est de 39 °C, alors sa mère lui donne un médicament pour faire diminuer la fièvre (Tylenol). Lorsqu'elle revient la voir une heure plus tard, France a détrempé son lit de sueur et sa peau est rouge. Selon vous, le médicament a-t-il fonctionné ? Quels indices vous permettent d'appuyer votre raisonnement ?

RÉSUMÉ ILLUSTRÉ DES CONNAISSANCES DU CHAPITRE 14 : LE MÉTABOLISME

Dans cette page, résumez ou illustrez les principaux concepts sur le métabolisme liés aux objectifs d'apprentissage de votre cours de biologie. Vous pouvez vous servir de cette page comme aide-mémoire lors de votre étude.

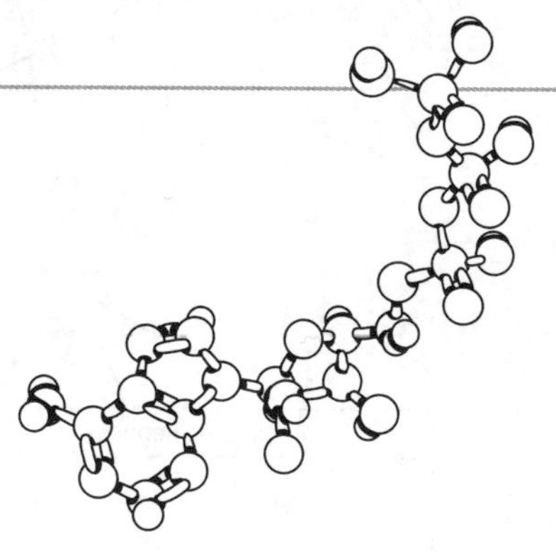

LE SYSTÈME URINAIRE ET L'ÉQUILIBRE ACIDOBASIQUE

CHAPITRE 15

1 Vocabulaire

À l'aide des définitions suivantes, remplissez la grille de mots croisés ci-dessous.

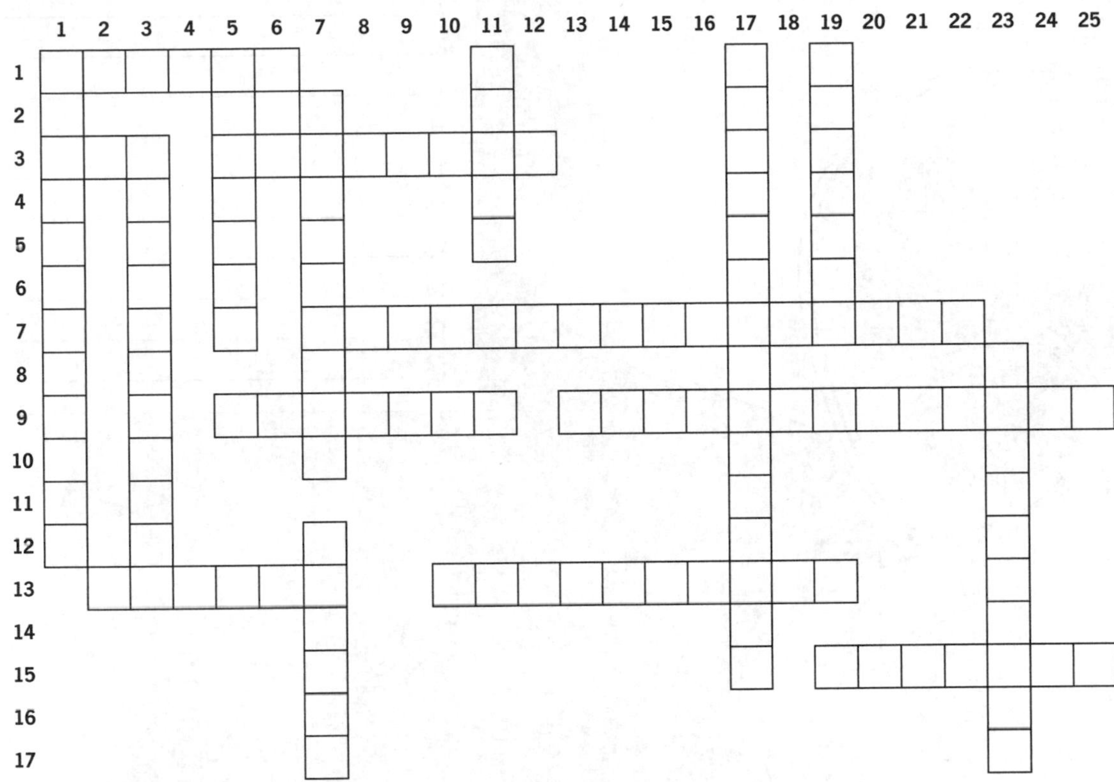

HORIZONTALEMENT

1. Enzyme libérée par les reins permettant d'augmenter la pression artérielle. **3.** Hormone neurohypophysaire libérée lorsque l'osmolalité du sang augmente. Terme signifiant l'excrétion excessive d'urine. **7.** Se dit de la position des reins entre le péritoine pariétal et la paroi dorsale. **9.** Liquide dérivé du plasma se trouvant dans les tubules du néphron. Infection du rein entier. **13.** Nom de l'artère permettant d'apporter le sang vers les reins à partir de l'aorte abdominale. Nom de la forme active de la vitamine D. **15.** Terme désignant l'action d'uriner.

VERTICALEMENT

1. Nom du processus permettant de faire passer sélectivement certaines substances du filtrat vers le sang. **3.** Méthode d'épuration du sang par un rein artificiel où le sang d'un patient passe au travers d'une tubulure. **5.** Unité structurale et fonctionnelle des reins. **7.** Lit de capillaires artériels où se produit la filtration glomérulaire. Organe constitué de tissu musculaire lisse situé derrière la symphyse pubienne, servant de réservoir pour l'urine jusqu'à son évacuation. **11.** Liquide produit par les reins contenant les déchets et les substances en excès qui sont voués à être excrétés du corps. **17.** Hormone produite par les reins afin de stimuler la production des érythrocytes. **19.** Conduit qui transporte l'urine du rein à la vessie. **23.** Nom du processus permettant de produire le filtrat glomérulaire.

2 L'anatomie du système urinaire et du rein

La figure ci-dessous représente les organes du système urinaire ainsi que l'anatomie du rein.

a) Nommez les structures numérotées dans la légende.
b) À l'aide de couleurs différentes, coloriez les éléments nommés dans la légende et les carrés correspondants.

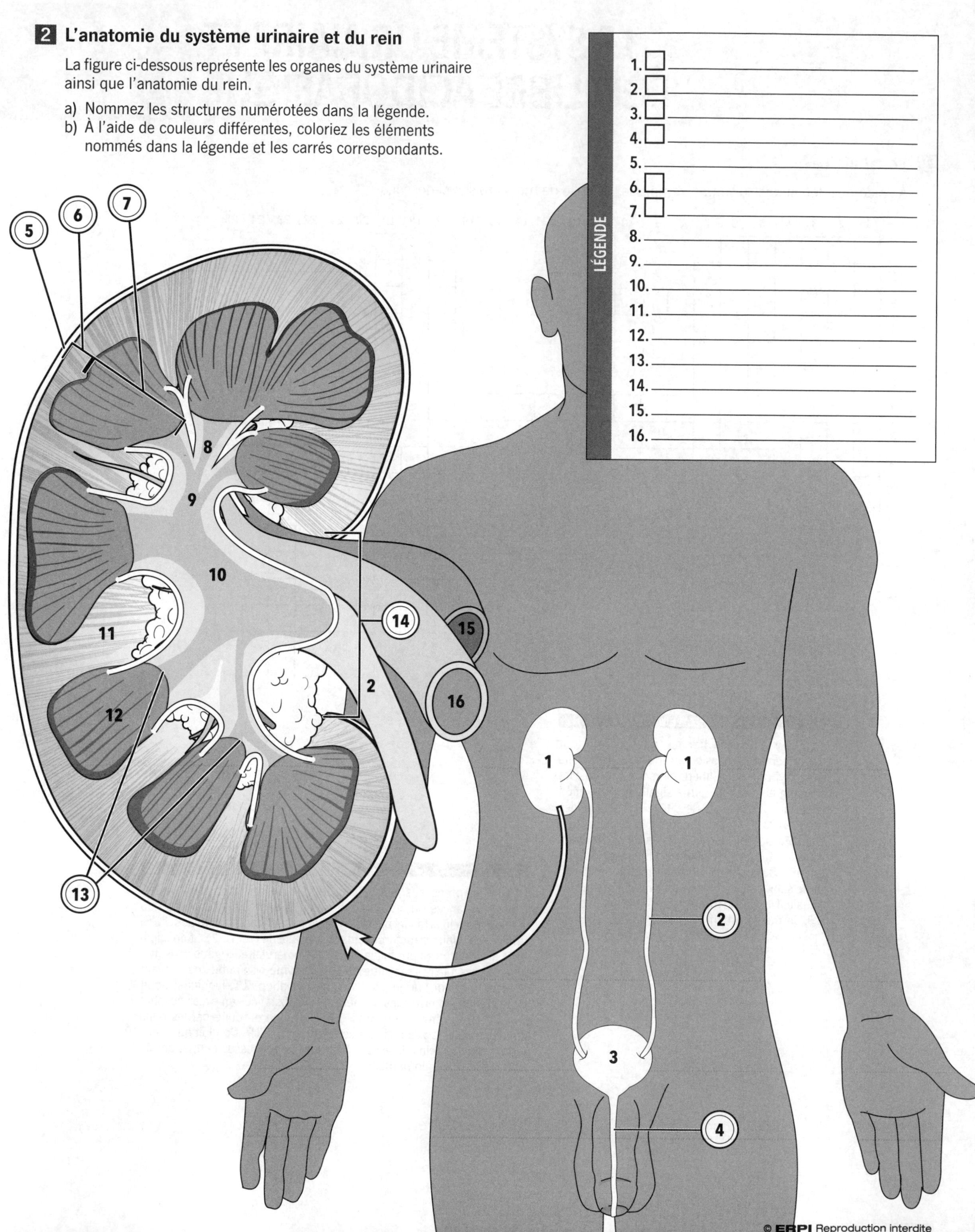

3 L'anatomie du néphron

Les figures ci-dessous représentent les différentes parties du néphron.

a) Nommez les structures numérotées dans la légende.
b) À l'aide de couleurs différentes, coloriez les éléments nommés dans la légende et les carrés correspondants.
c) Ajoutez des flèches pour indiquer le sens de la circulation du liquide dans le néphron et le sens de la circulation sanguine.

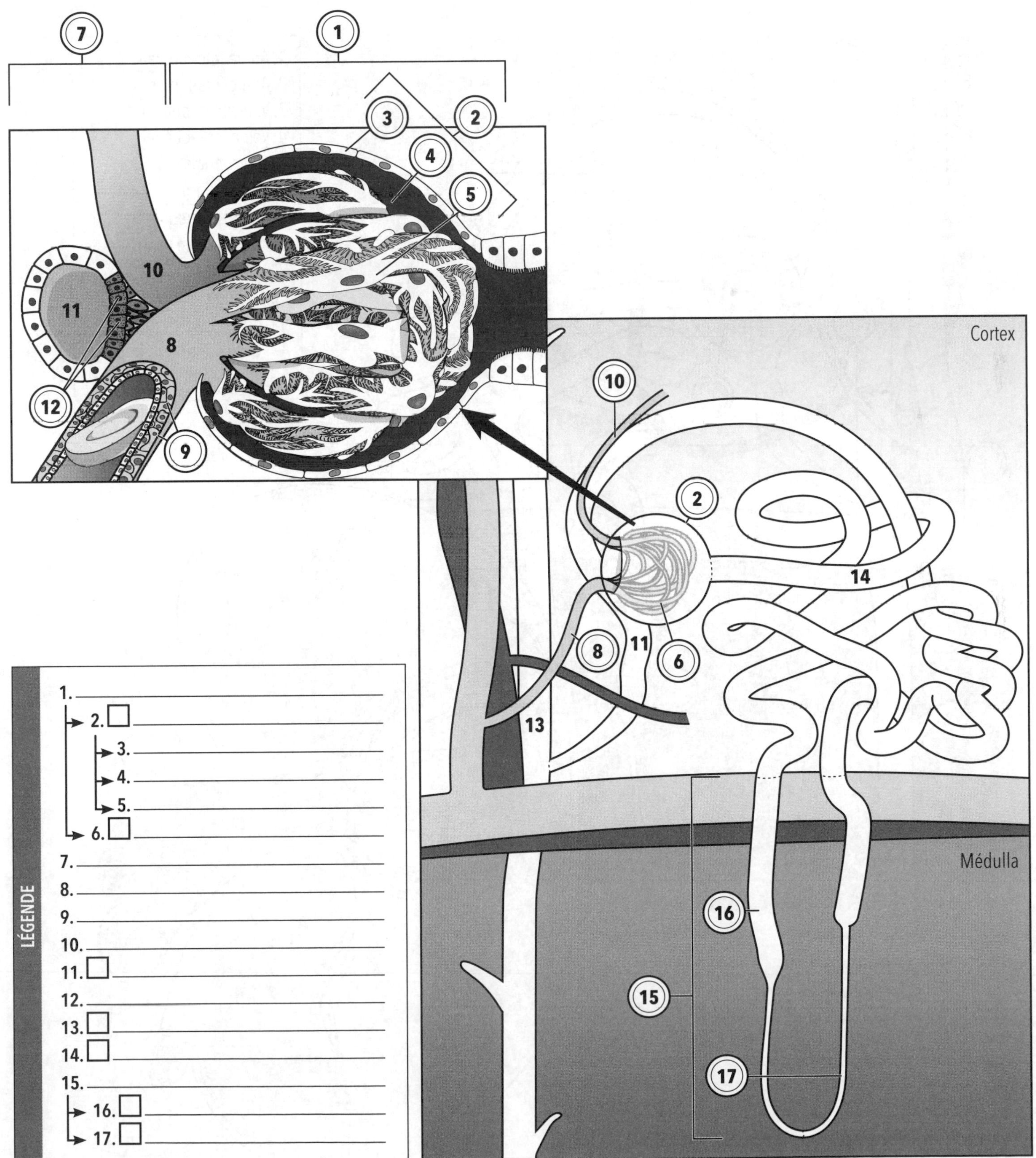

4 Le trajet du sang dans le rein

La figure ci-dessous illustre le réseau de vaisseaux sanguins qui irrigue le rein.

a) À l'aide de la liste de termes, associez aux lettres de l'image le nom des différentes structures empruntées par un globule rouge au cours de son passage dans le rein.

b) À l'aide de couleurs différentes, ajoutez sur l'illustration des flèches indiquant le sens de la circulation du sang. Utilisez la légende et les carrés correspondants pour bâtir votre légende.

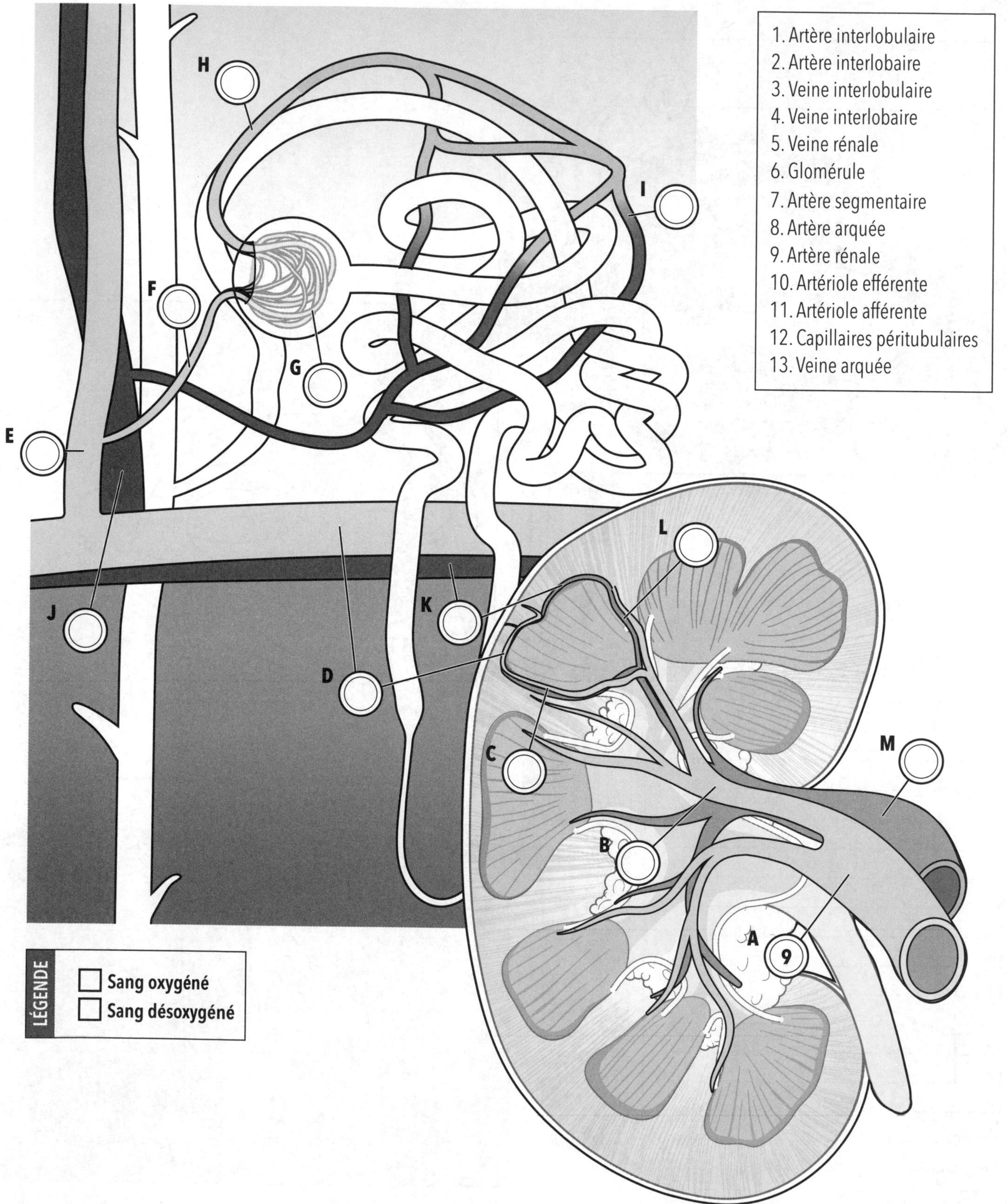

1. Artère interlobulaire
2. Artère interlobaire
3. Veine interlobulaire
4. Veine interlobaire
5. Veine rénale
6. Glomérule
7. Artère segmentaire
8. Artère arquée
9. Artère rénale
10. Artériole efférente
11. Artériole afférente
12. Capillaires péritubulaires
13. Veine arquée

5 La physiologie du néphron

La figure ci-contre illustre la formation de l'urine dans un néphron.

a) Au niveau du corpuscule rénal, coloriez les flèches représentant les différentes pressions intervenant dans la filtration rénale.
b) Au niveau des tubules et de l'anse du néphron, écrivez les noms (abréviations) des substances réabsorbées ou sécrétées et coloriez les flèches selon la légende.
c) Sachant que l'ADH et l'aldostérone ont des effets différents sur le rein, encerclez les régions, les flèches et les noms des substances qui réagissent le plus à chacune de ces hormones.

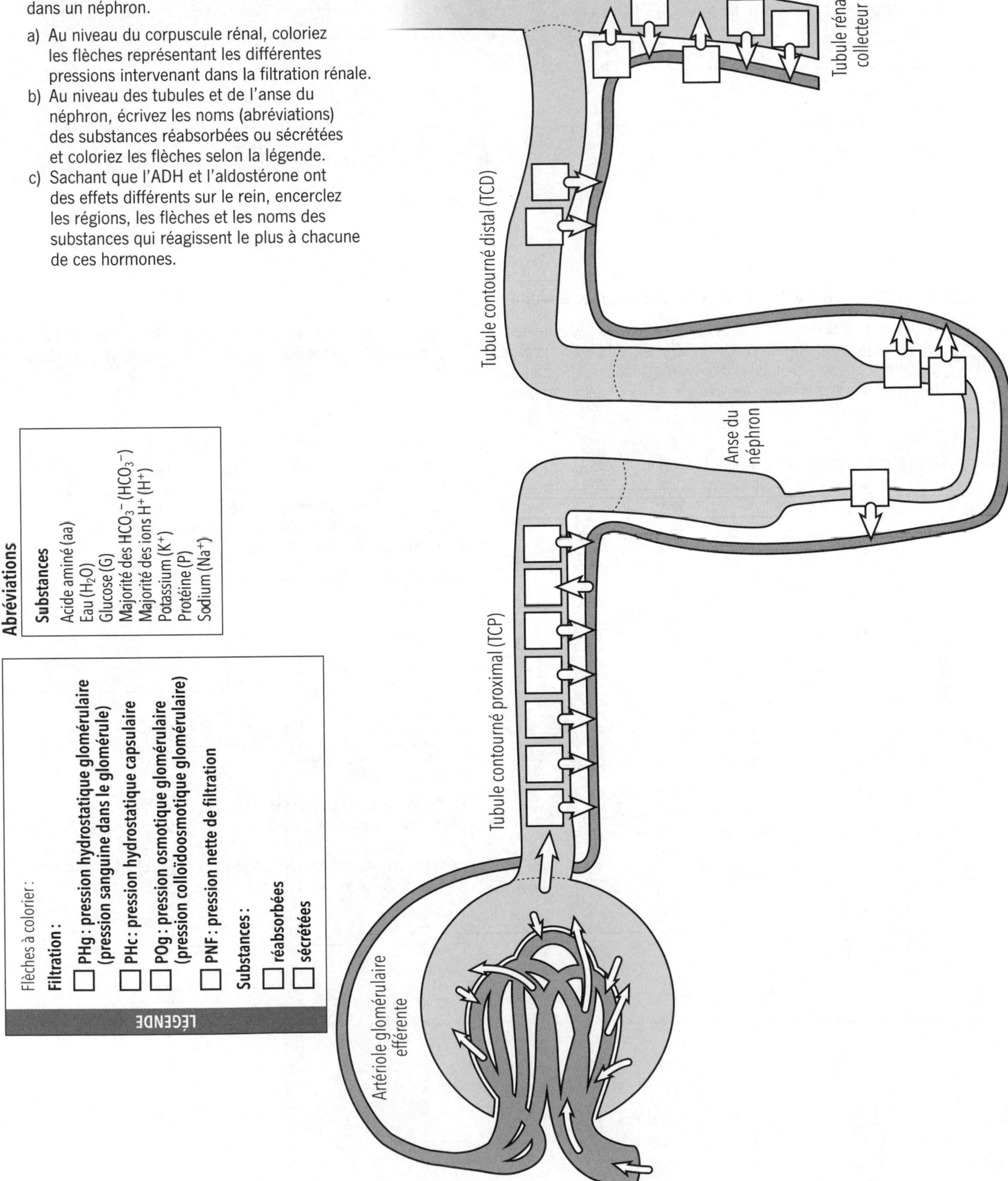

APPLICATION 15.1 : À quelles variations dans la composition de l'urine peut-on s'attendre chez une personne dont les membranes basales glomérulaires et les podocytes sont endommagés ?

6 La régulation hormonale de la pression artérielle

Différentes voies nerveuses et endocriniennes interviennent dans la régulation de la pression artérielle. Dans le schéma de la page suivante, complétez le mécanisme de régulation homéostatique décrivant la régulation endocrinienne de la pression artérielle par le facteur natriurétique auriculaire (FNA), l'hormone antidiurétique (ADH) et le système rénine-angiotensine-aldostérone.

APPLICATION 15.2 : La consommation d'alcool inhibe la sécrétion d'ADH. À quels changements devrait-on s'attendre dans les activités du néphron et du tubule collecteur après la consommation d'alcool ?

APPLICATION 15.3 : Imaginez que vous mangez une grande quantité d'arachides salées sans boire d'eau. À quels changements devrait-on s'attendre sur le plan du mouvement de l'eau entre les compartiments de liquide dans votre corps ?

APPLICATION 15.4 : Emy fait une excursion dans le désert. Elle transpire beaucoup et n'a pas bu suffisamment d'eau tout au long de son excursion : elle est déshydratée. Quel effet cette déshydratation aura-t-elle sur le débit de filtration glomérulaire ? Quelles hormones intervenant dans la régulation de la pression artérielle seront sécrétées ?

APPLICATION 15.5 : Christophe est hospitalisé et reçoit une perfusion très rapide de soluté. Ce grand apport de liquide intraveineux fait augmenter le volume sanguin et favorise la libération d'une hormone sécrétée par le cœur. Nommez cette hormone et décrivez l'effet qu'elle aura sur le débit de filtration glomérulaire.

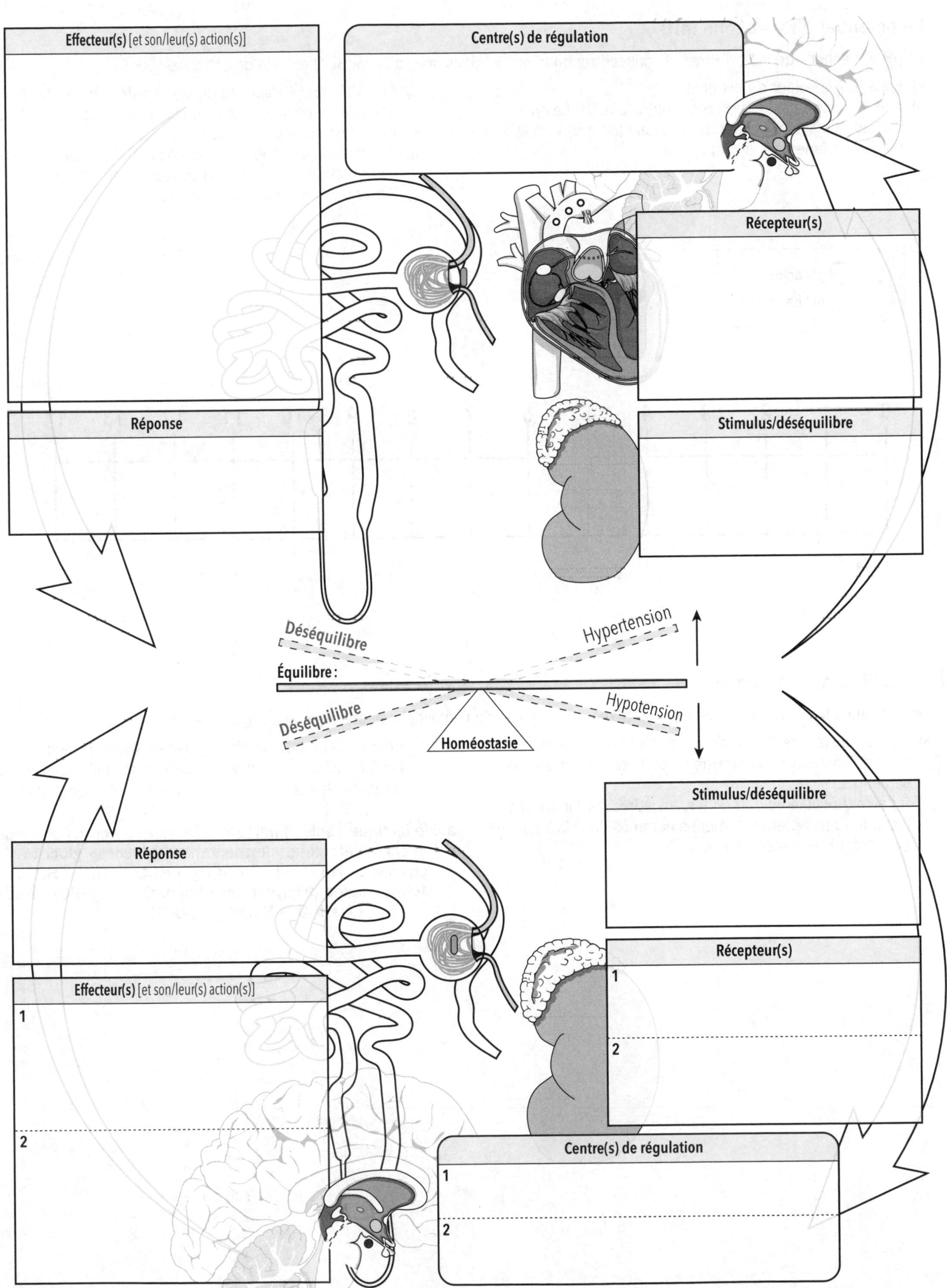
Effecteur(s) [et son/leur(s) action(s)]
Centre(s) de régulation
Récepteur(s)
Réponse
Stimulus/déséquilibre
Déséquilibre
Hypertension
Équilibre :
Déséquilibre
Hypotension
Homéostasie
Stimulus/déséquilibre
Réponse
Récepteur(s)
1
2
Effecteur(s) [et son/leur(s) action(s)]
1
2
Centre(s) de régulation
1
2

7 Le potentiel d'hydrogène (pH)

Le pH et l'échelle de pH expriment la concentration d'ions H^+ dans une solution. Sur l'échelle de pH ci-dessous :

a) Encadrez la valeur du pH neutre.
b) Afin d'illustrer l'acidité du pH, ajoutez une flèche en dégradé de couleur allant du plus pâle (neutre) vers le plus foncé (extrêmement acide).
c) Afin d'illustrer l'alcalinité du pH, ajoutez une flèche en dégradé de couleur allant du plus pâle (neutre) vers le plus foncé (extrêmement basique).
d) Dessinez plusieurs ions hydrogène (H^+) là où leur concentration est élevée et très peu là où leur concentration est faible.
e) Situez la valeur normale de pH sanguin.

LÉGENDE
☐ pH acide
☐ pH basique

pH

0	1	2	3	4	5	6	7	8	9	10	11	12	13	14

8 L'équilibre acidobasique

Les systèmes tampons sont très importants dans le maintien de l'équilibre acidobasique de l'organisme.

a) À l'aide de la liste de termes, complétez la figure de la page suivante. (Chaque terme ne doit être utilisé qu'une seule fois.)
b) À l'aide de couleurs différentes, encadrez sur l'illustration les différents systèmes tampons nommés dans la légende et les carrés correspondants.
c) Pour les tampons chimiques présents dans le sang, coloriez selon la légende les acides forts/faibles, les bases fortes/faibles et les sels et les carrés correspondants.

acide lactique • acide lactique • cétogenèse • corps cétonique • corps cétonique • fermentation • glucose • glucose • glycolyse • H_2CO_3 • H_2O • HCO_3^- • HCO_3^- • HHb • HPO_4^{2-} • lactate • lipide (triglycéride) • Na_2HPO_4 • Na_2HPO_4 • NaCl • $NaHCO_3$ • NaOH • R-COOH • $R\text{-}NH_3^+$

LÉGENDE

- ☐ Acide fort
- ☐ Base forte
- ☐ Acide faible
- ☐ Base faible
- ☐ Sel

Systèmes tampons chimiques

- ☐ Acide carbonique-bicarbonate
- ☐ Phosphate disodique-phosphate monosodique
- ☐ Protéinate-protéines

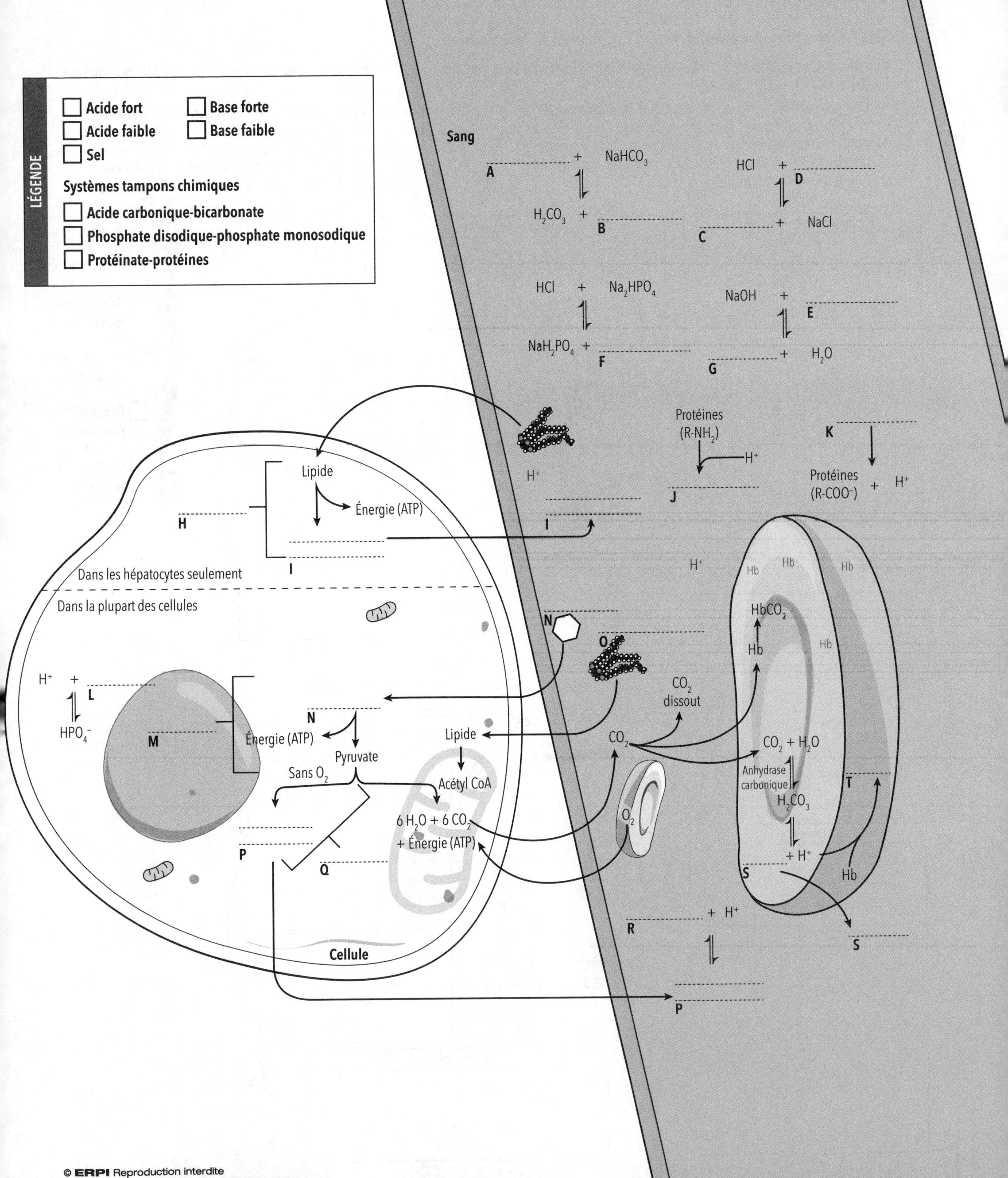

Sang

A .... + $NaHCO_3$ ⇌ H_2CO_3 + B ....

HCl + D .... ⇌ C .... + NaCl

HCl + Na_2HPO_4 ⇌ NaH_2PO_4 + F ....

NaOH + E .... ⇌ G .... + H_2O

Protéines ($R\text{-}NH_2$) + H^+ → J ....

K .... → Protéines ($R\text{-}COO^-$) + H^+

H^+

I ....

I ....

Cellule

H .... → Lipide → Énergie (ATP)

....

I ....

Dans les hépatocytes seulement

Dans la plupart des cellules

H^+ + L .... ⇌ HPO_4^-

M ....

N .... → Énergie (ATP), Pyruvate

Sans O_2 → P ....

....

Q ....

Lipide → Acétyl CoA → 6 H_2O + 6 CO_2 + Énergie (ATP)

N ....

O ....

CO_2 → CO_2 dissout

O_2

H^+

Hb Hb Hb Hb

$HbCO_2$ ← Hb

CO_2 + H_2O ⇌ (Anhydrase carbonique) H_2CO_3 ⇌ + H^+

T ....

Hb

S ....

S ....

R .... + H^+ ⇌ ....

P ....

9 Les réponses homéostatiques à l'acidose et à l'alcalose

Les reins et les poumons étant en interaction fonctionnelle pour maintenir l'équilibre acidobasique, lorsque l'un cause le déséquilibre, l'autre tente de le compenser.

a) Complétez le mécanisme de régulation homéostatique ci-dessous, qui illustre le maintien de l'équilibre acidobasique.

b) Ajoutez des flèches (↑ ou ↓) pour marquer l'augmentation ou la diminution de la concentration d'ions H^+ ainsi que les variations du pH.

c) Coloriez la portion des cases Stimulus/déséquilibre en fonction de leur type de déséquilibre (métabolique ou respiratoire) et la portion des cases Effecteur(s) selon le type de compensation (respiratoire ou rénale) auquel ceux-ci correspondent. Indiquez la couleur choisie dans la légende.

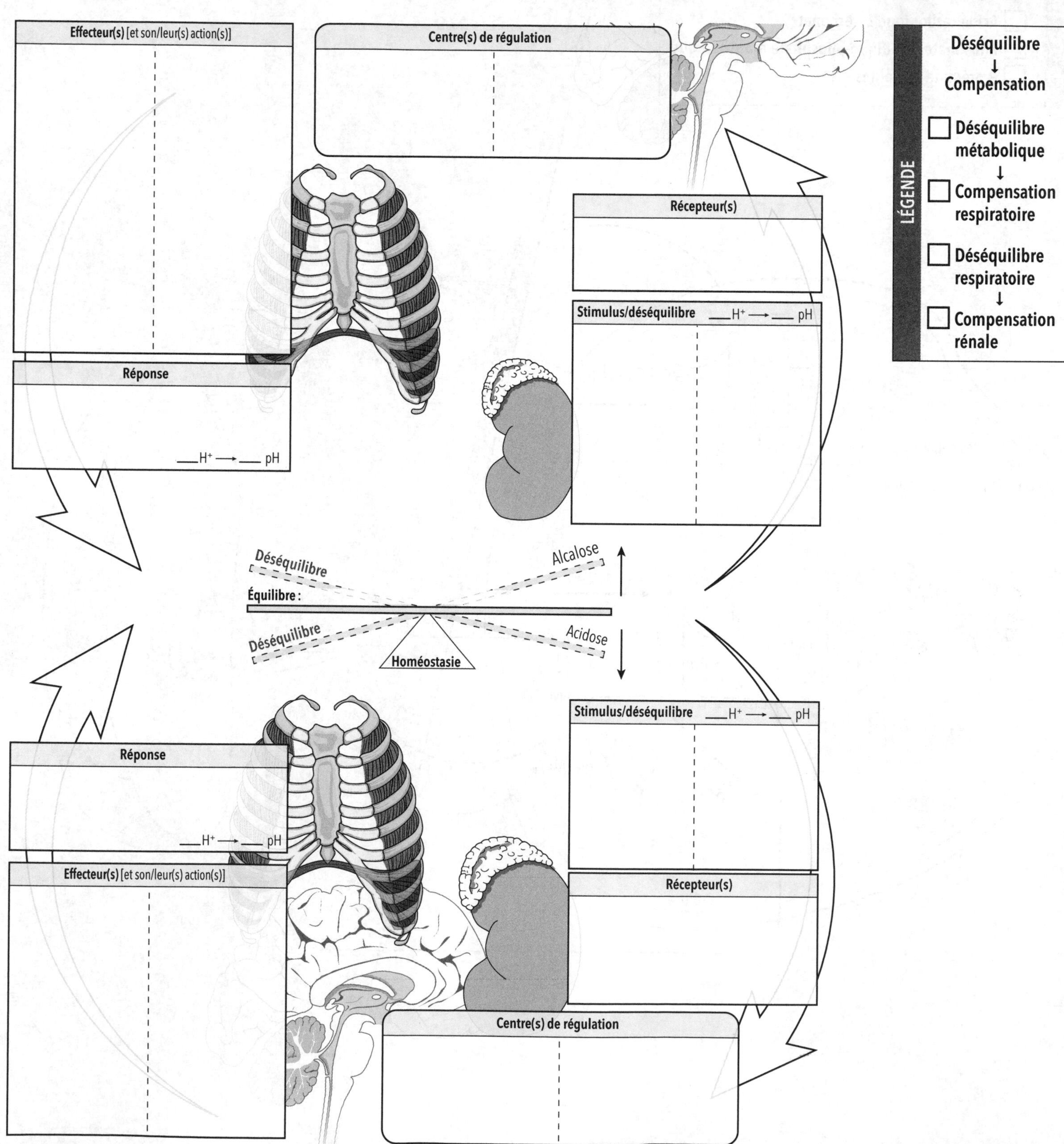

10 La compensation respiratoire et rénale

Remplissez le tableau suivant sur les causes des déséquilibres acidobasiques et leurs compensations.

Situation	Cause du déséquilibre	Acidose OU alcalose	Métabolique OU respiratoire	Compensation respiratoire ou rénale
Marathon (exercice prolongé)	Acide lactique produit en grande quantité par les cellules musculaires	Acidose	Métabolique	Compensation respiratoire
Diarrhée persistante				
Vomissements				
Crise d'anxiété				
Consommation excessive d'alcool				
Prise de médicament antiacide ou alcalin				
Fibrose kystique				
Diabète (hyperglycémie non traitée)				

APPLICATION 15.6 : Les maladies pulmonaires obstructives chroniques (MPOC), dont font partie l'emphysème et la bronchite chronique, sont de graves maladies du système respiratoire.

a) Expliquez pourquoi l'acidose sert de facteur pour évaluer la gravité d'une exacerbation (crise) de MPOC chez les gens souffrant de cette maladie.

b) Quel mécanisme de compensation interviendra dans cette situation et comment la compensation se fera-t-elle ?

11 Le réflexe simplifié de la miction chez le nourrisson

La figure ci-dessous représente l'arc réflexe simplifié de la miction chez le nourrisson.

a) Nommez les structures numérotées dans la légende.
b) À l'aide de couleurs différentes, coloriez les éléments nommés dans la légende et les carrés correspondants.
c) Indiquez par des flèches le sens de l'influx nerveux de l'arc réflexe de la miction et indiquez dans les parenthèses si les neurones activent (+) ou inhibent (–) les effecteurs.
d) Remplissez le tableau ci-dessous.

LÉGENDE

À identifier :

1. ____________________
2. ☐ **Mécanorécepteurs (barorécepteurs)**
3. ____________________
4. ☐ ____________________
5. ☐ ____________________

Neurone à colorier :

☐ **afférent ou sensitif**
☐ **intégrateur ou interneurone**
☐ **moteur involontaire (parasympathique)**
☐ **moteur volontaire (somatique)**

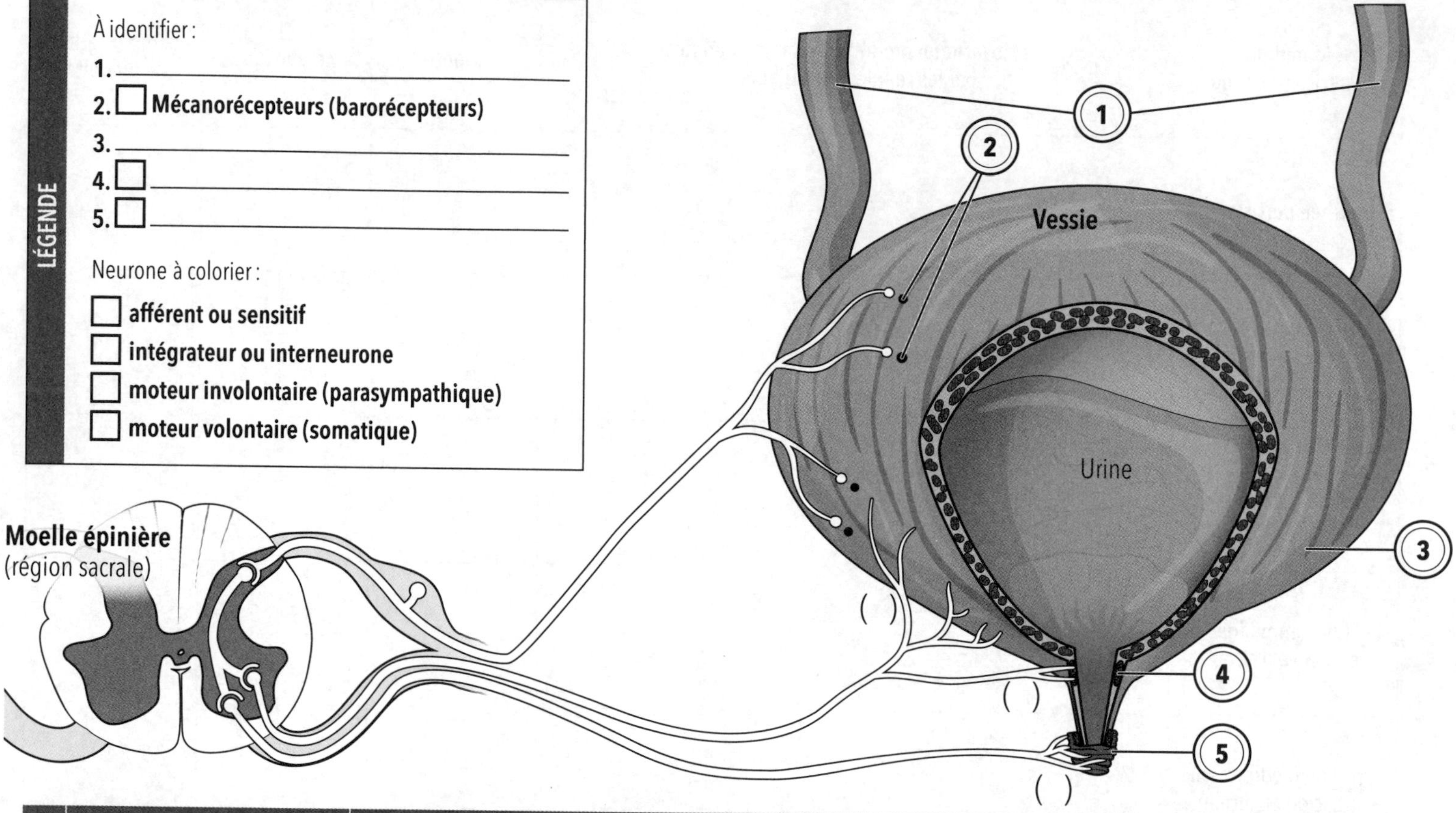

Moelle épinière
(région sacrale)
Vessie
Urine
1
2
3
4
5
( )
( )
( )

Nº	Composants du réflexe	Réflexe autonome de la miction chez le nourrisson
1	Stimulus	
2	Récepteur(s)	
3	Centre d'intégration	
4	Effecteur(s)	
5	Réponse	Miction : l'urine s'écoule hors du corps.

APPLICATION 15.7 : a) Après l'âge de deux ou trois ans, la majorité des enfants sont en mesure d'avoir des mictions contrôlées. À quoi est dû ce changement ?

____
____
____
____
____

b) Par contre, un certain nombre d'enfants de plus de cinq ans ont des mictions involontaires au cours de leur sommeil (énurésie nocturne). À quoi ce problème peut-il être dû ?

____
____
____
____

APPLICATION 15.8 : L'absence de contrôle volontaire de la miction est appelée incontinence urinaire. Sachant que les personnes âgées souffrant d'incontinence urinaire ont généralement une hyperactivité vésicale et une diminution de la puissance des muscles permettant la rétention de l'urine, nommez les muscles défaillants dans cette situation.

____
____

LE SYSTÈME GÉNITAL

CHAPITRE 16

1 Vocabulaire

À l'aide des définitions suivantes, remplissez la grille de mots croisés ci-dessous.

HORIZONTALEMENT

1. Cellule sexuelle expulsée de l'ovaire lors de l'ovulation. **3.** Conduit qui achemine l'urine chez la femme, et l'urine et le sperme chez l'homme. **5.** Poche membraneuse située dans la tête du spermatozoïde contenant des enzymes nécessaires à la pénétration du spermatozoïde dans l'ovocyte. Gonade mâle située dans le scrotum qui produit les spermatozoïdes et des hormones. **7.** Grosse cellule créée à la fin de la méiose d'un ovocyte de deuxième ordre après sa pénétration par un spermatozoïde. **9.** Membrane qui recouvre habituellement partiellement l'orifice vaginal et qui peut se déchirer au moment des premières relations sexuelles. Hormone sexuelle mâle sécrétée par les cellules interstitielles des testicules. **11.** Glande située sous la vessie qui sécrète un liquide légèrement acide et laiteux. Terme générique faisant référence à l'organe qui produit les gamètes et des hormones sexuelles. **13.** Série de modifications subies par les spermatozoïdes après l'éjaculation afin de les rendre aptes à féconder l'ovocyte. **15.** Organe où a lieu le développement du fœtus. Division cellulaire qui mène à la formation des gamètes. **17.** Couche interne de l'utérus qui se désintègre lors des menstruations. **19.** Peau qui recouvre le gland.

VERTICALEMENT

1. Moment pendant le cycle ovarien où l'ovocyte est expulsé de l'ovaire. **7.** Processus au cours duquel l'embryon en développement (ou plus précisément le blastocyste) se fixe à l'endomètre de la paroi utérine. **9.** Liquide contenant un mélange de spermatozoïdes et des sécrétions des glandes annexes des voies génitales de l'homme. **11.** Cellule sexuelle mâle qui contient 23 chromosomes. **17.** L'ensemble des organes génitaux externes de la femme. **19.** Processus de formation des spermatozoïdes dans les tubules séminifères contournés des testicules. **23.** Organe reproducteur de la femme qui produit les ovocytes et des hormones.

2 L'anatomie du système génital de l'homme

La figure ci-dessous représente les structures du système génital de l'homme.

a) Nommez les structures numérotées dans la légende.
b) À l'aide de couleurs différentes, coloriez les éléments nommés dans la légende et les carrés correspondants.
c) Sur la figure de gauche, illustrez à l'aide de flèches le chemin parcouru par un spermatozoïde, à partir de son lieu de formation jusqu'à sa sortie à l'extérieur du corps.

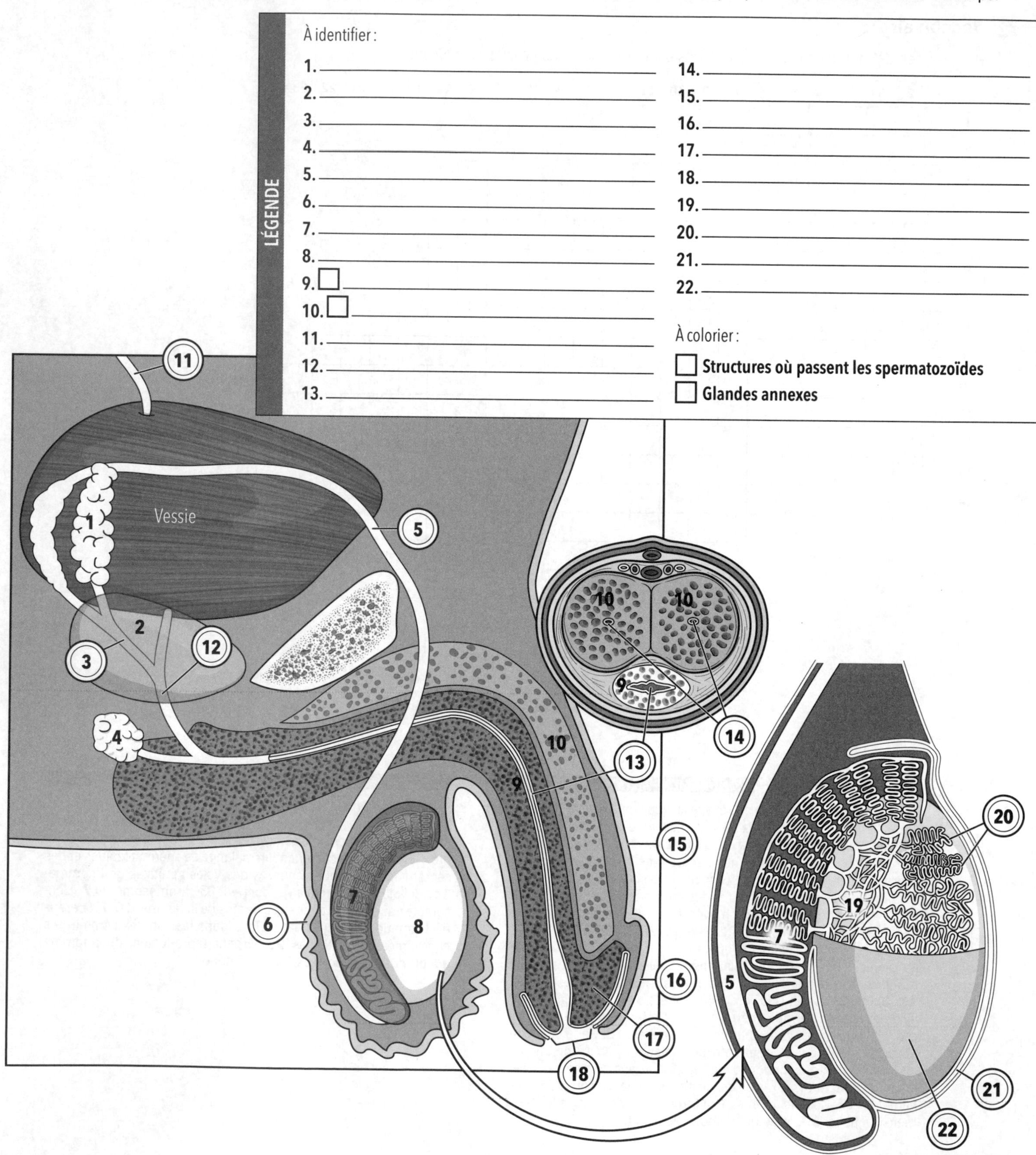

APPLICATION 16.1 : Parce qu'il était atteint d'un cancer, Antony a subi l'ablation chirurgicale des deux testicules.

a) Quels effets l'absence de testicules aura-t-elle sur l'apparence physique générale d'Antony ?

b) Est-ce qu'Antony pourra avoir des enfants un jour ?

APPLICATION 16.2 : Au début du printemps, Isaac veut être le premier à pouvoir se vanter de s'être baigné cette année. Il entre dans l'eau d'un lac à peine dégelé, ce qui fait remonter ses testicules et plisser son scrotum. Ces changements sont dus à un mécanisme de protection qui permet de garder le plus possible les testicules à une température idéale pour la production de spermatozoïdes. Quels muscles sont à l'origine de ces changements ?

APPLICATION 16.3 : Julien adore porter des jeans très serrés. Depuis quelques mois, il essaie de concevoir un enfant avec sa conjointe, mais cela ne fonctionne pas. Il se rend dans une clinique de fertilité et passe un spermogramme. Les résultats du test montrent que Julien est infertile et le médecin lui indique que ses habitudes vestimentaires pourraient être en cause. Expliquez le point de vue du médecin.

3 La composition du sperme

Complétez le schéma de concepts suivant qui présente la composition du sperme. Écrivez les chiffres de l'exercice précédent dans les cercles et placez les termes de la liste dans les cases :

épais mucus alcalin
· sécrétion des vésicules séminales (liquide alcalin et visqueux)
· sécrétion prostatique · spermatozoïdes

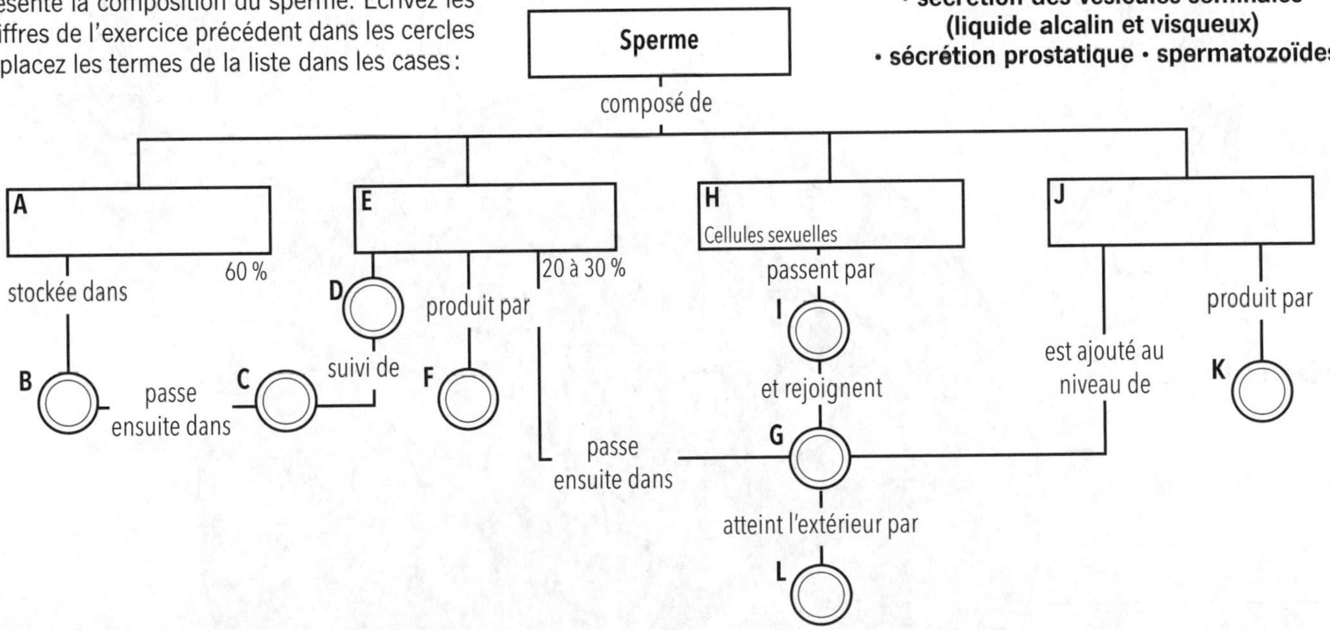

Sperme
composé de

A — 60 % — stockée dans B — passe ensuite dans C

E — 20 à 30 % — D suivi de C ; produit par F ; passe ensuite dans G

H — Cellules sexuelles — passent par I — et rejoignent G — atteint l'extérieur par L

J — est ajouté au niveau de G ; produit par K

APPLICATION 16.4 : Martin vient de subir une vasectomie. Il explique à sa conjointe que, par conséquent, il ne pourra plus éjaculer pendant les rapports sexuels. Êtes-vous d'accord avec l'affirmation de Martin ? Justifiez votre réponse en vous appuyant sur des facteurs anatomiques et physiologiques.

4 La spermatogenèse

La figure ci-dessous représente le mécanisme de régulation de la spermatogenèse.

a) Complétez la légende et, à l'aide de couleurs différentes, coloriez les hormones nommées dans la légende et les symboles correspondants. Donnez-vous un code de couleurs dans la légende pour compléter votre dessin.

b) Sur l'illustration, coloriez les flèches blanches selon qu'elles ont un effet d'inhibition ou de stimulation.

c) Nommez les hormones sécrétées par les cellules présentes dans les testicules et décrivez les effets de ces hormones.

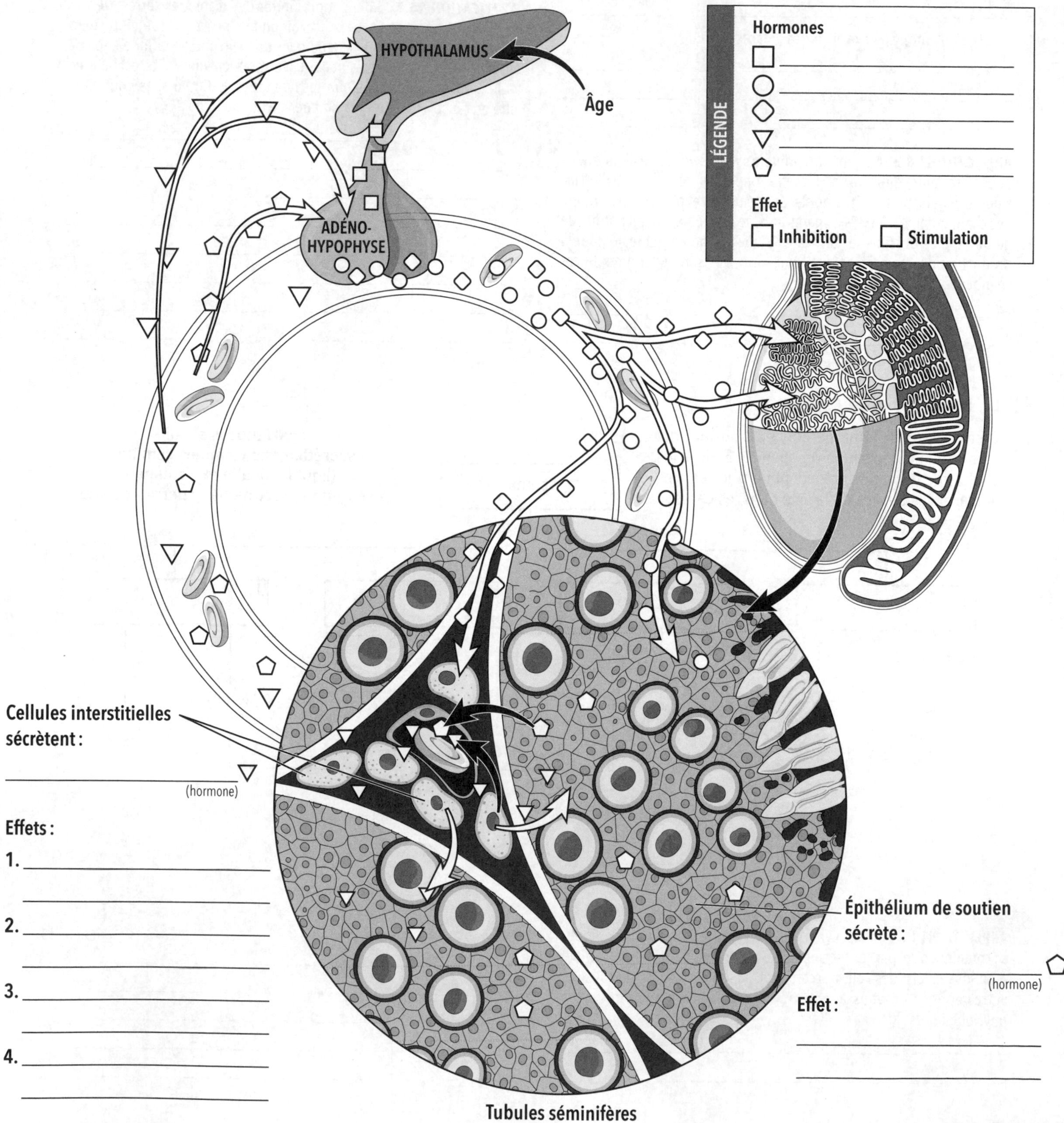

APPLICATION 16.5 : Des chercheurs étudient la possibilité d'utiliser la testostérone comme contraceptif masculin. Compte tenu des rôles que joue cette hormone dans la régulation de la spermatogenèse, comment la testostérone pourrait-elle empêcher un homme de produire suffisamment de spermatozoïdes pour être fertile ?

____

____

____

____

____

____

____

____

5 L'anatomie du système génital de la femme

La figure ci-dessous représente les organes et les différentes structures du système génital de la femme.

a) Nommez les structures numérotées dans la légende.
b) À l'aide de couleurs différentes, coloriez les éléments nommés dans la légende et les carrés correspondants.
c) Sur la figure de droite, tracez le chemin d'un spermatozoïde déposé dans le vagin et rejoignant un ovocyte pour le féconder.

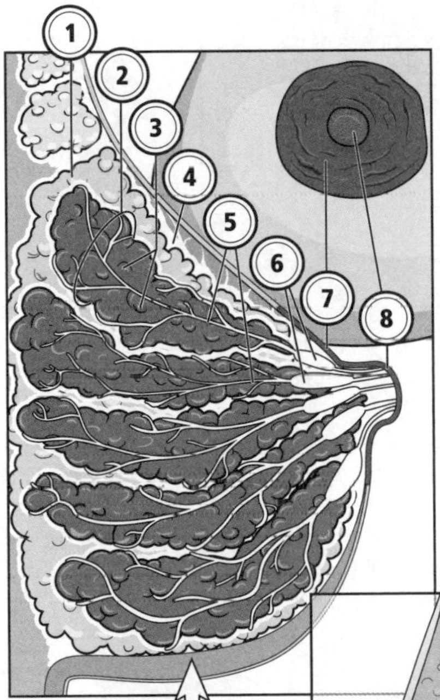

LÉGENDE

1. ______________________________
2. ______________________________
3. ☐ ______________________________
4. ______________________________
5. ☐ ______________________________
6. ☐ ______________________________
7. ______________________________
8. ______________________________
9. ______________________________
10. ______________________________
11. ☐ ______________________________
    - → 12. ______________________________
    - → 13. ______________________________
14. ______________________________
    - → 15. ☐ ______________________________
    - → 16. ☐ ______________________________
    - → 17. ☐ ______________________________
18. ______________________________
19. ______________________________
20. ______________________________
21. ______________________________
22. ______________________________

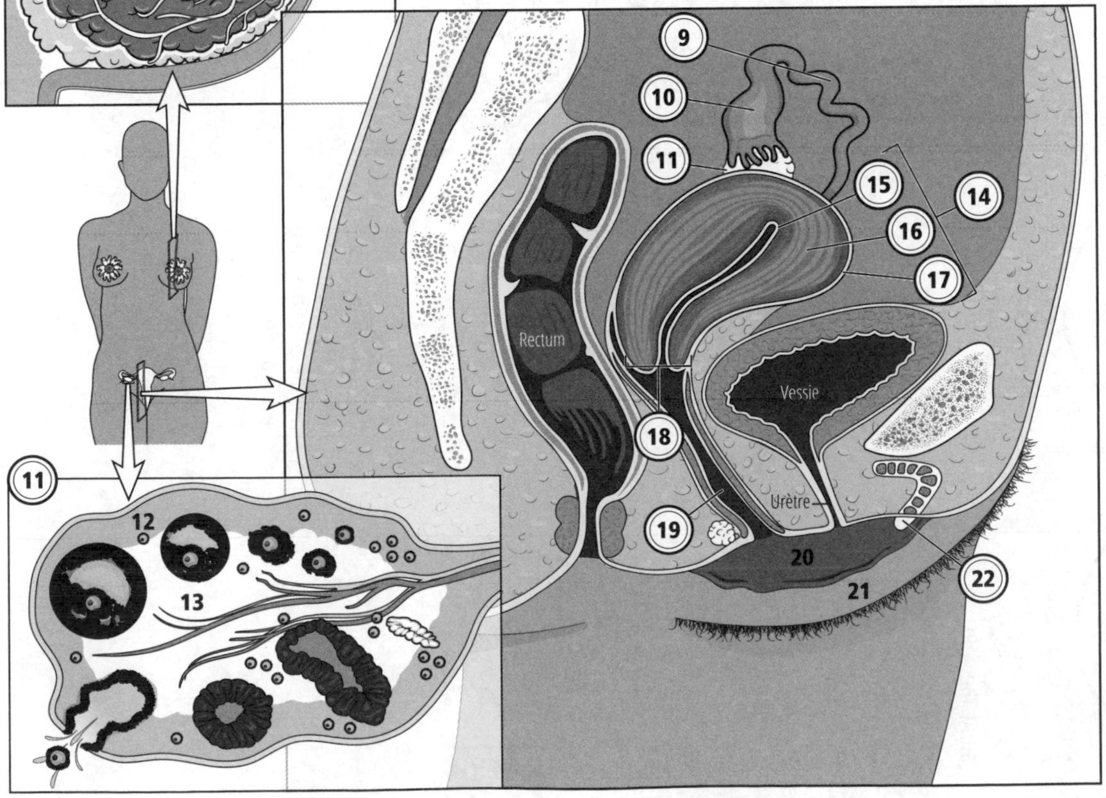

APPLICATION 16.6 : Dans de rares cas, un ovocyte est libéré dans la cavité pelvienne d'une femme plutôt que dans la trompe utérine, et il peut y être fécondé. Décrivez les caractéristiques structurales du système génital féminin qui font de cette circonstance rare une possibilité.

____

____

____

____

____

____

____

____

____

____

____

____

6 La méiose

Complétez le schéma ci-dessous, qui décrit les étapes de la méiose.

a) Écrivez le nom des étapes de la méiose qui ne sont pas nommées dans le schéma.

b) À l'aide de couleurs différentes, coloriez les éléments nommés dans la légende et les carrés correspondants. S'il y a lieu, complétez les illustrations.

c) Décrivez brièvement les évènements dans chacune des étapes.

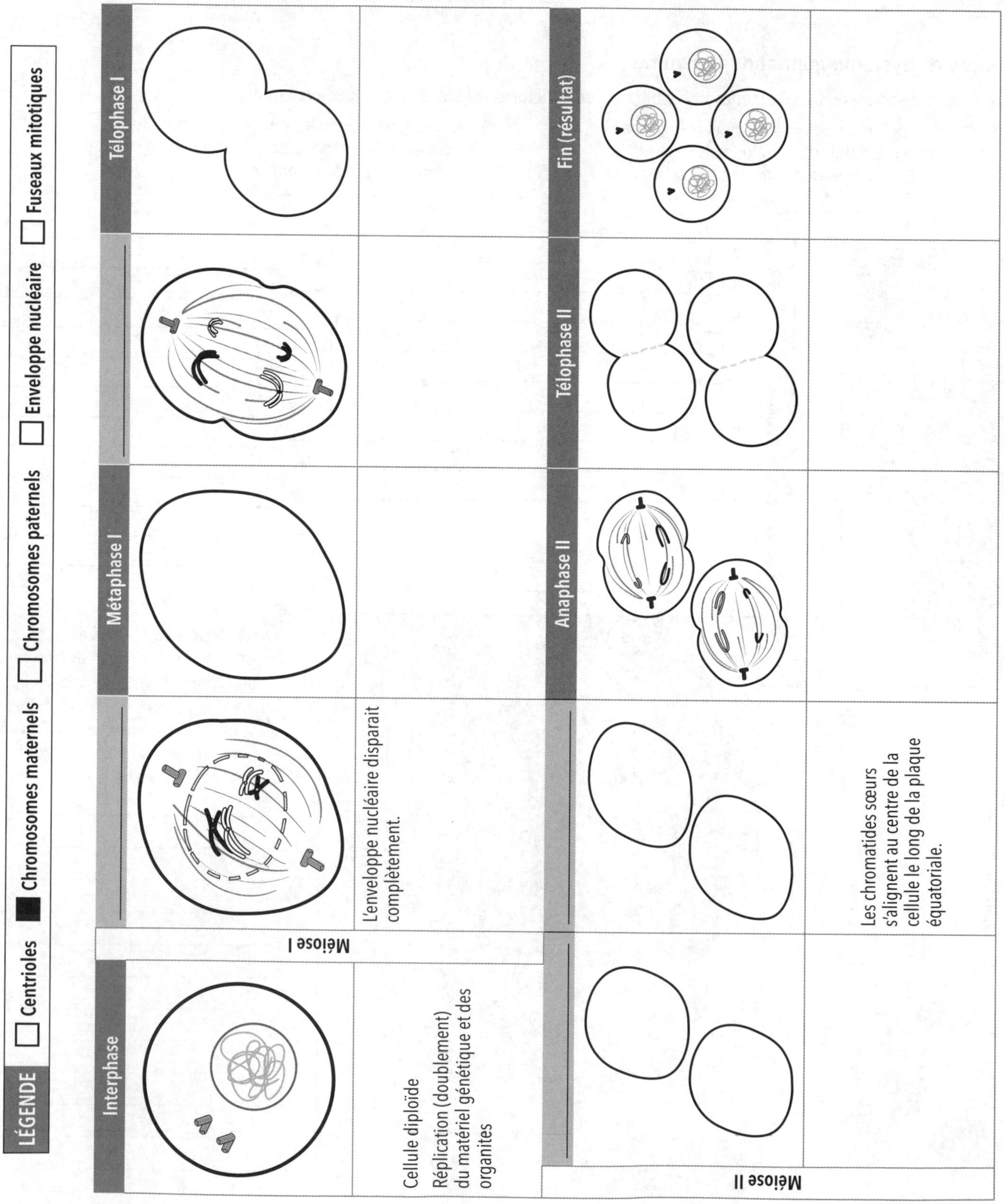

LÉGENDE ☐ Centrioles ■ Chromosomes maternels ☐ Chromosomes paternels ☐ Enveloppe nucléaire ☐ Fuseaux mitotiques

Méiose I	Interphase	______	Métaphase I	______	Télophase I
	Cellule diploïde Réplication (doublement) du matériel génétique et des organites	L'enveloppe nucléaire disparait complètement.			

Méiose II	______	______	Anaphase II	Télophase II	Fin (résultat)
		Les chromatides sœurs s'alignent au centre de la cellule le long de la plaque équatoriale.			

7 La non-disjonction de chromosomes pendant la méiose

La non-disjonction est la non-séparation des chromosomes homologues lors de la méiose. Elle peut se produire lors de la méiose I (anaphase I) ou de la méiose II (anaphase II). Dans chacun des cas :

a) Illustrez ce phénomène en coloriant les structures de la légende et les carrés correspondants.
b) Complétez le titre des deux figures ci-contre en indiquant à quelle étape la non-disjonction des chromosomes s'est produite (méiose I ou II).
c) Dessinez le résultat de la méiose (chromosomes) dans les deux cas et écrivez l'état chromosomique de chacun des gamètes produits (voir les abréviations).

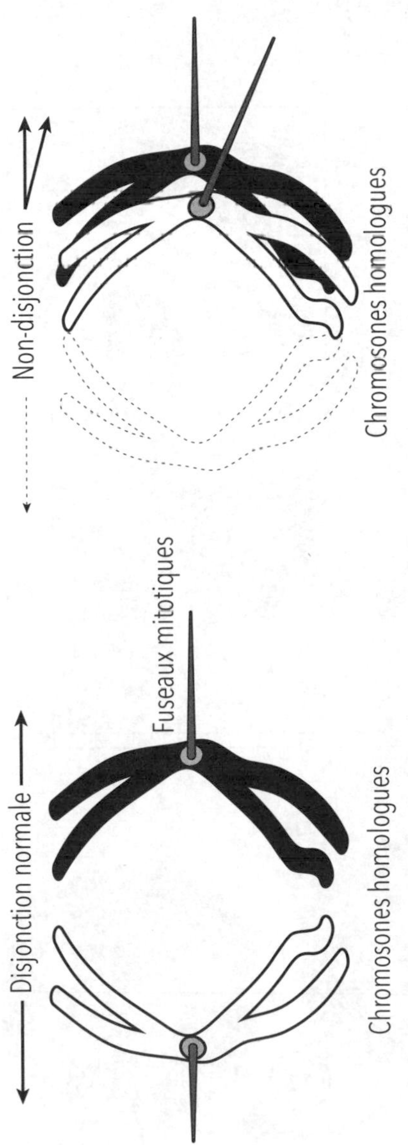

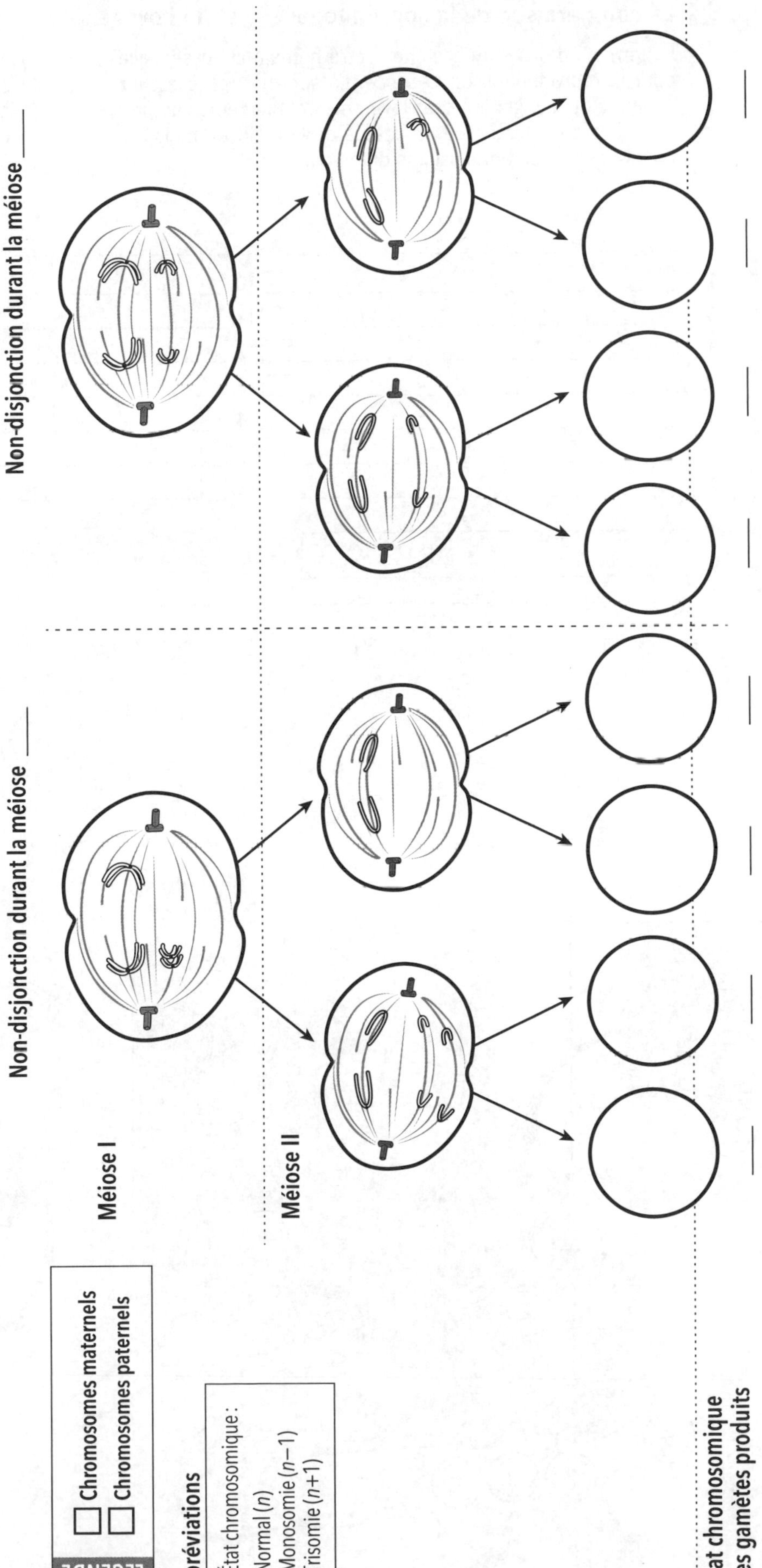

Non-disjonction durant la méiose ____

Non-disjonction durant la méiose ____

Méiose I

Méiose II

État chromosomique des gamètes produits

LÉGENDE

☐ **Chromosomes maternels**
☐ **Chromosomes paternels**

Abréviations

État chromosomique :
Normal (n)
Monosomie (n−1)
Trisomie (n+1)

8 La comparaison de la spermatogenèse et de l'ovogenèse

La formation des gamètes chez l'être humain est essentielle pour la reproduction de l'espèce. La spermatogenèse chez l'homme et l'ovogenèse chez la femme ont un même but (produire des gamètes par le processus de la méiose), mais ces processus présentent plusieurs différences.

a) Nommez les structures numérotées dans la légende.
b) À l'aide de couleurs différentes, coloriez les éléments nommés dans la légende et les carrés correspondants. Les rectangles à colorier dans la légende indiquent que les structures de gauche et de droite portent la même couleur.
c) Remplissez le tableau de la page suivante.

LÉGENDE

1. ____________________
2. ____________________
3. ____________________
4. ____________________
5. ____________________
6. ____________________
7. ____________________
8. ____________________ (riche en mitochondries)
9. ____________________
10. ____________________
11. ____________________
12. ____________________
13. ____________________
14. ____________________
15. ____________________
16. ____________________

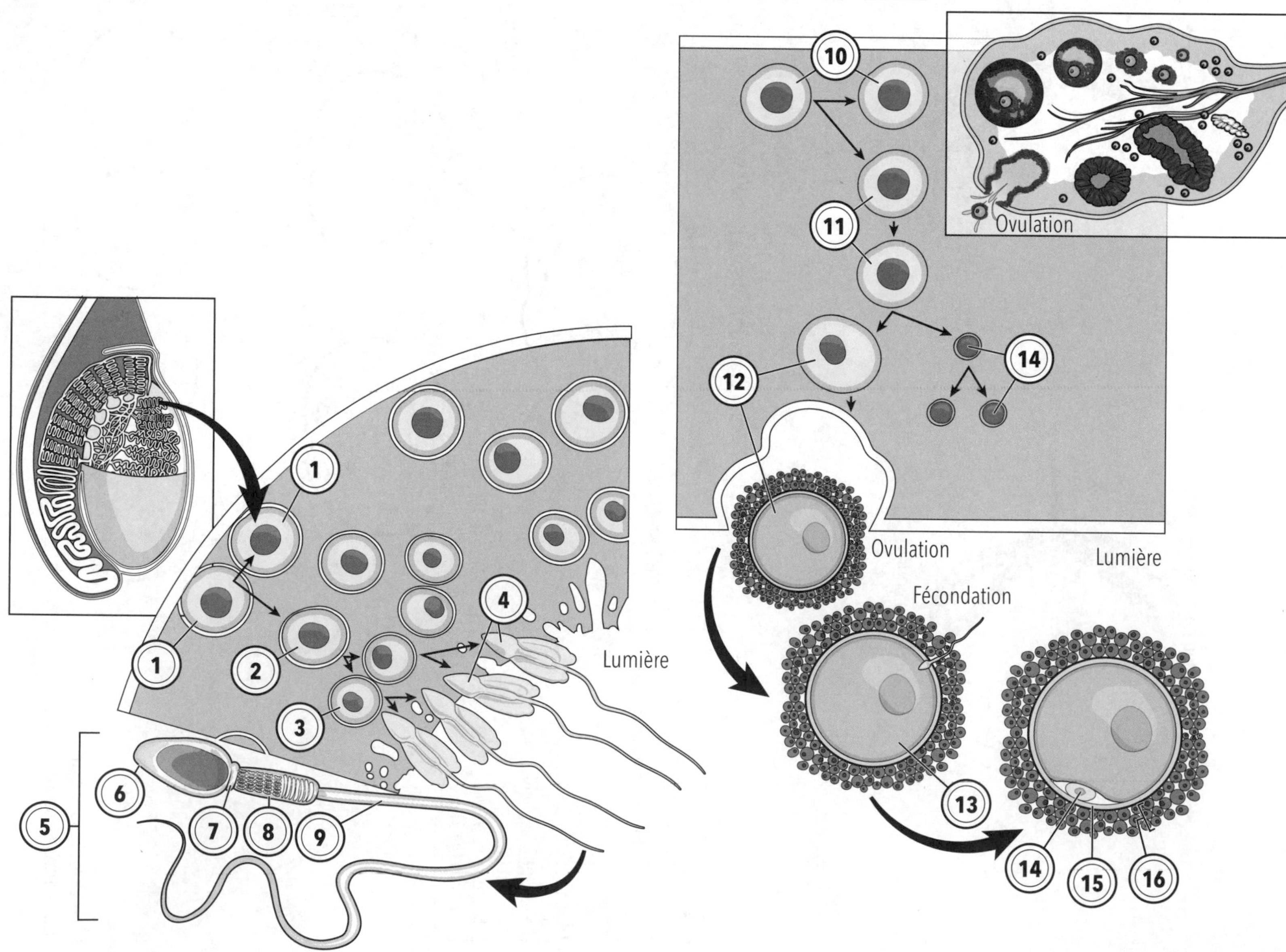

Tableau comparatif de la spermatogenèse et de l'ovogenèse

	Spermatogenèse		Ovogenèse	
Moment du début de la genèse				
Moment de la division mitotique des cellules				
Moment de la fin de la genèse				
		Diploïde (2*n*) ou haploïde (1*n*)		Diploïde (2*n*) ou haploïde (1*n*)
Cellule souche reproductrice				
Cellule qui entre dans la méiose				
Résultat de la méiose I				
Résultat de la méiose II				
Gamète fonctionnel				
Nombre de gamètes produits par une cellule souche reproductive				

APPLICATION 16.8 : Cécile a un kyste à l'ovaire gauche et doit se faire opérer. Malheureusement, à cause de la dimension du kyste et de son emplacement, l'ovaire était trop endommagé et il a fallu le retirer complètement.

a) Est-ce que le cycle menstruel de Cécile deviendra irrégulier ? Expliquez votre réponse.

____

____

____

____

____

b) Cécile connaitra-t-elle une ménopause précoce en raison de cette chirurgie ? Expliquez votre réponse.

____

____

____

____

c) La fertilité de Cécile est-elle compromise ?

____

____

____

____

9 Les cycles ovarien et menstruel

Le système génital de la femme subit d'importants changements cycliques, tant au niveau hormonal que physique (ovaires et utérus).

a) Placez dans l'ordre les évènements se produisant durant les cycles ovarien et menstruel en écrivant les lettres appropriées dans la séquence ci-dessous. (Pour vous aider, référez-vous à la figure de la page suivante.)

b) Écrivez les lettres désignant ces mêmes évènements dans les cercles de la figure de la page suivante.

c) Complétez la légende à l'aide de la figure des différents stades du cycle ovarien dans l'ovaire ci-dessous.

d) À l'aide de couleurs différentes, coloriez les éléments nommés dans la légende et les carrés correspondants.

	Évènements dans le désordre
A	Pic de sécrétion de LH par l'adénohypophyse
B	Maintien de la muqueuse utérine
C	Formation du corps jaune
D	OVULATION
E	Sécrétion d'œstrogènes et de progestérone par le corps jaune
F	Épaississement de la muqueuse utérine
G	Non-fécondation de l'ovocyte
H	Dégénérescence du corps jaune
I	Desquamation de la muqueuse utérine
J	Sécrétion de FSH et de LH par l'adénohypophyse
K	Sécrétion d'œstrogènes par les ovaires

ORDRE :

___ - ___ - ___ - ___ - D - ___ - ___ - ___ - G - ___ - ___

LÉGENDE

1. ☐ ____________
2. ____________
3. ☐ ____________
4. ____________
5. ____________
6. ☐ ____________
7. ☐ ____________
8. ____________
9. ____________
10. ☐ ____________
11. ____________
12. ☐ ____________

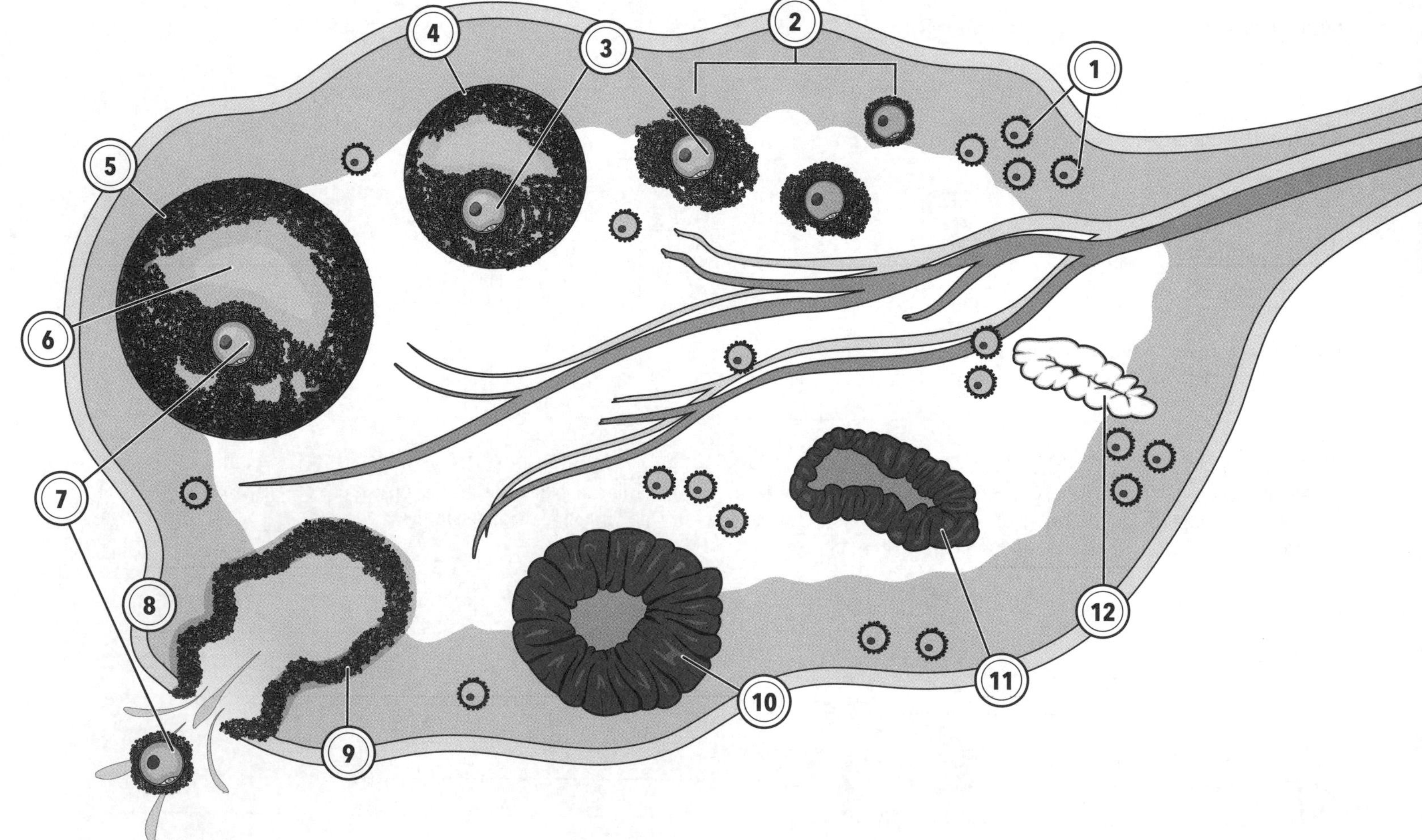

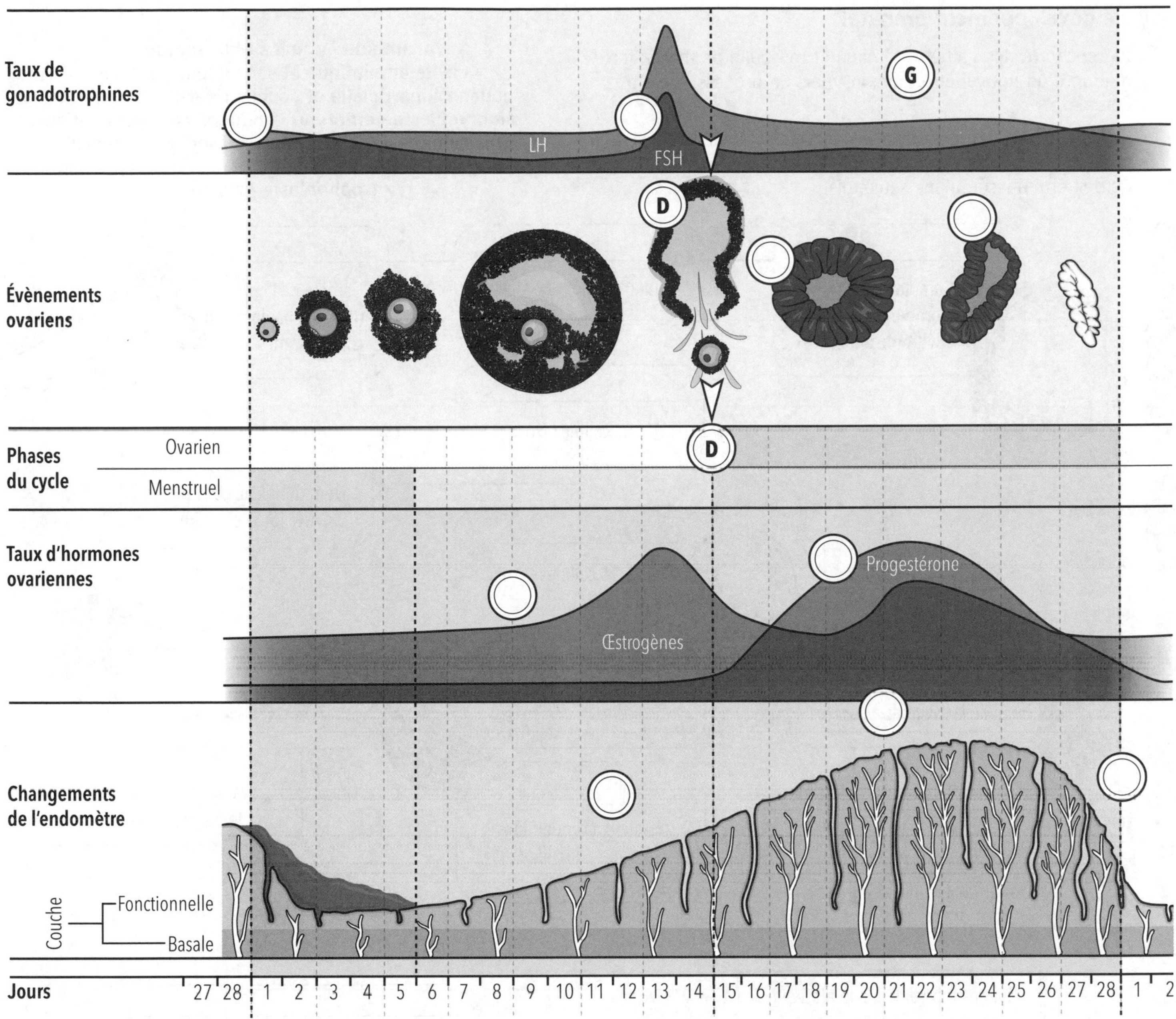

APPLICATION 16.9 : Nicole a 20 ans et se fait retirer les deux ovaires, mais le chirurgien laisse l'utérus en place.

a) Est-ce que cette jeune femme continuera à avoir ses menstruations à la suite de cette opération ? Expliquez.

____

____

____

____

____

____

b) La fertilité de Nicole est-elle compromise ? Expliquez.

____

____

____

c) Quelles seront les conséquences de cette ablation sur l'apparence physique de Nicole après cette opération ?

____

____

____

10 Le développement prénatal

La rencontre des gamètes féminin et masculin permet la formation d'un nouvel être humain, mais ce processus est très complexe.

Complétez le schéma suivant qui décrit les étapes du développement prénatal en utilisant la liste de termes. (Chaque terme ne doit être utilisé qu'une seule fois.)

allantoïde • amnios • blastocyste • cavité amniotique et sac vitellin • chorion • couche superficielle et couche interne • ectoderme • embryoblaste • embryon • endoderme • fécondation • gastrulation • implantation • mésoderme • morula • ovocyte • sac vitellin • segmentation • spermatozoïde • trophoblaste • zygote

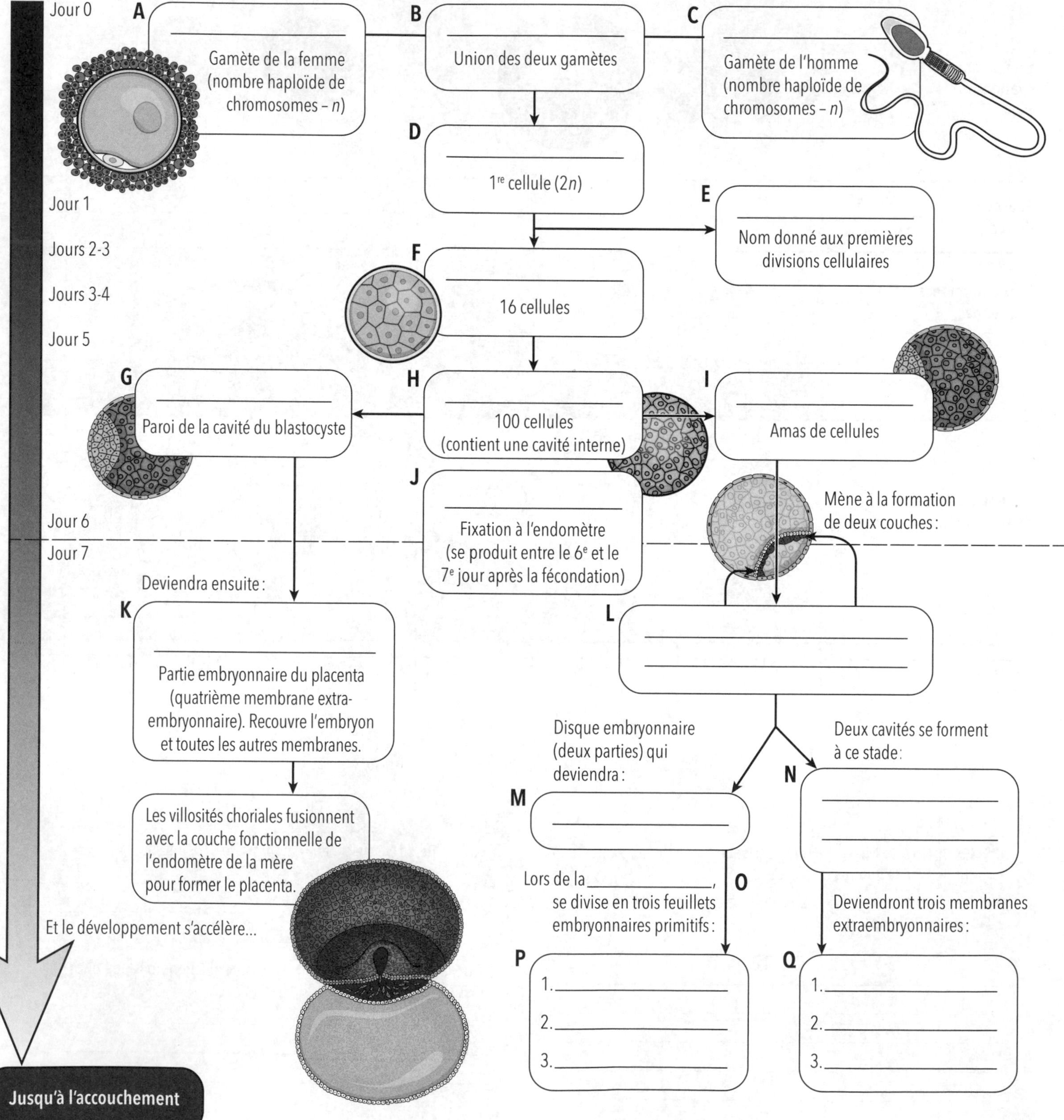

11 La destinée des feuillets embryonnaires primitifs

Les trois feuillets embryonnaires primitifs sont à l'origine de tous les organes du corps humain.

a) Dans la légende, nommez les trois feuillets embryonnaires primitifs représentés au centre de l'illustration et, à l'aide de couleurs différentes, coloriez-les ainsi que les carrés correspondants.

b) À l'aide du même code de couleurs, coloriez les structures provenant de chacun de ces feuillets.

13 12 1 11 2 10

LÉGENDE

☐ **Feuillet A :** ______________________________

☐ **Feuillet B :** ______________________________

☐ **Feuillet C :** ______________________________

3 9 B A C 8 4 7 5 6

APPLICATION 16.10 : Après avoir constaté qu'elle est enceinte, Myrella revient de sa première visite chez le médecin. Ce dernier lui a donné différents conseils, notamment d'adopter une saine alimentation, de ne pas boire d'alcool et de ne pas fumer. Le médecin lui a expliqué qu'il est particulièrement important de créer un sain environnement pour le bébé pendant le premier trimestre de la grossesse, puisque cette période est capitale dans le développement des organes. Pourquoi les évènements du premier trimestre ont-ils des impacts majeurs sur le développement des organes du bébé ?

____

____

____

____

____

____

____

12 Le déroulement de la parturition (accouchement)

La parturition, ou accouchement, est le point culminant de la grossesse : la naissance du bébé.

a) Complétez le mécanisme de régulation homéostatique illustrant la parturition.

b) S'agit-il d'un mécanisme de rétro-inhibition ou de rétroactivation ? Justifiez votre choix en cochant ci-dessous la case appropriée pour indiquer si le déséquilibre est amplifié ou réduit.

c) Le mécanisme est-il contrôlé par le système nerveux ou par le système endocrinien ? Cochez ci-dessous la case appropriée.

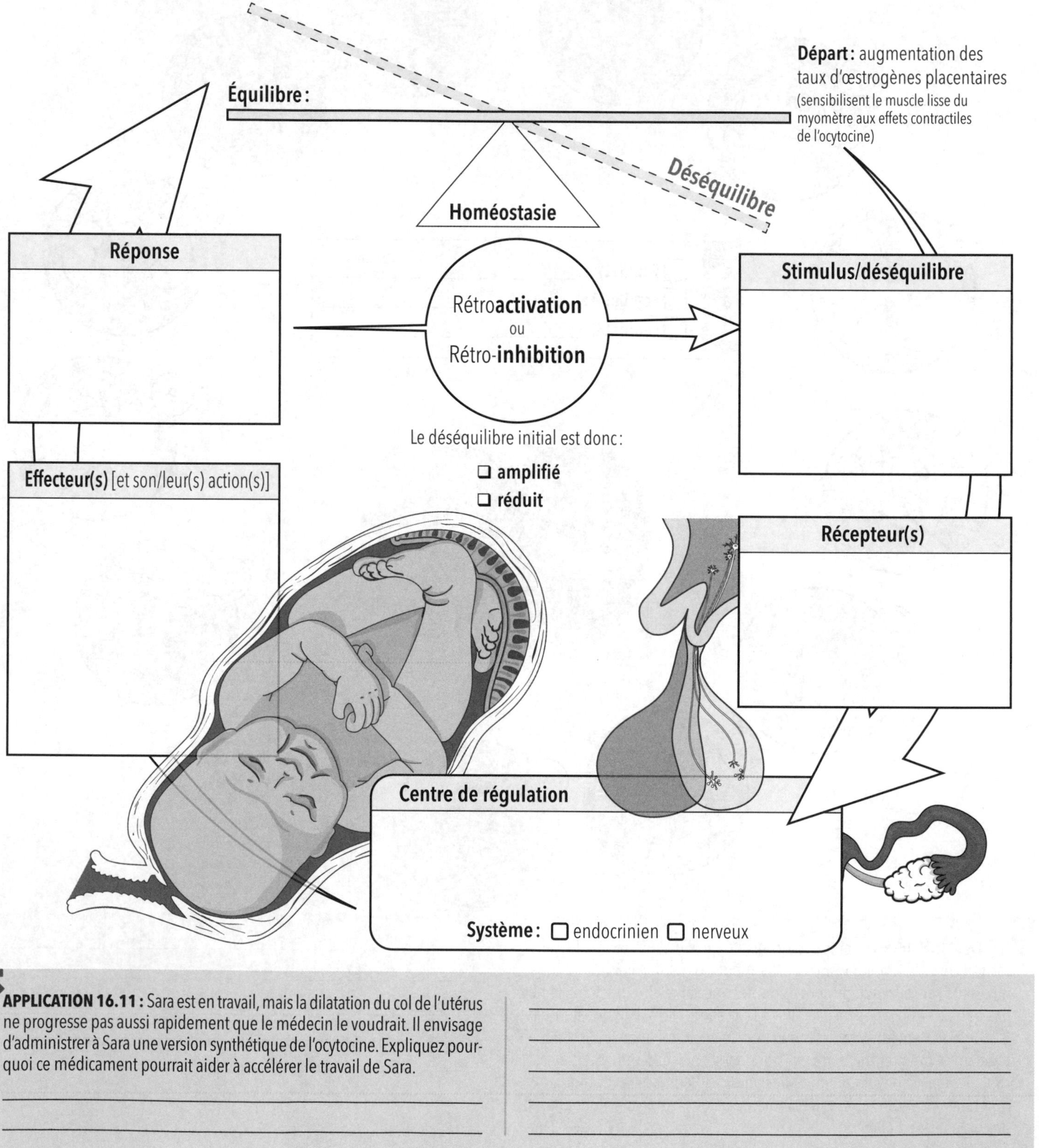

APPLICATION 16.11 : Sara est en travail, mais la dilatation du col de l'utérus ne progresse pas aussi rapidement que le médecin le voudrait. Il envisage d'administrer à Sara une version synthétique de l'ocytocine. Expliquez pourquoi ce médicament pourrait aider à accélérer le travail de Sara.

____

____

LA GÉNÉTIQUE

CHAPITRE 17

1 Vocabulaire

À l'aide des définitions suivantes, remplissez la grille de mots croisés ci-dessous.

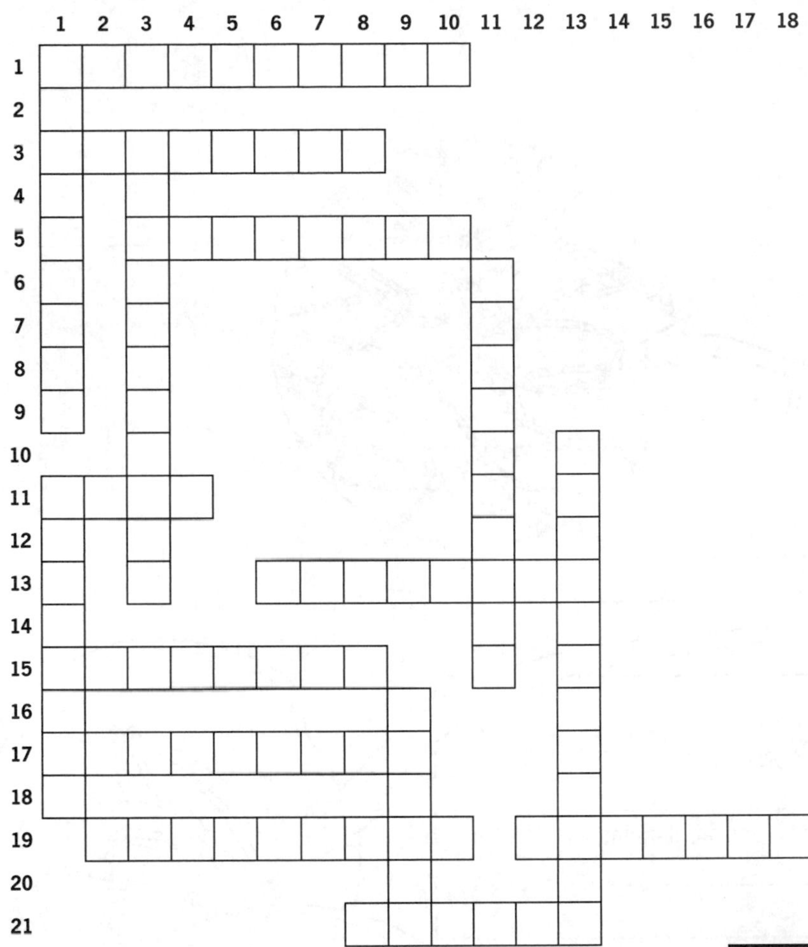

HORIZONTALEMENT

1. Bâtonnet formé d'ADN fortement enroulé et de protéines **3.** Se dit d'un caractère qui s'exprime seulement lorsque l'allèle est présent sur les deux chromosomes. **5.** Allèle qui peut masquer la présence d'un autre allèle. **11.** Segment d'ADN qui est l'unité biologique de l'hérédité. **13.** Tout chromosome qui n'est pas un chromosome sexuel. **15.** Anomalie chromosomique qui consiste à avoir trois chromosomes homologues au lieu de deux. **17.** Expression observable du génotype. **19.** Chromosome semblable à un autre formant une paire. Se dit d'un individu qui porte un gène récessif, et qui peut le transmettre à sa descendance. **21.** Différente forme moléculaire d'un gène.

VERTICALEMENT

1. Représentation organisée des chromosomes présentée par paires de chromosomes homologues. Patrimoine génétique d'un individu déterminé par les allèles des gènes. **3.** Type de transmission héréditaire où un individu hétérozygote exprime les deux allèles également dans son phénotype. **9.** Type de chromosome qui détermine le sexe génétique. **11.** Se dit de deux chromosomes homologues qui possèdent les mêmes allèles pour un gène donné. **13.** Se dit de deux chromosomes homologues qui possèdent des allèles différents pour un gène donné.

2 La terminologie de la génétique

En vous servant de la liste de termes, écrivez le terme approprié sur chacune des lignes prévues à cet effet. (Chaque terme ne doit être utilisé qu'une seule fois.)

à la vision normale • ADN • allèles • allèles • autosomes • caractère • caractères • cellule • chromatide • chromatide • chromatine • chromosomes sexuels • dominant • gène • gènes • génotype • génotype • génotype • hétérozygote • homozygote dominant • homozygote récessif • interphase • majuscule • minuscule • *mm* • *mm* • *Mm* • *Mm* • *MM* • *MM* • molécule d'ADN • myope • myope • noyau • noyau • paire • phénotype • phénotype • phénotype • prophase • récessif • XX • XY • 23 • 46

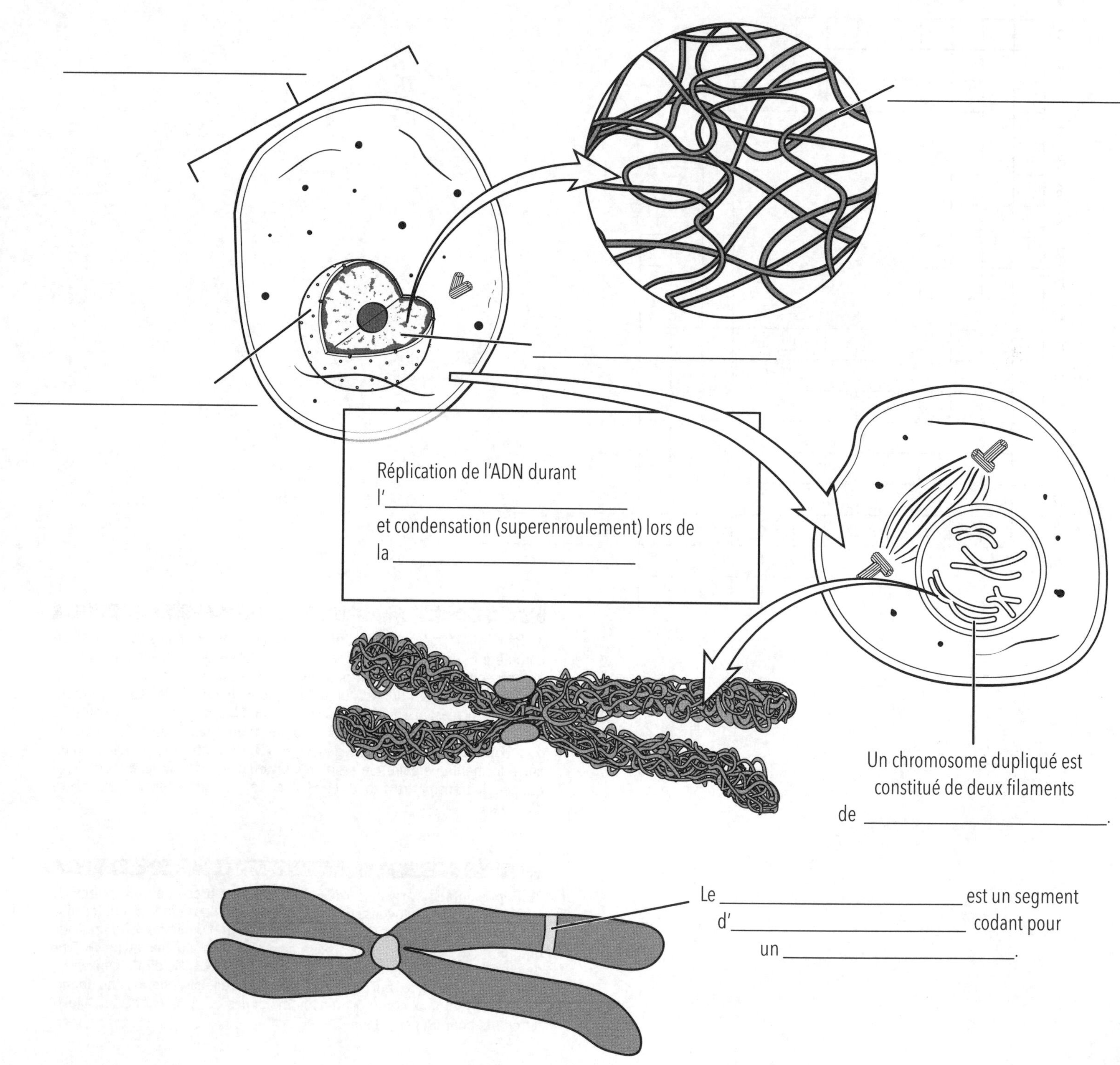

Chez l'humain, on compte ________ paires de chromosomes, ce qui fait ________ chromosomes dans le _______________ de chaque cellule.

Les chromosomes des paires 1 à 22 sont les _________________, alors que ceux de la paire 23 sont les __________________________ dont les combinaisons peuvent être _____ (pour la femme) et _____ (pour l'homme).

Les deux chromosomes d'une ______________ codent pour les mêmes ______________ .

Exemple de la myopie

1 et 1′ sont les ________ codant pour la myopie.

Noir : allèle de la myopie

Blanc : allèle de la vision normale

Ces différentes formes du gène de la myopie sont des ________________.

Sur deux chromosomes homologues, on peut avoir des _______________ identiques (p. ex., 1 = myopie et 1′ = myopie ou 1 = vision normale et 1′ = vision normale) ou différents (p. ex., 1 = myopie et 1′ = vision normale).

La myopie domine sur la vision normale. On représente l'allèle de la myopie par une lettre _____________ (*M*) et il est dit ______________. L'allèle de la vision normale est représenté par une lettre ______________ (*m*) et il est dit ______________.

Un individu est représenté par ses allèles pour un caractère donné :

Individu myope : ____ ou ____

Individu à la vision normale : ____

Si les allèles sont identiques :

1 = myopie et 1′ = myopie ⟶ ____

1 = vision normale et 1′ = vision normale ⟶ ____

Si les allèles sont différents :

1 = myopie et 1′ = vision normale ⟶ ____

On dit aussi :

- Si les allèles sont identiques et dominants : ______________________________.
- Si les allèles sont identiques et récessifs : ______________________________.
- Si les allèles sont différents : ______________________________.
- Un individu dont le ______________ est *MM* a le ______________ d'une personne ______________.
- Un individu dont le ______________ est *Mm* a le ______________ d'une personne ______________.
- Un individu dont le ______________ est *mm* a le ______________ d'une personne ______________.

3 Le caryotype

Le caryotype d'un individu est présenté ci-dessous.

a) À l'aide de couleurs différentes, coloriez les éléments nommés dans la légende et les carrés correspondants.
b) Encerclez une paire de chromosomes homologues.
c) Déterminez le sexe de l'individu : ______________.
d) Cet individu présente une anomalie chromosomique. Encadrez-la et nommez-la : ______________.

LÉGENDE ☐ Autosome ☐ Chromosome sexuel

1 2 3 4 5 6 7 8
9 10 11 12 13 14 15 16
17 18 19 20 21 22 X X

APPLICATION 17.1 : Il est très peu fréquent d'observer une trisomie des autosomes autre que la trisomie 21 chez des enfants, surtout passé l'âge d'un an. Pourquoi ?

____

____

____

APPLICATION 17.2 : Patrick se demande au bout de combien de temps après la fécondation le sexe d'un bébé est génétiquement déterminé. Sa conjointe lui répond que c'est autour de la 20e semaine de grossesse, lors de l'échographie, que le sexe sera confirmé et bel et bien déterminé. La conjointe de Patrick a-t-elle raison ? Expliquez votre réponse.

____

____

____

____

____

4 L'hérédité d'un trait récessif

Comparez et différenciez les modes de transmission héréditaire pour un trait récessif.

	Transmission pour un trait récessif	
	Transmission par les autosomes (hérédité simple ; dominance stricte et complète)	Transmission par le chromosome X (liée au sexe)
Type de chromosomes qui transmet le trait récessif		
Nombre de copies de l'allèle en cause pour posséder le phénotype récessif		
Possibilité d'être de phénotype normal, mais porteur de l'allèle récessif selon le sexe de l'individu		
Exemple de maladie ou de trait phénotypique		

5 Exercices de génétique sur la transmission autosomique à dominance stricte et complète – croisement monohybride

PROBLÈME A

Utilisez une grille de Punnett pour démontrer le croisement entre un homme hétérozygote dominant pour le caractère «taches de rousseur» et une femme n'ayant pas de taches de rousseur (homozygote récessif pour ce caractère). Utilisez l'allèle *T* pour la présence de taches de rousseur et l'allèle *t* pour l'absence de taches de rousseur.

Rappel : Selon la loi de Mendel sur la ségrégation indépendante des allèles, un seul des allèles déterminant chaque caractère peut être transmis aux enfants par chacun des parents. (P = génotype du père × génotype de la mère)

P =

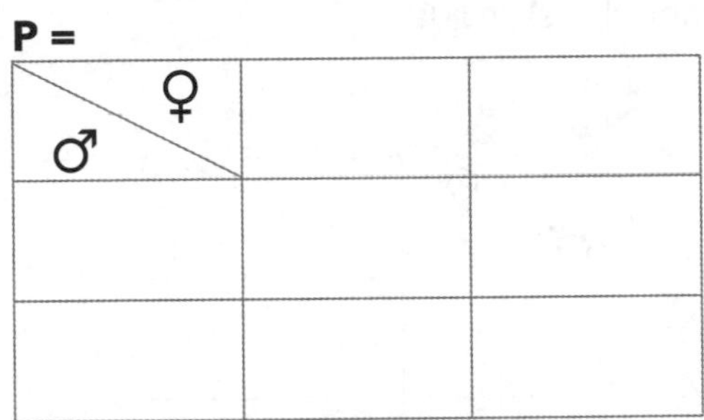

Génotypes et phénotypes des enfants de ce couple :

____

____

a) Selon votre grille de Punnett, quel(s) allèle(s) a été (ont été) transmis par le parent qui n'a pas de taches de rousseur à ses enfants ?

____

b) Quel(s) allèle(s) a été (ont été) transmis par le parent qui a des taches de rousseur à ses enfants ?

____

c) Quelle est la probabilité qu'un descendant ait le phénotype « absence de taches de rousseur » ?

____

d) Quelle est la probabilité qu'un descendant ait le génotype *Tt* ?

____

PROBLÈME B

Répondez aux questions suivantes sur le gène qui détermine l'albinisme (absence de pigmentation de la peau ; trait récessif).

a) Encerclez les bonnes réponses : Le gène dominant est représenté par la lettre (*A – a*). Ce gène dominant correspond à (*la pigmentation normale – l'albinisme*). Les lettres *AA* sont un exemple de patrimoine génétique ou (*génotype – phénotype*). Une personne qui possède un tel génotype est dite (*homozygote dominante – homozygote récessive – hétérozygote*) pour ce trait. Le phénotype de cette personne est : (*pigmentation normale – albinisme*).

b) Le génotype d'un individu hétérozygote est :

______________________________.

Le phénotype correspondant est :

______________________________.

c) Utilisez la grille de Punnett pour déterminer tous les génotypes et les phénotypes possibles des enfants dont les deux parents sont de génotype *Aa*.

P =

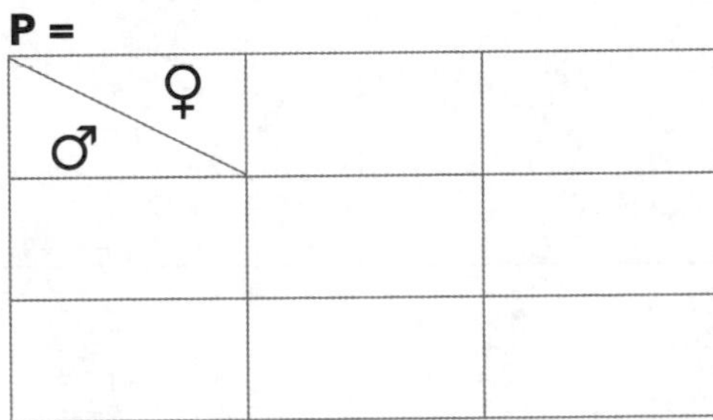

Génotypes : ______________________________

Phénotypes : ______________________________

PROBLÈME C

Un couple d'individus en bonne santé donne naissance à un enfant atteint d'une maladie héréditaire récessive : la fibrose kystique.

a) Encerclez les bonnes réponses et écrivez le terme approprié sur la ligne prévue à cet effet : La fibrose kystique est transmise par un gène (*dominant – récessif*) correspondant à la lettre (*F – f*). Dans cette situation, le génotype de chacun des deux parents est (*FF – Ff – ff*). On dit qu'ils sont tous les deux

____

(ils possèdent le gène, mais ne l'expriment pas) pour le gène de la fibrose kystique.

b) Quelle est la probabilité que le prochain enfant du couple soit atteint de la fibrose kystique ? Trouvez votre réponse à l'aide de la grille de Punnett.

______________________________.

P =

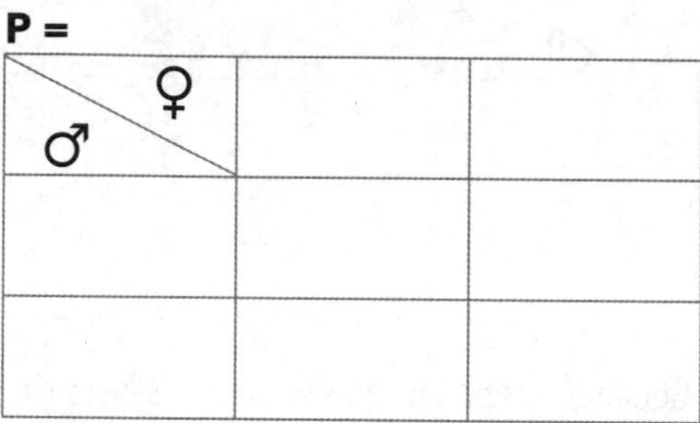

PROBLÈME D

Brigitte doit construire un arbre généalogique illustrant l'hérédité de la forme du lobe de l'oreille dans sa famille. Les lobes des oreilles attachés dépendent d'un allèle récessif (*ℓ*) et les lobes libres d'un allèle dominant (*L*).

Brigitte a les lobes des oreilles libres, tout comme ses trois sœurs. Son père et son grand-père paternel ont les lobes attachés, mais sa mère et ses autres grands-parents ont les lobes des oreilles libres.

Construisez l'arbre généalogique des trois générations de la famille de Brigitte en utilisant les symboles de la légende et en inscrivant tous les génotypes possibles sous chacun de ces symboles.

LÉGENDE

- ● **Femme avec des lobes attachés**
- ■ **Homme avec des lobes attachés**
- ○ **Femme avec des lobes libres**
- □ **Homme avec des lobes libres**

PROBLÈME E

a) L'acidose lactique congénitale est une maladie produite par la présence d'un gène autosomique récessif. Comment se fait-il que deux parents tout à fait normaux pour un caractère donné, comme c'est le cas de Pierre Lavoie (cofondateur du Grand Défi Pierre Lavoie) et de sa femme, aient un enfant souffrant d'acidose lactique congénitale ?

____

____

____

Sachant que la lettre *a* représente l'allèle récessif de l'acidose lactique congénitale et la lettre *A* l'allèle dominant ne présentant pas la maladie, indiquez le génotype de ces deux parents.

____

b) Quelle est la probabilité que ces deux parents aient des enfants souffrant de cette maladie ? Trouvez votre réponse à l'aide de la grille de Punnett.

____

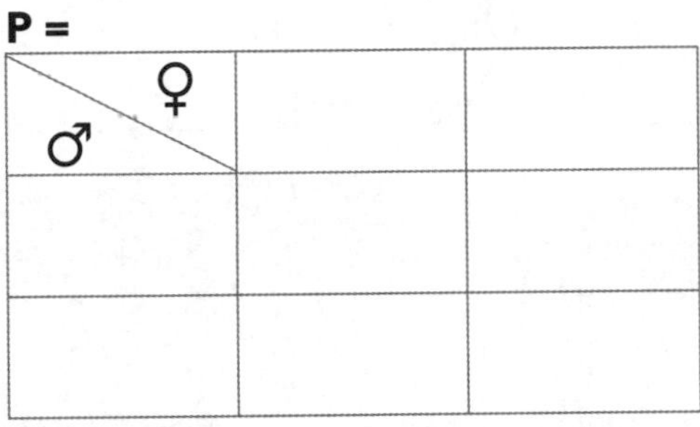

PROBLÈME F

La tyrosinémie est une maladie génétique autosomique récessive du foie. La personne qui en souffre ne possède pas de FAAH, une enzyme normalement produite par le foie et qui transforme la tyrosine, un acide aminé présent dans la plupart des protéines animales et végétales. La maladie cause une accumulation de déchets qui endommagent le foie et les reins, entrainant une dégénérescence lente de ces organes.

Un couple hétérozygote pour le caractère de la tyrosinémie (maladie récessive) décide d'avoir des enfants.

a) Quelles sont les probabilités que leur premier enfant soit normal ?

____

b) Quelles sont les probabilités que leur deuxième enfant soit atteint de la maladie ?

____

c) Quelles sont les probabilités que leur troisième enfant soit aussi atteint de la maladie ?

____

PROBLÈME G

Vous remarquez que les lobes d'oreilles de votre ami(e) sont attachés (un caractère récessif).

a) Quel est le génotype de votre ami(e) ?

____

b) Quels sont les génotypes possibles des parents de votre ami(e) ?

____

c) Si votre ami(e) a un enfant avec une personne ayant elle aussi les lobes attachés, quel(s) génotype(s) cet enfant pourrait-il avoir ? Justifiez votre réponse.

____

____

____

PROBLÈME H

En génétique, on fait beaucoup d'études sur la drosophile. Cet insecte s'y prête bien, car son élevage est facile, sa reproduction est rapide, sa descendance est nombreuse et son génome est plutôt simple. Supposons que vous effectuiez un croisement entre une drosophile homozygote pour le caractère « ailes courtes » et une autre homozygote pour le caractère « ailes longues » (génération P). À la première génération (F_1), 100 % des descendants ont les ailes longues.

a) Quel est le caractère dominant ?

b) Quel est le génotype des drosophiles de la F_1 ?

c) Quel sera le rapport génotypique et phénotypique de la deuxième génération (F_2), si on croise deux individus de la F_1 ? Justifiez votre démarche à l'aide de la grille de Punnett.

P =

♂ \ ♀		

Génotypes de la F_2 :

Phénotypes de la F_2 :

PROBLÈME I

L'allèle *f* désigne le caractère récessif « présence de fossettes aux joues » et l'allèle *F* désigne le caractère dominant « absence de fossettes aux joues ».

Pierre a des fossettes aux joues et veut des enfants avec Guylaine qui n'a pas de fossettes, mais dont la mère en a. Au moyen de la grille de Punnett, montrez ce qu'il est possible de prévoir quant à la progéniture de Pierre et Guylaine.

P =

♂ \ ♀		

Génotypes et phénotypes :

PROBLÈME J

Le caractère « hypermétropie » est dominant sur le caractère « vision normale ». Dans ce problème, on représente l'allèle « hypermétropie » par *H* et l'allèle « vision normale » par *h*.

a) Si une femme homozygote pour le caractère « hypermétropie » a des enfants avec un homme homozygote pour le caractère « vision normale », quelle sera l'apparence de la première génération (F_1) ? Trouvez votre réponse à l'aide de la grille de Punnett.

P =

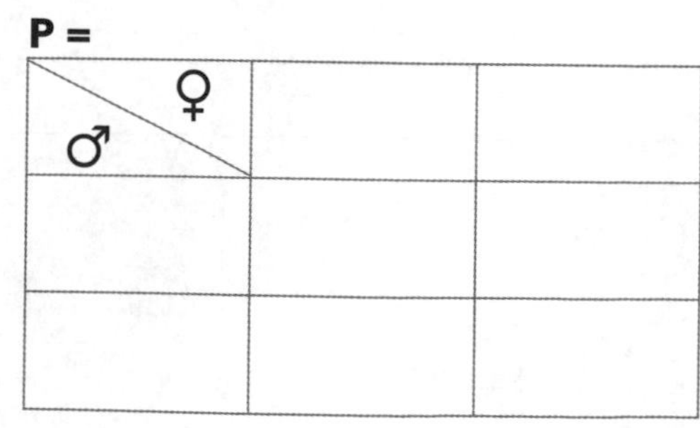

b) Si un garçon issu du couple (F_1) a des enfants avec une femme à la vision normale, quelles seront les probabilités relativement à l'apparence de cette deuxième génération ? Trouvez votre réponse à l'aide de la grille de Punnett.

P =

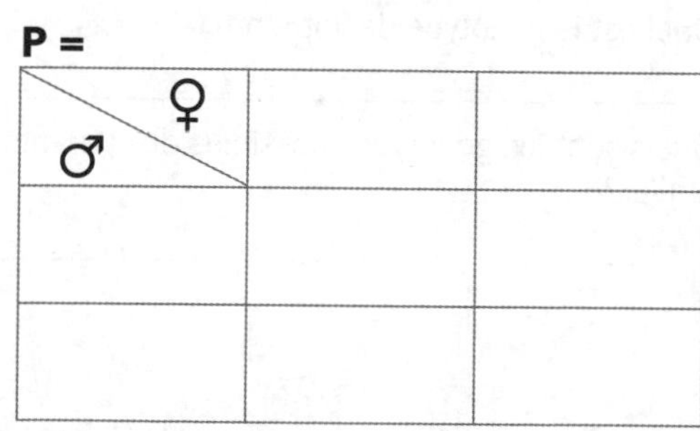

6 Exercices de génétique sur la transmission autosomique à dominance stricte et complète – croisement dihybride

PROBLÈME A

L'allèle *f* désigne le caractère récessif « présence de fossettes aux joues », et l'allèle *F*, le caractère dominant « absence de fossettes aux joues ». Par ailleurs, l'allèle *a* désigne le caractère récessif « albinisme » et l'allèle *A*, le caractère dominant « pigmentation normale » de la peau.

a) Un homme albinos n'ayant pas de fossettes aux joues a des enfants avec une femme à la pigmentation normale de la peau et ayant des fossettes aux joues. Sachant que la femme et l'homme sont homozygotes pour les deux caractères, quels sont les phénotypes et les génotypes de leurs enfants. Trouvez votre réponse à l'aide de la grille de Punnett.

P =

♂ \ ♀	

Génotypes et phénotypes :

____

____

b) Une des filles de ce couple veut avoir des enfants avec un homme hétérozygote pour la pigmentation de la peau, mais homozygote dominant pour les fossettes aux joues.

A. Quel est le génotype de cet homme ?

____

B. Quel est le phénotype de cet homme ?

____

C. Pourraient-ils avoir des enfants qui ne leur ressemblent pas physiquement ? Trouvez votre réponse à l'aide de la grille de Punnett.

____

____

P =

♂ \ ♀				

PROBLÈME B

Le caractère « myopie » est dominant sur le caractère « vision normale ». Dans ce problème, on représente l'allèle « myopie » par *M* et l'allèle « vision normale » par *m*. Utilisez l'allèle *T* pour la présence de taches de rousseur et l'allèle *t* pour l'absence de taches de rousseur.

Deux individus hétérozygotes pour les caractères de la vision et des taches de rousseur ont des enfants.

a) Faites le croisement à l'aide de la grille de Punnett afin d'établir tous les génotypes possibles des enfants de ce couple.

b) À l'aide de couleurs différentes, coloriez les cases des descendants selon les phénotypes inscrits dans la légende.

c) Donnez les proportions de chacun des phénotypes des enfants.

____

____

____

____

P =

♂ \ ♀				

LÉGENDE

- ☐ **Myope avec taches de rousseur**
- ☐ **Myope sans taches de rousseur**
- ☐ **Vision normale avec taches de rousseur**
- ☐ **Vision normale sans taches de rousseur**

7 Exercices de génétique sur la transmission autosomique à codominance – groupes sanguins du système ABO

La nomenclature utilisée pour les phénotypes possibles est : groupe sanguin AB, A, B ou O.

Dans les exercices qui suivent, utilisez les symboles suivants :
I^A = allèle codant pour l'antigène A sur les érythrocytes ;
I^B = allèle codant pour l'antigène B sur les érythrocytes ;
i = absence d'antigènes A et B.

PROBLÈME A

Selon l'arbre généalogique de la répartition des groupes sanguins (système ABO), trouvez le ou les génotypes et le ou les phénotypes possibles des individus indiqués dans le tableau.

Les phénotypes de quelques membres de cette famille sont indiqués dans les symboles de l'arbre.

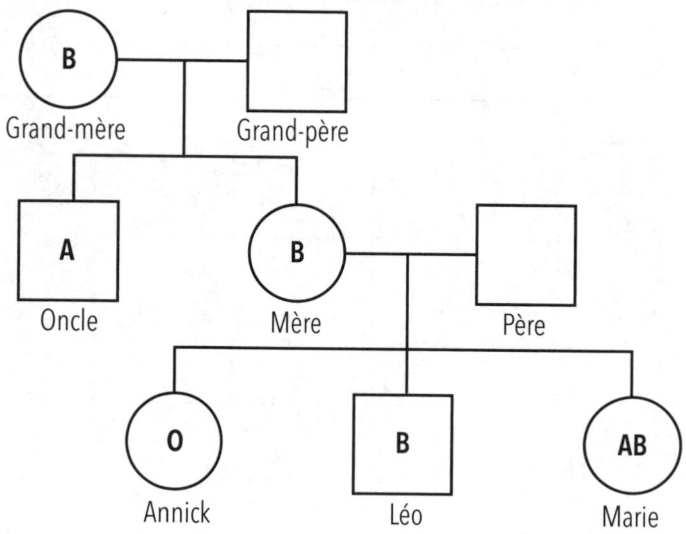

Individu (phénotype(s))	Génotype(s)
Grand-père (groupe sanguin ________)	
Mère (groupe sanguin B)	
Père (groupe sanguin ________)	
Léo (groupe sanguin B)	

PROBLÈME B

Marielle, sa sœur et sa mère sont toutes trois du groupe sanguin AB. Le frère de Marielle est du groupe sanguin B et son père est du groupe sanguin A.

Construisez l'arbre généalogique de la famille de Marielle en inscrivant le phénotype de chacun des membres de la famille **à l'intérieur** du symbole qui le représente et le génotype de chacun des membres de la famille **sous** le symbole qui le représente.

PROBLÈME C

Homozygote pour le caractère du groupe sanguin, Olivier est du groupe sanguin A. Olivier a pour conjointe Alexandra, qui est du groupe sanguin B et dont la mère est du groupe O.

Quels pourraient être les groupes sanguins des futurs enfants d'Olivier et Alexandra et dans quelles proportions ? Trouvez votre réponse à l'aide de la grille de Punnett.

____

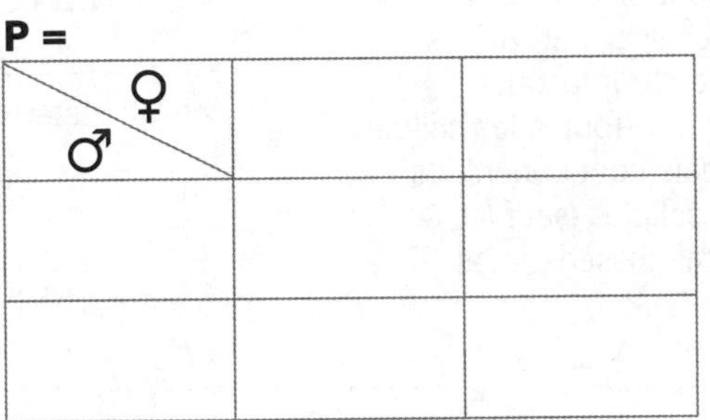

PROBLÈME D

Maryse, qui est du groupe sanguin A, a un bébé, Rachel, du groupe O. Maryse, qui est célibataire, poursuit Victor afin qu'il paie une pension alimentaire pour l'enfant.

a) En vous basant sur la transmission des groupes sanguins, écrivez tous les génotypes possibles qui pourraient prouver que Victor **n'est pas le père du bébé**.

____

b) Victor est du groupe sanguin B et on ne connait pas son génotype. Pourrait-il être le père de l'enfant ?

____

Expliquez votre réponse en construisant un arbre généalogique de cette famille. Écrivez les phénotypes et les génotypes de Maryse, de Victor et de Rachel.

8 Exercices de génétique sur la transmission liée au chromosome X (liée au sexe)

PROBLÈME A

Répondez à ces questions sur la détermination du sexe génétique.

a) Encerclez les bonnes réponses et écrivez les termes appropriés sur les lignes prévues à cet effet : Tous les (*ovules – spermatozoïdes*) contiennent uniquement le chromosome X. Environ la moitié des spermatozoïdes produits par l'homme contiennent le chromosome _____ et l'autre moitié le chromosome _____. Toutes les cellules (sauf les ovules) d'une femme normale contiennent les chromosomes (*XX – XY*). Toutes les cellules (sauf les spermatozoïdes) d'un homme normal possèdent les chromosomes (*XX – XY*).

b) Un couple désire avoir un enfant. Quelle est la probabilité que ce couple ait une fille ? Trouvez votre réponse à l'aide de la grille de Punnett.

____

c) Qui détermine le sexe de l'enfant ? (*la mère – le père*)

P =

♀ / ♂		

PROBLÈME B

L'hémophilie est un trouble de la coagulation sanguine lié au chromosome X. Julie a une coagulation normale, mais sa fille est hémophile. Le père de Julie est également hémophile.

Dans ce problème, on représente l'allèle « normal » par *H* et l'allèle « hémophile » par *h*. N'oubliez pas que ce caractère est lié au chromosome X.

a) Quel est le génotype de Julie ?

____

b) Quel est le phénotype du conjoint de Julie ?

____

c) Expliquez votre démarche en construisant l'arbre généalogique de cette famille. Utilisez les symboles de la légende et écrivez tous les génotypes possibles sous chacun de ces symboles.

LÉGENDE

- ● **Femme hémophile**
- ■ **Homme hémophile**
- ○ **Femme normale**
- □ **Homme normal**

PROBLÈME C

L'hémophilie est due à un allèle récessif lié au sexe, c'est-à-dire situé sur le chromosome X.

Sylvie et ses parents ont une coagulation normale, mais son frère Léo est hémophile.

a) Quels sont les génotypes possibles de Sylvie, de son père, de sa mère et de son frère Léo? Utilisez les lettres *H* et *h* pour représenter les allèles. (N'oubliez pas les chromosomes X et Y.)

Sylvie : ______

Son père : ______

Sa mère : ______

Léo : ______

b) Quelle est la probabilité que Sylvie soit porteuse de l'hémophilie?

______

c) La mère de Sylvie est enceinte d'une petite fille. Quelle est la probabilité que celle-ci soit hémophile? Trouvez votre réponse à l'aide de la grille de Punnett.

______

P =

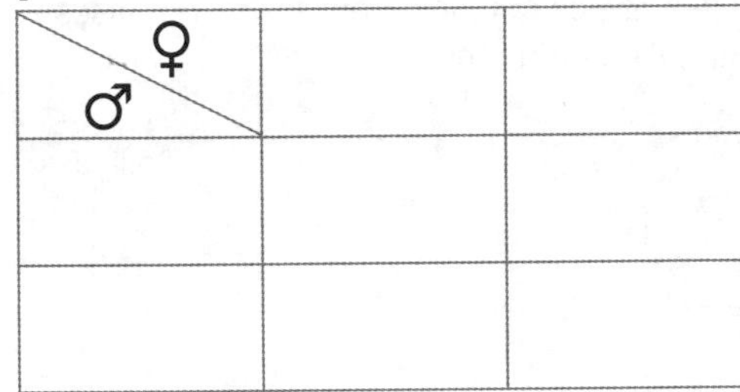

Génotypes : ______

Phénotypes : ______

PROBLÈME D

Denise, dont la vision est normale, se marie avec Yves, qui est daltonien. Le père de Denise est lui aussi daltonien. Le daltonisme est dû à un allèle récessif lié au sexe, c'est-à-dire situé sur le chromosome X.

Dans ce problème, on représente l'allèle « vision normale » par *D* et l'allèle « daltonisme » par *d*. (N'oubliez pas les chromosomes X et Y.)

a) Écrivez les génotypes de Denise et de son père, ainsi que ceux de Yves et de sa mère.

Père de Denise : ______

Mère de Yves : ______

Denise : ______

Yves : ______

b) Quelle est la probabilité que le premier enfant de ce couple soit un garçon daltonien?

______

c) Quelle est la probabilité d'avoir une fille daltonienne? Trouvez vos réponses à l'aide de la grille de Punnett.

______

P =

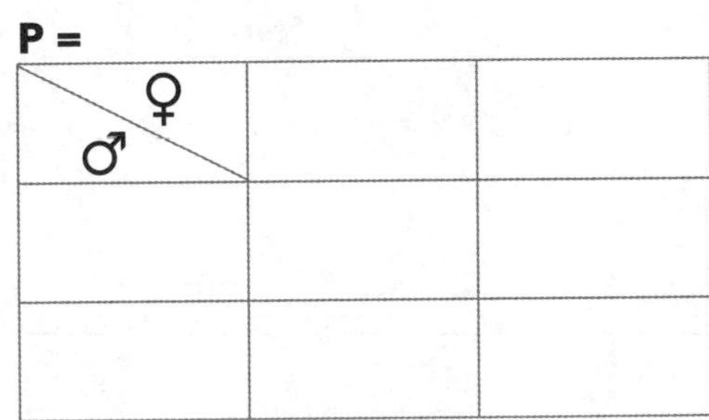

PROBLÈME E

Un couple ayant vision normale des couleurs a un enfant atteint de daltonisme. Le mari, se croyant trompé, demande le divorce pour adultère. Le mari peut-il présenter au cours des procédures de divorce une preuve inattaquable démontrant qu'il est génétiquement impossible pour lui d'avoir un enfant atteint de daltonisme ? Justifiez votre réponse.

PROBLÈME F

a) Une femme daltonienne aura-t-elle des fils daltoniens avec un homme normal ?

b) Quels sont les génotypes et les phénotypes possibles des fils et des filles de ce couple ? Trouvez vos réponses à l'aide de la grille de Punnett.

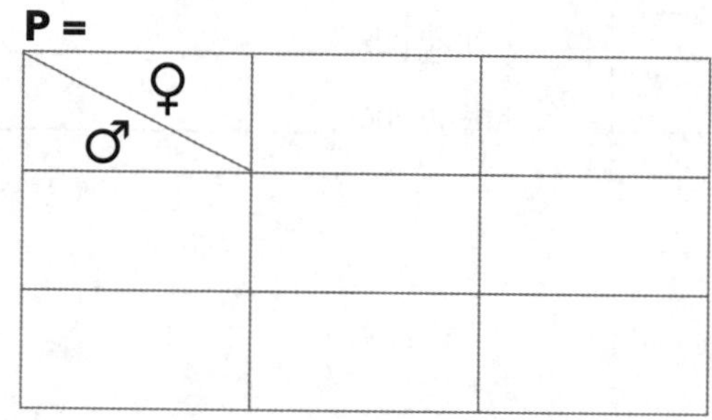

Génotypes :

Phénotypes :

CORRIGÉ CHAPITRE 1 – LE CORPS HUMAIN : INTRODUCTION

1. HORIZONTALEMENT : 1. endo ; récepteur ; organe ; 3. épi ; hémato ; 5. cardiovasculaire ; 7. endocrinien ; cyt ; 9. pelvienne ; baro ; 13. postérieur ; 15. respiratoire. VERTICALEMENT : 1. effecteur ; hyper ; 5. hémi ; cellule ; 11. tissu ; 13. abdominale ; 15. thoracique ; 19. antérieur.

2. a) Structures : atomes, molécule, cellule musculaire, tissu musculaire, estomac, système digestif et organisme humain.

b) 1. Niveau chimique → 2. Niveau cellulaire → 3. Niveau tissulaire → 4. Niveau des organes (organique) → 5. Niveau des systèmes (systémique) → 6. Niveau de l'organisme.

3. a), b), et c)

A. Système tégumentaire (1. poils ; 2. peau ; 3. ongle). Permet la thermorégulation, emmagasine les graisses et isole l'organisme, protège l'organisme, élimine certains déchets, contribue à la synthèse de la vitamine D, détecte les sensations.

B. Système squelettique (1. clavicule ; 2. humérus ; 3. sternum ; 4. vertèbre). Soutient et protège l'organisme, permet l'attache des muscles et le mouvement du corps, produit des cellules sanguines, emmagasine des minéraux et des lipides.

C. Système musculaire (1. muscle deltoïde ; 2. muscle grand pectoral ; 3. muscle biceps brachial ; 4. muscle oblique externe de l'abdomen ; 5. muscle droit de l'abdomen). Produit les mouvements du corps et de la chaleur, permet de stabiliser la posture.

D. Système nerveux (1. encéphale ; 2. moelle épinière ; 3. nerfs). Important centre d'intégration, coordonne les activités des autres systèmes.

E. Système endocrinien (1. hypophyse ; 2. glande thyroïde ; 3. glande surrénale (médulla) ; 4. pancréas ; 5. testicule). Produit des hormones qui permettent d'assurer la régulation de l'homéostasie.

F. Système cardiovasculaire (1. vaisseaux sanguins ; 2. cœur). Transporte le sang (cellules sanguines, nutriments, déchets, gaz).

G. Système lymphatique (1. vaisseau lymphatique ; 2. thymus ; 3. nœud lymphatique ; 4. rate). Draine le surplus de liquide des tissus vers le sang, transporte les lipides du tube digestif vers le sang, contribue à la maturation de lymphocytes.

H. Système respiratoire (1. cavité nasale ; 2. pharynx ; 3. larynx ; 4. trachée ; 5. poumons). Permet les échanges gazeux entre l'air et les poumons.

I. Système digestif (1. cavité orale ; 2. œsophage ; 3. estomac ; 4. intestin grêle ; 5. gros intestin). Effectue la dégradation mécanique et chimique des aliments et absorbe les nutriments.

J. Système urinaire (1. rein ; 2. uretères ; 3. vessie ; 4. urètre). Élimine les déchets azotés et contribue à l'équilibre hydrique, acidobasique et électrolytique.

K. Système génital de la femme (1. glandes mammaires : 2. utérus ; 3. trompe utérine ; 4. ovaire). Produisent le lait ; permet la fécondation ; permet le développement du fœtus ; produit des gamètes et des hormones.

Application 1.1 : Les systèmes squelettique (os fracturé), musculaire (muscles autour de l'os fracturé), cardiovasculaire (vaisseaux sanguins dans la peau et dans l'os), lymphatique (vaisseaux lymphatiques de la région), tégumentaire (peau lacérée) et nerveux (terminaisons nerveuses dans l'os et la peau).

4. Situation 1 : Le maintien de la glycémie

a) Équilibre : Glycémie normale d'environ 5 mmol/L de glucose.
Stimulus/déséquilibre : Élévation de la glycémie.
Récepteur(s) : Cellules bêta du pancréas.
Centre de régulation : Pancréas (cellules du pancréas) sécrète de l'insuline.
Effecteur(s) : Cellules du corps (absorption et stockage du glucose).
Réponse : Baisse de la glycémie.

b) Un mécanisme de rétro-inhibition, car la réponse réduit le déséquilibre (stimulus) initial.

c) Système endocrinien (pancréas).

Situation 2 : La thermorégulation

a) Équilibre : Température normale, environ 37 °C.
Stimulus/déséquilibre : Diminution de la température corporelle.
Récepteur(s) : Thermorécepteurs.
Centre de régulation : Centre de régulation de la température de l'hypothalamus.
Effecteur(s) : Muscles squelettiques (contractions provoquant le frisson).
Réponse : Augmentation de la température corporelle.

b) Un mécanisme de rétro-inhibition, car la réponse réduit le déséquilibre (stimulus) initial.

c) Système nerveux (hypothalamus).

Situation 3 : L'allaitement

a) Équilibre : Mamelon au repos, pas d'étirement.
Stimulus/déséquilibre : Succion du mamelon par le bébé.
Récepteur(s) : Récepteurs tactiles situés sur le mamelon.
Centre de régulation : Hypothalamus (signal de libération de l'hormone ocytocine).
Effecteur(s) : Glandes mammaires (contraction des cellules myoépithéliales provoquant l'éjection du lait).
Réponse : Augmentation de la succion du bébé.

b) Un mécanisme de rétroactivation, car la réponse accroit le déséquilibre (stimulus) initial.

c) Système endocrinien (hypothalamus).

d) La sécrétion d'ocytocine cessera lorsque le bébé aura assouvi sa faim et cessera de téter ; ce faisant, il arrête les mouvements de succion sur le mamelon de sa mère (stimulus/déséquilibre).

Situation 4 : La régulation du calcium

a) Équilibre : Concentration normale de calcium sanguin.
Stimulus/déséquilibre : Diminution de la concentration de calcium dans le sang.
Récepteur(s) : Glandes parathyroïdes.
Centre de régulation : Glandes parathyroïdes (sécrétion de la parathormone).
Effecteur(s) : Ostéoclastes (dégradation de la matrice osseuse).
Réponse : Augmentation de la concentration de calcium dans le sang.

b) Un mécanisme de rétro-inhibition, car la réponse réduit le déséquilibre (stimulus) initial.

c) Système endocrinien (glandes parathyroïdes).

Situation 5 : La pression artérielle

a) Équilibre : Pression artérielle normale.
Stimulus/déséquilibre : Diminution de la pression artérielle.
Récepteur(s) : Barorécepteurs des vaisseaux sanguins.
Centre de régulation : Encéphale (centre cardiovasculaire du bulbe rachidien).
Effecteur(s) : Cœur (augmentation de la force et de la fréquence des contractions).
Réponse : Élévation de la pression artérielle.

b) Un mécanisme de rétro-inhibition, car la réponse réduit le déséquilibre (stimulus) initial.

c) Système nerveux (encéphale).

5. a) et b) 1. cavité crânienne ; 2. cavité vertébrale ; 3. cavité thoracique ; 4. médiastin, 5. cavité péricardique, 6. cavité pleurale ; 7. cavité abdominopelvienne ; 8. cavité abdominale ; 9. cavité pelvienne.

6. a) Quadrants abdominopelviens

1. Quadrant supérieur droit (QSD).
2. Quadrant supérieur gauche (QSG).
3. Quadrant inférieur droit (QID).
4. Quadrant inférieur gauche (QIG).

b) Régions abdominopelviennes

1. Région hypochondriaque droite.
2. Région épigastrique.
3. Région hypochondriaque gauche.
4. Région latérale (lombaire) droite.
5. Région ombilicale.
6. Région latérale (lombaire) gauche.
7. Région inguinale (iliaque) droite.
8. Région hypogastrique (pubienne).
9. Région inguinale (iliaque) gauche.

Application 1.2 : Encerclez le quadrant inférieur droit (QID ; quadrant 3).

Application 1.3 : a) Le schéma doit inclure une ligne transversale (gauche/droite) sur le ventre du patient au-dessous des hanches, dans les régions 4, 5 et 6. b) Gros intestin et intestin grêle.

CORRIGÉ CHAPITRE 2 – LA CHIMIE

1. HORIZONTALEMENT : 1. atome ; protéine ; 3. disaccharide ; 5. eau ; métabolisme ; 9. stéroïde ; 11. lipides ; 13. phospholipide ; 15. nucléotide ; 21. monosaccharide ; 23. nutriment. VERTICALEMENT : 1. acide ; base ; 3. glucides ; 5. enzyme ; molécule ; 7. ATP ; catabolisme ; 11. triglycéride ; 15. polysaccharide.

2. a)

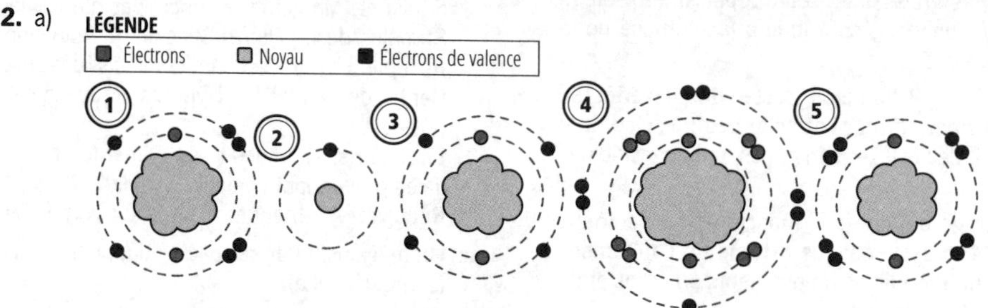

b) 1. Oxygène, numéro 8, 8 électrons, 8 protons, non stable.
2. Hydrogène, numéro 1, 1 électron, 1 proton, non stable.
3. Carbone, numéro 6, 6 électrons, 6 protons, non stable.
4. Chlore, numéro 17, 17 électrons, 17 protons, non stable.
5. Néon, numéro 10, 10 électrons, 10 protons, stable.

3. a) 1. Covalente ; 2. Ionique.

b) et c)

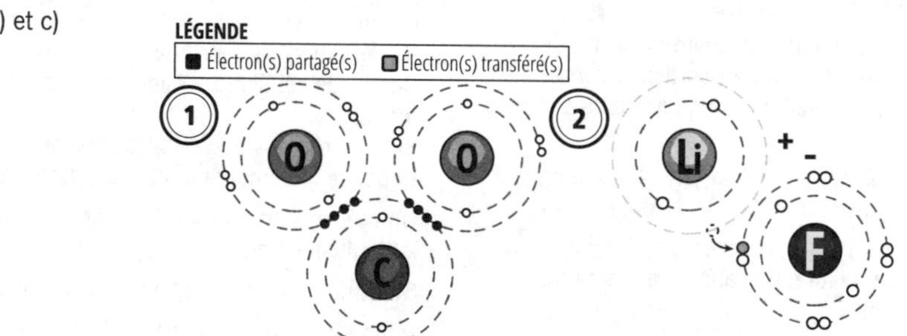

Application 2.1 : a) La substance est hydrophile puisqu'elle s'est dissoute dans l'eau. b) Les liaisons qui unissaient les atomes du cube étaient des liaisons ioniques, car des ions (« atomes chargés ») ont été libérés dans l'eau.

4. a) et b)

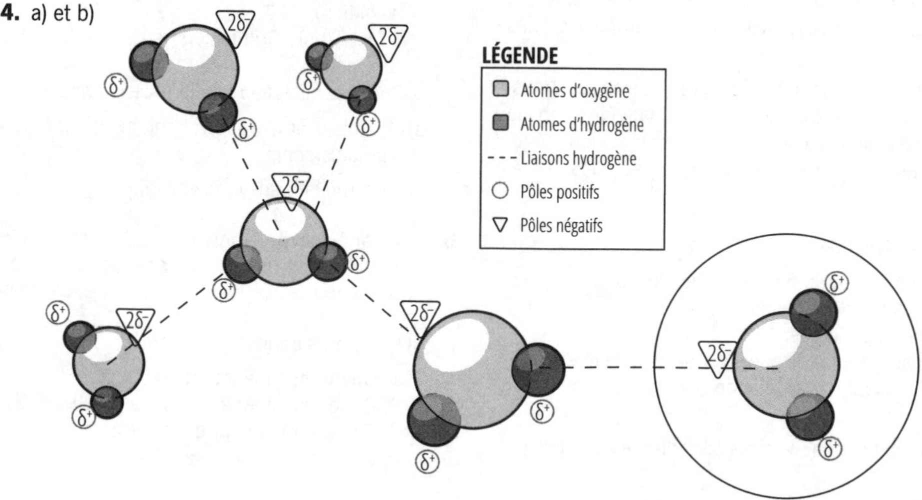

5. a) à d)

N°	Réactif(s)	Produit(s)	Énergie	Type de réaction	Endothermique ou exothermique
1	H_2CO_3	H^+ ; HCO_3^-	Du côté des produits	1. Catabolisme	Exothermique
2	**NaOH** ; HCl	**Na**Cl ; H_2O (**H–O**–H)	–	5. Échange	–
3	ATP ; H_2O	ADP ; P_i	Du côté des produits	2. Catabolisme par hydrolyse	Exothermique
4	CO_2 ; H_2O	H_2CO_3	Du côté des réactifs	3. Anabolisme	Endothermique
5	ADP ; Pi	ATP ; H_2O	Du côté des réactifs	4. Anabolisme par déshydratation	Endothermique
6	2 C_2H_4O ; O_2	2 $C_2H_4O_2$	Du côté des réactifs	3. Anabolisme	Endothermique
7	$C_{12}H_{22}O_{11}$; H_2O	2 $C_6H_{12}O_6$	Du côté des produits	2. Catabolisme par hydrolyse	Exothermique
8	$C_6H_{12}O_6$; 6 $\mathbf{O_2}$	6 H_2O ; 6 C$\mathbf{O_2}$	–	5. Échange	–

6. a)

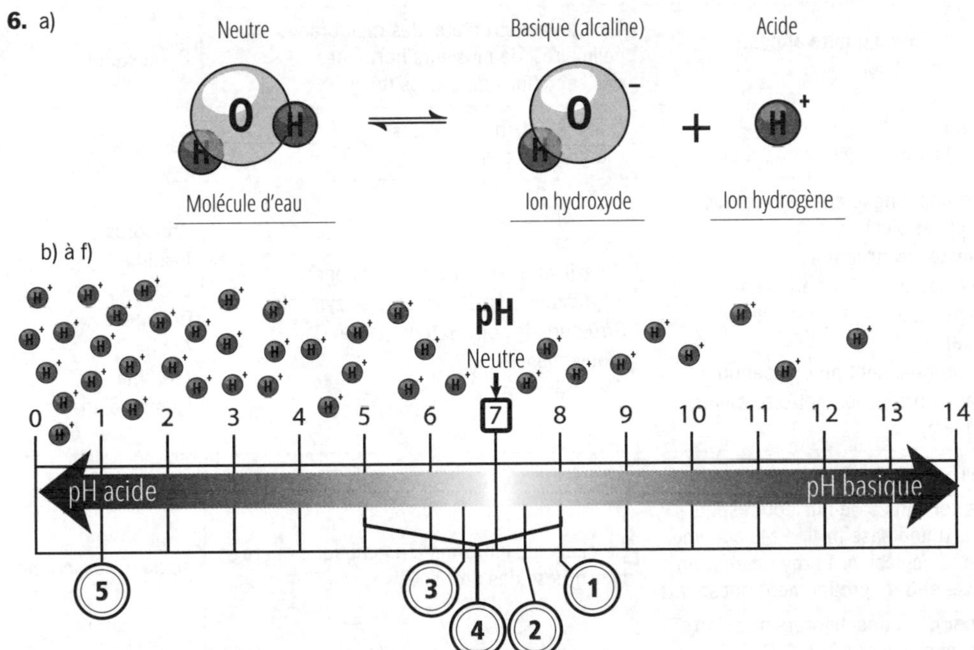

Application 2.2 : L'acidose est un trouble qui se caractérise par une diminution du pH du sang par rapport à la valeur normale. Un traitement permettant d'élever le pH sanguin du patient serait approprié. On devrait donc administrer une substance qui élève le pH.

7. a) et b)

Lipides	Protéines	Acides nucléiques	Glucides
Graisse, acide gras, stéroïde, triglycéride/triacylglycérol, phospholipide/phosphoglycérolipide	Acide aminé, dipeptide, enzyme, polypeptide	Base azotée, gène, nucléotide, ADN, ARN	Amidon, polysaccharide, glycogène, glucose, disaccharide, monosaccharide, sucre

8.

Nom	Structure	Fonction(s)	Exemple(s)
Glucides	Monosaccharide (un monomère de glucide)	Source d'énergie	Glucose Fructose Galactose
	Disaccharide (deux monomères de glucide)	Source d'énergie	Sucrose ou saccharose (glucose + fructose) Lactose (glucose + galactose) Maltose (glucose + glucose)
	Polysaccharide (plus de deux monomères de glucide)	Stockage d'énergie et structure	Glycogène Amidon Cellulose
Lipides	Acide gras (chaine de carbone saturée ou non d'atomes d'hydrogène)	Source d'énergie	Acide laurique Acide butyrique
	Graisse et huile (glycérol et acide gras)	Sources d'énergie Stockage d'énergie Isolation et protection de l'organisme	Monoglycéride Diglycéride Triglycéride
	Stéroïde (structure à quatre anneaux d'atomes de carbone)	Constituant structural des membranes cellulaires, de plusieurs hormones, des sécrétions digestives (bile)	Cholestérol
	Phospholipide (tête hydrophile et queue hydrophobe)	Constituant structural des membranes cellulaires	Lécithine
Protéines	Composé d'une longue chaine d'acides aminés (20 possibles) Quatre niveaux de structure: • Primaire (chaine d'acides aminés) • Secondaire (hélice alpha et feuillet plissé bêta) • Tertiaire (enroulement du polypeptide) • Quaternaire (interaction entre plusieurs polypeptides)	Défense Coordination et contrôle (hormones) Régulation du métabolisme (enzymes) Structure de soutien (charpente) Mouvement Transport	Anticorps Insuline Lactase Collagène Actine Myosine Hémoglobine
Acides nucléiques	Double hélice Deux brins constitués de nucléotides, qui sont formés d'une base azotée (A: adénine, G: guanine, C: cytosine, T: thymine), d'un désoxyribose et d'un groupement phosphate Brins liés par des ponts hydrogène selon l'appariement suivant: A-T et C-G	Stockage de l'information génétique qui régit la synthèse des protéines	Acide désoxyribonucléique (ADN)
	Simple brin constitué de nucléotides, qui sont formés d'une base azotée (A: adénine, G: guanine, C: cytosine, U: uracile), d'un ribose et d'un groupement phosphate.	Synthèse des protéines selon l'information fournie par l'ADN	Acide ribonucléique (ARN)

Application 2.3: Des températures élevées pourraient servir à dénaturer les protéines en perturbant les liaisons hydrogène qui contribuent à la formation des structures secondaires et tertiaires des prions. En réalité, il est très difficile de détruire les prions, mais l'exposition à une chaleur extrême ou à un pH extrême peut provoquer une dénaturation de la protéine prion. En outre, l'hydrolyse peut servir à séparer les prions et ainsi permettre d'endommager leur structure primaire.

9. a) Enzyme: lactase; substrat/réactif: lactose; produits: galactose et glucose.

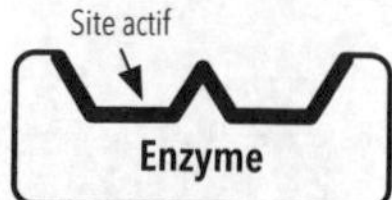

b) Type de réaction: catabolisme par hydrolyse; exothermique. Énergie du côté des produits à droite.

Application 2.4: Ajouter un X sur l'enzyme lactase.

10. a) et b)

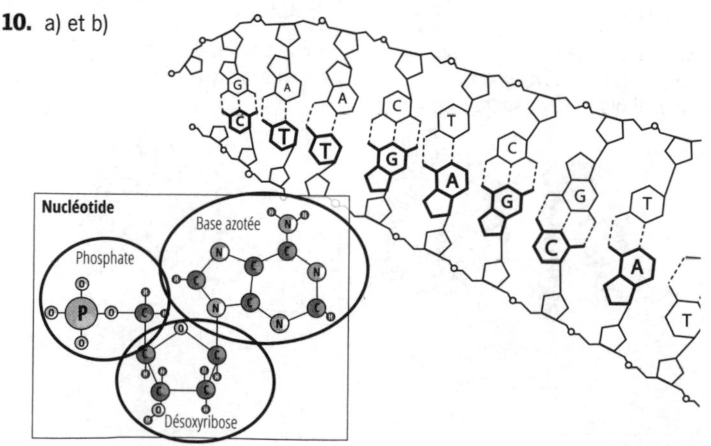

CORRIGÉ CHAPITRE 3 – LA CELLULE

1. HORIZONTALEMENT : 1. rugueux ; mitochondrie ; 3. mitose ; 5. phagocytose ; 7. mutation ; 11. noyau ; 13. facilitée ; 15. chromosome ; 19. lysosome ; 21. flagelle. VERTICALEMENT : 1. ribosome ; 3. messager ; 5. actif ; cytoplasme ; 7. isotonique ; 11. phospholipide ; 13. cancer ; cytocinèse ; 15. osmose ; 17. traduction ; 19. transcription.

2. a) et b)

Nº	Structure cellulaire	Localisation ou courte description	Fonction
1	Membrane plasmique	Limite externe de la cellule	Enferme le contenu cellulaire ; règle les entrées et les sorties de matières.
2	Mitochondrie	Dispersée dans le cytoplasme	Constitue le site de la libération de l'énergie venant des nutriments ; effectue la synthèse de l'ATP.
3	Complexe golgien	Empilement de sacs membraneux, localisé près du RER	Entrepose, trie et étiquette des produits dans des vésicules.
4	Réticulum endoplasmique lisse (REL)	Réseau de compartiments fait de membranes	Effectue notamment la synthèse des lipides, le métabolisme des glucides et la détoxification.
5	Réticulum endoplasmique rugueux (RER)	Réseau de compartiments fait de membranes associées à des ribosomes	Effectue la synthèse des protéines en vue de la sécrétion vers le complexe golgien ; assure la synthèse de membranes.
6	Ribosome	Rattaché au RER ou dispersé dans le cytoplasme	Assemble des acides aminés pour fabriquer une protéine (traduction).
7	Cytosquelette	Réseau de protéines structurales ; comprend les microfilaments, les filaments intermédiaires et les microtubules.	Soutient et maintient la forme cellulaire ; contribue au mouvement des organites et des chromosomes.
8	Centrioles	Deux structures cylindriques et perpendiculaires situées près du noyau	Participent à l'organisation des microtubules.
9 a	Microvillosités	Prolongement de la membrane plasmique à la surface de la cellule	Augmentent la surface d'absorption.
9 b	Cil et flagelle		Assurent la mobilité (liquide ou cellule).
10	Lysosome	Vésicule contenant des enzymes digestives	Participe à la digestion intracellulaire.
11	Noyau	Entouré par une enveloppe nucléaire ; contient la chromatine (ADN), de l'ARN, des enzymes et des protéines	Régule le métabolisme ; stocke et traite l'information génétique ; contrôle la synthèse des protéines.
12	Cytosol	Portion liquide du cytoplasme	Fournit un environnement favorisant les réactions métaboliques.

Application 3.1 : Puisque les lysosomes contiennent des enzymes digestives, les cellules des personnes atteintes de la maladie de Tay-Sachs sont incapables de dégrader les nutriments et d'éliminer les déchets de manière appropriée. Par conséquent, les déchets s'accumulent dans les cellules, ce qui perturbe le fonctionnement normal de différents organes.

Application 3.2 : Mitochondrie (numéro 2 dans l'image de la cellule).

3. A. Cytoplasme.
B. 1 (membrane plasmique).
C. Organites.
D. 12 (cytosol).
E. Phospholipides (phosphoglycérolipides).
F. Non membraneux.
G. Membraneux.
H, I, J. 6 (ribosome) ; 7 (cytosquelette) ; 8 (centrioles).
K à P. 2 à 5 (mitochondrie, complexe golgien, réticulum endoplasmique lisse, réticulum endoplasmique rugueux) ; 10 (lysosome) ; 11 (noyau).

4. a), b) et c)

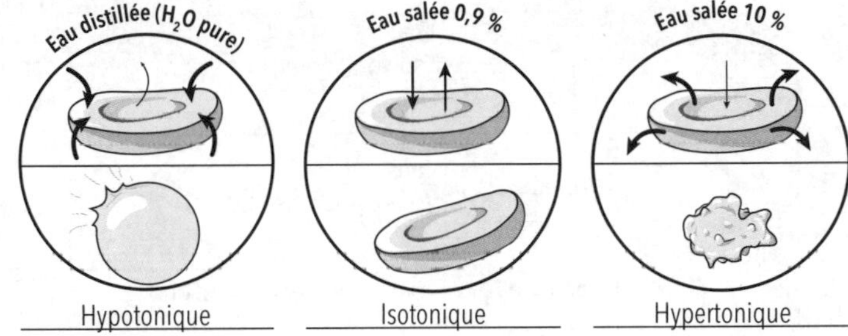

5. a) et d)
1. Prophase : début – condensation des chromosomes présents sous forme de chromatine pour former les chromatides et migration des centrioles vers les extrémités opposées du noyau ; fin – on voit les paires de chromatides sœurs reliées par le centromère.
2. Métaphase : alignement des chromatides au centre de la cellule le long de la plaque équatoriale.
3. Anaphase : séparation des chromatides sœurs et migration vers les pôles, tirées par les fuseaux mitotiques.
4. Télophase.

b) et c)

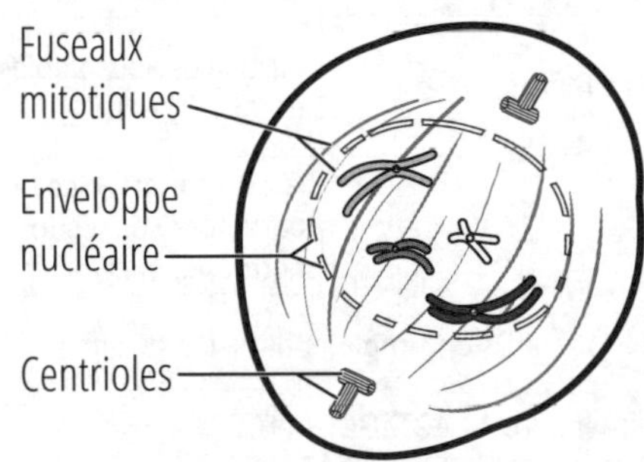

Application 3.3 : Il s'agit de l'anaphase, car c'est au cours de cette étape que le chromosome se sépare en deux et que les chromatides sœurs migrent vers les pôles opposés de la cellule.

6. a)

Composants membranaires

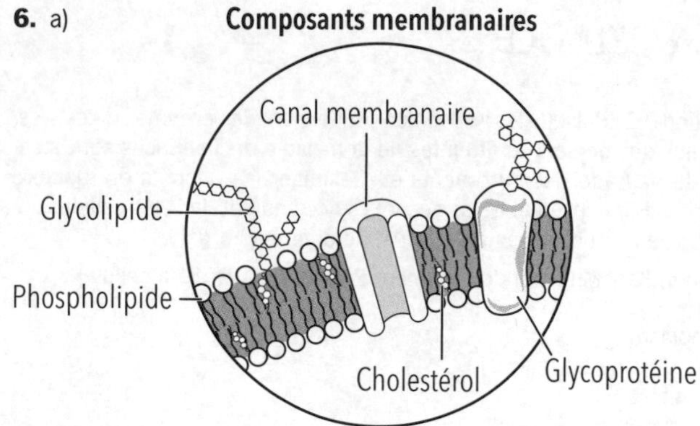

b) + présence en petite quantité, ++ présence en grande quantité

Substance	Intracellulaire	Sens du mouvement	Extracellulaire
O_2	+	←	++
CO_2	++	→	+
K^+	++	→	+
Na^+	+	←	++
Cl^-	+	←	++
Protéines	++	Aucun	+
Glucose	+	←	++

c) et d)

N°	Nom du mécanisme de transport		Ce qui se déplace (particule, eau, ion, etc.)	Direction du déplacement	Protéine nécessaire (oui ou non)	Mécanisme (actif ou passif)
3	Osmose		Eau (solvant)	D'une région de faible concentration en solutés vers une région de forte concentration de solutés non diffusables (à travers une membrane semi-perméable)	Non Oui (aquaporine)	Passif
5	Transport actif	Primaire	Ions (p. ex., pompe Na^+-K^+)	Contre le gradient de concentration (d'une faible vers une forte concentration de solutés)	Oui	Actif
6		Secondaire	Ions, glucose (cotransport)			
7	Endocytose	Phagocytose	Grosses particules solides (p. ex. : bactérie, cellule morte, débris cellulaire)	De l'extérieur vers l'intérieur de la cellule (La cellule mange.)	Non	Actif
		Pinocytose	Liquide contenant de petites molécules	De l'extérieur vers l'intérieur de la cellule (La cellule boit.)		
4	Diffusion facilitée		Particules hydrosolubles (p. ex., glucose)	Selon le gradient de concentration (d'une forte vers une faible concentration de solutés)	Oui	Passif
2			Solutés hydrophiles (p. ex., ions)			
1	Diffusion simple		Particules liposolubles (p. ex., O_2 et CO_2)	Selon le gradient de concentration (d'une forte vers une faible concentration de solutés)	Non	Passif
8	Exocytose		Grosses molécules ou particules solides (p. ex., hormone, enzyme, mucus)	De l'intérieur vers l'extérieur de la cellule	Non	Actif

Application 3.4 : Diffusion simple et diffusion facilitée.

7. Brin complémentaire 1 : AGTTGCGATTCG.
Brin complémentaire 2 : TAGGCCAAGCTT.

b)

ADN matrice	A	C	G	T	C	C	A	T	G
ARNm	U	G	C	A	G	G	U	A	C
Acides aminés		Cys			Arg			Tyr	

c)

ARNm (codons)	AUG	CCU	UGG	CUC	AAC	UGA
ARNt (anticodons)	UAC	GGA	ACC	GAG	UUG	ACU
Protéine (acides aminés)	Met	Pro	Trp	Leu	Asn	Arrêt !

8. a)

ADN codant	C	T	G	C	G	A	G	A	T	A	T	T
1re étape : Transcription												
ARN messager	C	U	G	C	G	A	G	A	U	A	U	U
2e étape : Traduction												
Protéine	Leu			Arg			Asp			Ile		

d)

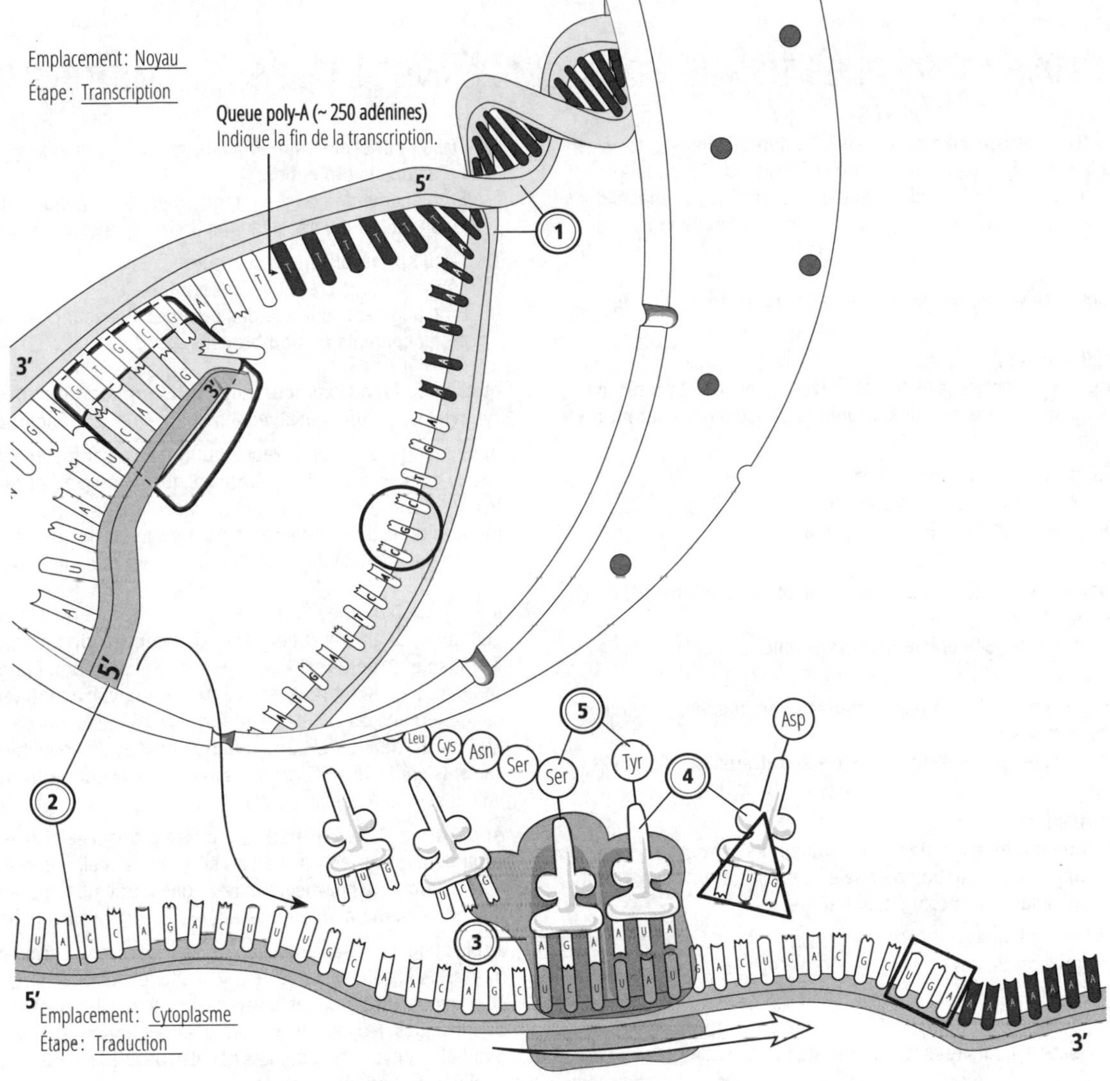

9. a), b) et c)

ADN normal	TAC CAT GTA AAT TGA GGA CTT AGA TTT
ARN messager	AUG GUA CAU UUA ACU CCU GAA UCU AAA
Protéine	Met – Val – His – Leu – Thr – Pro – Glu – Ser – Lys

ADN avec mutation 1	TAC CAT GTA AAT TGA GGA CTT TCA TTT
ARN messager	AUG GUA CAU UUA ACU CCU GAA AGU AAA
Protéine	Met – Val – His – Leu – Thr – Pro – Glu – Ser – Lys

Type de mutation : silencieuse

ADN avec mutation 2	TAC CAT GTA AAT TGA GGA ATT AGA TTT
ARN messager	AUG GUA CAU UUA ACU CCU UAA UCU AAA
Protéine	Met – Val – His – Leu – Thr – Pro – Arrêt

Type de mutation : non-sens

ADN avec mutation 3	TAC CAT GTA AAT TGA GGA CGA CTT TTT
ARN messager	AUG GUA CAU UUA ACU CCU GCU GAA AAA
Protéine	Met – Val – His – Leu – Thr – Pro – Ala – Glu – Lys

Type de mutation : faux-sens

Application 3.5 :

a)

	Individu sain										
ADN du brin codant	GGC	ACC	ATT	AAA	GAA	AAT	ATC	ATC	TTT	GGT	GTT
ADN du brin matrice	CCG	TGG	TAA	TTT	CTT	TTA	TAG	TAG	AAA	CCA	CAA
ARN messager	GGC	ACC	AUU	AAA	GAA	AAU	AUC	AUC	UUU	GGU	GUU
Protéine	Gly	Thr	Ile	Lys	Glu	Asn	Ile	Ile	Phe	Gly	Val

b)

	Individu atteint de la mutation Delta F508										
Délétion								AT*	**T		
ADN du brin codant	GGC	ACC	ATT	AAA	GAA	AAT	ATC	ATT		GGT	GTT
ADN du brin matrice	CCG	TGG	TAA	TTT	CTT	TTA	TAG	TAA		CCA	CAA
ARN messager	GGC	ACC	AUU	AAA	GAA	AAU	AUC	AUU		GGU	GUU
Protéine	Gly	Thr	Ile	Lys	Glu	Asn	Ile	Ile		Gly	Val

CORRIGÉ CHAPITRE 4 – LES TISSUS, LES MEMBRANES ET LE SYSTÈME TÉGUMENTAIRE

1. HORIZONTALEMENT : 1. épiderme ; musculaire ; 3. derme ; fibrose ; simple ; 5. conjonctif ; 9. adipeux ; 11. muqueuse ; sébum ; 13. nerveux ; 15. sudoripare ; 21. stratifié. VERTICALEMENT : 1. endothélium ; 5. collagène ; 7. mélanine ; 13. cartilage ; 15. sang ; 19. épithélial ; fibroblaste ; 21. pavimenteux ; 23. glandulaire ; séreuse.

2. a) Tissus : épithélial, conjonctif, nerveux et musculaire (*ordre suggéré*).

b), c) et d)

A. Tissu adipeux (conjonctif)
Fonction(s) : réserve d'énergie, isolation thermique, soutien et protection.
Emplacement : couche sous-cutanée, moelle osseuse jaune, autour du cœur et des reins.

B. Tissu épithélial pseudostratifié prismatique cilié
Fonction(s) : sécrétion et propulsion du mucus.
Emplacement : voies respiratoires supérieures.

C. Tissu nerveux
Fonction(s) : détection des stimulus, production et conduction des influx nerveux, intégration.
Emplacement : nerfs, moelle épinière et encéphale.

D. Tissu musculaire lisse
Fonction(s) : déplacement des substances dans l'organisme, régulation du volume des organes.
Emplacement : vaisseaux sanguins, voies respiratoires et digestives, vessie.

E. Tissu musculaire squelettique
Fonction(s) : mouvement en collaboration avec les os du squelette, maintien de la posture, production de chaleur, protection.
Emplacement : muscles du système squelettique.

F. Tissus musculaire cardiaque
Fonction(s) : propulsion du sang.
Emplacement : cœur.

G. Tissu : cartilage hyalin (conjonctif)
Fonction(s) : mobilité articulaire, soutien, résistance à la compression et souplesse.
Emplacement : extrémité des os longs, nez, cartilages costaux, trachée et bronches.

H. Tissu osseux (conjonctif)
Fonction(s) : soutien, protection, mouvement en collaboration avec les muscles, production de cellules sanguines (moelle osseuse rouge), réserve de calcium et de triglycérides (moelle osseuse jaune).
Emplacement : tous les os du système squelettique.

I. Tissu : sang (conjonctif)
Fonction(s) : transport de substances, immunité et coagulation.
Emplacement : dans les vaisseaux sanguins et les cavités cardiaques.

J. Tissu épithélial simple pavimenteux/squameux
Fonction(s) : filtration, diffusion, osmose et sécrétion.
Emplacement : surface intérieure du cœur, des vaisseaux sanguins et lymphatiques, des sacs alvéolaires des poumons et les capsules glomérulaires des reins.

K. Tissu épithélial stratifié pavimenteux/squameux
Fonction(s) : protection.
Emplacement : couche superficielle de la peau (épithélium kératinisé), la langue, et diverses cavités (bouche, œsophage et vagin).

L. Tissu épithélial simple cubique
Fonction(s) : sécrétion et absorption.
Emplacement : surface des ovaires ; intérieur des tubules rénaux et des petits conduits de nombreuses glandes.

3. a) et b) 5. Membrane cutanée ; 6. Membrane muqueuse ; 3. Membrane synoviale. Membranes séreuses : 1. plèvre ; 2. péricarde ; 4. péritoine.

Application 4.1 : a) La séreuse qui pourrait s'infecter est le péritoine. b) La cavité péritonéale est un endroit normalement stérile dans laquelle se trouvent de nombreux organes vascularisés. Une infection du péritoine (péritonite) est dangereuse et peut menacer la vie, car l'infection pourrait causer une septicémie (infection du sang) et se généraliser.

4. a et b) 1. épiderme ; 2. derme ; 3. hypoderme (fascia superficiel) ; 4. fibre nerveuse ; 5. glande sudoripare ; 6. récepteur du toucher et de la pression ; 7. muscle arrecteur du poil ; 8. poil ; 9. glande sébacée ; 10. vaisseaux sanguins ; 11. kératinocytes ; 12. macrophagocyte intraépidermique (cellule de langerhans ou cellule dendritique) ; 13. cellule basale ; 14. mélanocyte ; 15. cellule de Merkel ; 16. couche cornée ; 17. couche claire (*présente à certains endroits du corps seulement) ; 18. couche granuleuse ; 19. couche épineuse ; 20. couche basale.

Application 4.2 : Le médecin devrait observer un épithélium stratifié squameux/pavimenteux kératinisé avec des cellules liées par des protéines d'adhésion. Si la biopsie comprend une partie du tissu dermique, le médecin devrait également voir le tissu conjonctif dense irrégulier.

Application 4.3 : Alors que l'épiderme comprend certaines zones de cellules mortes de la couche cornée (couche claire), les autres couches de l'épiderme contiennent des cellules vivantes telles que les kératinocytes, les cellules dendritiques, les cellules basales, les mélanocytes et les cellules de Merkel (épithéloïdocytes du tact). Les cellules basales se divisent pour former continuellement des kératinocytes qui sont poussés vers la surface pour former les couches mortes. Si l'on considère que plusieurs types de cellules contenues dans l'épiderme sont vivantes, votre ami n'a donc pas complètement raison d'affirmer que l'épiderme est une région « morte » de la peau.

Application 4.4 : Bien que l'épiderme se divise et se répare rapidement, les lésions cutanées plus profondes sont réparées par du tissu cicatriciel fibreux. Les blessures qui ont endommagé le derme et les annexes cutanées qui y résident sont réparées par du tissu cicatriciel non cellulaire, sans vaisseaux sanguins, muscles ou annexes cutanées.

5. 1. système tégumentaire ; 2. membrane cutanée ; 3. annexes cutanées ; 4. épiderme ; 5. derme ; 6. hypoderme ; 7. follicules pileux ; 8. glandes exocrines (sudoripares et sébacées) ; 9. ongles.

Application 4.5 : Les médicaments utilisés en chimiothérapie ciblent et éliminent les cellules qui se divisent très rapidement, caractéristique des cellules cancéreuses, mais ils détruisent aussi les cellules de la matrice du follicule pileux, ce qui provoque la chute des cheveux.

CORRIGÉ CHAPITRE 5 – LE SYSTÈME SQUELETTIQUE

1. HORIZONTALEMENT : 1. lacune ; 5. endoste ; 7. appendiculaire ; 9. périoste ; 11. ostéoporose ; 15. ostéocyte ; diaphyse. VERTICALEMENT : 1. ligament ; 3. cartilage ; 7. ostéon ; spongieux ; 11. ostéoblaste ; 13. axial ; 15. articulation ; 17. épiphyse ; 21. ostéoclaste.

2. a) et b) 1. épiphyse proximale ; 2. métaphyse proximale ; 3. diaphyse ; 4. métaphyse distale ; 5. épiphyse distale ; 6. cartilage articulaire ; 7. ligne épiphysaire (métaphyse) ; 8. cavité médullaire ; 9. moelle osseuse ; 10. périoste ; 11. endoste ; 12. os compact ; 13. os spongieux (travées) ; 14. moelle osseuse rouge.

3. a) et b) 1. os compact ; 2. os spongieux ; 3. canalicules ; 4. lamelles ; 5. ostéoclaste ; 6. ostéoblaste ; 7. travée (trabécule) ; 8. ostéocytes ; 9. lacune ; 10. nerf ; 11. vaisseaux sanguins ; 12. canal central de l'ostéon (ostéone) ; 13. lamelles de l'ostéon ; 14. périoste.

c)

	Os compact	Os spongieux
A	X	
B		X
C	X	
D		X
E		X
F		X

Application 5.1 : Il est exact que les os fournissent un soutien structural au corps. Par contre, les os sont assurément des structures vivantes, comme en témoignent leur croissance constante et le remodelage accompli par des cellules osseuses vivantes (par exemple, les ostéoblastes, les ostéoclastes, les ostéocytes et les chondrocytes). De plus, les os ne sont pas « solides » (pleins), car ils contiennent des cavités et des espaces (par exemple, les cavités de la moelle osseuse et les lacunes). Par ailleurs, les os font bien plus que fournir un soutien : ils stockent des minéraux, participent à la production de cellules sanguines, protègent des organes et interviennent dans de nombreux mouvements corporels.

4. a) et b) 1. os pariétal ; 2. os temporal ; 3. os occipital ; 4. os frontal ; 5. maxillaire ; 6. mandibule ; 7. clavicule ; 8. scapula ; 9. humérus ; 10. ulna ; 11. radius ; 12. os du carpe ; 13. os métacarpiens ; 14. phalanges de la main ; 15. sternum ; 16. côtes ; 17. vertèbre ; 18. os coxaux (os de la hanche), 19. sacrum ; 20. coccyx ; 21. fémur ; 22. patella (rotule) ; 23. tibia ; 24. fibula ; 25. os du tarse ; 26. os métatarsiens ; 27. phalanges du pied.

Application 5.2 : L'os frontal, les vertèbres cervicales et le fémur.

5.

Classification des os selon leur forme	Nom des os
Os plats	Os frontal ; os occipital ; côtes ; scapula ; os pariétal ; os temporal
Os longs	Humérus ; radius ; ulna ; fémur ; tibia ; fibula ; os métacarpiens ; os métatarsiens ; phalange
Os irréguliers	Vertèbres ; os coxal (os de la hanche)
Os courts	Os du carpe ; os du tarse ; patella (rotule)

6. A. a) et b) 1. os pariétal ; 2. os frontal ; 3. os sphénoïde ; 4. os zygomatique ; 5. os ethmoïde ; 6. os lacrymal ; 7. os nasal ; 8. maxillaire ; 9. mandibule ; 10. os temporal ; 11. os occipital.

Application 5.3 : Plusieurs réponses possibles. Par exemple :

La « pommette » fracturée pourrait être l'os zygomatique. La région fracturée remontant de la joue jusqu'à l'oreille pourrait concerner l'os temporal.

La « mâchoire » fracturée serait la mandibule. Le maxillaire, l'os sphénoïde ou l'os pariétal peuvent également être touchés.

B. a) et b) 1. région cervicale (7) ; 2. atlas ; 3. axis ; 4. région thoracique (12) ; 5. côtes ; 6. région lombaire (5) ; 7. sacrum ; 8. coccyx.

7. A. endoste et périoste ; B. cellule ostéogénique (cellule ostéogène ou ostéoprogénitrice) ; C. ostéoclaste ; D. moelle osseuse ; E. dégradation de la substance osseuse (résorption osseuse) ; F. endoste et périoste ; G. ostéoblaste ; H. synthèse des protéines ; I. matériau ostéoïde ; J. sels minéraux ; K. calcification ; L. ostéocyte ; M. entretien de la matrice osseuse, détection des contraintes mécaniques et communication avec les ostéoclastes.

Application 5.4 : La femme ménopausée produit moins d'œstrogènes. Elle ne bénéficie donc plus de l'effet inhibiteur de ces hormones sur l'activité des ostéoclastes (résorption osseuse) et de l'effet stimulant sur le dépôt de matrice osseuse (ostéoblaste). Ainsi, la résorption osseuse se fait plus rapidement que le dépôt de matière osseuse. Il s'ensuit une diminution de la masse osseuse (os plus poreux et plus légers).

8. A. a) et b) 1. zone de cartilage de réserve (quiescent) ; 2. petits chondrocytes ; 3. zone de cartilage en prolifération ; 4. chondrocytes en mitose ; 5. zone de cartilage en hypertrophie ; 6. chondrocytes hypertrophiés ; 7. zone de cartilage en calcification ; 8. lacunes ; 9. matrice calcifiée ; 10. zone de cartilage en ossification ; 11. matrice osseuse ; 12. canaux longitudinaux.

c) Épiphyse au haut de la figure et diaphyse au bas de la figure.

d) L'os s'allonge de la diaphyse vers l'épiphyse.

B. a) et b) 1. périoste ; 2. os compact ; 3. cavité médullaire.
Tissu osseux déposé par les ostéoblastes : grosses flèches.
Tissu osseux résorbé par les ostéoclastes : petites flèches.

9. a), b) et c) Équilibre: Concentration sanguine normale de calcium (calcémie normale).

	Hypercalcémie	Hypocalcémie
Stimulus/déséquilibre	Augmentation de la calcémie	Diminution de la calcémie
Récepteur(s)/ centre de régulation	Thyroïde (libération de calcitonine)	Glandes parathyroïdes (libération de parathormone)
Effecteur(s)	Rein (excrétion de calcium) et os (dépôt de calcium dans les os par les **ostéoblastes**)	Rein (production de calcitriol, entraînant l'absorption du calcium par l'intestin et la diminution de l'élimination du calcium dans l'urine) et os (libération de calcium par la résorption osseuse des **ostéoclastes**)
Réponse	Diminution de la calcémie	Augmentation de la calcémie
Représentation du calcium dans le sang	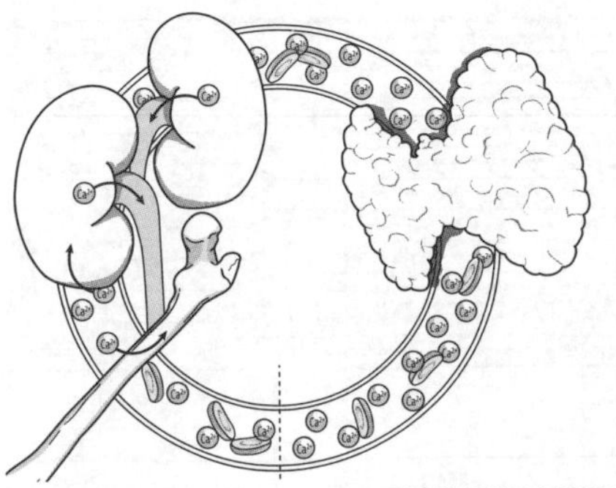	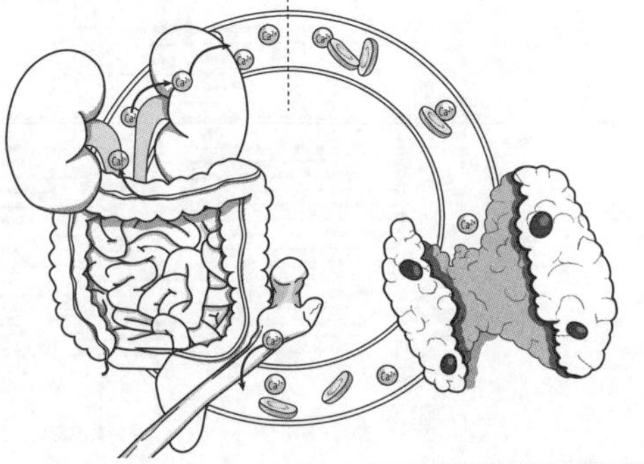

10. a) et b) 1. périoste ; 2. cavité médullaire (renferme la moelle osseuse rouge ou jaune) ; 3. ligament ; 4. capsule articulaire ; 5. membrane synoviale ; 6. membrane fibreuse (capsule fibreuse) ; 7. cartilage articulaire (hyalin) ; 8. cavité articulaire ; 9. synovie (liquide synovial).

Application 5.5 : Le cartilage articulaire (structure 7).

11. A. rayons du soleil ; B. aliments ; C. composé stéroïdien (7-déhydrocholestérol ; molécule dérivée du cholestérol) ; D. épiderme ; E. vitamine D_3 ; F. intestin grêle ; G. calcidiol (produit intermédiaire) ; H. foie ; I. calcitriol ; J. reins, K. calcium ; L. vaisseau sanguin ; M. os.

Application 5.6 : a) Puisque le nombre d'heures d'ensoleillement est faible et que la surface de peau exposée au soleil en hiver dans les pays nordiques est très réduite, la peau est incapable de fournir suffisamment de vitamine D à l'organisme. b) Les produits laitiers contiennent naturellement du calcium en grande quantité. Ainsi, le fait d'ajouter la vitamine D à ces produits favorise l'absorption du calcium par l'intermédiaire du calcitriol.

CORRIGÉ CHAPITRE 6 – LE SYSTÈME MUSCULAIRE

1. HORIZONTALEMENT : 1. sarcomère ; 7. endomysium ; 9. myocyte ; 11. créatinine ; atrophie ; 13. stries ; 17. calcium ; 19. sarcoplasme ; myofibrille ; 23. hypertrophie. VERTICALEMENT : 1. sarcolemme ; périmysium ; 5. acétylcholine ; 7, épimysium ; 9. faisceau ; 11. tendon ; 13. sarcoplasmique ; 19. myoglobine ; 23. myofilament.

2.

Caractéristiques	Muscle squelettique	Muscle cardiaque	Muscle lisse
Possède des stries (strié).	X	X	
Est volontaire.	X		
Est involontaire.		X	X
Se contracte de manière autonome, agit comme une pompe.		X	
Régit les mouvements des os.	X		
Est localisé en majorité dans les organes de la cavité abdominopelvienne (système digestif et système urinaire) et dans les vaisseaux sanguins.			X
Figure d'un muscle lisse			X
Figure d'un muscle squelettique	X		
Figure d'un muscle cardiaque		X	

3. a) et b) 1. ventre frontal du muscle occipitofrontal ; 2. m. temporal ; 3. m. orbiculaire de l'œil ; 4. m. nasal ; 5. m. zygomatique ; 6. m. masséter ; 7. m. buccinateur ; 8. m. orbiculaire de la bouche (des lèvres) ; 9. m. abaisseur de l'angle de la bouche ; 10. m. abaisseur de la lèvre inférieure ; 11. m. sternocléidomastoïdien ; 12. m. trapèze ; 13. m. platysma.

Application 6.1 : Muscle masséter (structure numéro 6).

Application 6.2 : Muscle sternocléidomastoïdien (structure numéro 11).

4. a) et b)

A. 1. ventre frontal du muscle occipitofrontal ; 2. m. temporal ; 3. m. trapèze ; 4. m. deltoïde ; 5. m. grand pectoral ; 6. m. dentelé antérieur ; 7. m. droit de l'abdomen ; 8. m. biceps brachial ; 9. m. brachioradial ; 10. m. oblique externe de l'abdomen ; 11. m. transverse de l'abdomen ; 12. m. sartorius ; 13. m. iliopsoas (illiaque) ; 14. m. pectiné ; 15. m. long adducteur ; 16. m. gracile ; 17. m. droit fémoral (droit de la cuisse) ; 18. m. vaste latéral ; 19. m. vaste médial ; 20. m. long fibulaire ; 21. m. tibial antérieur ; 22. m. soléaire.

B. 1. ventre occipital du muscle occipitofrontal ; 2. m. trapèze ; 3. m. deltoïde ; 4. m. grand dorsal ; 5. m. triceps brachial ; 6. m. brachioradial ; 7. m. moyen fessier ; 8. m. grand fessier ; 9. m. gracile ; 10. m. grand adducteur ; 11. m. semi-tendineux ; 12. m. biceps fémoral ; 13. m. semi-membraneux ; 14. m. gastrocnémien ; 15. m. soléaire.

Application 6.3 : Un grand nombre de muscles sont utilisés. On peut citer par exemple le triceps brachial pour l'extension des coudes, le grand pectoral et le deltoïde pour la flexion des épaules, les extenseurs du poignet pour placer les paumes à plat sur la porte et les muscles du tronc et des jambes pour stabiliser le corps lors de la poussée.

5. a) et b) 1. tendon ; 2. épimysium ; 3. muscle ; 4. vaisseaux sanguins ; 5. nerf ; 6. faisceau (musculaire ou de fibre musculaire) ; 7. endomysium ; 8. périmysium ; 9. noyaux ; 10. myocyte (fibre musculaire ou cellule musculaire) ; 11. sarcolemme ; 12. myofibrille ; 13. sarcomère ; 14. myofilament mince d'actine ; 15. myofilament épais de myosine.

6. a) et b) 1. sarcomère ; 2. myofilament épais de myosine ; 3. zone H (strie H) ; 4. myofilament mince d'actine ; 5. ligne Z (disque Z) ; 6. ligne M ; 7. ligne Z (disque Z) ; 8. bande I (strie I) ; 9. bande A (strie A) ; 10. bande I (strie I).

c)

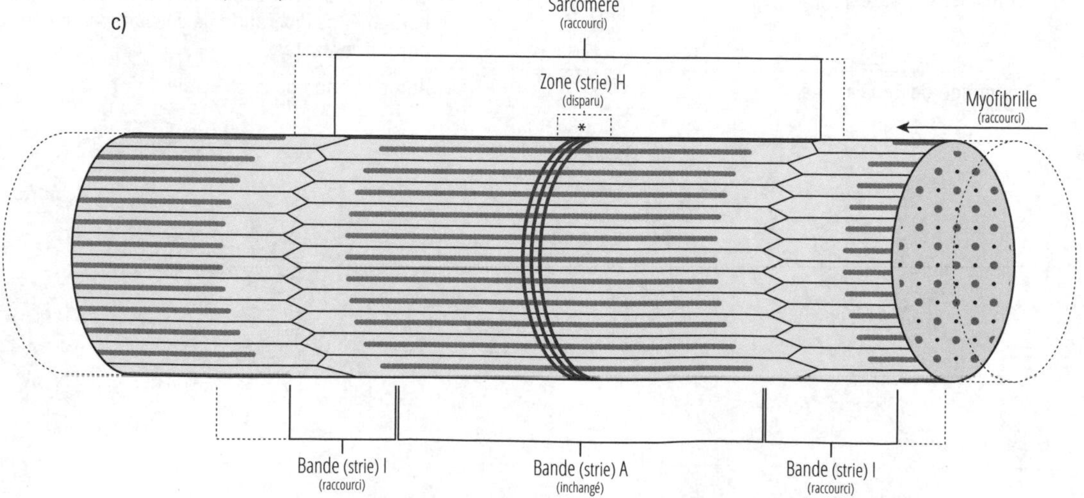

7. A. a) et b) 1. potentiel d'action ; 2. canaux calciques voltage-dépendant ; 3. bouton terminal (corpuscule nerveux terminal) ; 4. vésicules synaptiques ; 5. neurotransmetteur d'acétylcholine ; 6. plaque motrice ; 7. sarcolemme (membrane postsynaptique) ; 8. canal ionique chimiodépendant (ligand-dépendant) ; 11. acétylcholinestérase ; 12. tubule transverse ; 13. myofibrille ; 14. citernes terminales du réticulum sarcoplasmique.

c) Encerclez le Na^+.

Application 6.4 :

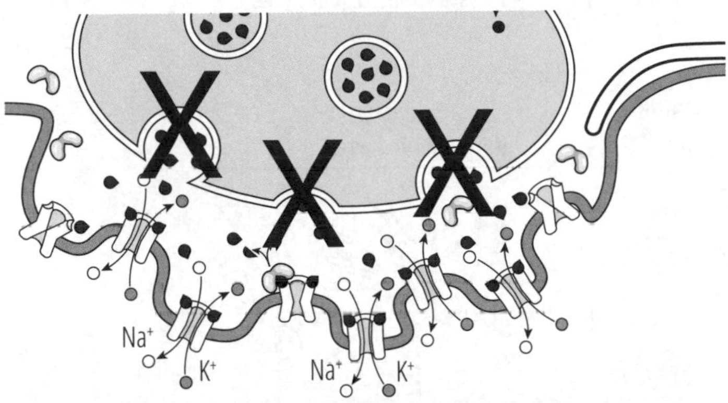

B. Composantes essentielles pour que le cycle se poursuive : ATP et calcium.

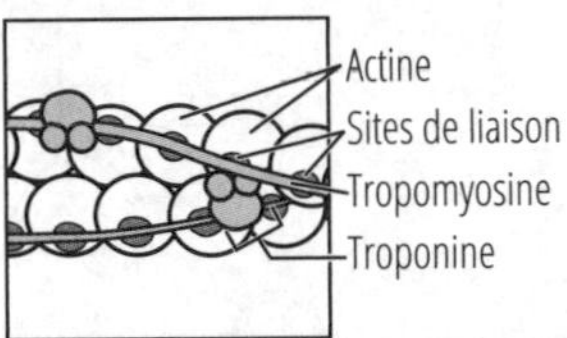

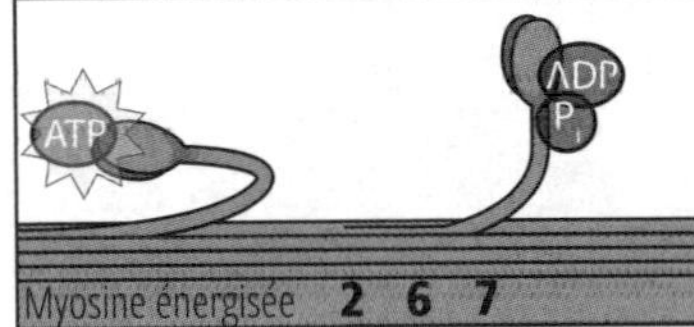

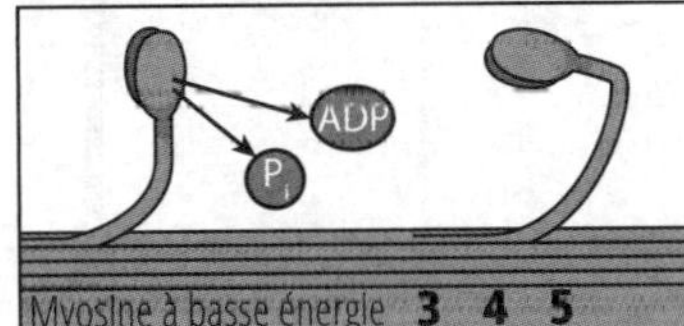

C.

Énoncés dans le désordre	
1	La contraction cesse lorsque le calcium est retourné dans les citernes du réticulum sarcoplasmique par un mécanisme de transport actif.
2	L'arrivée d'un potentiel d'action déclenche la libération du calcium emmagasiné dans le réticulum sarcoplasmique.
3	Les ions calcium se lient à la troponine, ce qui a pour effet de déplacer la tropomyosine et de libérer les sites de liaison sur les filaments d'actine.
4	Une nouvelle molécule d'ATP se fixe à la myosine (au pont d'union) qui se détache de l'actine. L'hydrolyse de cet ATP réactive la myosine, ce qui redonne de la myosine énergisée.
5	Des influx nerveux provenant du neurone moteur sont acheminés jusqu'à la jonction neuromusculaire.
6	La myosine énergisée libère son énergie et les ponts d'union pivotent en entrainant le filament mince d'actine. Le sarcomère raccourcit et la myosine reste liée à l'actine.
7	Il y a dépolarisation du sarcolemme (au niveau de la plaque motrice) et un potentiel d'action se propage le long du sarcolemme et des tubules transverses.
8	Il se crée un pont d'union entre les têtes de la myosine et les sites de liaison sur l'actine.

ORDRE : 5 – 7 – 2 – 3 – 8 – 6 – 4 – 1.

Application 6.5 : L'acétylcholinestérase est l'enzyme qui dégrade l'acétylcholine (Ach). Un inhibiteur de cette enzyme permet à l'Ach de rester plus longtemps au niveau de la synapse, ce qui a pour effet de favoriser la contraction musculaire.

Application 6.6 : Les muscles squelettiques de Georges pourraient ne pas se contracter lorsqu'ils sont stimulés par les neurones moteurs (c'est-à-dire être paralysés). Le calcium doit absolument sortir du réticulum sarcoplasmique (RS) pour exposer les sites de liaison sur l'actine, ce qui permet à la myosine de se lier à l'actine et de contracter le muscle puissamment. Ainsi, si le calcium ne peut sortir du RS, le myocyte ne se contractera pas, même s'il est stimulé.

Application 6.7 : La rigidité cadavérique est due à la dégradation des membranes cellulaires qui survient après la mort. Les ions calcium sont ainsi libérés du réticulum sarcoplasmique et vont se fixer à la troponine. La liaison calcium-troponine permet aux myofilaments fins d'actine de glisser et de provoquer la contraction musculaire. Comme l'individu est mort, la synthèse d'ATP a cessé et les ponts d'union de la myosine ne peuvent se détacher de l'actine, ce qui maintient la contraction après la mort. Cet état commence habituellement de 2 à 7 heures après le décès et dure environ 24 heures ; c'est pour cela que l'enquêteur de police déclare que cette victime a été tuée il y a moins de 24 heures.

CORRIGÉ CHAPITRE 7 – LE SYSTÈME NERVEUX

1. HORIZONTALEMENT : 1. myéline ; 3. somatique ; 7. axone ; 9. oligodendrocyte ; 11. autonome ; 15. dépolarisation ; 17. sensitif ; 19. neurotransmetteur. VERTICALEMENT : 1. synapse ; amitotique ; 5. intégration ; 11. dendrite ; 13. hyperpolarisation ; 17. névroglie.

2. a) et b) 1. canal central ; 2. épendymocytes (D) ; 3. microglie (A) ; 4. astrocyte (B) ; 5. oligodendrocyte (E) ; 6. neurone (C) ; 7. neurolemmocytes (cellule de Schwann) (E) ; 8. cellules satellites (gliocytes ganglionnaires) (F).

3. a) et c)

Classification structurale

LÉGENDE

1 Axone
2 Corps cellulaire
3 Dendrites
4 Boutons terminaux (boutons synaptiques ; corpuscules nerveux terminaux)
5 Zone gâchette (cône d'implantation)

Neurone **multi**polaire

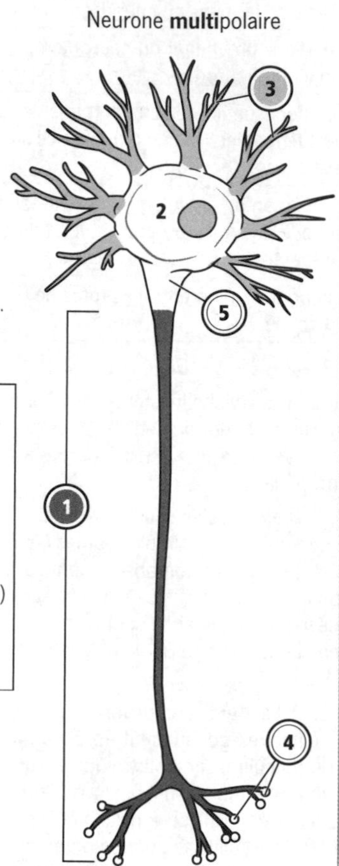

Description : Les neurones multipolaires possèdent deux dendrites ou plus et un seul axone. Ce sont les neurones les plus abondants du SNC.

Neurone **uni**polaire

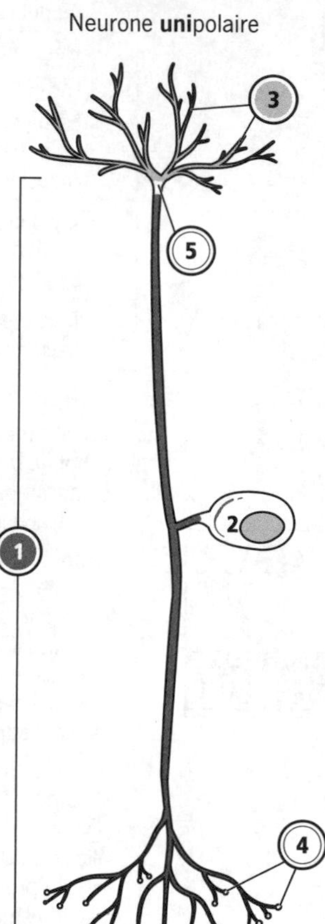

Description : Dans un neurone unipolaire, les dendrites et l'axone sont continus (fusionnés, en quelque sorte) et le corps cellulaire fait saillie d'un côté.

Neurone **bi**polaire

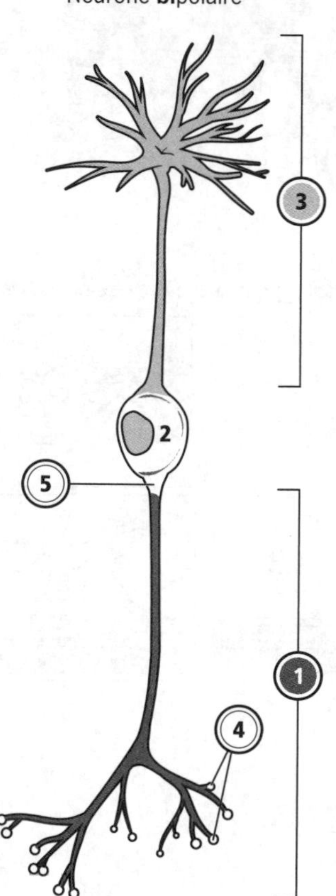

Description : Les neurones bipolaires possèdent deux prolongements séparés par le corps cellulaire : un prolongement dendritique et un axone.

b)

Classification fonctionnelle	**Description**
Neurone sensitif	Les neurones sensitifs transmettent vers le SNC l'information sensorielle provenant des tissus et des organes périphériques.
Interneurone (neurone de connexion)	Les interneurones sont situés dans le SNC et permettent d'intégrer, d'analyser, de traiter et de coordonner l'information sensorielle et motrice. Ils assurent aussi le relais entre les différentes composantes du SNC.
Neurone moteur	Les neurones moteurs transmettent l'information motrice provenant du SNC vers les effecteurs (tissus et organes périphériques).

4. a), b) et c)

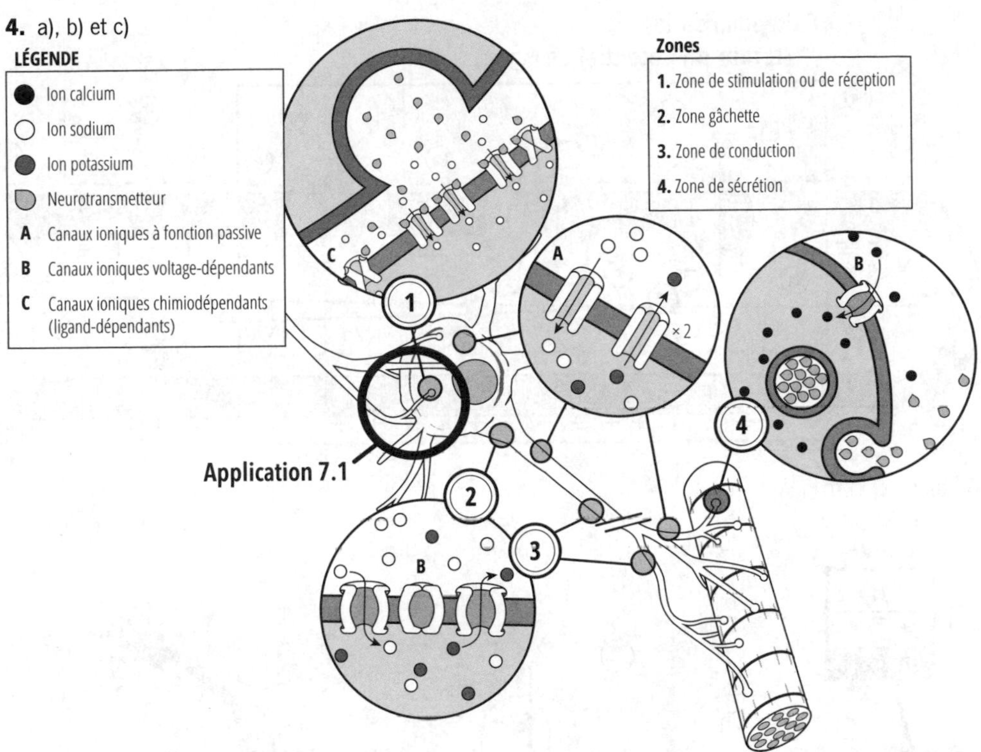

Application 7.1 : Voir le cercle sur le schéma. Puisque le médicament provoque la libération de neurotransmetteurs supplémentaires, la région comprenant les **corpuscules nerveux terminaux** (boutons terminaux ou synaptiques) est probablement la partie du neurone la plus directement touchée. De plus, la libération des neurotransmetteurs agira aussi sur la zone de stimulation.

Compte tenu des fonctions de la sérotonine, ce médicament serait probablement efficace pour traiter des troubles émotionnels comme la dépression et l'anxiété ou aider à la régulation des cycles circadiens.

5. a) à d)

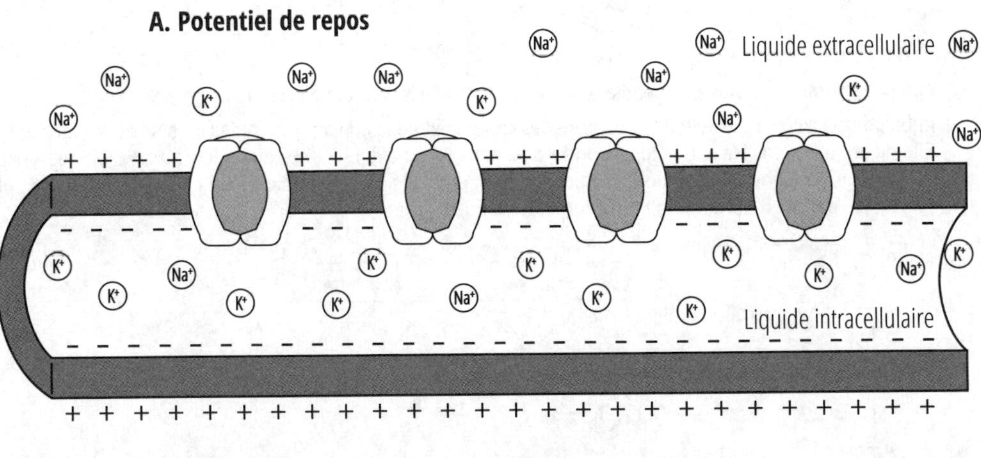

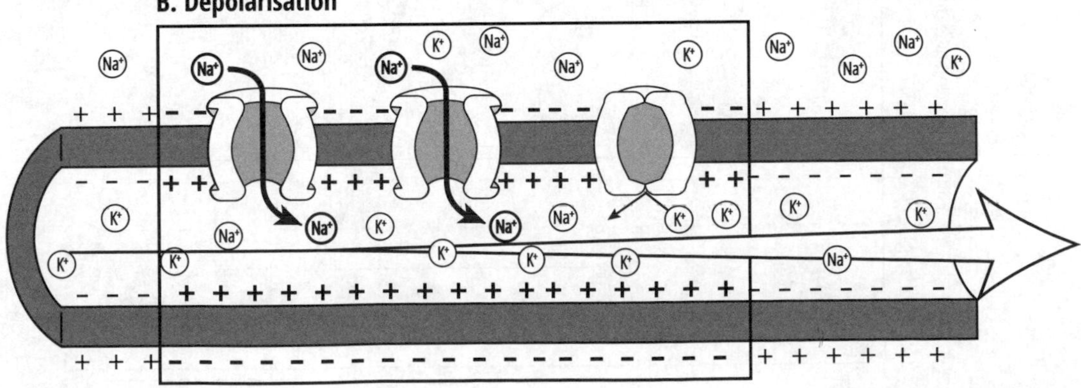

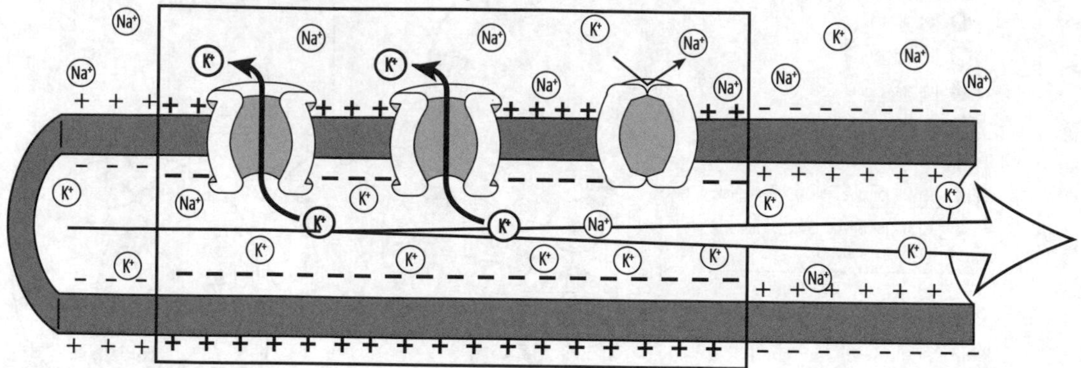

6. a), b), c) et f)

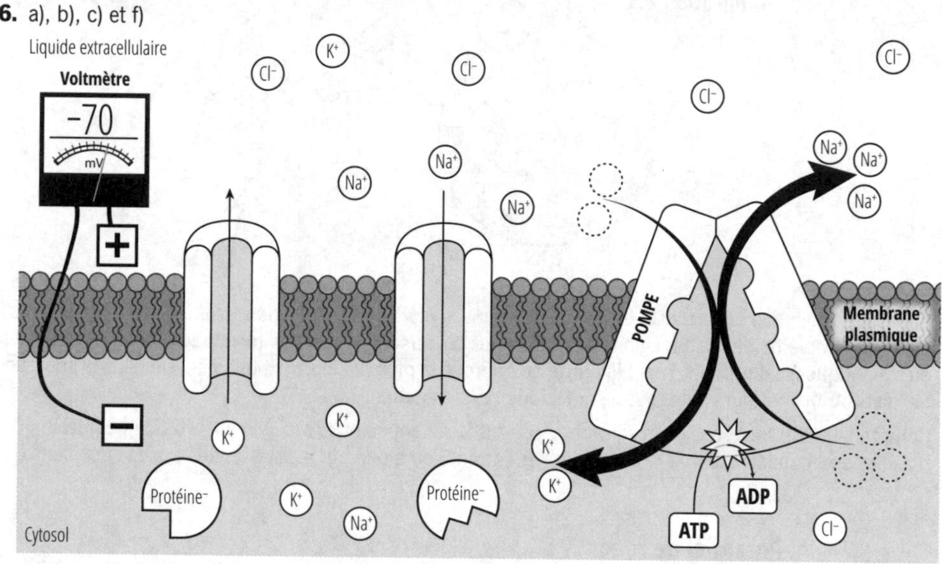

d) À fonction passive.

e) La membrane est plus perméable aux ions K^+ lorsqu'elle se trouve au repos.

g) La pompe à Na^+-K^+ empêche l'équilibre des charges et de la concentration des ions K^+ et des ions Na^+. Elle éjecte trois ions Na^+ du cytosol contre deux ions K^+ qu'elle récupère du milieu extracellulaire. Ainsi, elle aide à maintenir le potentiel de repos (négatif) et maintient les gradients de concentration du K^+ et du Na^+ de part et d'autre de la membrane plasmique.

7. a) à e)

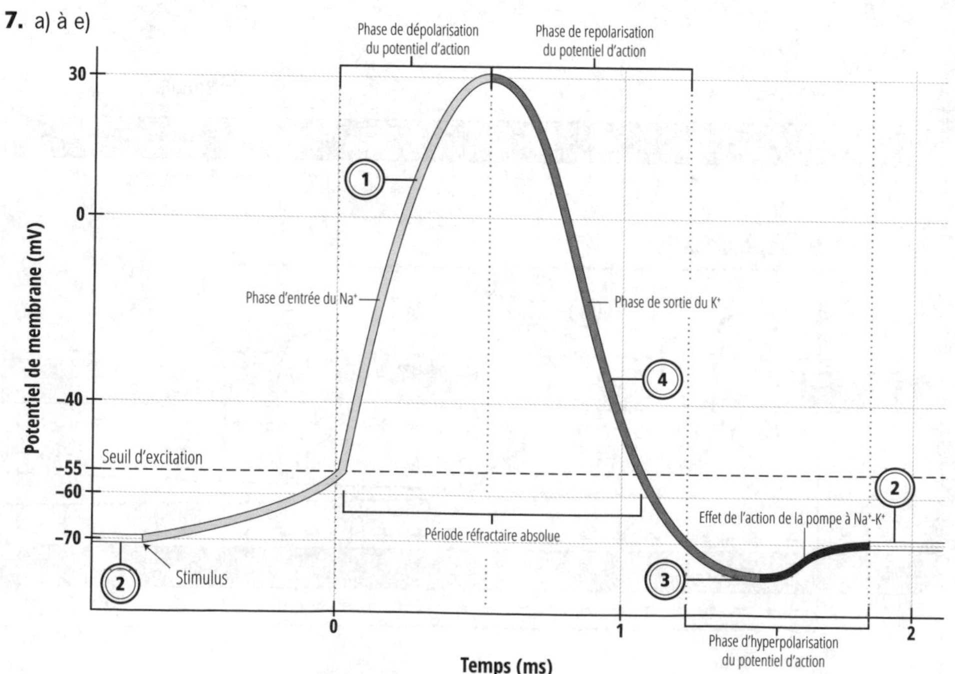

f) Production d'un potentiel d'action.

g) À fonction active voltage-dépendants.

8. a)

1.	Arrivée du potentiel d'action dans le bouton terminal (corpuscule nerveux terminal ; bouton synaptique) du neurone présynaptique
2.	Ouverture des canaux calciques voltage-dépendants et entrée d'ions calcium (Ca^{2+}) dans le neurone présynaptique
3.	Fusion des vésicules synaptiques avec la membrane du neurone présynaptique et exocytose des neurotransmetteurs
4.	Diffusion des neurotransmetteurs dans la fente synaptique et liaison avec leur récepteur spécifique situé sur le canal chimiodépendant (ligand-dépendant) de la membrane du neurone postsynaptique
5.	Ouverture des canaux chimiodépendants et entrée d'ions dans la cellule postsynaptique ou sortie d'ions de la cellule ; dans le cas présent, entrée d'ions sodium
6.	Création d'un potentiel postsynaptique excitateur ou inhibiteur ; dans le cas présent, potentiel postsynaptique excitateur

b) et c)

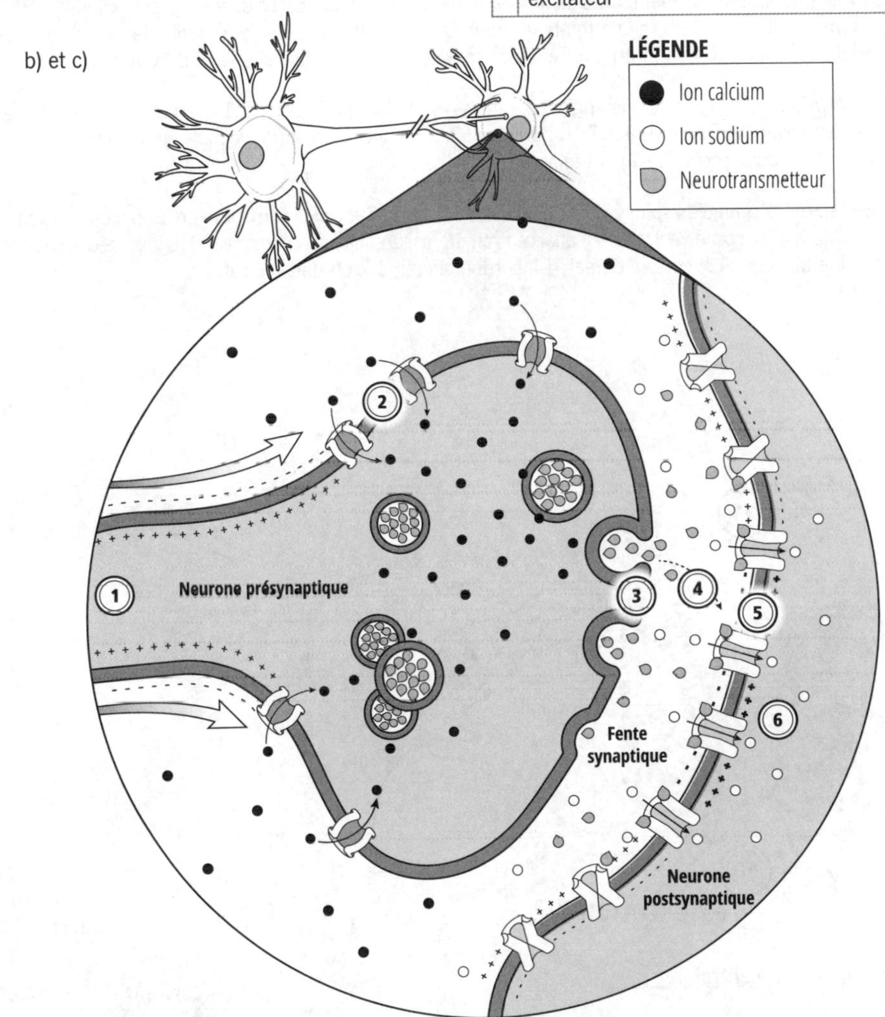

9. a)

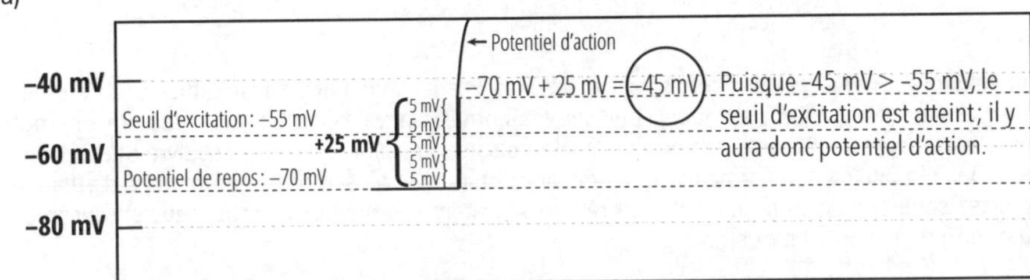

b) Seuil d'excitation : –55 mV
Potentiel de repos : –80 mV

3 PPSE : +12 mV × 3 = +36 mV
7 PPSI : –4 mV × 7 = –28 mV

Sommation : +36 mV + –28 mV = +8 mV
–80 mV + 8 mV = –72 mV

Réponse : NON

c) Seuil d'excitation : –36 mV 4 PPSE : ???
Potentiel de repos : –60 mV

Sommation : –36 mV – –60 mV = +24 mV (illustrer sur le graphique la différence par une accolade)
+24 mV ÷ 4 = +6 mV

Réponse : +6 mV

d) Seuil d'excitation : –40 mV 5 PPSE : +7 mV × 5 = +35 mV
Potentiel de repos : –70 mV ??? PPSI : –3 mV

Sommation : –70 mV + 35 mV = –35 mV
–40 mV – –35 mV = –5 mV
–5 mV ÷ –3 mV = 1,6667
–3 mV × 2 = –6 mV
–70 mV + 35 mV – 6 mV = –41 mV

Réponse : 2 PPSI

Les PPSE dépolarisent la membrane jusqu'à –35 mV, soit 5 mV au-dessus du seuil d'excitation. Un PPSI de –5 mV ou plus empêcherait l'atteinte du seuil. Or, les PPSI ont une valeur minimale de –3 mV. Il en faudrait donc deux au minimum pour empêcher le neurone d'atteindre le seuil d'excitation.

10. HORIZONTALEMENT : 1. pont ; méningite ; 3. réflexe ; 5. thalamus ; 7. cortex ; 11. vague ; mésencéphale ; 13. nerf ; limbique. VERTICALEMENT : 1. paralysie ; 3. méninges ; 5. ventricule ; 7. alzheimer ; 11. noyau ; ganglion ; 13. nocicepteur ; 17 hypothalamus.

11. a) 1. nerf spinal ; 2. ganglion spinal ; 3. racine dorsale ; 4. racine ventrale ; 5. matière grise ; 6. corne dorsale ; 7. corne latérale ; 8. corne ventrale ; 9. canal central ; 10. fissure médiane ventrale ; 11. sillon médian dorsal ; 12. matière blanche ; 13. cordon dorsal ; 14. cordon latéral ; 15. cordon ventral.

b) à e)

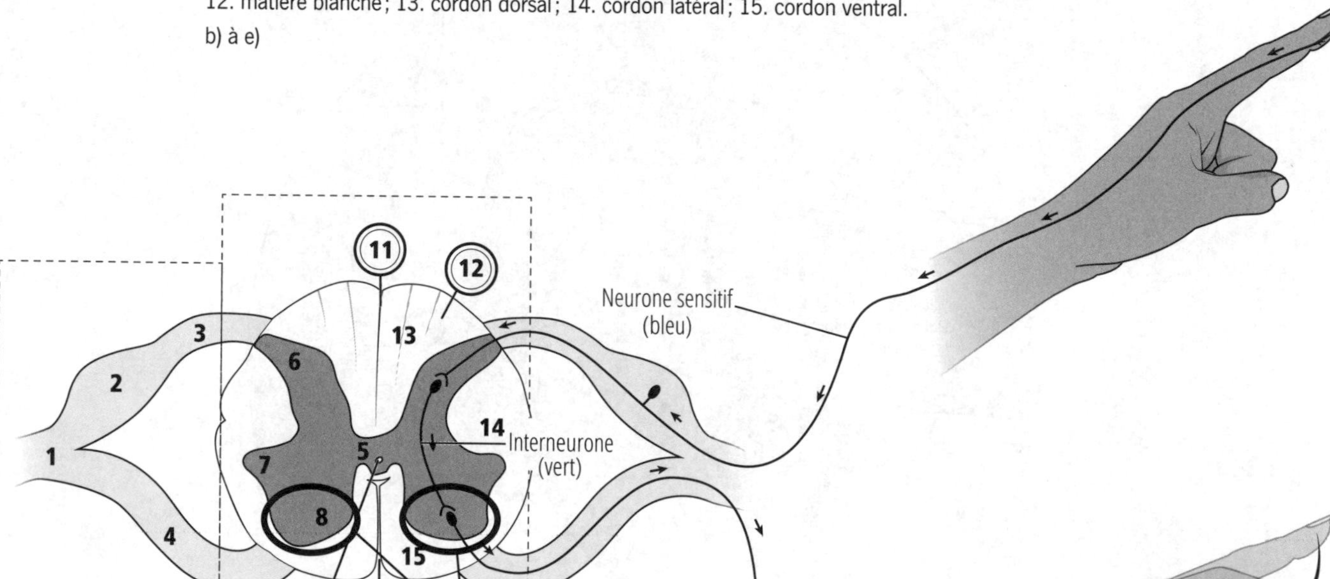

Application 7.2 : Voir les deux cercles sur le schéma. Éliane devrait avoir de la difficulté à contrôler ses muscles squelettiques (volontaires), puisque les cornes ventrales contiennent des noyaux moteurs somatiques (corps cellulaires de neurones moteurs somatiques). Il pourrait s'ensuivre une paralysie de certaines régions de son corps, car les commandes motrices ne seront pas en mesure d'atteindre les muscles squelettiques. La réponse à un réflexe sollicitant ces mêmes muscles squelettiques pourrait aussi être diminuée ou inexistante.

12.

Nº	Structure de l'encéphale	Région	Fonctions	Anatomie
5	Thalamus	Diencéphale	Relaie l'information sensorielle ; répartiteur.	Situé au centre de l'encéphale ; de forme ovale.
1	Hémisphère	Cerveau	Intervient dans la pensée consciente, le stockage et le traitement des souvenirs, le traitement des sensations, la régulation des contractions musculaires squelettiques, la personnalité et l'intelligence.	Occupe la majeure partie de l'encéphale.
17	Épithalamus	Diencéphale	Régule le cycle veille-sommeil par l'intermédiaire de la glande pinéale.	Situé derrière le thalamus.
12	Pont	Tronc cérébral	Constitue un relais entre le bulbe rachidien et le mésencéphale et un relais entre le cortex moteur et le cervelet ; contribue à la régulation de la respiration.	Partie proéminente, située entre le bulbe rachidien et le mésencéphale ; relie le cervelet au tronc cérébral.
21	Cervelet	Cervelet	Contrôle la posture et l'équilibre en coordonnant et en modulant les commandes motrices provenant du cortex cérébral.	Derrière le pont et le bulbe, sous la partie postérieure du cerveau.
11	Mésencéphale	Tronc cérébral	Participe au traitement de l'information visuelle et auditive et est responsable des réflexes déclenchés par ces stimulus (coordination du mouvement des yeux, réflexe de sursaut) ; contient aussi des centres qui aident à maintenir l'état de conscience.	Partie supérieure du tronc cérébral (composé des pédoncules cérébraux à l'avant et des colliculus sur la face dorsale).
7	Hypothalamus	Diencéphale	Maintient l'homéostasie (production des comportements liés à la faim et à la soif) ; arbitre les centres reliés aux émotions, au SNA et à la production d'hormones.	Situé sous le thalamus ; cette structure est reliée à l'hypophyse.
13	Bulbe rachidien	Tronc cérébral	Régit les fréquences cardiaque et respiratoire, ainisi que la pression artérielle.	Continuité de la moelle épinière.

13. a) et b) 1. hémisphère cérébral ; 2. corps calleux ; 3. ventricules latéraux (droit et gauche) ; 4. fornix ; 5. thalamus ; 6. troisième ventricule ; 7. hypothalamus ; 8. chiasma optique ; 9. hypophyse ; 10. tronc cérébral ; 11. mésencéphale ; 12. pont ; 13. bulbe rachidien ; 14. sinus sagittal supérieur ; 15. villosités arachnoïdiennes ; 16. plexus choroïde ; 17. épithalamus (corps/glande pinéal(e) ; épiphyse) ; 18. colliculus (collicule) ; 19. aqueduc du mésencéphale ; 20. quatrième ventricule ; 21. cervelet ; 22. méninges ; 23. dure-mère ; 24. arachnoïde ; 25. pie mère.

c)

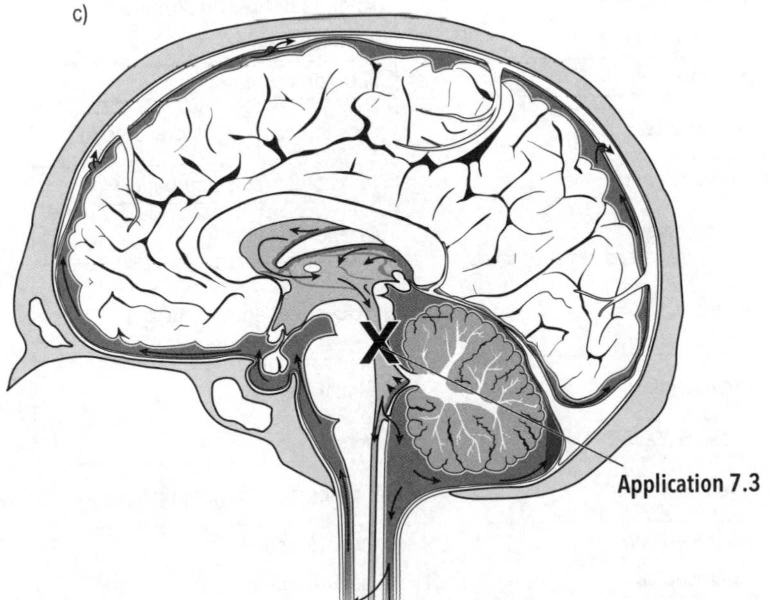

d) Épi : préfixe qui signifie « sur », « au-dessus ».
Hypo : préfixe qui signifie « sous », « en dessous ».

Application 7.3 : Voir le X sur le schéma.

14. a) 1. lobe frontal ; 2. lobe pariétal ; 3. lobe temporal ; 4. lobe occipital ; 5. gyrus précentral ; 6. sillon central ; 7. gyrus postcentral ; 8. sillon latéral.

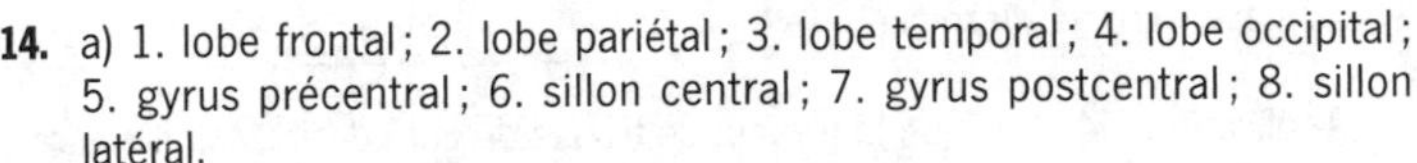

b)

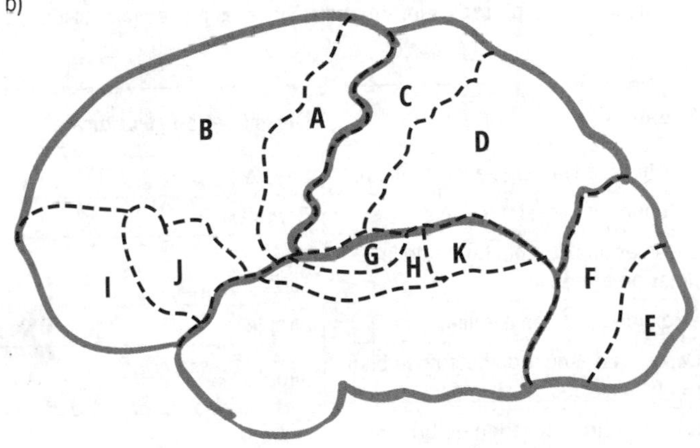

c)

Aire ou région du cortex	Fonction	Conséquence(s) de sa destruction
A. Cortex moteur primaire	Permet le mouvement en émettant des commandes volontaires aux muscles squelettiques.	Paralysie
B. Cortex prémoteur	Permet la coordination des mouvements appris.	Incapacité à faire certaines séquences de mouvements antérieurement apprises (apraxie)
C. Cortex somesthésique primaire	Reçoit l'information sensorielle des récepteurs du toucher, de la pression, de la douleur, de la vibration et de la température.	Insensibilité
D. Aire somesthésique associative	Permet de reconnaitre les sensations, car elle interprète l'activité du cortex somesthésique primaire.	Agnosie somesthésique (incapacité à reconnaitre ce que l'on touche)
E. Cortex visuel primaire	Reçoit l'information des noyaux latéraux du thalamus associés à la vision.	Cécité (perte de la vue)
F. Aire visuelle associative	Permet de reconnaitre ce que l'on voit, car elle est à l'écoute de l'activité du cortex visuel primaire et interprète l'information que ce dernier reçoit.	Agnosie visuelle (incapacité à reconnaitre ce que l'on voit)
G. Cortex auditif primaire	Reçoit l'information auditive (sons).	Surdité (perte de l'audition)
H. Aire auditive associative	Permet de reconnaitre les sons, car elle réagit à l'activité sensitive du cortex auditif.	Agnosie auditive (incapacité à reconnaitre ce que l'on entend)
I. Cortex préfrontal (aire associative antérieure)	Coordonne et intègre l'information provenant des aires associatives du cortex. Ce faisant, il effectue des tâches intellectuelles abstraites.	Humeur changeante, distraction, perte de créativité ; incapacité à planifier ou à prévoir les conséquences de ses propos ; perte d'inhibition
J. Aire motrice du langage (aire de Broca)	Permet principalement le langage, car elle est associée aux muscles qui permettent de parler (lèvres, langue, larynx, etc.).	Aphasie motrice ou aphasie de Broca (incapacité à prononcer correctement des mots)
K. Aire de compréhension du langage (aire de Wernicke)	Permet de reconnaitre et de comprendre le langage parlé et écrit.	Incapacité à reconnaitre les mots et de comprendre les propos entendus ou lus

Application 7.4 : Puisque la tumeur se trouve du côté droit, Magalie aura probablement du mal à voir ce qui est situé dans son champ visuel gauche (cortex visuel primaire). De plus, elle pourrait avoir de la difficulté à interpréter les informations visuelles reçues (aire visuelle associative).

15.

Situation	Classification structurale	Classification selon la situation anatomique	Classification fonctionnelle (selon la nature du stimulus)
Toucher à de la neige avec sa main.	Simple	Extérocepteur	Thermorécepteur
Entendre un oiseau chanter.	Complexe	Extérocepteur	Mécanorécepteur
Détecter une augmentation de la pression artérielle.	Simple	Intérocepteur	Mécanorécepteur (barorécepteur)
Être piqué par une aiguille.	Simple	Extérocepteur	Nocicepteur (douleur rapide)
Capter l'étirement de l'estomac bien rempli après un gros repas.	Simple	Intérocepteur	Mécanorécepteur
Éprouver une sensation de brulure au niveau de l'œsophage à la suite de reflux gastrique.	Simple	Intérocepteur	Nocicepteur (douleur rapide)
Détecter une acidose (diminution du pH sanguin).	Simple	Intérocepteur	Chimiorécepteur
Regarder un film au cinéma.	Complexe	Extérocepteur	Photorécepteur
Positionner les muscles de ses jambes avant une course.	Simple	Intérocepteur	Mécanorécepteur (propriocepteur)
Manger un citron.	Complexe	Extérocepteur	Chimiorécepteur
Sentir une fleur.	Complexe	Extérocepteur	Chimiorécepteur

16. a) Voie sensitive : ORDRE : 4 – 6 – 7 – 5 – 8 – 2 – 1 – 3.
Voie motrice : ORDRE : 5 – 2 – 3 – 6 – 7 – 8 – 4 – 1.

b) et c)

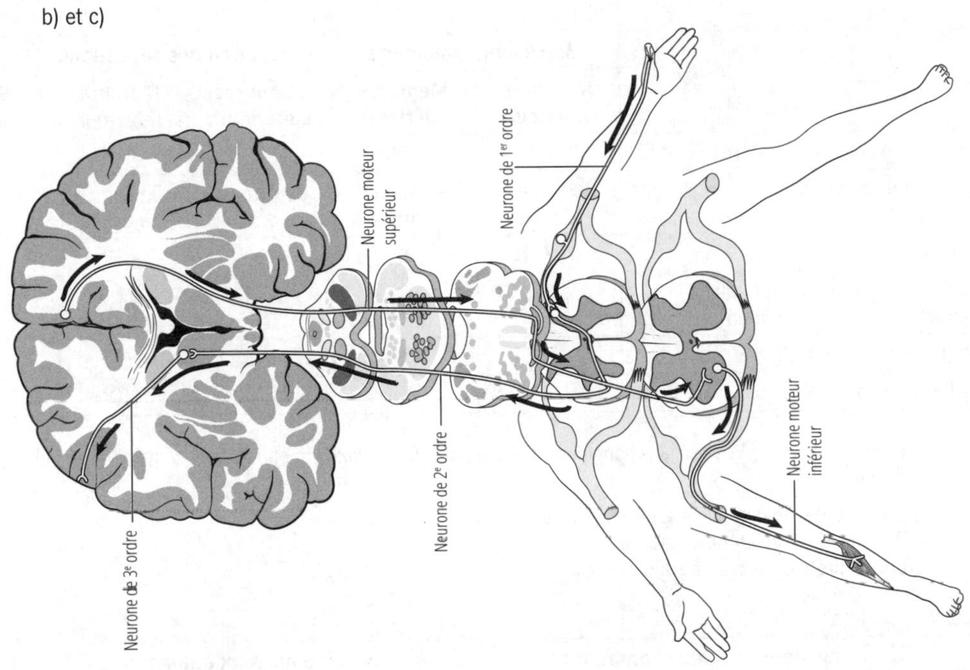

Application 7.5 : Puisque Olivier est dans un état stable et qu'il est encore capable de respirer normalement, on peut présumer que la lésion médullaire est située en dessous de l'innervation du plexus cervical en lien avec la moelle épinière (C3 à C5 ; nerf phrénique). Étant donné que les bras et les jambes sont insensibles (sauf les épaules à cause de C5) et qu'il ne peut plus les bouger, la lésion médullaire d'Olivier devrait se trouver entre les nerfs spinaux C5 et C6.

17. a), b) et c)

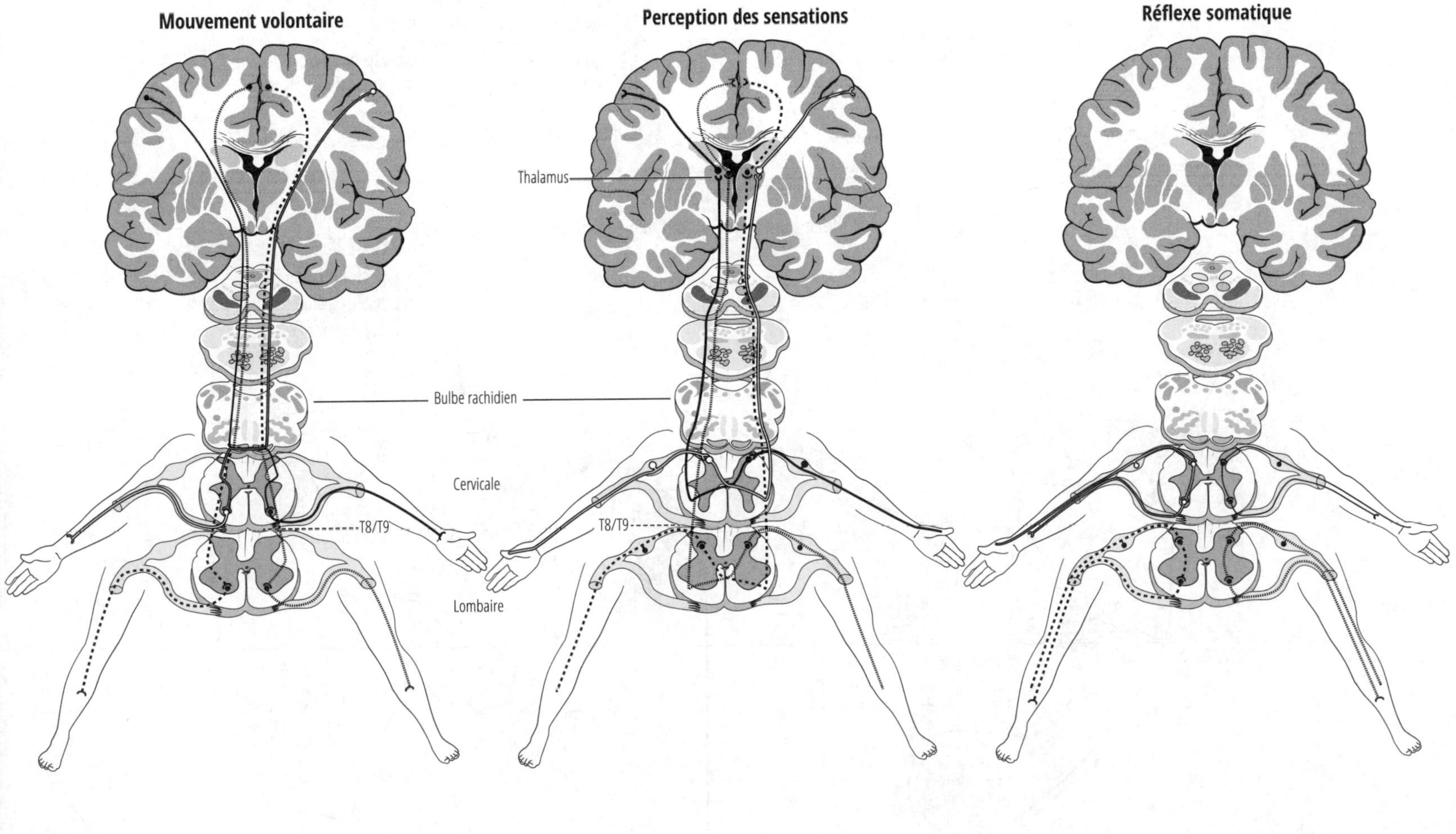

Mouvement volontaire

Perception des sensations

Réflexe somatique

Thalamus

Bulbe rachidien

Cervicale

T8/T9

T8/T9

Lombaire

Application 7.6 :

Situation	Mouvement volontaire		Perception des sensations		Réflexe somatique	
	Membres supérieurs	**Membres inférieurs**	**Membres supérieurs**	**Membres inférieurs**	**Membres supérieurs**	**Membres inférieurs**
A. Section de la moelle épinière entre les vertèbres T8 et T9	X	NON	X	NON	X	X
B. Accident vasculaire cérébral dans tout l'hémisphère droit	Seulement à droite	Seulement à droite	Seulement à droite	Seulement à droite	X	X
C. Destruction du thalamus	X	X	NON	NON	X	X
D. Syndrome bulbaire, causé par une obstruction artérielle droite et gauche du bulbe rachidien	NON	NON	NON	NON	X	X
E. Section du nerf optique (nerf crânien II)	X	X	X	X	X	X
F. Destruction de tous les ganglions spinaux	X	X	NON	NON	NON	NON

18. a) et b) 1. épinèvre ; 2. vaisseaux sanguins ; 3. périnèvre ; 4. fascicule ; 5. endonèvre ; 6. gaine de myéline ; 7. axone.

c) Épi : préfixe qui signifie « sur », « au-dessus ».
Péri : préfixe qui signifie « autour ».
Endo : préfixe qui signifie « intérieur ».

19. a)

	Système nerveux somatique	**Système nerveux autonome**
Effecteurs	Muscles squelettiques	Muscle cardiaque, muscles lisses et glandes
Type de régulation	Volontaire (cerveau) Réflexe (tronc cérébral et moelle épinière)	Involontaire ou réflexe (tronc cérébral, hypothalamus et moelle épinière)
Voie nerveuse périphérique	Un neurone efférent (moteur) se prolonge du SNC pour faire synapse directement avec l'effecteur.	Deux neurones efférents (moteurs) : un neurone préganglionnaire se prolonge du SNC pour faire synapse dans un ganglion avec un neurone postganglionnaire. Ce dernier fait synapse directement avec l'effecteur.
Action sur l'effecteur	Excitatrice	Excitatrice ou inhibitrice, selon le type de récepteur localisé sur l'effecteur et de l'origine de la stimulation (sympathique ou parasympathique)

b)

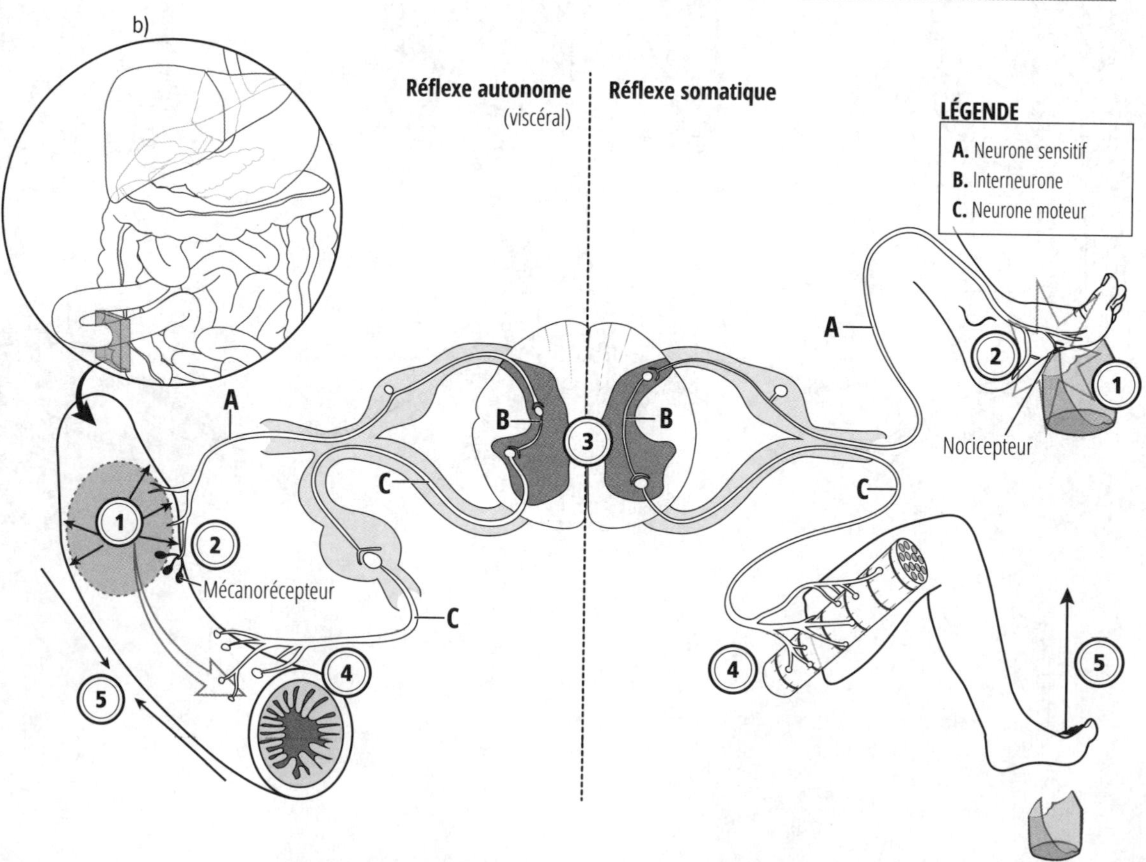

Nº	Composants du réflexe	Exemple dans le réflexe autonome	Exemple dans le réflexe somatique
1.	Stimulus	Étirement de la paroi de l'intestin	Coupure du pied sur une bouteille de verre brisée
2.	Récepteur	Mécanorécepteur	Nocicepteur
3.	Centre d'intégration	Moelle épinière	Moelle épinière
4.	Effecteur	Muscle lisse de la paroi intestinale	Muscle squelettique de la cuisse
5.	Réponse	Contraction de l'intestin	Retrait du pied

c)

	Système nerveux parasympathique	Système nerveux sympathique
Situation des corps cellulaires des neurones préganglionnaires (lieu d'émergence des neurofibres)	Tronc cérébral et moelle épinière au niveau des nerfs spinaux S2 à S4 (cranio-sacrale)	Moelle épinière au niveau des nerfs spinaux T1 à L2 (thoraco-lombaire)
Emplacement des ganglions et nom du neurotransmetteur libéré par le neurone présynaptique	Près des viscères (effecteurs) Acétylcholine (ACh)	Près de la moelle épinière (tronc sympathique) Acétylcholine (ACh)
Longueur des neurones postganglionnaires par rapport à celle des neurones préganglionnaires	Neurones préganglionnaires longs Neurones postganglionnaires courts	Neurones préganglionnaires courts Neurones postganglionnaires longs
Neurotransmetteur libéré au niveau de l'effecteur par le neurone postganglionnaire	Acétylcholine (ACh)	Habituellement la noradrénaline (NA)
Effet général	Entreposage de l'énergie, détente, digestion, absorption des nutriments ; stimulation de la miction	Mobilisation de l'énergie, stimulation du métabolisme ; augmentation de la vigilance ; préparation de l'organisme à une situation d'urgence (lutte ou fuite)

d)

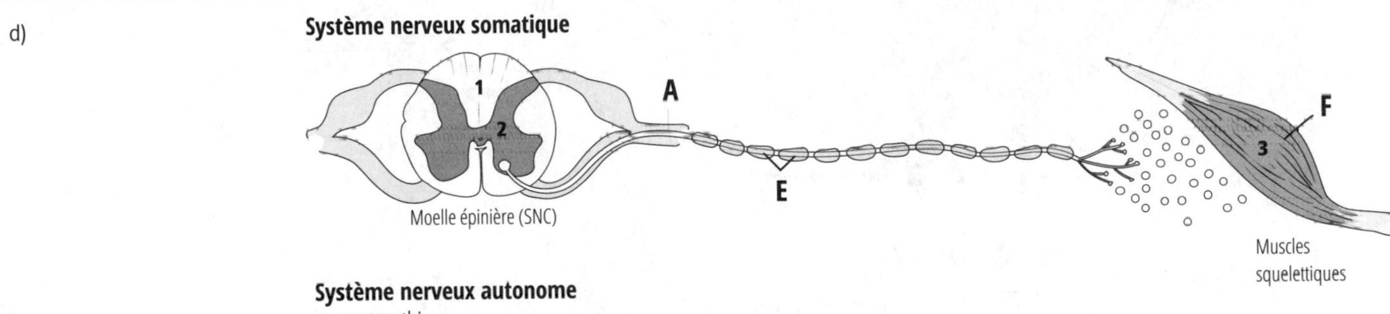

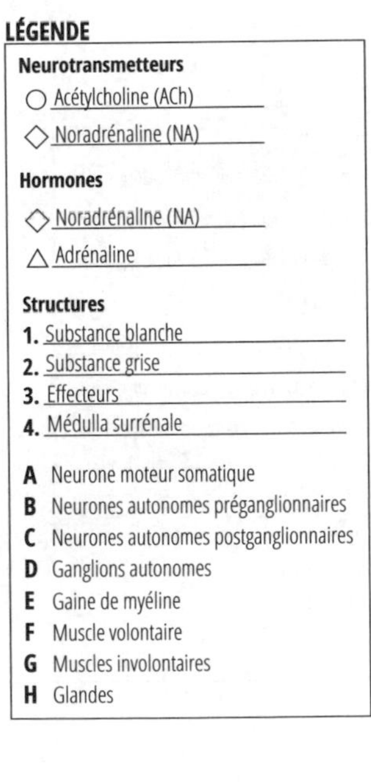

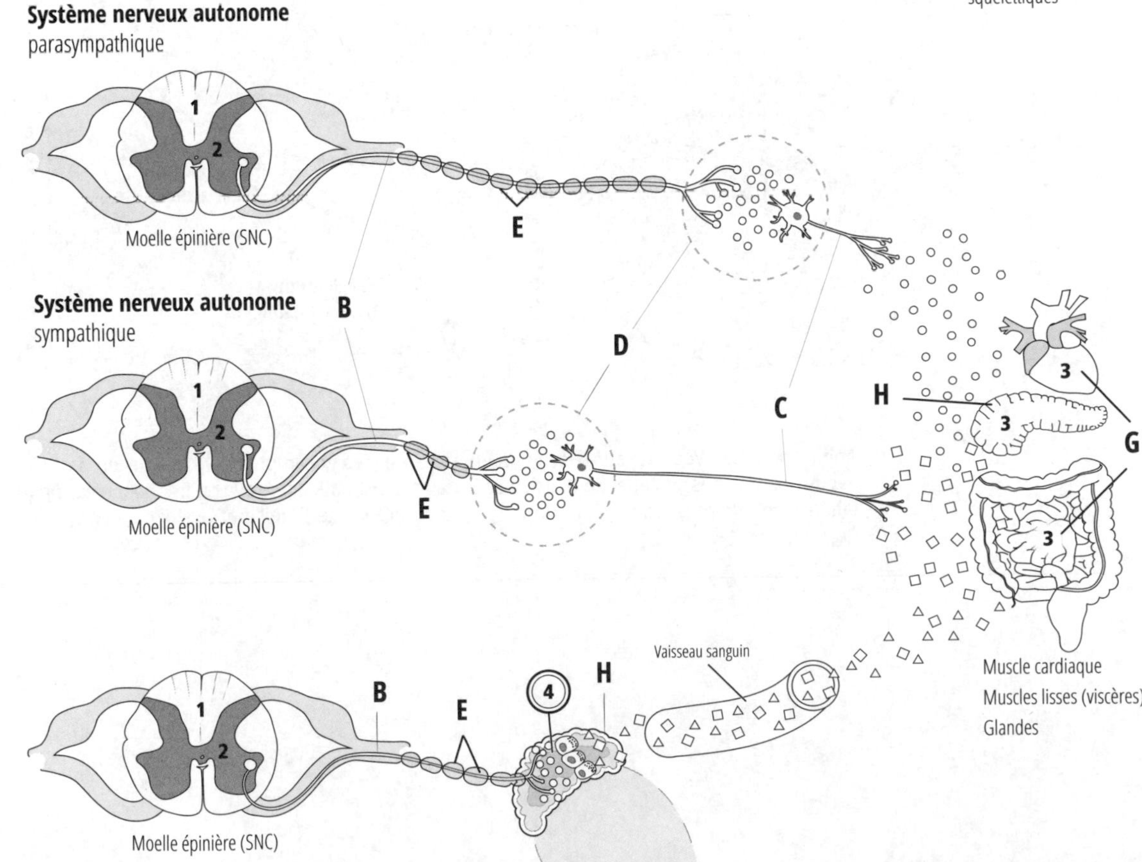

20. a)

Réponse de l'effecteur	Effet du SNA parasympathique	Effet du SNA sympathique
Synthèse de glycogène par le foie	↑	↓
Fréquence des contractions cardiaques	↓	↑
Diamètre de la pupille	↓	↑
Diamètre des bronches	↓	↑
Motilité intestinale	↑	↓
Sécrétion de sueur par les glandes sudoripares	X	↑
Sécrétion d'adrénaline et de noradrénaline par la médulla surrénale	X	↑
Sécrétion de salive par les glandes salivaires	↑	↓
Production d'urine par les reins	X	↓
Vasoconstriction pour diminuer le débit sanguin	X	↑

b)

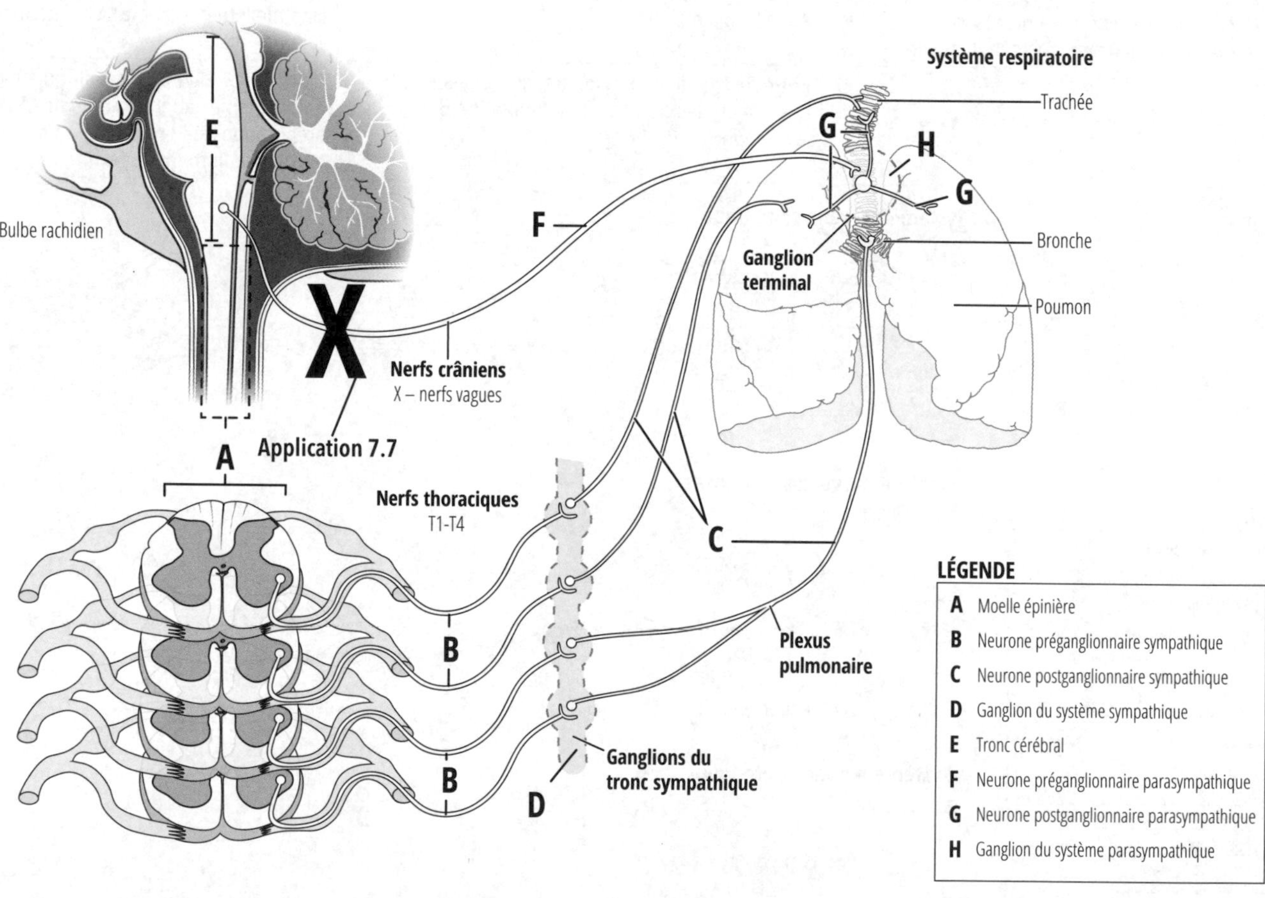

Application 7.7 : Voir le X sur le schéma en b). Les signes et symptômes d'une lésion partielle des nerfs vagues sont variés : incapacité d'articuler certains sons, difficulté à avaler, fréquence cardiaque et ventilation respiratoire anormales, perte de sensation autour de l'oreille et dysfonctionnement du système digestif.

CORRIGÉ CHAPITRE 8 – LES SENS

1. HORIZONTALEMENT : 1. odorat ; cochlée ; 3. sapide ; sclère ; 5. calicule ; 7. mucus ; 9. myopie ; 11. tympan ; bâtonnet ; 13. papille ; 15. rétine. VERTICALEMENT : 1. olfactif ; 3. osselets ; 5. cône ; 7. lacrymale ; 11. vestibule ; iris ; 13. vestibulocochléaire ; 17. cornée ; photorécepteur.

2. a) et b) 1. conjonctive ; 2. iris ; 3. pupille ; 4. cornée ; 5. corps ciliaire ; 6. cils ; 7. chambre antérieure (humeur aqueuse) ; 8. cristallin ; 9. ligaments suspenseurs du cristallin (fibres zonulaires) ; 10. segment postérieur (humeur ou corps vitré) ; 11. sclère (sclérotique) ; 12. choroïde ; 13. rétine ; 14. fossette centrale de la macula ; 15. nerf optique (nerf crânien II) ; 16. disque du nerf optique (tache aveugle).

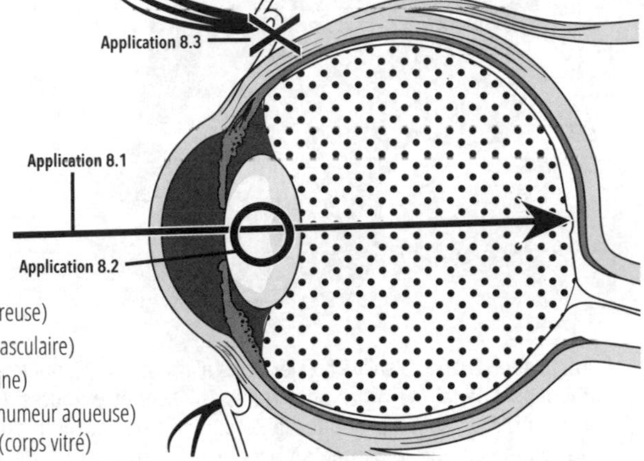

Application 8.1 : Voir la flèche sur le schéma. Extérieur de l'œil – cornée – chambre antérieure (humeur aqueuse) – pupille – cristallin – segment postérieur (humeur ou corps vitré) – macula située sur la rétine.

Application 8.2 et 8.3: Voir le cercle et le X sur le schéma.

Application 8.4 : Normalement, l'iris contrôle la quantité de lumière passant dans l'œil. Les muscles lisses de l'iris modifient le diamètre de la pupille pour permettre l'entrée de plus ou moins de lumière. La stimulation sympathique ou une faible intensité lumineuse entraînent l'ouverture de la pupille en commandant la contraction des muscles dilatateurs de la pupille. À l'inverse, la stimulation parasympathique ou une forte intensité lumineuse entraînent la diminution du diamètre de la pupille en commandant la contraction des muscles sphincters de la pupille. Le fait que le diamètre de la pupille ne change pas ou pratiquement pas indique un traumatisme crânien grave, voire mortel, puisque les structures (ou neurones) du système nerveux central qui contrôlent le réflexe pupillaire (dilatation et constriction de la pupille) sont atteintes ou détruites.

3. a)

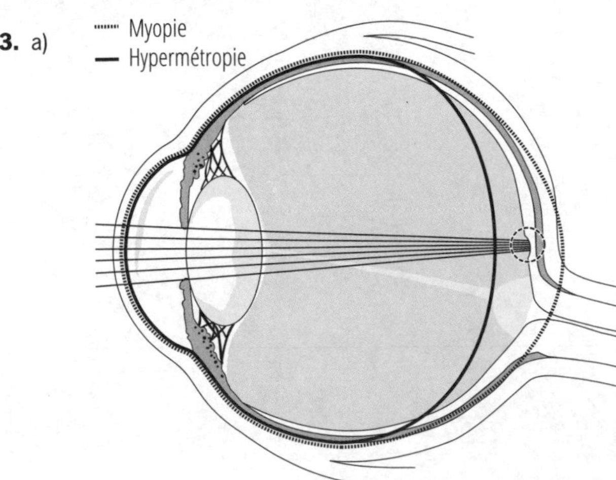

b) Myope : devant, claire, flous. Hypermétrope : derrière, floue, clairs.

Application 8.5 : Le globe oculaire de Vanessa est allongé et elle souffre de myopie. Pour corriger sa vision, il lui faudrait porter des verres concaves (lentille divergente) qui déplaceront le foyer vers l'arrière (sur la rétine). Ainsi, l'image qui se formait devant la rétine sans correction se forme maintenant directement sur la rétine.

4. a) et b) 1. choroïde ; 2. partie pigmentaire de la rétine ; 3. bâtonnet ; 4. neurone bipolaire ; 5. cellule ganglionnaire ; 6. axones des cellules ganglionnaires ; 7. cône.

c) Flèche A : Trajet des influx nerveux dans la rétine.
Flèche B : Trajet de la lumière dans la rétine.

Application 8.6 : Encerclez dans le schéma les bâtonnets (structure numéro 3). Les bâtonnets contiennent seulement un type de pigment visuel, contrairement aux cônes qui en contiennent trois types, permettant ainsi la vision en couleurs. Ainsi, les influx nerveux provenant des bâtonnets sont perçus par le cortex visuel comme des nuances de gris.

Application 8.7 : Les cônes sont défectueux et ils sont concentrés dans la fossette centrale de la macula.

Application 8.8 : Il faut utiliser la thérapie génique pour insérer le gène de l'opsine, qui répond aux longueurs d'onde de la lumière que les sujets daltoniens ne sont pas en mesure de détecter.

5. a) ORDRE : 1H – 4E – 3G – 2B – 5D – 6C – 7F – 8A.

b)

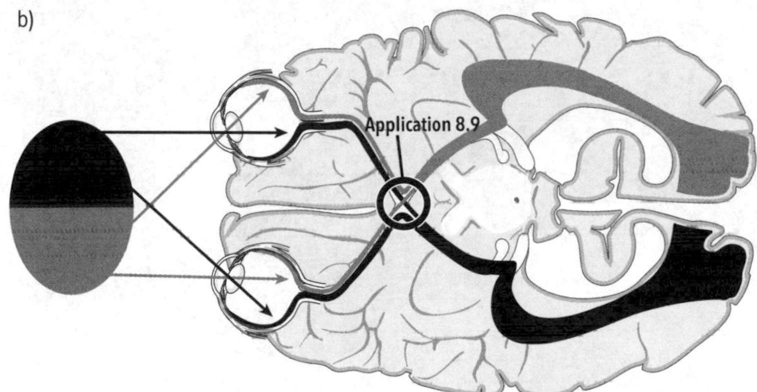

Application 8.9 : Le chiasma optique (voir le cercle sur le schéma), car il y a croisement des axones provenant des deux yeux. Ainsi, il n'y a plus aucun influx nerveux qui parvient au cortex visuel, ni de l'œil droit ni de l'œil gauche.

6. a) 1. auricule ; 2. méat acoustique externe ; 3. tympan ; 4. osselets ; 5. malléus ; 6. incus ; 7. stapès ; 8. canaux semi-circulaires ; 9. vestibule ; 10. cochlée ; 11. trompe auditive ; 12. nerf vestibulocochléaire ; 13. branche vestibulaire ; 14. branche cochléaire.

b) Structures responsables de l'ouïe : 1. auricule ; 2. méat acoustique externe ; 3. tympan ; 4. osselets ; 5. malléus ; 6. incus ; 7. stapès ; 9. vestibule (fenêtre vestibulaire) ; 10. cochlée ; 12. nerf vestibulocochléaire ; 14. branche cochléaire.
Structures responsables de l'équilibre : 8. canaux semi-circulaires ; 9. vestibule ; 12. nerf vestibulocochléaire ; 13. branche vestibulaire.

Application 8.10 : Remonte le long de la structure 11, passe à travers la structure 3 avec un tube, traverse la structure 2 et finalement la structure 1 pour atteindre l'extérieur du corps.

7. a) 1. stéréocils ; 2. cupule ; 3. cellule sensorielle ciliée ; 4. cellule de soutien ; 5. axones du nerf vestibulocochléaire ; 6. statoconies ; 7. membrane des statoconies ; 8. ampoule du conduit semi-circulaire ; 9. utricule ; 10. saccule ; 11. rampe vestibulaire ; 12. conduit cochléaire ; 13. organe spiral (organe de Corti) ; 14. rampe tympanique ; 15. cochlée ; 16. cellule sensorielle ciliée externe ; 17. membrana tectoria du conduit cochléaire ; 18. cellule sensorielle ciliée interne.

b) É = Équilibre
O = Ouïe

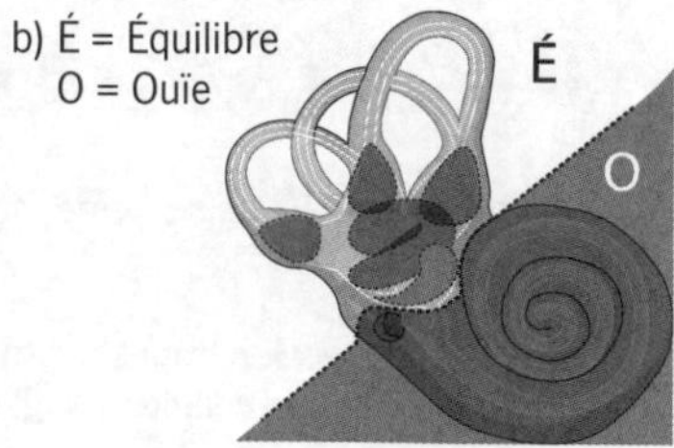

Application 8.11 : L'oreille interne (labyrinthe).

Application 8.12 : Pierre-Luc va se sentir étourdi après l'arrêt du manège et il le restera jusqu'à ce que le liquide dans son oreille interne arrête de se déplacer. C'est grâce en grande partie à l'appareil vestibulaire (canaux semi-circulaires, utricule et saccule), qui régit l'équilibre et l'orientation de la tête, que ces sensations peuvent se produire.

8. a) ORDRE : 1D – 2A – 3H – 4G – 5E – 6F – 7C – 8B.

b)

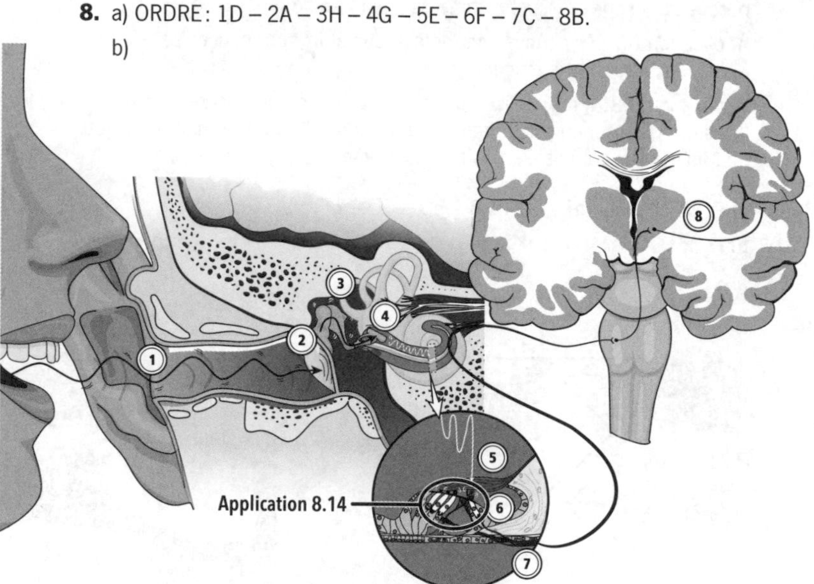

c) Structures :

Captent et conduisent les ondes sonores : 1. auricule ; 2. méat acoustique externe.

Transforment les ondes sonores en ondes mécaniques et les transmettent : 3. tympan ; 4. osselets ; 5. malléus ; 6. incus ; 7. stapès ; 9. vestibule (fenêtre vestibulaire) ; 10. cochlée.

Transforment les ondes mécaniques en ondes électriques et les transmettent : 10. cochlée (cellule sensorielle ciliée) ; 12. nerf vestibulocochléaire ; 14. branche cochléaire.

Application 8.13 : Si la perforation est de petite taille, la perte d'audition est minime et le tympan pourra se reconstituer. Par contre, si la déchirure est importante le tympan est incapable de se réparer et la perte d'audition peut être quasi totale et entraîner la surdité. Dans ce cas, le tympan ne peut plus vibrer même si les ondes sonores se rendent à l'oreille ; la transmission s'arrête à cette structure perforée.

Application 8.14 : Voir le cercle dans le schéma. L'implant cochléaire joue le même rôle que les cellules sensorielles ciliées. Ainsi, l'implant cochléaire (qui remplace les cellules réceptrices) a besoin du nerf cochléaire pour transmettre les signaux électriques (influx nerveux) jusqu'à l'aire auditive.

9. a) et b) 1. papille caliciforme ou circumvallée ; 2. papilles filiformes ; 3. papille fongiforme ou fungiforme ; 5. calicule gustatif ; 6. pore gustatif ; 7. microvillosités gustatives (poils gustatifs) ; 8. cellule gustative ; 9. cellule de soutien ; 10. cellule basale ; 11. neurone sensitif de premier ordre.

10. a) ORDRE : 1A – 2B – 3G – 4E – 5H – 6C – 7D – 8F.

b) et c)

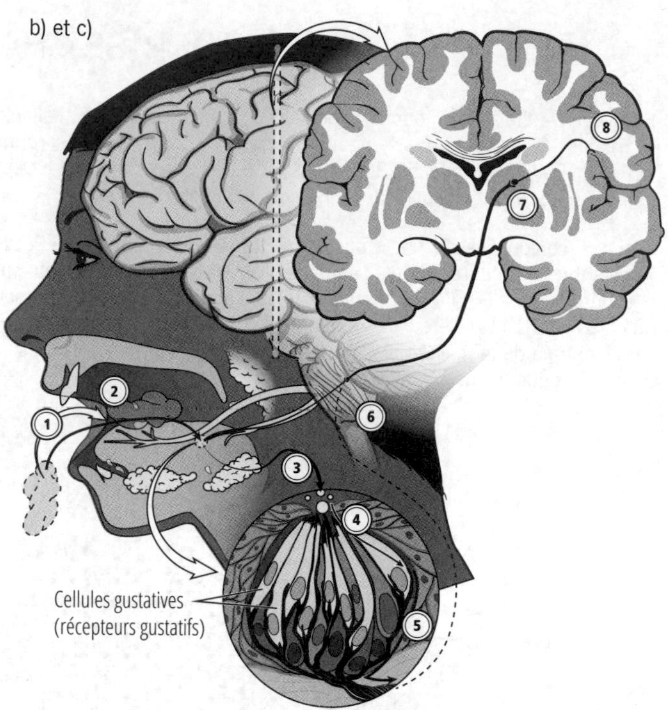

Application 8.15 : La salive humecte les aliments et dissout les constituants chimiques de la nourriture pour qu'ils puissent être goutés. En diminuant la quantité de salive produite, la xérostomie de Carole réduit considérablement le nombre d'aliments qui pourront être dissous, de sorte que ses récepteurs gustatifs seront moins stimulés et permettront difficilement la gustation.

11. a) et b) 1. lobe frontal ; 2. tractus olfactif ; 3. cornet nasal ; 4. bulbe olfactif ; 5. neurone sensitif de deuxième ordre ; 6. axones des neurones sensitifs de deuxième ordre formant le tractus olfactif ; 7. lame criblée de l'os ethmoïde ; 9. épithélium de la région olfactive ; 10. cellule basale (cellule souche) ; 11. cellule de soutien ; 12. cellule olfactive (neurone sensitif de premier ordre ; récepteur olfactif) ; 13. mucus ; 14. cil olfactif.

Application 8.16 : Les cellules olfactives s'adaptent très rapidement aux odeurs ; en collaboration avec le système nerveux central, les cellules olfactives deviennent insensibles en quelques secondes ou quelques minutes.

12. a) ORDRE : 1G – 2F – 3C – 4A – 5D – 6E – 7H – 8B.

b) et c)

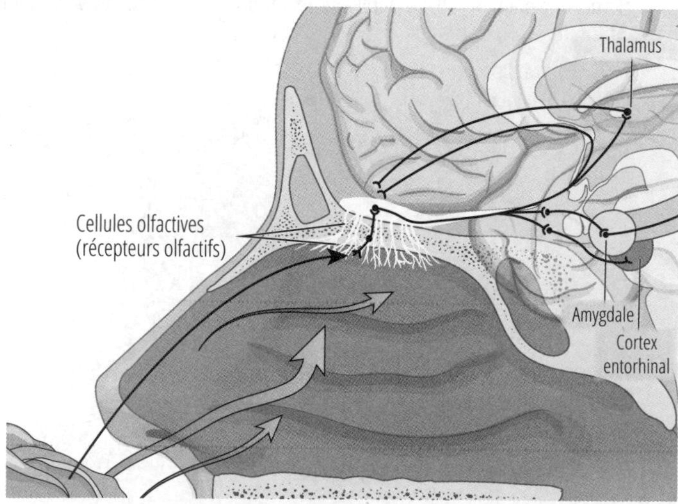

Application 8.17 : Le gout est une combinaison de l'olfaction (détection des substances chimiques volatiles qui forment les odeurs) et de la gustation (sucré, salé, acide, amer et umami). Ainsi, lors d'un rhume, seul le sens de la gustation est fonctionnel et non l'olfaction. C'est pourquoi le gout proprement dit est affecté.

CORRIGÉ CHAPITRE 9 – LE SYSTÈME ENDOCRINIEN

1. HORIZONTALEMENT : 1. minéralocorticoïdes ; 3. neurohypophyse ; 5. libération ; 7. ocytocine ; 9. hyposécrétion ; récepteur ; 11. thyroïde ; 15. cortisol ; calcitonine ; 17. hormone ; 21. insuline ; 23. adénohypophyse. VERTICALEMENT : 1. médulla ; 7. endocrine ; 11. testicule ; 13. inhibition ; parathyroïdes ; 17. pancréas ; 19. surrénales ; 21. parathormone.

2.

	Système nerveux	Système endocrinien
Type de cellule	Neurone	Cellule épithéliale glandulaire d'une glande endocrine ou cellule endocrine
Messager chimique et son mode de transmission	Neurotransmetteur dans la fente synaptique	Hormone dans la circulation sanguine
Vitesse d'action et durée de la réponse	Rapide, mais de courte durée	Lente, mais durable
Effets	Localisés à la synapse	Généralisés et diffus grâce à la circulation sanguine

3. a)

Image illustrant le mécanisme	A	B
Hormone liposoluble ou hydrosoluble	Hydrosoluble	Liposoluble
Mode de transport dans le sang	Libre	Liée à une protéine de transport
Localisation du récepteur de l'hormone	Sur la face externe de la membrane plasmique	À l'intérieur de la cellule
Mécanisme d'action	Cascades d'activation faisant intervenir un second messager	Modification de l'expression génique et synthèse d'une nouvelle protéine

b)

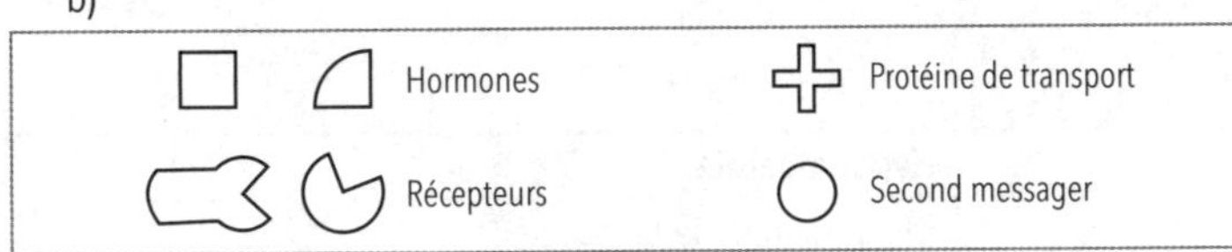

4. a) et b) 1. hypophyse ; 2. adénohypophyse ; 3. neurohypophyse ; 4. hypothalamus ; 5. glande pinéale ; 6. glande thyroïde ; 7. glandes parathyroïdes ; 8. thymus ; 9. glande surrénale ; 10. cortex surrénal ; 11. médulla surrénale ; 12. rein ; 13. pancréas ; 14. testicule ; 15. ovaire.

Application 9.1 : C'est le troisième patient qui présentera probablement les troubles endocriniens les plus importants, car l'hypothalamus intervient dans la régulation de nombreuses glandes endocrines. En effet, il produit certaines de ses propres hormones (libérées par la neurohypophyse), il contrôle les glandes surrénales par des connexions neuronales et il influe également sur l'activité de l'adénohypophyse.

5. a) et c) 1. hypothalamus ; 2. neurone de l'hypothalamus ; 3. hypophyse ; 4. adénohypophyse ; 5. neurohypophyse ; 6. et 7. gonadotrophines (hormone lutéinisante-LH et hormone folliculostimulante-FSH) – A ; 8. testicule ; 9. ovaire ; 10. corticotrophine (ACTH) – A ; 11. cortex surrénal ; 12. tyréotrophine (TSH) – A ; 13. glande thyroïde ; 14. hormone de croissance (GH) – A ; 15. foie ; 16. muscles, os et adipocytes ; 17. prolactine (PRL) – A ; 18. glande mammaire ; 19. ocytocine (OT) – N ; 20. utérus ; 21. hormone antidiurétique (ADH) – N ; 22. reins.

* Les hormones libérées par l'adénohypophyse portent la lettre « A » et celles libérées par la neurohypophyse portent la lettre « N ».

b)

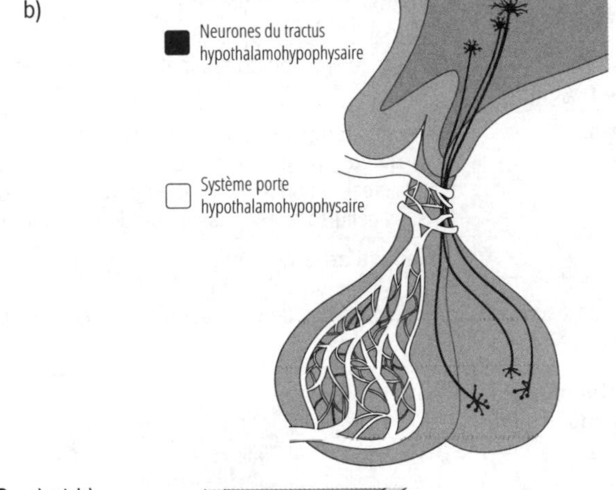

6. a) et b)

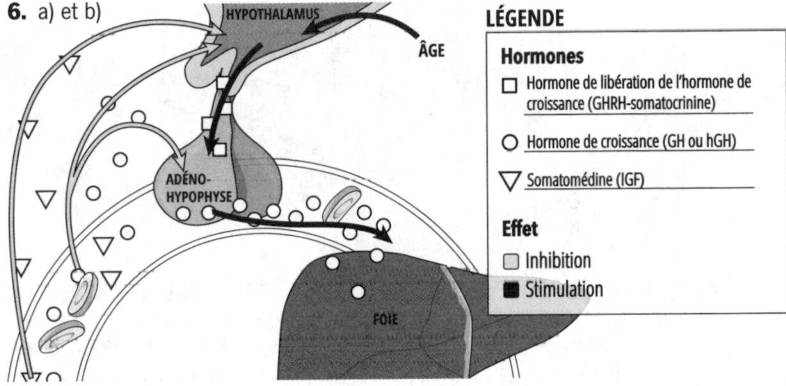

c) **Effets :**
La plupart des cellules : mitose.
Tissu adipeux (adipocytes) : lipolyse et diminution de la lipogenèse.
Foie : glycogénolyse et néoglucogenèse ; inhibition de la glycogenèse ; libération d'IGF dans le sang.
Muscles : augmentation de l'absorption des acides aminés pour la synthèse des protéines et baisse de l'utilisation du glucose.
Os : mitose.

Application 9.2 : a) L'hormone de croissance élève la glycémie (foie) et favorise la libération dans le sang des lipides (glycérol et acides gras) mis en réserve dans les adipocytes. b) Ces molécules sont nécessaires à la respiration cellulaire qui permet la production d'ATP, car la croissance de l'organisme nécessite beaucoup d'énergie.

7. a), b) et c) 2. pancréas ; 3. conduit pancréatique ; 4. lobule ; 5. cellule acineuse ou acinus (sucs pancréatiques) ; 6. îlot pancréatique ; 7. cellule alpha (glucagon) ; 9. cellule bêta (insuline).

Application 9.3 : Claire souffre du diabète de type 2. Son âge, son embonpoint et ses mauvaises habitudes de vie sont des facteurs de risque très importants dans l'apparition du diabète de type 2. Le diabète de type 1 touche plutôt les enfants ou les jeunes adultes et il n'est pas associé au surpoids ou aux mauvaises habitudes de vie.

Application 9.4 : Pour que les cellules puissent utiliser le glucose, les molécules de glucose doivent traverser la membrane plasmique pour pénétrer dans la cellule. Or, le glucose ne peut pas traverser cette membrane hydrophobe spontanément. Il doit être pris en charge par des transporteurs protéiques, et l'insuline est l'hormone qui provoque la migration de ces transporteurs vers la membrane, permettant ainsi au glucose d'entrer dans les cellules. Les personnes diabétiques sont incapables de produire de l'insuline ou leurs cellules ne réagissent pas correctement à cette hormone. Par conséquent, une grande partie du glucose reste dans le sang, où il est inutile pour les cellules. Par contre, les cellules du système nerveux n'ont pas besoin d'insuline pour faire entrer le glucose. Ainsi, le cerveau d'un diabétique non traité ne risque pas de manquer de glucose lorsque la glycémie est élevée.

d) Équilibre : Glycémie normale d'environ 5 mmol/L de glucose.

	Hyperglycémie	**Hypoglycémie**
Stimulus/ déséquilibre	Augmentation de la glycémie	Diminution de la glycémie
Récepteur(s)/ centre de régulation	Pancréas (libération d'insuline)	Pancréas (libération de glucagon)
Effecteur(s)	Adipocyte (lipogenèse ; synthèse des lipides), foie (glycogenèse, synthèse de glycogène), muscle (glycogenèse), la plupart des cellules du corps humain (augmentation du transport du glucose dans les cellules et accroissement de son utilisation par celles-ci)	Adipocyte (lipolyse, dégradation des lipides), foie (glycogénolyse et néoglucogenèse, dégradation du glycogène et synthèse du glucose à partir de composés non glucidiques)
Réponse	Diminution de la glycémie	Élévation de la glycémie

e) Type de stimulation du récepteur/centre de régulation : humorale. Type de stimulation des effecteurs : hormonale.

f)

Représentation du glucose dans le sang	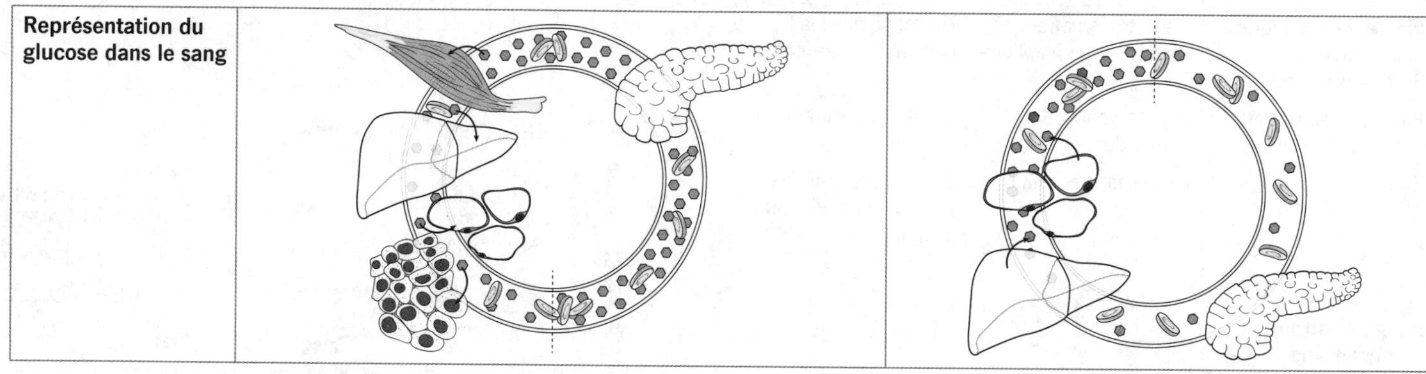	

8. a) et b) 1. glandes parathyroïdes (4x) ; 2. glande thyroïde ; 3. follicule de la thyroïde ; 4. cellules folliculaires ; 5. colloïde ; 6. cellules parafolliculaires ; 7. thyréolibérine (TRH) ; 8. thyréotrophine (TSH) ; 9 et 10. triiodothyronine (T_3) et thyroxine (T_4) ; 11. calcitonine ; 12. parathormone ; 13. la plupart des cellules du corps humain ; 14. cœur ; 15. neurone ; 16. foie ; 17. adipocytes ; 18. intestin ; 19. os ; 20. reins.

c) Toutes les flèches sont de type stimulation hormonale, sauf deux. Les deux flèches de type stimulation humorale sont : la flèche partant du vaisseau sanguin avec peu de calcium se dirigeant vers le numéro 1 (glande parathyroïde) et celle partant du vaisseau sanguin avec beaucoup de calcium se dirigeant vers la zone d'agrandissement de la glande thyroïde.

d) Les hormones 9 et 10 vont vers les organes 13 à 17 ; l'hormone 11 va vers les organes 19 et 20 ; l'hormone 12 va vers les organes 18 à 20.

Application 9.5 : Un goitre est une hypertrophie de la glande thyroïde qui peut avoir de nombreuses causes (manque d'iode, thyroïdite, maladie congénitale, etc.). Lors d'une carence en iode, la glande ne peut compléter toutes les étapes de la production de T_3/T_4. En effet, l'iodation des précurseurs est essentielle pour permettre la libération de ces hormones dans le sang. S'il manque d'iode, les précurseurs s'accumulent dans la glande et la font s'hypertrophier. Même si l'hypophyse sécrète plus de TSH pour stimuler la thyroïde, cette dernière est incapable de produire de la T_3/T_4. Comme la quantité de T_3/T_4 dans le sang est basse, l'hypophyse libère toujours plus de TSH, ce qui cause une accumulation plus importante de précurseurs. Bref, à long terme, la stimulation excessive de la thyroïde par la TSH a pour effet d'augmenter le volume des follicules thyroïdiens et de la thyroïde.

e) Équilibre : Concentration normale de calcium sanguin.

	Hypercalcémie	**Hypocalcémie**
Stimulus/déséquilibre	Augmentation de la calcémie	Diminution de la calcémie
Récepteur(s)/centre de régulation	Thyroïde (libération de calcitonine)	Parathyroïde (libération de parathormone)
Effecteur(s)	Rein (excrétion de calcium) et os (dépôt de calcium dans les os)	Rein (réabsorption de calcium), os (libération de calcium) et intestin (absorption du calcium)
Réponse	Diminution de la calcémie	Augmentation de la calcémie

f) Type de stimulation du récepteur/centre de régulation : humorale. Type de stimulation des effecteurs : hormonale.

g)

Représentation du calcium dans le sang		

9. a) et b) 1. cortex surrénal; 2. capsule; 3. zone glomérulée; 4. zone fasciculée; 5. zone réticulée; 6. médulla surrénale; 7. minéralocorticoïdes (aldostérone); 8. glucocorticoïdes (cortisol); 9. androgène; 10. adrénaline et noradrénaline.

c) Type de stimulation du cortex surrénal: hormonale (ACTH ou angiotensine) et humorale (augmentation du K^+ dans le sang).
Type de stimulation de la médulla surrénale: nerveuse (SNA sympathique).

d) L'hormone 7 va vers les reins; l'hormone 8 va vers les cellules de l'organisme, le foie et les adipocytes; l'hormone 9 va vers follicules pileux; l'hormone 10 vers cellules de l'organisme, foie et adipocytes.

10. a) et b)

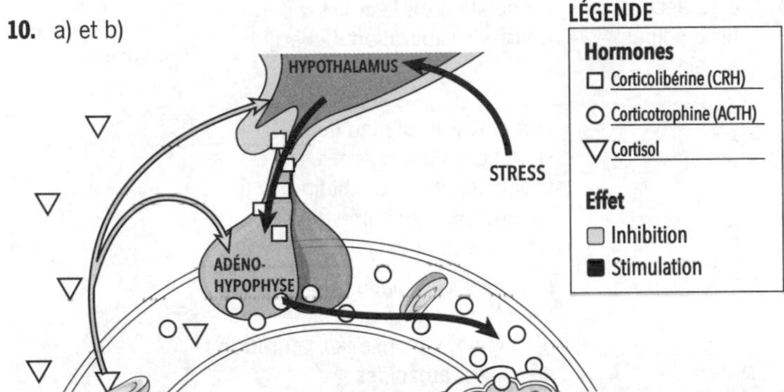

c) **Effets:**
La plupart des cellules: dégradation des protéines.
Adipocytes: lipolyse.
Foie: néoglucogenèse (formation de glucose à partir du glycérol et de certains acides aminés) et libération du glucose dans le sang.

Application 9.6: Le cortisol élève la glycémie, et provoque l'augmentation des concentrations des acides aminés, du glycérol et des acides gras dans le sang. Ces molécules sont nécessaires à la réparation des tissus, à la production de glycogène par le foie, à la synthèse d'enzymes pour les processus métaboliques et la production d'ATP lors de la respiration cellulaire.

11. a), b), d) et e)

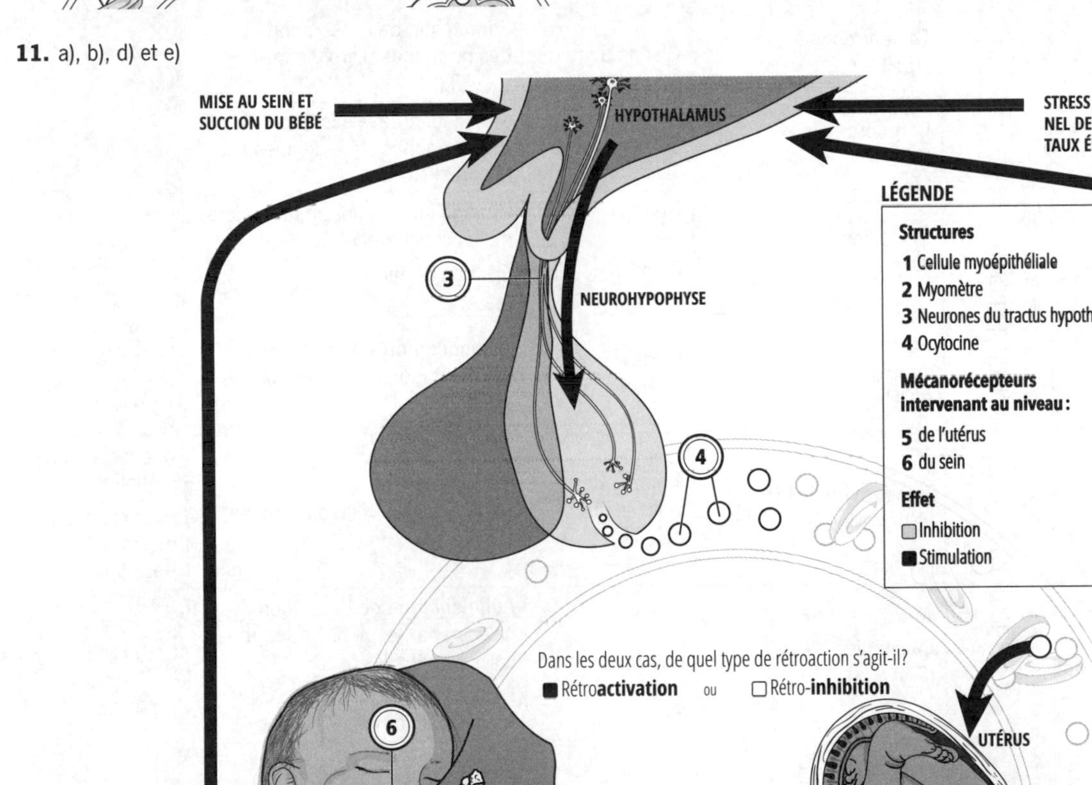

c) **Effets:**
Cellules myoépithéliales des glandes mammaires: contraction des cellules et éjection du lait.
Myomètre de l'utérus: contraction du myomètre, ce qui pousse le fœtus contre le col de l'utérus.

d) Type de stimulation de la neurohypophyse: nerveuse.
Type de stimulation du sein et de l'utérus: hormonale.

e) **Les deux mécanismes s'arrêtent:** pour l'accouchement, lorsque le fœtus est expulsé (arrêt de la pression sur le col de l'utérus); pour l'allaitement, lorsque le nourrisson est rassasié et qu'il arrête de téter (arrêt de la pression de succion sur le mamelon).
Un mécanorécepteur est un récepteur sensitif qui détecte la déformation mécanique et l'étirement.

12.

Stimulus	Type de stimulus	Glande	Hormone(s)	Tissu(s) ou organe(s) cible(s)	Effet(s) de l'hormone	Déséquilibre(s)
Hormone de libération de la prolactine (PRH) de l'hypothalamus	Hormonal	ADÉNOHYPOPHYSE	Prolactine (PRL)	Glandes mammaires	Production de lait par les glandes mammaires	
Somatocrinine (GHRH) sécrétée par l'hypothalamus	Hormonal		Hormone de croissance (GH)	Muscles, cartilage, os, tissu adipeux et foie	Stimulation de la croissance (mitose et libération d'énergie)	Hyposécrétion : nanisme Hypersécrétion : gigantisme, acromégalie
Gonadolibérine (GnRH) sécrétée par l'hypothalamus	Hormonal		Gonadotrophines (FSH et LH)	Ovaires et testicules	Femme : Stimulation de la sécrétion d'œstrogènes, de progestérone et d'inhibine. Favorise le développement des ovocytes et l'ovulation. Homme : Stimulation de la sécrétion de testostérone et d'inhibine. Favorise la maturation des spermatozoïdes.	
Thyréolibérine (TRH) sécrétée par l'hypothalamus	Hormonal		Thyréotrophine (TSH)	Glande thyroïde	Stimulation de la sécrétion des hormones thyroïdiennes (T_3 et T_4)	
Corticolibérine (CRH) sécrétée par l'hypothalamus	Hormonal		Corticotrophine (ACTH)	Cortex surrénal	Stimulation de la sécrétion des hormones stéroïdiennes par le cortex surrénal	
Influx nerveux provenant de l'hypothalamus	Nerveux	NEUROHYPOPHYSE	Ocytocine (OT)	Utérus Glandes mammaires	Contraction du muscle utérin lors de l'accouchement Éjection du lait	
Influx nerveux provenant de l'hypothalamus	Nerveux		Hormone antidiurétique (ADH)	Reins et artérioles	Diminution du volume d'urine et augmentation de la pression artérielle	
TSH sécrétée par l'adénohypophyse	Hormonal	THYROÏDE	Triiodothyronine (T_3) et thyroxine (T_4)	Majorité des cellules du corps	Stimulation du métabolisme basal	Hyposécrétion : crétinisme Hypersécrétion : maladie de Basedow
Augmentation de la concentration de calcium dans le sang	Humoral		Calcitonine (CT)	Os et reins	Augmentation de l'excrétion de calcium par les reins et dépôt de calcium dans les os Donc, diminution de la concentration de calcium dans le sang	
Diminution de la concentration de calcium dans le sang	Humoral	PARATHYROÏDE	Parathormone (PTH)	Os, reins et tube digestif	Augmentation de la réabsorption de calcium par les reins, libération de calcium par les os et absorption de calcium par le tube digestif Donc, augmentation de la concentration de calcium dans le sang	
Activation du SNA sympathique ; influx nerveux provenant de l'hypothalamus	Nerveux	MÉDULLA SURRÉNALE	Adrénaline	Majorité des cellules du corps	Augmentation de l'activité cardiaque et de la pression artérielle Augmentation de la glycogénolyse et de la glycémie	

Stimulus	Type de stimulus	Glande	Hormone(s)	Tissu(s) ou organe(s) cible(s)	Effet(s) de l'hormone	Déséquilibre(s)
Augmentation du K^+ dans le sang, déshydratation, diminution du volume sanguin et de la pression artérielle (système rénine-angiotensine)	Humoral et Hormonal	CORTEX SURRÉNAL	Aldostérone (minéralocorticoïde)	Reins	Augmentation de la réabsorption du sodium et de l'eau. Accélération de l'excrétion du potassium Donc, augmentation du volume sanguin et de la pression artérielle	
ACTH de l'adénohypophyse	Hormonal					
ACTH de l'adénohypophyse	Hormonal		Cortisol (glucocorticoïde)	Hépatocytes (foie), myocytes et adipocytes	Hyperglycémie et néoglucogenèse Dégradation des protéines en acides aminés et lipolyse Diminution de l'inflammation	
Augmentation de la glycémie	Humoral	PANCRÉAS	Insuline	Diverses cellules de l'organisme	Accélération du transport du glucose, glycogenèse, lipogenèse et augmentation de la synthèse des protéines Donc, diminution de la glycémie	Hyposécrétion : diabète sucré
Diminution de la glycémie	Humoral		Glucagon	Hépatocytes (foie) et adipocytes	Accélération de la glycogénolyse, libération du glucose dans le sang et lipolyse Donc, augmentation de la glycémie	

CORRIGÉ CHAPITRE 10 – LE SYSTÈME CARDIOVASCULAIRE

1. HORIZONTALEMENT : 1. péricarde ; hématocrite ; 3. artère ; systémique ; plasma ; 5. sang ; coagulation ; 7. veine ; 15. hémostase ; 17. ventricule. VERTICALEMENT : plaquette ; hémoglobine ; 3. veinule ; valvule ; 5. coronaire ; 7. pulmonaire ; 9. érythropoïétine ; 11. artériole ; 13. hème ; 15. oreillette ; 19. capillaire.

2. a) et b) 1. plasma ; 2. érythrocyte (globule rouge) ; 3. granulocyte basophile ; 4. monocyte ; 5. granulocyte éosinophile ; 6. lymphocyte ; 7. granulocyte neutrophile ; 8. thrombocytes (plaquettes).

Application 10.1 : Un érythrocyte (numéro 2 dans la figure).

3. A. sang total ; B. 7,35 à 7,45 ; C. 38 °C ; D. 5 à 6 L chez un homme et 4 à 5 L chez une femme ; E. éléments figurés ; F. plasma (1) ; G. érythrocytes (2) ; H. leucocytes ; I. thrombocytes (8) ; J. eau ; K. protéines ; L. autres solutés ; M. granulocytes neutrophiles (7) ; N. lymphocytes (6) ; O. monocytes (4) ; P. granulocytes éosinophiles (5) ; Q. granulocytes basophiles (3) ; R. albumine ; S. fibrinogène ; T. globulines ; U. électrolytes ; V. O_2 et nutriments ; W. CO_2 et déchets.

Application 10.2 : a) Le foie produit la plupart des protéines plasmatiques du sang. Il s'agit notamment de l'albumine et des globulines, qui interviennent dans le transport des hormones, des ions, des lipides et d'autres matériaux. Si les tissus du foie sont endommagés, ces protéines plasmatiques pourraient être produites en quantités insuffisantes pour transporter ces matériaux. b) Le foie produit aussi la thrombopoïétine, une hormone qui stimule la synthèse des thrombocytes. Or, ces derniers jouent un rôle important dans la coagulation (formation du clou plaquettaire). Le foie produit aussi la majorité des facteurs de coagulation. Si le foie est endommagé, il devient incapable de remplir adéquatement ces rôles et la coagulation risque d'être compromise.

4. a) et b) 1. rouge ; 2. fer ; 3. vitamine B_{12} ; 4. hémocytoblaste (cellule souche hématopoïétique) ; 5. érythrocytes ; 6. hémoglobine ; 7. hème ; 8. globine ; 9. fer.

Application 10.3 : La bilirubine directe est transportée par le sang jusqu'aux reins ; elle est alors éliminée dans l'urine.

5. a) Équilibre : Concentration normale d'oxygène dans le sang.
Stimulus/déséquilibre : Hypoxie/hypoxémie (diminution du taux d'oxygène sanguin).
Récepteur(s)/centre de régulation : Cellules rénales [libération de l'hormone érythropoïétine (EPO)].
Effecteur(s) : Moelle osseuse rouge (accélération de la formation des érythrocytes).
Réponse : Augmentation du nombre d'érythrocytes dans le sang favorisant l'augmentation du taux d'oxygène sanguin.

b) Rétro-inhibition, car le déséquilibre initial est réduit.

c) Système endocrinien.

Application 10.4 : L'érythropoïétine (EPO) est une hormone qui stimule la multiplication des cellules souches dans la moelle osseuse et leur transformation en érythrocytes, entrainant l'augmentation du nombre de ces éléments dans le sang. Puisque les érythrocytes transportent l'oxygène aux cellules, Kevin pense probablement qu'un plus grand nombre d'érythrocytes pourrait améliorer son endurance parce que ses cellules recevraient davantage d'oxygène pendant les courses.

6. a)

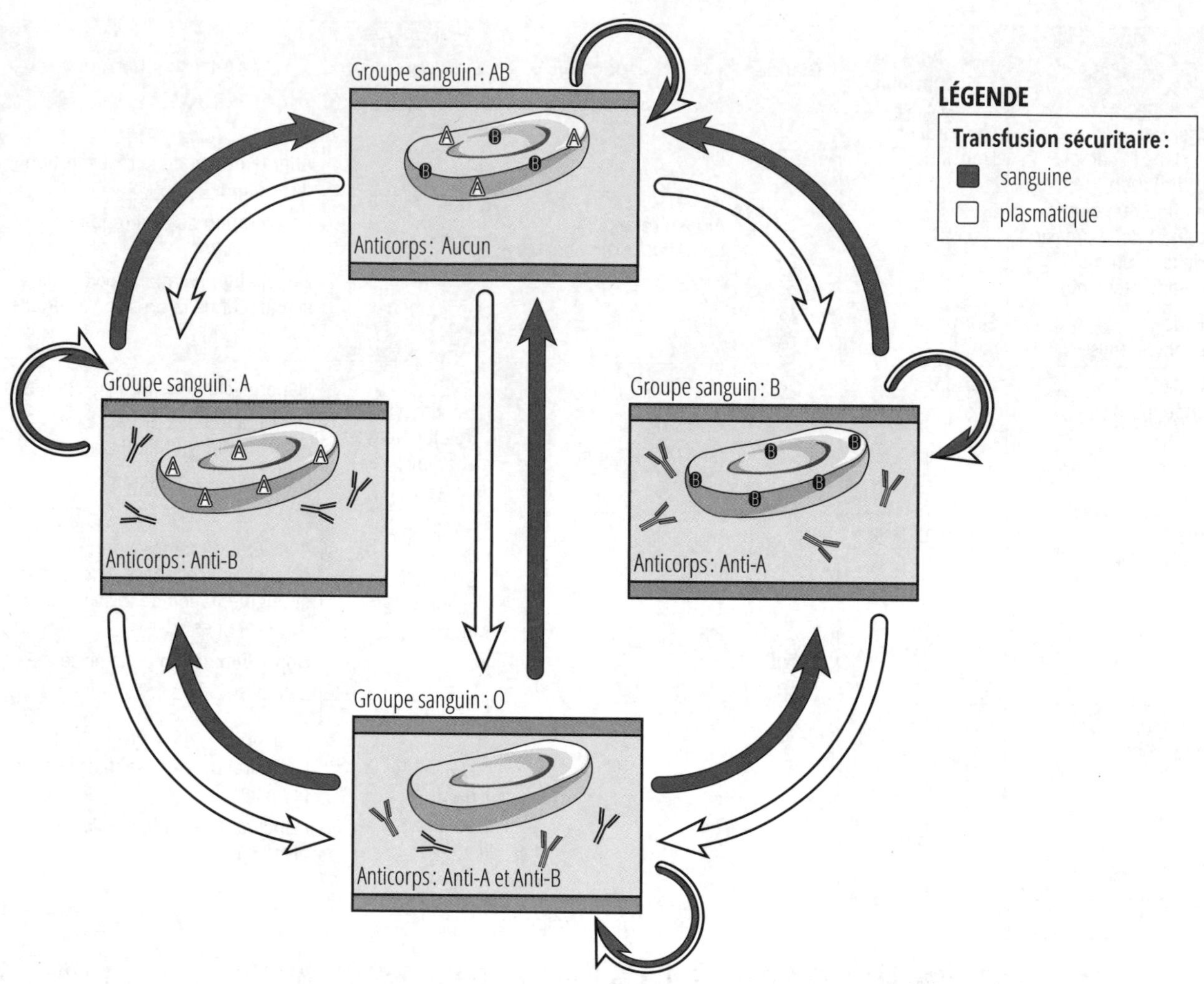

b)

Groupe sanguin	Antigène de surface (agglutinogènes)	Anticorps du plasma (agglutinines)	Peut donner du sang à…	Peut recevoir du sang de…	Peut donner du plasma à…	Peut recevoir du plasma de…
Groupe A	A	Anti-B	A et AB	A et O	A et O	A et AB
Groupe B	B	Anti-A	B et AB	B et O	B et O	B et AB
Groupe AB	A et B	aucun	AB	Tous les groupes	Tous les groupes	AB
Groupe O	aucun	Anti-A et Anti-B	Tous les groupes	O	O	Tous les groupes

c) A. Benoit est de groupe sanguin A^+.

B. Annick est de groupe sanguin B (agglutination seulement du sérum anti-B), alors que Charles est de groupe sanguin AB (agglutination des sérums anti-A et anti-B).

C.

Patient	Sérum anti-A	Sérum anti-B	Sérum anti-Rh	Groupe sanguin
1	Aucune réaction	Aucune réaction	Aucune réaction	O^-
2	Agglutination	Agglutination	Agglutination	AB^+
3	Aucune réaction	Agglutination	Agglutination	B^+
4	Agglutination	Aucune réaction	Aucune réaction	A^-
5	Aucune réaction	Aucune réaction	Agglutination	O^+

D.

Transfusion	Donneur	Receveur	Transfusion possible ? (oui ou non)
1	A^+	AB^+	Oui
2	AB^-	O^-	Non
3	B^-	AB^-	Oui
4	O^+	B^+	Oui
5	O^-	A^+	Oui
6	AB^+	AB^-	Non
7	AB^-	AB^+	Oui
8	O^+	A^-	Non

7. a)

Énoncés dans le désordre	
1	Cette étape favorise le resserrement du vaisseau et la réduction de l'écoulement sanguin, et elle permet à la réparation d'avoir lieu.
2	Le réseau de fibrine permet l'adhésion des éléments figurés du sang là où le vaisseau a été rompu, contrôlant ainsi l'écoulement sanguin.
3	La seconde étape est la phase de la formation du clou plaquettaire.
4	L'hémostase commence par la phase du spasme vasculaire qui se manifeste par une contraction du muscle lisse de la paroi du vaisseau rompu.
5	L'étape finale est la phase de coagulation, qui a lieu lorsque les facteurs de coagulation accumulés près de la zone endommagée sont présents en quantité suffisante et lorsque s'amorce une cascade complexe de réactions chimiques qui aboutit à la conversion du fibrinogène soluble en fibres de fibrine insolubles.
6	Par la suite, les thrombocytes libèrent des substances chimiques, dont des facteurs de coagulation qui déclenchent d'autres contractions locales du vaisseau et provoquent l'agrégation plaquettaire.
7	Les thrombocytes qui entrent en contact avec la membrane basale rugueuse et les fibres collagènes associées à la détérioration du vaisseau adhèrent au collagène et s'agrègent.

b) et c) Phase du spasme vasculaire (4); phase de la formation du clou plaquettaire (3-7-6-1); phase de coagulation (5-2).

Application 10.5: Les facteurs de coagulation et la phase de coagulation (étape 5).

8. a) 1. veine cave supérieure; 2. veine cave inférieure; 3. oreillette droite; 4. ventricule droit; 5. tronc pulmonaire; 6. artère pulmonaire droite; 7. artère pulmonaire gauche; 8. capillaires pulmonaires; 9. veines pulmonaires droites; 10. veines pulmonaires gauches; 11. oreillette gauche; 12. ventricule gauche; 13. aorte; 14. capillaires systémiques; 15. veine porte hépatique; 16. capillaires hépatiques.

b)

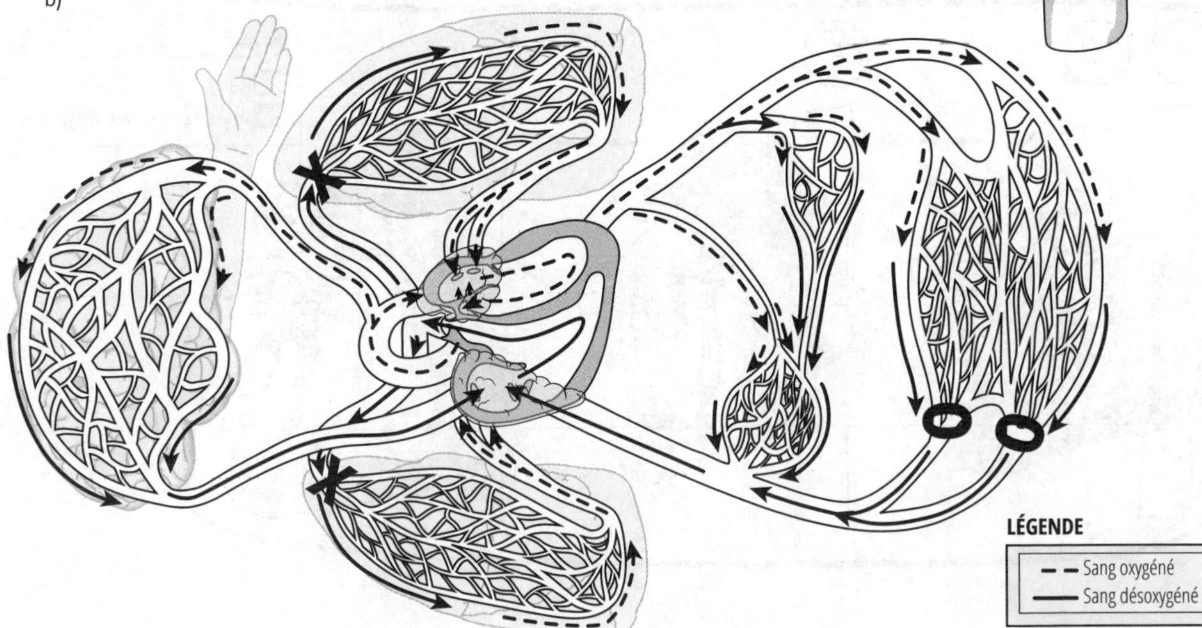

Application 10.6: Voir les cercles et les X dans la figure.

9. a) 1. veine cave supérieure; 2. veine cave inférieure; 3. oreillette droite; 4. ventricule droit; 5. tronc pulmonaire; 6. artère pulmonaire droite; 7. artère pulmonaire gauche; 8. veine pulmonaire droite; 9. veine pulmonaire gauche; 10. oreillette gauche; 11. ventricule gauche; 12. aorte; 13. tronc brachiocéphalique; 14. artère carotide commune gauche; 15. artère subclavière gauche; 16. artère coronaire gauche; 17. grande veine du cœur; 18. ligament artériel; 19. apex du cœur.

b) Sang oxygéné: 8 à 16; sang désoxygéné: 1 à 7 et 17.

10. a) et b) 1. myocyte cardiaque (cellule musculaire du cœur); 2. disque intercalaire; 3. noyau; 4. myofibrilles.

11. a) et b) 1. oreillette droite; 2. fosse ovale; 3. valve auriculoventriculaire droite (tricuspide); 4. ventricule droit; 5. valve pulmonaire (valve du tronc pulmonaire); 6. tronc pulmonaire; 7. oreillette gauche; 8. valve auriculoventriculaire gauche (bicuspide ou mitrale); 9. ventricule gauche; 10. valve aortique; 11. aorte; 12. cordages tendineux; 13. muscles papillaires; 14. péricarde; 15. péricarde fibreux; 16. feuillet pariétal du péricarde séreux (lame pariétale du péricarde séreux); 17. cavité péricardique (remplie de sérosité péricardique); 18. feuillet viscéral du péricarde séreux (épicarde; lame viscérale du péricarde séreux); 19. myocarde; 20. endocarde.

c)

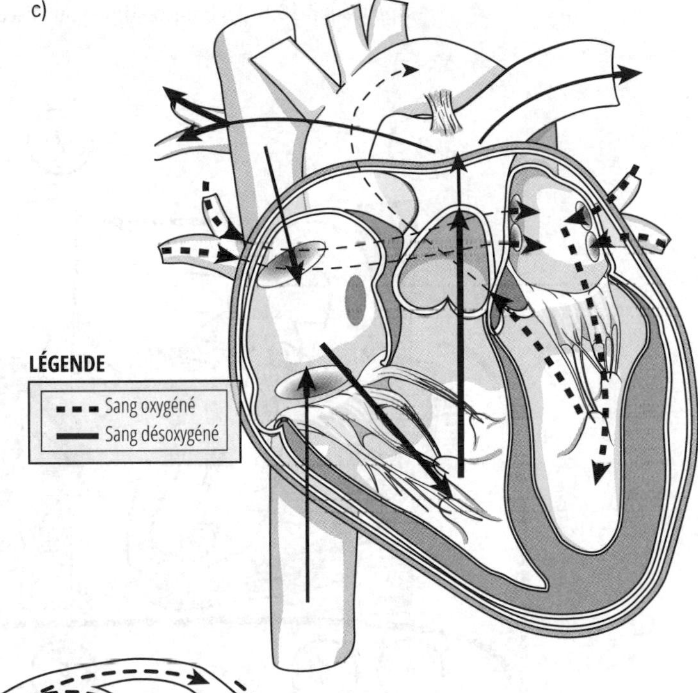

Application 10.7 : Normalement, la valve de l'aorte empêche le sang de refluer dans le ventricule gauche au cours de la diastole ventriculaire. Si cette valve fuit, le ventricule gauche est affecté, car il doit travailler anormalement fort pour fournir une quantité suffisante de sang aux tissus systémiques. Si le problème persiste, le sang peut s'accumuler dans le ventricule et causer une dilatation de ce dernier.

12. a) 1. nœud sinusal ; 2. tractus internodaux ; 3. nœud auriculoventriculaire ; 4. faisceau auriculoventriculaire ; 5. branche droite du faisceau auriculoventriculaire ; 6. branche gauche du faisceau auriculoventriculaire ; 7. myocytes de conduction cardiaques (myofibres de conduction cardiaques).

b)

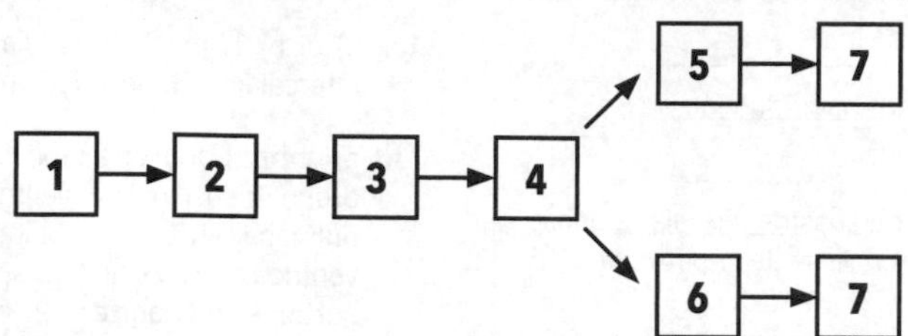

c) Dépolarisation ⟶ systole (contraction) ; repolarisation/repos ⟶ diastole (relâchement).

d) Dépolarisation des oreillettes ; repos des ventricules ; pas de repolarisation.

e) Sympathique : 1, 3 et 7 ; parasympathique : 1 et 3.

Application 10.8 : La branche droite du faisceau auriculoventriculaire (numéro 5 dans l'image).

13. a)

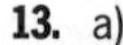

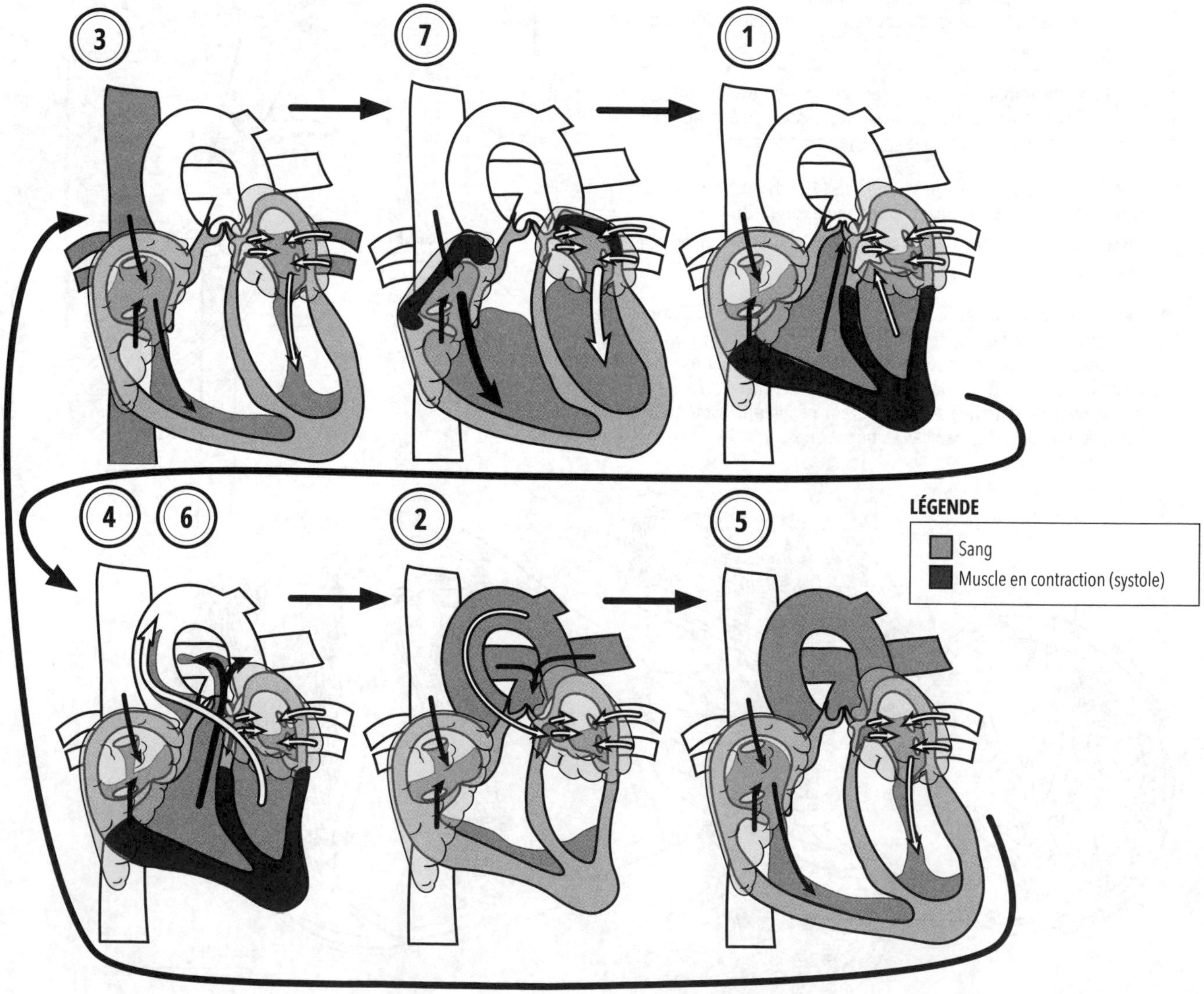

3 7 1

4 6 2 5

LÉGENDE

Sang

Muscle en contraction (systole)

b)

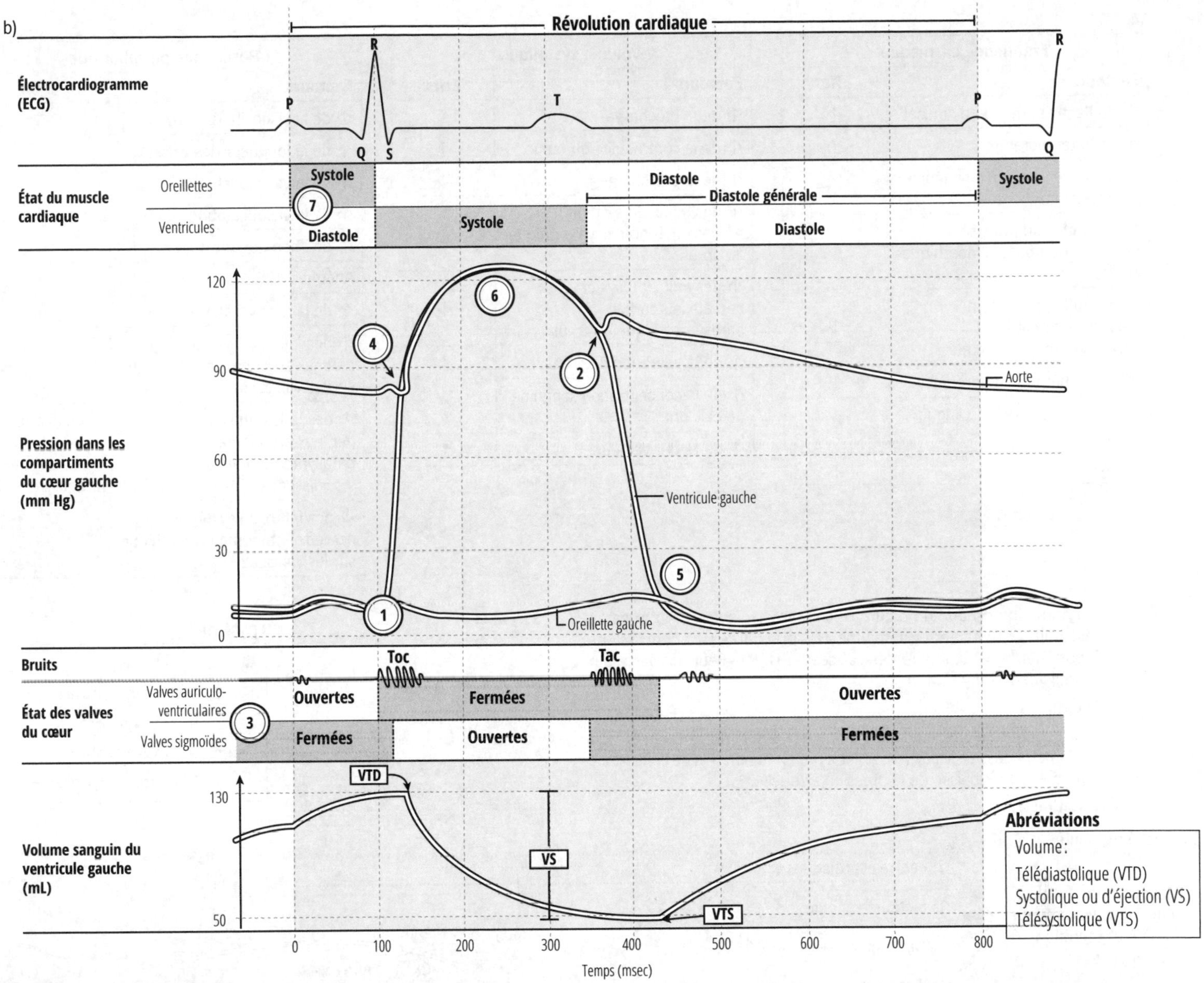

Révolution cardiaque

Électrocardiogramme (ECG)

P R Q S T P R Q

État du muscle cardiaque

Oreillettes: Systole — Diastole — Diastole générale — Systole

Ventricules: Diastole — Systole — Diastole

Pression dans les compartiments du cœur gauche (mm Hg)

120 90 60 30 0

Aorte

Ventricule gauche

Oreillette gauche

Bruits: Toc — Tac

État des valves du cœur

Valves auriculo-ventriculaires: Ouvertes — Fermées — Ouvertes

Valves sigmoïdes: Fermées — Ouvertes — Fermées

Volume sanguin du ventricule gauche (mL)

130 50

VTD VS VTS

0 100 200 300 400 500 600 700 800

Temps (msec)

Abréviations

Volume:
Télédiastolique (VTD)
Systolique ou d'éjection (VS)
Télésystolique (VTS)

Application 10.9 : a) Si le nœud sinusal ne fonctionne pas normalement, les oreillettes ne pourront plus se dépolariser, ce qui entrainera une disparition de l'onde P. De plus, puisque la fréquence cardiaque de Vincent est plus lente (bradycardie), la distance R-R sera plus longue dans le temps (durée de la révolution cardiaque plus longue, donc moins de révolutions cardiaques par minute que chez un individu en bonne santé). b) Dans un cœur normal, le nœud sinusal est la région du système de conduction où s'amorce la dépolarisation qui se propage ensuite à tout le cœur. Par contre, si le nœud sinusal ne se dépolarise plus, le nœud auriculoventriculaire peut prendre la relève et dépolariser les ventricules. c) La fréquence de dépolarisation du nœud sinusal est la plus rapide ; c'est donc lui qui fixe le rythme du cœur en temps normal. Chez Vincent, cette région est dysfonctionnelle, mais le nœud auriculoventriculaire prend la relève. Par contre, la fréquence de dépolarisation de ce nœud étant plus lente, le cœur bat à un rythme plus lent, mais tout de même suffisant pour permettre au sang de circuler.

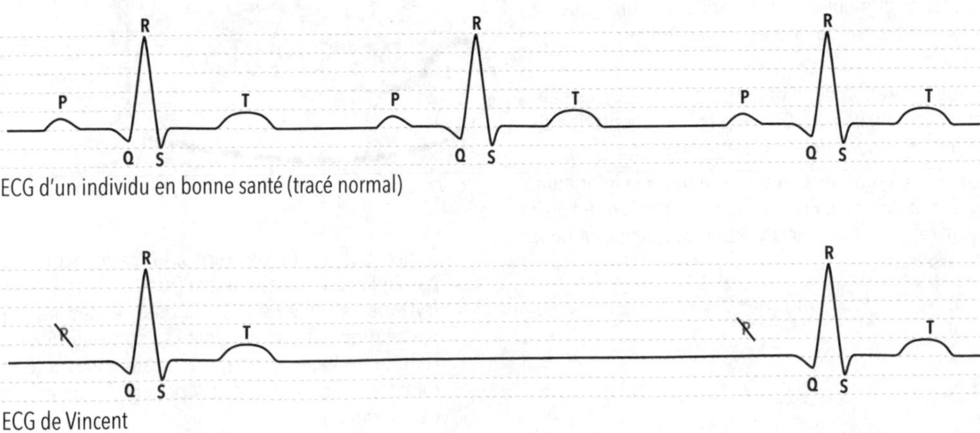

ECG d'un individu en bonne santé (tracé normal)

ECG de Vincent

14. a)

Fréquence cardiaque	
Facteurs	**Effet**
↑ de l'activité du nœud sinusal	↑
↑ de la température	↑
↑ de la concentration sanguine de potassium	↓
↑ des influx du système nerveux autonome sympathique au cœur	↑
↑ des influx du système nerveux autonome parasympathique au cœur	↓
↑ de la libération d'adrénaline	↑
↑ de la concentration sanguine de calcium	↑
Exercice	↑

Volume systolique	
Facteurs	**Effet**
↑ de la précharge	↑
↑ de la contractilité du cœur	↑
↑ de la postcharge	↓
↑ des influx du système nerveux autonome sympathique au cœur	↑
↑ des influx du système nerveux autonome parasympathique au cœur	↓
↑ de la libération d'adrénaline	↑
↑ de la concentration sanguine de calcium	↑
↑ du retour veineux	↑

Résistance périphérique	
Facteurs	**Effet**
↑ de la viscosité du sang	↑
↑ de la longueur des vaisseaux	↑
↑ de la vasoconstriction	↑
↑ de la vasodilatation	↓
↑ de l'hématocrite	↑
Anémie	↓
↑ de la déshydratation	↑
↑ des influx du système nerveux autonome sympathique sur les vaisseaux	↑
↑ des influx du système nerveux autonome parasympathique sur les vaisseaux	Aucun effet ou vasodilatation par relâchement musculaire (↓ RP)
↓ des influx du système nerveux autonome sympathique sur les vaisseaux	↓

b) A. rythme intrinsèque du cœur ; B. centres cardiaques (centre cardiovasculaire) ; C. facteurs sanguins ; D. précharge ; E. contractilité ; F. postcharge ; G. diamètre des vaisseaux ; H. longueur des vaisseaux ; I. viscosité du sang.

c) **Situation 1**

Choc septique (exemple de choc d'origine vasculaire) → augmentation du diamètre des vaisseaux (vasodilatation) → diminution de la résistance périphérique → baisse de la pression artérielle.

Situation 2

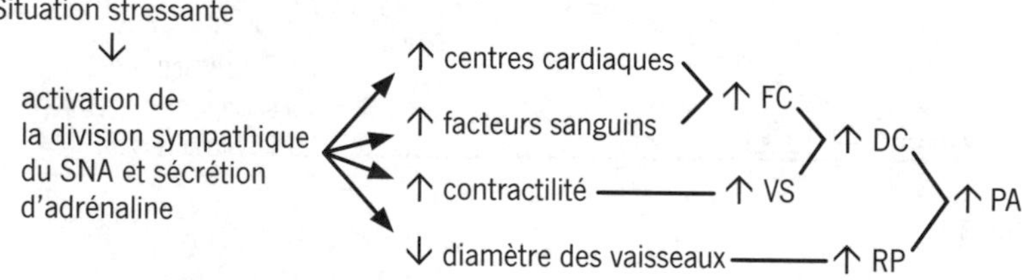

Situation 3

Hémorragie → baisse du volume sanguin (choc hypovolémique) → diminution de la précharge (et du retour veineux) → diminution du volume systolique → baisse du débit cardiaque → baisse de la pression artérielle.

Remarque : Si le cœur manque d'oxygène (ischémie ou infarctus) → diminution de la contractilité (choc cardiogénique).

Si nœud sinusal est touché → diminution de la fréquence cardiaque → baisse du débit cardiaque → baisse de la pression artérielle.

Situation 4

Injection d'Epogen → augmentation de la quantité d'érythrocytes dans le sang → accroissement de la viscosité du sang → augmentation de la résistance périphérique → hausse de la pression artérielle.

Application 10.10 : À cause de la compression de sa veine cave inférieure, le débit cardiaque d'Olivia serait diminué. En effet, la compression réduirait le retour veineux. Il s'ensuivrait une baisse du volume systolique et donc une diminution du débit cardiaque.

15. a) et b)

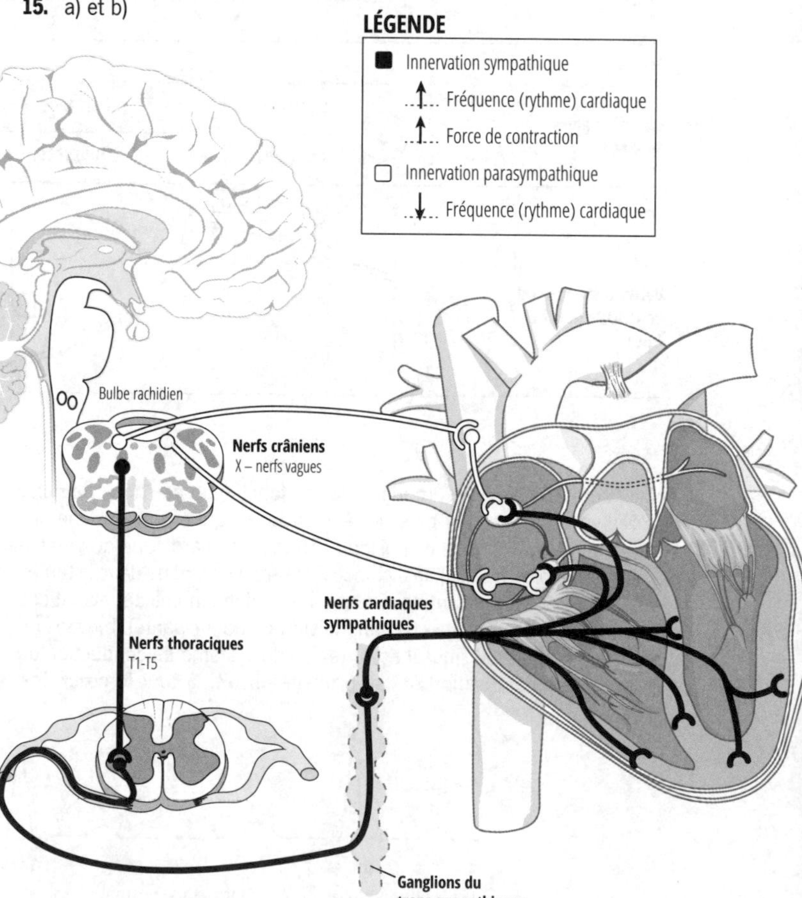

Application 10.11 : Au repos, le cœur reçoit des influx nerveux parasympathiques qui ralentissent la fréquence de dépolarisation du nœud sinusal (rythme intrinsèque). En l'absence des innervations sympathiques et parasympathiques modulant le rythme cardiaque, le cœur battra selon son rythme de base établi par le nœud sinusal (environ 100 battements par minute) et ce rythme se propagera à l'ensemble du cœur par le système de conduction.

16. a) et b) Équilibre : Pression artérielle normale : 120 mm Hg/80 mm Hg.

	Hypertension	Hypotension
Stimulus/ déséquilibre	Augmentation de la pression artérielle	Diminution de la pression artérielle
Récepteur(s)	Barorécepteurs du sinus carotidien et de l'arc aortique (augmentation du nombre d'influx nerveux envoyé au centre de régulation)	Barorécepteurs du sinus carotidien et de l'arc aortique (diminution du nombre d'influx nerveux envoyé au centre de régulation)
Centre de régulation	Centre cardiovasculaire du bulbe rachidien (centre cardiaque) (augmentation de la stimulation du centre cardio-inhibiteur [parasympathique] et diminution de la stimulation du centre cardioaccélérateur [sympathique]) Centre vasomoteur (inhibition)	Centre cardiovasculaire du bulbe rachidien (centre cardiaque) recevant moins d'influx nerveux stimulateur (augmentation de la stimulation du centre cardioaccélérateur [sympathique] et diminution de la stimulation du centre cardio-inhibiteur [parasympathique] Centre vasomoteur (activation)
Effecteur(s)	Cœur : diminution de la fréquence cardiaque (diminution du débit cardiaque) Vaisseaux sanguins périphériques : vasodilatation (diminution de la résistance périphérique)	Cœur : augmentation de la force et de la fréquence cardiaque (augmentation du débit cardiaque) Vaisseaux sanguins périphériques : vasoconstriction (augmentation de la résistance périphérique)
Réponse	Diminution de la pression artérielle	Augmentation de la pression artérielle
Représentation des barorécepteurs et des structures activées par le centre de régulation	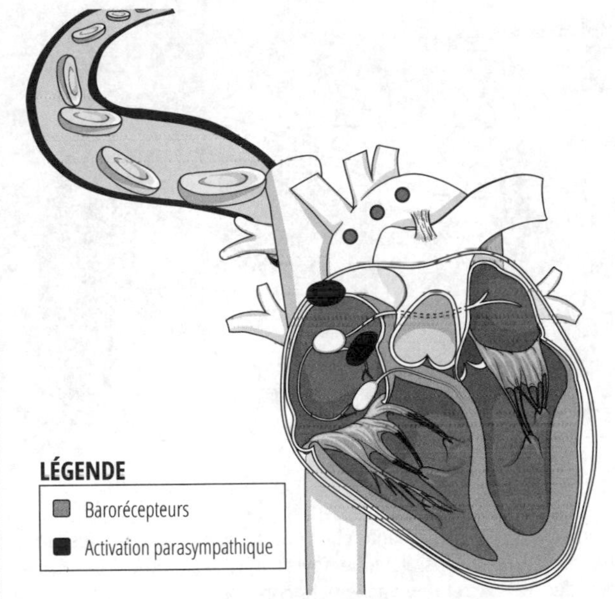 LÉGENDE Barorécepteurs Activation parasympathique	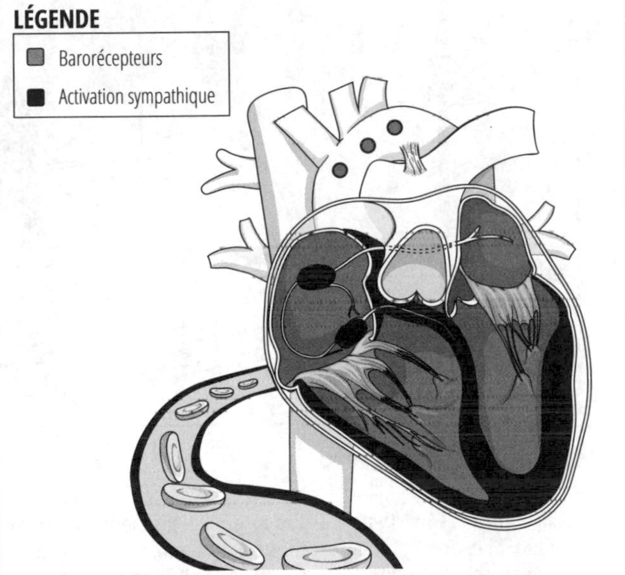 LÉGENDE Barorécepteurs Activation sympathique

Application 10.12 : La diminution du volume sanguin va entrainer une diminution du volume systolique, du débit cardiaque puis de la pression artérielle, ce qui va mener à une hypotension. Encerclez le mécanisme de régulation homéostatique sur l'hypotension (colonne de droite du tableau ci-dessus).

17. a) 1. artère ; 2. veine ; 3. capillaire ; 4. tunique externe ; 5. limitante élastique externe ; 6. tissu musculaire lisse ; 7. limitante élastique interne ; 8. couche sous-endothéliale (incluant la membrane basale) ; 9. membrane basale ; 10. endothélium ; 11. valvule veineuse.

b) tunique interne (7, 8 et 10) ; tunique moyenne (5 et 6) ; tunique externe (4).

Application 10.13 : L'animation illustre sans doute le comportement de l'aorte ou de l'artère pulmonaire, qui sont des artères élastiques. Lors de la contraction ventriculaire (systole), ces artères s'étirent pour laisser place au sang sortant du cœur ; lors de la détente des ventricules (diastole), les artères reprennent leur forme et, ce faisant, propulsent le sang vers l'avant.

18. a) 1. capillaire sanguin (sang) ; 2. liquide interstitiel (espace interstitiel) ; 3. cellule du tissu ; 4. cellules endothéliales lymphatiques ; 5. capillaire lymphatique (lymphe) ; A. filtration ; B. réabsorption.

b), c) et d)

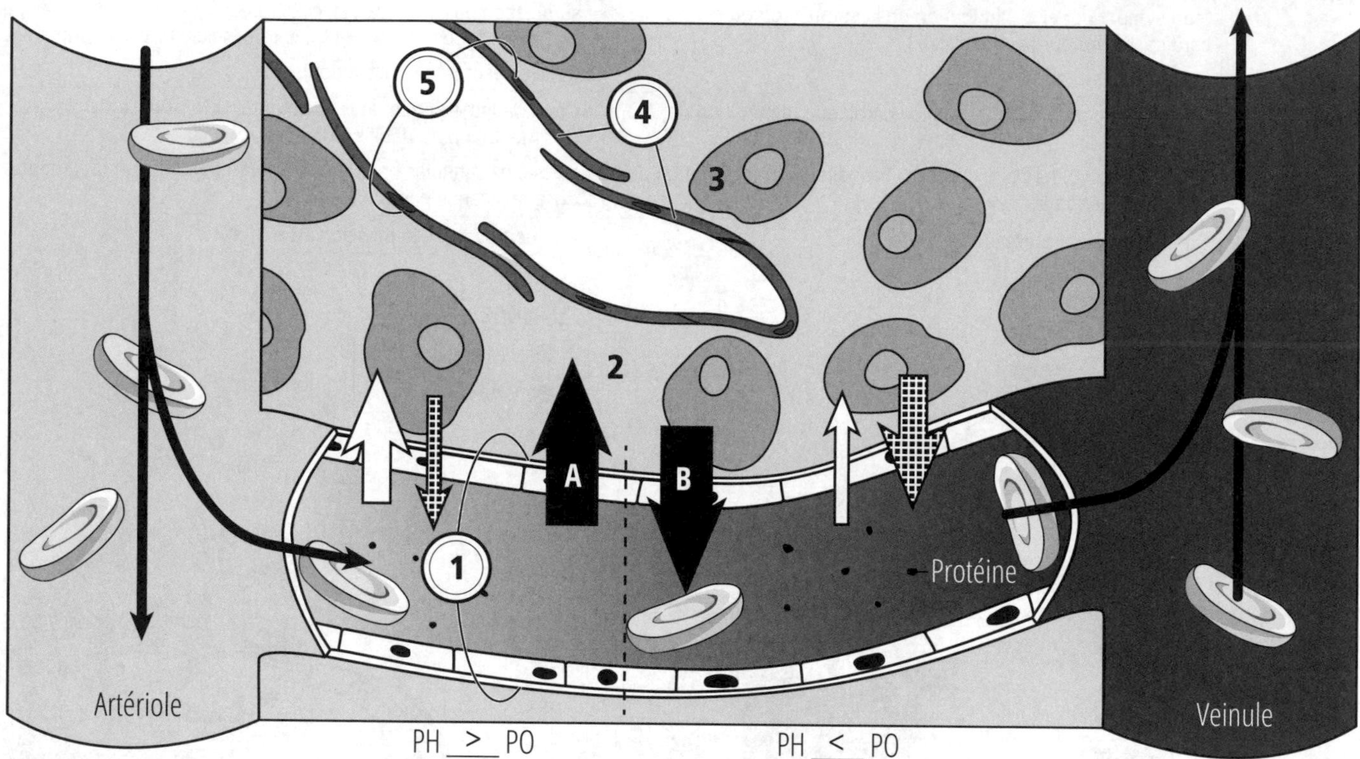

Application 10.14 : L'hypertension artérielle augmente la pression hydrostatique. Si la pression hydrostatique augmente, une plus grande quantité de liquide est filtrée dans l'extrémité artérielle des capillaires et moins de liquide est réabsorbé par l'extrémité veineuse des capillaires. L'augmentation nette de ce mouvement de liquide hors des capillaires peut entrainer de l'œdème, c'est-à-dire une accumulation de liquide dans les tissus interstitiels.

19. a) et b)

A. 1. a. carotide ; 2. a. subclavière ; 3. a. brachiocéphalique (tronc brachiocéphalique) ; 4. a. brachiale ; 5. a. ulnaire ; 6. a. radiale ; 7. a. coronaire ; 8. aorte thoracique ; 9. aorte abdominale ; 10. a. iliaque ; 11. a. fémorale ; 12. a. poplitée ; 13. a. tibiales ; 14. a. dorsale du pied.

B. 1. v. jugulaire ; 2. v. subclavière ; 3. v. brachiocéphalique ; 4. v. céphalique ; 5. v. brachiale ; 6. v. ulnaire ; 7. v. radiale ; 8. v. cave supérieure ; 9. v. cave inférieure ; 10. v. iliaque commune ; 11. v. fémorale ; 12. grande veine saphène ; 13. v. poplitée ; 14. v. tibiales.

Application 10.15 : Deux mécanismes facilitent le retour du sang des membres inférieurs jusqu'au cœur.

Le mécanisme qu'évoque Xavier est celui de la **pompe musculaire**, qui est actionnée par la contraction des muscles squelettiques. Lorsqu'une personne se tient debout, le sang veineux en provenance de ses pieds et de ses membres inférieurs doit surmonter la gravitation pour remonter vers le cœur. Les valvules compartimentent le sang à l'intérieur des veines. Toute contraction des muscles squelettiques propulse le sang vers le cœur. Ainsi, lorsque Xavier agite ses jambes, ces cycles rapides de contraction et de relâchement contribuent à faire remonter le sang vers le tronc.

De son côté, Marie fait référence au mécanisme de la **pompe respiratoire**, qui dépend des variations de pression dans la cavité thoracique et abdominale provoquées par l'inspiration et l'expiration. Par exemple, lors de l'inspiration, les différences de pression entre les deux cavités déplacent le sang des veines de la cavité abdominale vers les veines de la cavité thoracique, puis vers le cœur.

20. a) et b) 1. veine cave inférieure ; 2. veines hépatiques ; 3. veine gastrique ; 4. veine porte hépatique ; 5. veine splénique ; 6. veine mésentérique supérieure ; 7. veine mésentérique inférieure.

Application 10.16 : a) Anatomiquement, c'est un réseau de vaisseaux sanguins qui relie deux organes sans passer par le cœur. b) Le système porte hépatique permet au foie de contrôler le courant des substances nutritives d'origine intestinale. Ainsi, le foie envoie dans l'ensemble de l'organisme un sang filtré, détoxifié de toutes substances nocives et allégé de tout excès. c) Système porte hypothalamohypophysaire (veine porte hypophysaire). d) Ce lien vasculaire direct entre l'hypothalamus et l'hypophyse permet la transmission à l'hypophyse de l'information en provenance de l'hypothalamus sans qu'elle soit diluée dans la circulation générale. Cela permet de réduire au strict minimum la quantité d'hormones que l'hypothalamus doit libérer pour déclencher la réaction de l'hypophyse.

CORRIGÉ CHAPITRE 11 – LE SYSTÈME LYMPHATIQUE

1. HORIZONTALEMENT: 1. nœud; 3. follicule; 5. rouge; 7. œdème; 9. lymphe; 11. immunité; 13. secondaire; 15. valvule; 19. rate. VERTICALEMENT: 1. amygdales; 3. efférent; subclavière; 5. leucocyte; 7. primaire; 13. thymus.

2. a) 1. tonsilles palatines (amygdales); 2. nœuds lymphatiques cervicaux; 3. conduit lymphatique droit; 4. nœuds lymphatiques axillaires; 5. thymus; 6. conduit thoracique; 7. rate; 8. nœuds lymphatiques intestinaux; 9. citerne du chyle; 10. follicules lymphatiques agrégés ou follicules lymphatiques associés aux muqueuses (MALT); 11. nœuds lymphatiques inguinaux; 12. moelle osseuse rouge; 13. vaisseaux lymphatiques (remplis de lymphe).

b) Région drainée par:
- ■ le conduit lymphatique droit.
- ■ le conduit thoracique.

c) Structures lymphoïdes secondaires: 1, 2, 4, 7, 8, 10 et 11.
Structures lymphoïdes primaires: 5 et 12.

d) Drainer le surplus de liquide interstitiel; transporter les lipides alimentaires; assurer les réponses immunitaires.

Application 11.1: a) L'hypoplasie influera sur le développement des lymphocytes T. Ce garçon aura moins de lymphocytes T ou il aura un plus grand nombre de lymphocytes T immatures et non fonctionnels. b) Le syndrome de Di George entraine un déficit immunitaire.

Application 11.2: a) La rupture de la rate provoque une hémorragie qui risque de causer la mort si le saignement n'est pas arrêté. b) Sacha peut très bien vivre sans sa rate, car d'autres organes comme le foie, les nœuds lymphatiques et la moelle osseuse peuvent accomplir des fonctions semblables à celles de la rate.

3. a) 1. conduits lymphatiques; 2. nœud lymphatique; 3. artère pulmonaire; 4. capillaires sanguins pulmonaires; 5. capillaires lymphatiques; 6. cellules des tissus; 7. liquide interstitiel; 8. veine pulmonaire; 9. cœur; 10. capillaires sanguins systémiques.

b), c) et d)

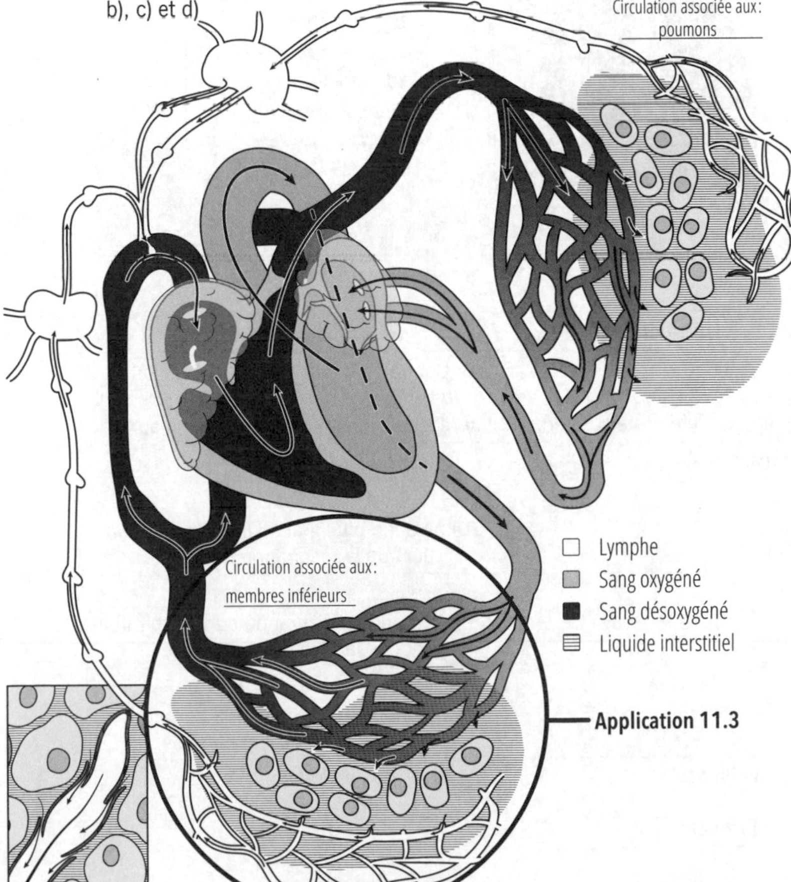

Application 11.3: Voir le cercle et les flèches sur le schéma.

Application 11.4: Le blocage des vaisseaux lymphatiques est causé par le parasite. Il faut donc éliminer celui-ci par des traitements chimiques afin de rétablir la circulation lymphatique. Le système lymphatique sain pourra alors drainer le liquide qui s'est accumulé dans les tissus et ainsi résorber le lymphœdème.

4. a) et b) 1. vaisseaux lymphatiques afférents; 2. valvules; 3. capsule; 4. follicule lymphoïde (région contenant des lymphocytes B et des plasmocytes); 5. fibres réticulaires (trabécules de fibres réticulaires); 6. cortex; 7. médulla; 8. paroi ou endothélium des vaisseaux lymphatiques; 9. vaisseaux lymphatiques efférents; 10. hile du nœud lymphatique (endroit où prennent naissance un ou deux vaisseaux lymphatiques efférents).

c)

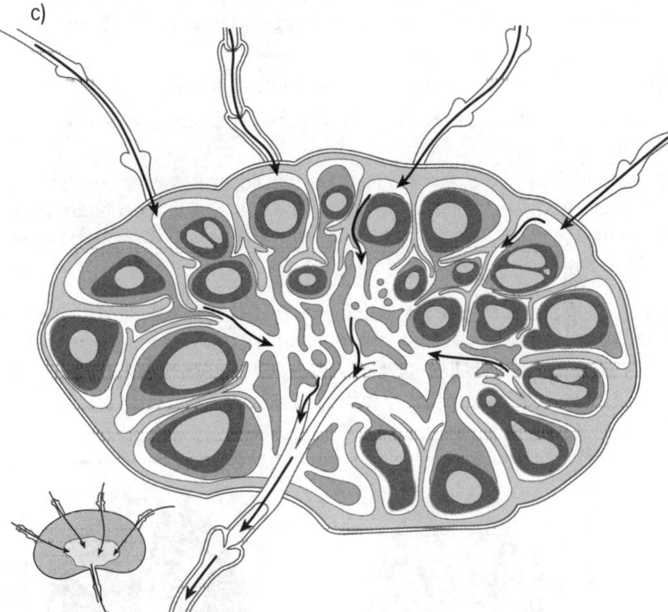

d) La lymphe contient moins de protéines que le plasma sanguin; sa composition ressemble beaucoup à celle du liquide interstitiel, mais elle contient des leucocytes; elle transporte plusieurs vitamines liposolubles et des lipides absorbés par le système digestif.

Application 11.5: La lymphe qui circule dans les tissus des seins s'écoule vers les nœuds lymphatiques axillaires. Ainsi, la lymphe peut entraîner les cellules cancéreuses formées dans un sein jusqu'aux nœuds (ganglions) axillaires.

CORRIGÉ CHAPITRE 12 – LE SYSTÈME RESPIRATOIRE

1. HORIZONTALEMENT : 1. thyroïde ; hypercapnie ; 3. inspiration ; caliciforme ; 5. emphysème ; 7. alvéolocapillaire ; 11. surfactant ; 15. hémoglobine ; 19. hypoxie ; hypocapnie ; 21. pneumonie ; 23. expiration. VERTICALEMENT : 3. spiromètre ; 7. diaphragme ; chimiorécepteur ; 9. bicarbonate ; 11. ventilation ; pont ; 13. hyperventilation ; 17. résistance ; 21. épiglotte ; 23. partielle ; 27. hypoventilation.

2. a) et b) 1. os frontal ; 2. sinus frontal ; 3. fosse nasale (cavité nasale) ; 4. cornets nasaux ; 7. narine ; 8. palais osseux (os palatin) ; 9. cavité orale ; 10. uvule palatine (luette) ; 11. pharynx ; 12. larynx ; 13. épiglotte ; 14. os hyoïde ; 15. cartilage thyroïde (cartilage du larynx) ; 16. cordes vocales (plis vocaux) ; 17. trachée ; 18. glande thyroïde ; 19. cartilages trachéaux ; 20. poumon ; 21. plèvre pariétale ; 22. cavité pleurale ; 23. plèvre viscérale ; 24. bronche principale (bronche primaire) ; 25. bronches lobaires (bronches secondaires) ; 26. bronches segmentaires (bronches tertiaires) ; 27. diaphragme.

Système respiratoire supérieur : nez et pharynx.
Système respiratoire inférieur : larynx et en descendant.

Application 12.1 : Encerclez le pharynx (structure 11) et tracez un X sur l'épiglotte (structure 13).

Application 12.2 : Le larynx contient les plis vocaux (cordes vocales), qui sont situés derrière le cartilage thyroïde. Un coup porté à cet endroit peut endommager les plis vocaux, qui sont responsables de la phonation (production des sons).

3. a) 1. bronchiole terminale ; 2. bronchiole respiratoire ; 3. muscles lisses ; 4. sac alvéolaire (grappe d'alvéoles pulmonaires ou saccule) 5. capillaires pulmonaires ; 6. alvéole ; 7. macrophagocyte alvéolaire (C) ; 8. pneumocyte de type II (grand épithéliocyte) (B) ; 9. Liquide intraalvéolaire (contenant le surfactant). 10. membrane alvéolocapillaire ; 11. épithélium alvéolaire (pneumocyte de type I ; pneumocyte respiratoire) (A) ; 12. membranes basales alvéolaire et capillaire fusionnées ; 13. endothélium capillaire ; 14. érythrocytes.

b), c) et d)

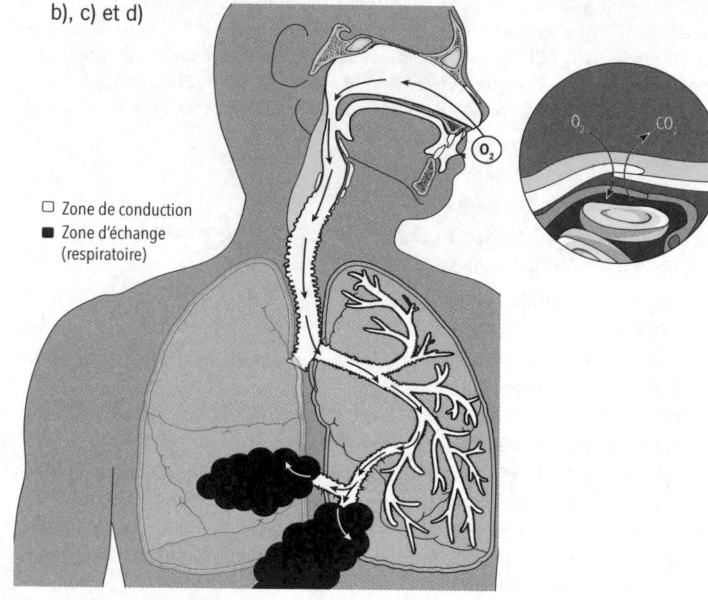

4. b)

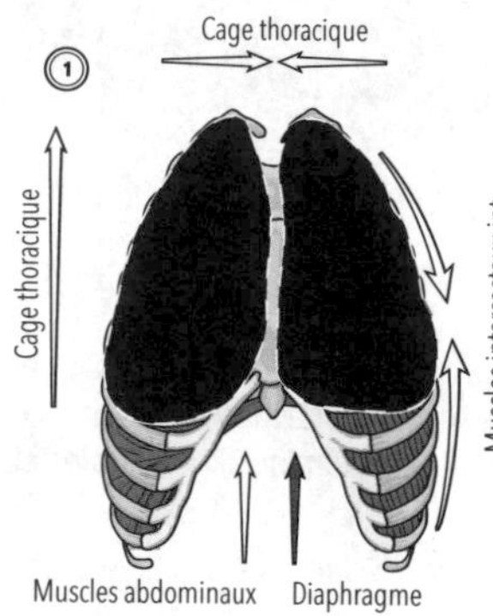

2
Cage thoracique
Cage thoracique
Diaphragme

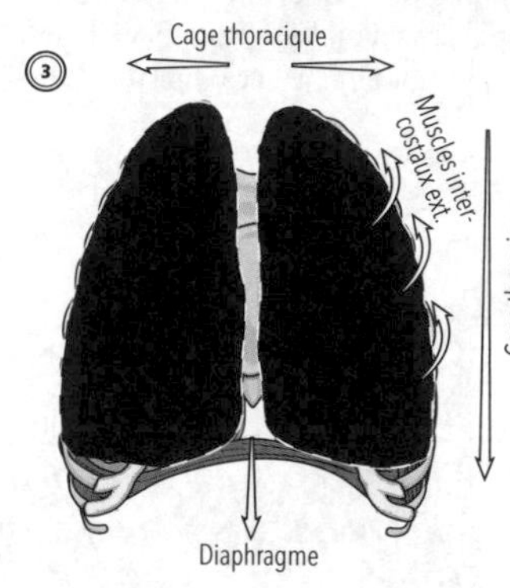

LÉGENDE
- ■ Poumons
- ■ Mouvement passif
- □ Mouvement actif

a) et c)

	Nº 3 : Inspiration		Nº 2 : Expiration		Nº 1 : Expiration forcée	
Activité musculaire	Contraction et abaissement du diaphragme	Contraction des muscles intercostaux externes	Relaxation et élévation du diaphragme	Relaxation des muscles intercostaux externes	Contraction des muscles intercostaux internes	Contraction des muscles abdominaux
Changements occasionnés						
Volume interne du thorax	↑		↓		↓↓ (Diminution plus grande qu'à l'expiration lors de la respiration normale)	
Pression intraalvéolaire	↓		↑		↑↑ (Augmentation plus grande qu'à l'expiration lors de la respiration normale)	
Volume des poumons	↑		↓		↓↓ (Diminution plus grande qu'à l'expiration lors de la respiration normale)	
Direction de l'air (Tracez une flèche entre ces deux structures.)	Poumons ↑ Extérieur		Poumons ↓ Extérieur		Poumons ↓ Extérieur	

Application 12.3 : Les muscles de l'expiration forcée contribuent à faire sortir le plus possible d'air hors des poumons. Ainsi, les muscles intercostaux internes, transverses du thorax, droits de l'abdomen et obliques internes de Simon travaillent plus fort que ceux d'une personne en bonne santé pour forcer l'air à sortir des poumons.

5. a), b), c) et e)

	Poumons		Tissus	
	Alvéole	**Sang désoxygéné**	**Sang oxygéné**	**Espace interstitiel**
P_{O_2}	104 à 105 mm Hg (+)	40 mm Hg (–)	100 mm Hg (+)	40 mm Hg (–)
P_{CO_2}	40 mm Hg (–)	45 mm Hg (+)	40 mm Hg (–)	45 mm Hg (+)
Mouvement de l'O_2	Sortie →	Entrée	Sortie →	Entrée
Mouvement du CO_2	Entrée ←	Sortie	Entrée ←	Sortie
Mouvement de HCO_3^-	Vers les érythrocytes		Vers le sang (plasma)	
Mode de transport de l'O_2	98,5 % lié à l'hémoglobine (HbO_2) 1,5 % libre (dissout)			
Mode de transport du CO_2	70 % sous forme de l'ion bicarbonate (HCO_3^-) 20 à 23 % lié à l'hémoglobine ($HbCO_2$) 7 à 10 % libre (dissout)			
pH sanguin	↑ (plus alcalin)		↓ (plus acide)	

d)

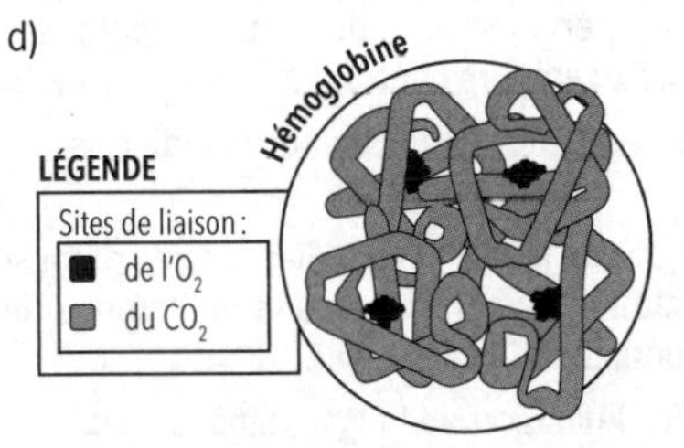

Application 12.4 : a) L'eau à l'intérieur des alvéoles diminue les échanges gazeux, car, en plus de devoir traverser la membrane alvéolocapillaire, les gaz doivent diffuser à travers l'eau accumulée. b) Généralement, chez les fumeurs, les cils des voies respiratoires sont paralysés et ne peuvent faire refluer le mucus. Celui-ci obstrue les voies respiratoires, ce qui ralentit les échanges gazeux. De plus, la fumée de cigarette contient du monoxyde de carbone (CO). Or, ce gaz est très toxique en raison de son affinité supérieure à celle de l'O_2 pour les groupements hèmes de l'hémoglobine ; il peut même déloger l'O_2 déjà lié. c) Comme l'hémoglobine présente dans les érythrocytes permet le transport de l'O_2, une moindre quantité d'hémoglobine provoquera une diminution de la quantité d'oxygène transportée dans le sang. Par conséquent, même si la pression partielle d'O_2 du sang diminue, la présence d'un moins grand nombre de molécules transportant l'O_2 entrainera une diminution des échanges gazeux.

6. a), b) et c)

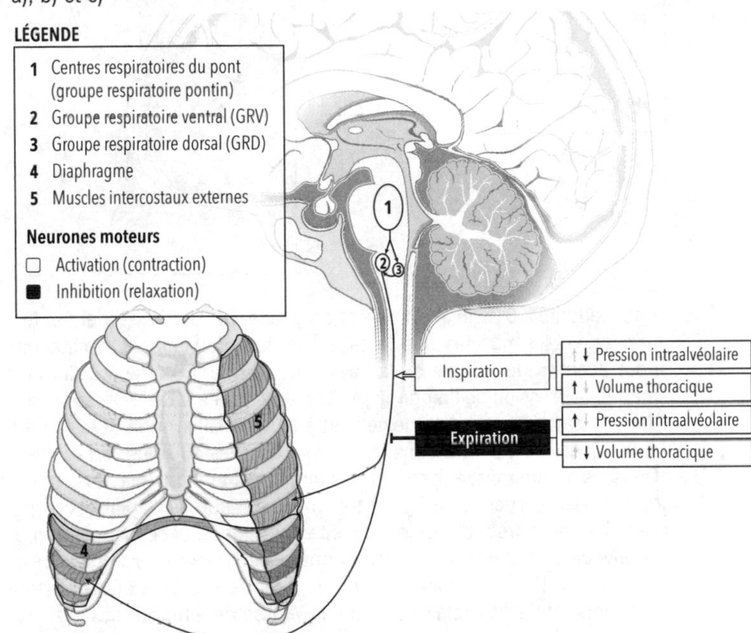

Application 12.5 : a) Les muscles qui entrent en action sont les muscles accessoires de l'inspiration, soit les sternocléidomastoïdiens, les scalènes, les petits pectoraux et les dentelés antérieurs. b) Lorsque l'accumulation de dioxyde de carbone est élevée, les lèvres de l'enfant asthmatique sont cyanosées (bleues) et celui-ci pourrait ne pas être en mesure d'éliminer assez rapidement le CO_2 ; de plus, l'augmentation de la concentration d'acide carbonique entrainerait une baisse du pH sanguin.

7. a) Équilibre : P_{CO_2} normale du sang artériel : 40 mm Hg.

	Hypercapnie	**Hypocapnie**
Stimulus/déséquilibre	Élévation de la P_{CO_2}, donc élévation de la concentration des ions H+ dans le sang (diminution du pH sanguin)	Diminution de la P_{CO_2} dans le sang
Récepteur(s)	Chimiorécepteurs périphériques des artères (corpuscules aortiques et carotidiens) Chimiorécepteurs centraux du bulbe rachidien	Aucune stimulation des chimiorécepteurs
Centre de régulation	Centres respiratoires du tronc cérébral	Centres respiratoires du bulbe rachidien ne recevant aucun influx nerveux stimulateur
Effecteur(s)	Muscles squelettiques de la ventilation (diaphragme et muscles intercostaux externes : accroissement de la fréquence et de l'amplitude de la ventilation causant l'hyperventilation)	Muscles squelettiques de la ventilation (diaphragme et muscles intercostaux externes : fréquence et amplitude de la ventilation modérées, établies par l'aire inspiratoire, pour favoriser l'accumulation du CO_2 dans le sang)
Réponse	Diminution de la P_{CO_2}, donc diminution de la concentration des ions H^+ dans le sang (élévation du pH sanguin)	Élévation de la P_{CO_2}

b) et c)

	Hypercapnie	Hypocapnie
Influx nerveux	Les influx sensitifs des chimiorécepteurs se dirigent vers les centres respiratoires. Les influx moteurs se dirigent vers les muscles inspiratoires.	Il n'y a pas d'influx nerveux sensitif en provenance des chimiorécepteurs. Il y a une diminution du nombre d'influx nerveux moteurs vers les muscles inspiratoires.
Représentation du CO_2 dans le sang LÉGENDE Influx nerveux : sensitif ; moteur ; CO_2	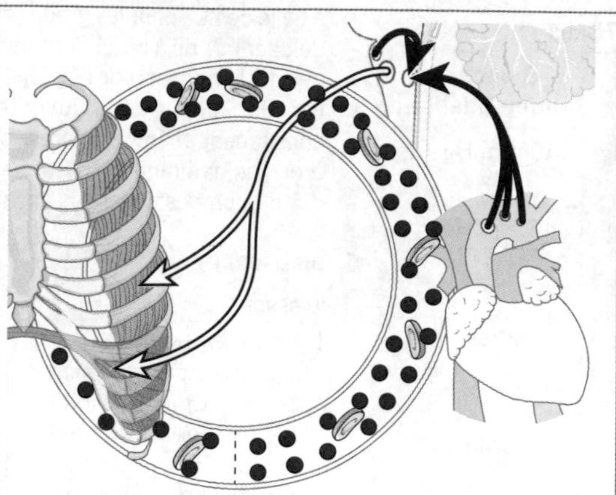	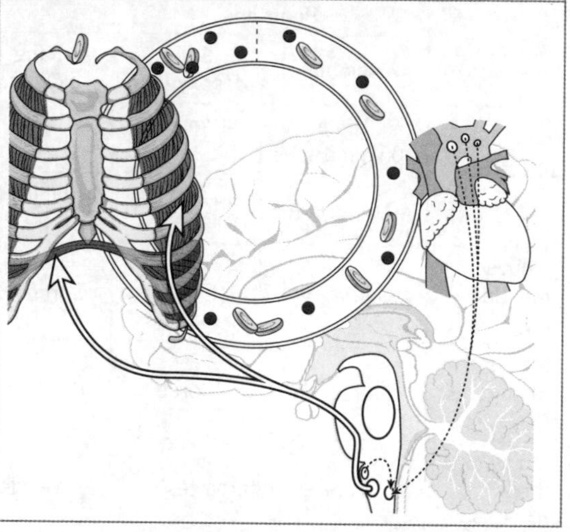

Application 12.6 : L'inspiration est un processus actif dans lequel le diaphragme et les muscles intercostaux externes interviennent simultanément pour accroitre le volume de la cavité thoracique. Comme le volume augmente, la pression de l'air diminue. Lorsque la valeur de la pression de l'air dans la cavité thoracique devient inférieure à celle de la pression atmosphérique, l'air pénètre dans les poumons et les alvéoles se remplissent. Dans les montagnes, à mesure que l'altitude augmente, la pression de l'air diminue (en particulier la P_{O_2}). À très haute altitude, les alpinistes respirent de l'air dont la pression est insuffisante pour que celui-ci puisse entrer dans les alvéoles pendant l'inspiration normale, diminuant ainsi l'efficacité de la respiration. Bref, la diminution du gradient de pression entre l'air atmosphérique et l'air alvéolaire diminue la vitesse de diffusion des gaz.

Application 12.7 : À mesure que l'avion prend de l'altitude, la pression de l'air ainsi que la quantité d'oxygène à l'extérieur diminuent si rapidement que le corps ne pourrait s'adapter à ce changement brutal. C'est pourquoi les cabines d'avion sont « pressurisées », c'est-à-dire qu'on maintient l'air de la cabine à une pression supérieure à celle de l'air extérieur. Cette pression plus élevée établit un gradient de pression favorable à l'entrée normale de l'air vers les poumons des passagers, ce qui leur permet de respirer normalement pendant le vol. En cas de défaillance du système de pressurisation, les masques à oxygène mis à la disposition des passagers fournissent de l'air dont la concentration en oxygène est beaucoup plus élevée que celle de l'air ambiant. Ainsi, cette pression d'oxygène supplémentaire augmente le gradient de pression, et il y a donc augmentation de la vitesse de diffusion des gaz à travers la membrane respiratoire des alvéoles vers les capillaires.

Application 12.8 : Équilibre : P_{O_2} et P_{CO_2} sanguines normales.

Stimulus/déséquilibre : Hypoxie (diminution du taux d'oxygène sanguin) ; diminution de la P_{O_2} et augmentation de la P_{CO_2} dans le sang.

Récepteur(s) : Chimiorécepteurs périphériques des artères (corpuscules aortiques et carotidiens) ; chimiorécepteurs centraux du bulbe rachidien.

Centre de régulation : Centres respiratoires du bulbe rachidien (système nerveux).

Effecteur(s) : Muscles squelettiques de la ventilation (diaphragme et muscles intercostaux externes : augmentation de la fréquence et de l'amplitude de la ventilation causant l'hyperventilation involontaire).

Réponse : Élévation de la P_{O_2} et diminution de la P_{CO_2} dans le sang.

Rétro-inhibition, car le déséquilibre initial est réduit.

CORRIGÉ CHAPITRE 13 – LE SYSTÈME DIGESTIF

1. HORIZONTALEMENT : 1. mécanique ; pancréas ; 3. salivaire ; lipase ; 5. défécation ; 7. amylase ; 9. duodénum ; 11. anus ; bile ; 13. vomissement ; 19. peptidase. VERTICALEMENT : 1. mastication ; 3. chlorhydrique ; 5. diarrhée ; 7. pharynx ; 9. chimique ; 11. péritoine ; 13. microvillosités ; 15. lactase ; 17. absorption ; 19. chyme ; mésentère ; 21. bilirubine.

2. a) 1. dents ; 2. cavité buccale (ou bouche ou cavité orale) ; 3. langue ; 4. glande sublinguale ; 5. glande submandibulaire ; 6. glande parotide ; 7. pharynx ; 8. œsophage ; 9. foie ; 10. estomac ; 11. vésicule biliaire ; 12. pancréas ; 13. duodénum ; 14. jéjunum ; 15. iléum ; 16. cæcum ; 17. côlon ascendant ; 18. côlon transverse ; 19. côlon descendant ; 20. côlon sigmoïde ; 21. rectum ; 22. canal anal ; 23. anus.

b) Tube digestif : 2 ; 7 ; 8 ; 10 ; 13 à 22.
Glandes annexes : 4 ; 5 ; 6 ; 9 ; 12.

3. a) et b) 1. séreuse ; 2. épithélium ; 3. tissu conjonctif aréolaire ; 4. musculeuse ; 5. muscle lisse longitudinal (couche musculaire longitudinale) ; 6. muscle lisse circulaire (couche musculaire circulaire) ; 7. système nerveux entérique (SNE) (plexus nerveux intrinsèque) ; 10. sous-muqueuse ; 11. glande de la sous-muqueuse ; 12. muqueuse ; 13. muscularis mucosæ ; 14. lamina propria ; 15. épithélium ; 17. lumière ; 18. glande de la muqueuse.

Application 13.1 : a) La bactérie *Helicobacter pylori* traverse le mucus protecteur de l'estomac et détruit la muqueuse protectrice. Si la sous-muqueuse est endommagée, les vaisseaux sanguins qu'elle contient peuvent se rompre et saigner, de sorte que du sang se retrouvera dans l'estomac. b) Lors d'une perforation d'un ulcère, la paroi du tube digestif est détruite et des agents pathogènes peuvent envahir le péritoine normalement stérile, provoquant alors une infection et une inflammation du péritoine.

4. a) et b) 1. dent ; a. émail ; b. dentine ; c. couronne ; d. collet ; e. racine ; f. pulpe dentaire (cavum de la dent ; cavité pulpaire) ; g. desmodonte ; h. cément ; 2. incisive ; 3. canine ; 4. prémolaire ; 5. molaire ; 6. gencive ; 7. palais osseux ; 8. palais mou ; 9. uvule palatine ; 10. langue ; 11. frein de la langue.

Application 13.2 : Le frein de la langue retient la langue au plancher de la cavité orale. Un frein trop court ou trop serré risque de limiter les mouvements de la langue, ce qui entraine des problèmes d'élocution ainsi que des difficultés à avaler et à mélanger les aliments dans la cavité orale.

5. a) et b) 1. uvule palatine ; 2. épiglotte ; 3. œsophage ; 4. larynx ; 5. langue ; 6. palais mou ; 7. palais osseux ; 8. pharynx ; 9. nasopharynx ; 10. oropharynx ; 11. laryngopharynx.

c) et d)

Étapes du processus de la déglutition

1re étape : Étape orale → C
(Temps buccal de la déglutition)
L'étape orale débute lorsque le bol alimentaire est comprimé contre le palais osseux (7). La langue se rétracte et pousse le bol alimentaire dans l'oropharynx (10). Ce mouvement volontaire stimule les récepteurs tactiles sensibles à l'étirement dans le pharynx, ce qui enclenche la deuxième étape.

2e étape : Étape pharyngienne → A
(Temps pharyngien de la déglutition)
Pendant l'étape pharyngienne, le centre de la déglutition situé dans le bulbe rachidien commande les contractions coordonnées des muscles qui élèvent le pharynx (8), font remonter l'uvule palatine (1) vers le nasopharynx, afin de fermer cette cavité, et abaissent l'épiglotte (2) pour couvrir le larynx (4). Les muscles pharyngiens involontaires poussent alors le bol alimentaire dans l'œsophage.

3e étape : Étape œsophagienne → B
(Temps œsophagien de la déglutition)
L'étape œsophagienne commence par des contractions coordonnées circulaires et longitudinales des muscles de l'œsophage (3). Ce péristaltisme conduit le bol alimentaire dans l'estomac.

Application 13.3 : a) L'épiglotte (structure 2). b) L'uvule palatine (structure 1).

6. a) et b) 1. œsophage ; 2. sphincter œsophagien inférieur ; 3. cardia ; 4. fundus ; 5. corps ; 6. pylore (partie pylorique) ; 7. antre pylorique ; 8. canal pylorique ; 9. sphincter pylorique ; 10. petite courbure ; 11. grande courbure ; 12. musculeuse de l'estomac ; 13. couche longitudinale ; 14. couche circulaire ; 15. couche oblique ; 16. plis gastriques ; 17. crypte gastrique ; 18. B ; 19. lamina propria ; 20. B ; 21. glande gastrique ; 22. cellule pariétale (A et D) ; 23. cellule principale (C) ; 24. E.

Application 13.4 : a) Encerclez le sphincter œsophagien inférieur (structure 2). b) La sensation de brulure est due au reflux d'une partie du contenu gastrique (riche en acide chlorhydrique) vers la portion inférieure de l'œsophage. L'expression « brulure d'estomac » est plus ou moins appropriée, car c'est la muqueuse de la partie inférieure de l'œsophage qui est touchée par ces reflux. L'œsophage n'a pas les mêmes mécanismes de protection contre la forte acidité du contenu gastrique que ceux dont dispose l'estomac.

Application 13.5 : Les cellules pariétales sécrètent l'acide chlorhydrique (HCl), qui maintient le pH de l'estomac à des valeurs très basses. Cet environnement très acide est dommageable pour la plupart des bactéries. Il semble donc logique qu'elles évitent les régions riches en cellules pariétales.

7. a) et b) 1. vésicule biliaire ; 2. bile ; 3. conduit cystique ; 4. foie ; 5. conduit hépatique droit ; 6. conduit hépatique gauche ; 7. conduit hépatique commun ; 8. duodénum ; 9. pancréas ; 10. conduit cholédoque 11. conduit pancréatique ; 12. conduit pancréatique accessoire ; 13. papille duodénale (grande caroncule) ; 14. ampoule hépatopancréatique ; 15. sphincter de l'ampoule hépatopancréatique.

Application 13.6 : a) Oui. Après la cholécystectomie, la bile s'écoule du foie directement dans l'intestin grêle. Maryse ne pourra plus emmagasiner de bile puisqu'elle n'aura plus de vésicule biliaire, mais le conduit cholédoque s'élargira pour jouer le rôle de la vésicule biliaire. b) Maryse n'aura pas besoin de modifier son alimentation de façon importante. Les médecins lui conseilleront de manger moins de matières grasses, étant donné qu'il y aura moins de sels biliaires pour faciliter la digestion des lipides.

8. a) et b) 1. pli circulaire ; 2. villosités ; 3. muqueuse ; 4. lamina propria ; 5. muscularis mucosæ ; 6. sous-muqueuse ; 7. musculeuse ; 8. séreuse ; 9. capillaire sanguin (sang oxygéné) ; 10. vaisseau chylifère (capillaire lymphatique) ; 11. capillaire sanguin (sang désoxygéné) ; 12. cellule absorbante (entérocyte) ; 13. microvillosités (bordure en brosse) ; 14. cellule caliciforme (cellule à mucus).

9. a)

	Acides nucléiques	**Glucides**	**Protéines**	**Lipides**
Exemples	ADN, ARN	Sucres complexes (polysaccharides) : p. ex., amidon, pectine, cellulose, etc. Sucres simples (monosaccharides et disaccharides) : p. ex., lactose, saccharose, fructose, maltose, glucose, etc.	Protéines complètes et incomplètes	Acides gras saturés, acides gras insaturés, acides gras *trans* et cholestérol
Sources alimentaires	Dans les noyaux de toutes les cellules ingérées Viandes, fruits, légumes, céréales, fruits de mer, etc.	Sucres complexes : céréales (blé, avoines, etc.), pâtes, noix, riz, pommes de terre, etc. Sucres simples : sucres raffinés (boissons gazeuses, bonbons, etc.) fruits, légumes, etc.	Protéines complètes : œufs, produits laitiers, viande, volaille, poisson, fèves de soja, etc. Protéines incomplètes : légumineuses (haricots, lentilles, etc.), noix et graines, céréales, etc.	Acides gras : • saturés : viande, volaille, beurre, lait, noix de coco, huile de palme, etc. • mono-insaturés : huile d'olive, avocats, noix • polyinsaturés : oméga-6 : huiles de sésame, de tournesol et de noix ; oméga-3 : huiles de poisson et de lin • *trans* : huiles hydrogénées Cholestérol : abats, jaune d'œuf, fruits de mer, etc.
Circulation empruntée	Voie sanguine (capillaires des villosités intestinales)	Voie sanguine (capillaires des villosités intestinales)	Voie sanguine (capillaires des villosités intestinales)	Voie lymphatique (vaisseaux chylifères de l'intestin grêle) puis sanguine
Destination	Foie (par la veine porte hépatique)	Foie (par la veine porte hépatique)	Foie (par la veine porte hépatique)	Foie (par la veine porte hépatique)

	Acides nucléiques	Glucides	Protéines	Lipides
Utilisation	Synthèse d'ADN et d'ARN par les cellules Éléments de base pour former l'ATP	Stockage sous forme de glycogène dans le foie ou dans les muscles squelettiques Stockage sous forme de triglycérides dans le foie et les adipocytes Catabolisme par les cellules pour obtenir de l'énergie (ATP)	Synthèse de protéines plasmatiques ou dégradation pour la néoglucogenèse par le foie Synthèse de protéines structurales et fonctionnelles par les cellules	Transformation des chylomicrons (extraction des triglycérides et combinaison du cholestérol avec des LDL) Synthèse de sels biliaires, de membranes, d'hormones, etc. Stockage dans les adipocytes Catabolisme par certaines cellules pour former de l'ATP

b) à e)

A. 1. nucléases (ribonucléase et désoxyribonucléase) ; 2. nucléotidases ; 3. nucléosidases ; 4. phosphatases ; 5. amylases salivaires ; 6. amylases (amylase pancréatique ; dextrinase et glucoamylase) ; 7. maltase ; 8. sucrase (saccharase) ; 9. lactase ; 10.pepsine ; 11. trypsine ; 12. chymotrypsine ; 13. carboxypeptidase ; 14. dipeptidases ; 15. carboxypeptidase ; 16. aminiopeptidase (peptidase).

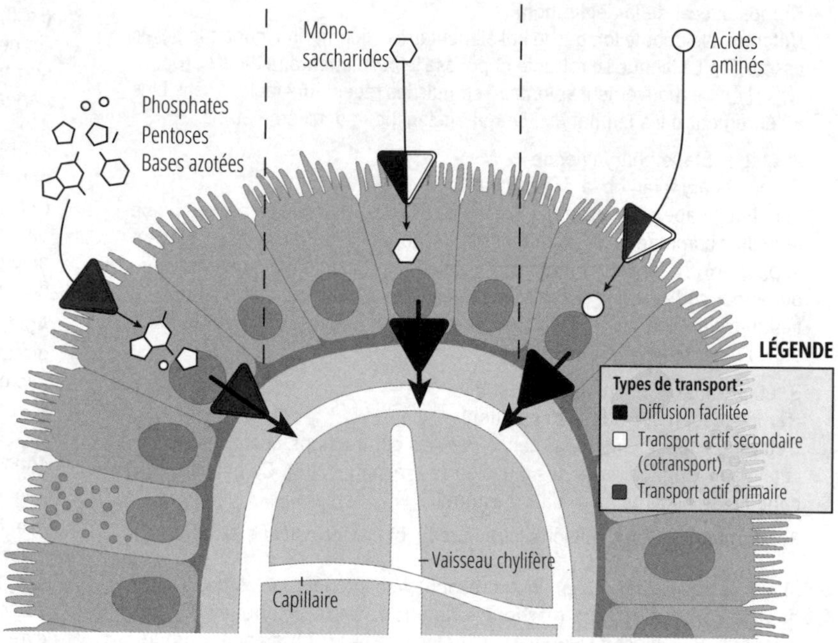

B.

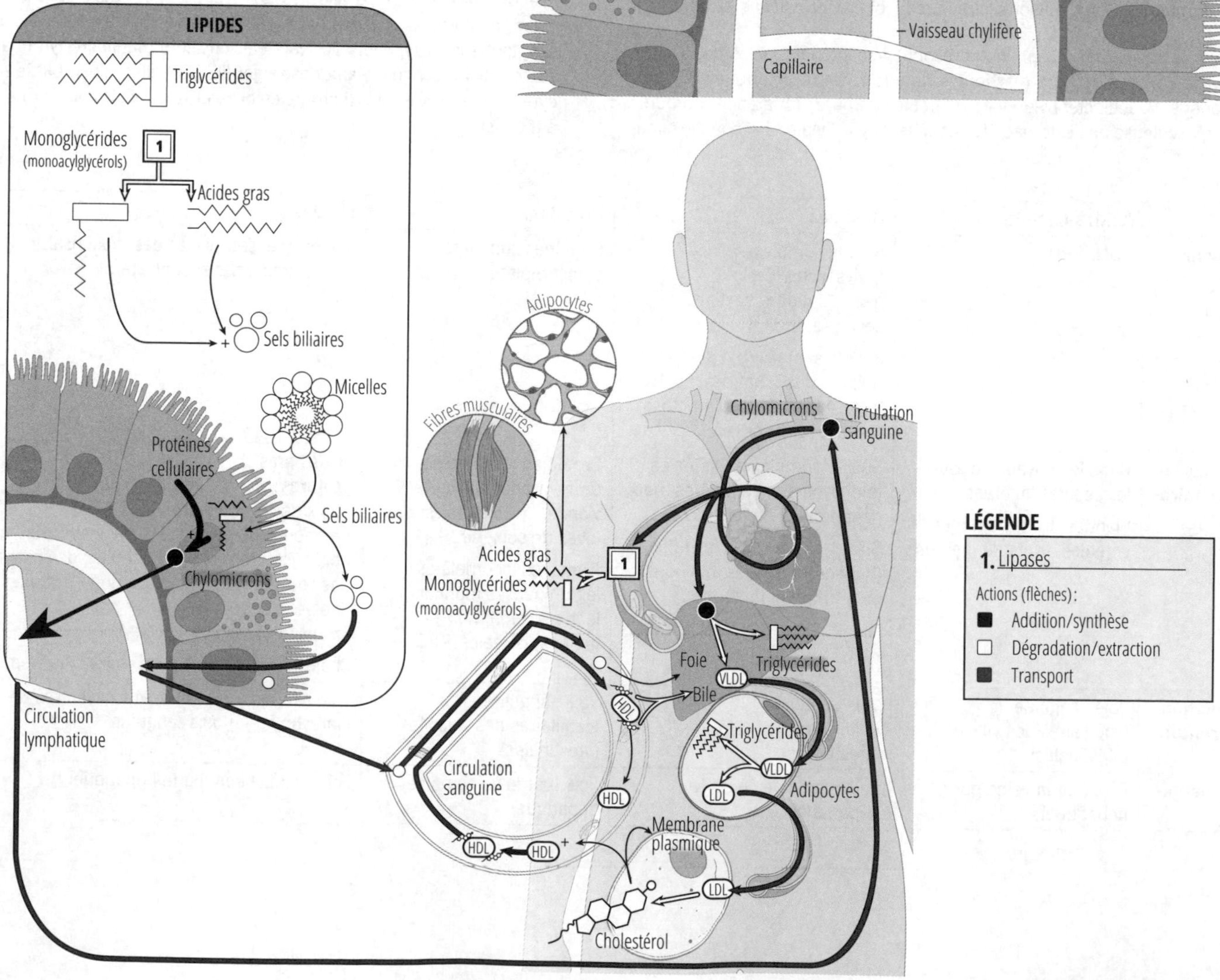

10. a) et b) 1. iléum ; 2. cæcum ; 3. appendice vermiforme ; 4. valve iléocæcale ; 5. bandelette du côlon ; 6. haustrations ; 7. côlon ascendant ; 8. côlon transverse ; 9. côlon descendant ; 10. côlon sigmoïde ; 11. appendices omentaux ; 12. rectum ; 13. canal anal ; 14. sphincter anal interne (sphincter interne de l'anus) ; 15. sphincter anal externe (sphincter externe de l'anus) ; 16. anus.

c)

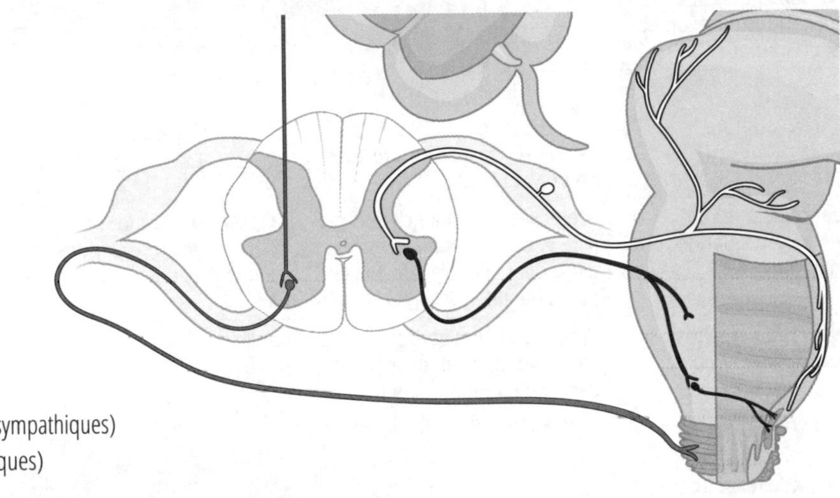

Neurone(s) :
- sensitif(s)
- moteurs involontaires (parasympathiques)
- moteurs volontaires (somatiques)

Nº	Composants du réflexe	Réflexe autonome de la défécation
1	Stimulus	Étirement de la paroi rectale
2	Récepteur	Mécanorécepteur
3	Centre d'intégration	Moelle épinière
4	Effecteur(s)	Muscles lisses du rectum (contraction) et sphincter anal interne/interne de l'anus (relâchement)
5	Réponse	Compression du contenu vers l'extérieur jusqu'au sphincter anal externe

11. a), b) et c)

La phase céphalique
Équilibre : Aucune stimulation odorante ou visuelle.
Stimulus/déséquilibre : Odeur et vue de la nourriture.
Récepteur(s) : Récepteurs olfactifs (cellules olfactives) et photorécepteurs de la rétine.
Centre de régulation : Centres nerveux de l'encéphale (cortex, hypothalamus et bulbe rachidien) (système nerveux).
Effecteur(s) : Glandes salivaires (sécrétion de salive) et glandes gastriques (sécrétion de sucs gastriques).
Réponse : Préparation de la bouche et de l'estomac à traiter les aliments qui seront ingérés.
Rétroactivation, car tant que le stimulus est présent, le mécanisme de rétroaction se maintient et s'amplifie. Il s'arrêtera avec la disparition du stimulus de départ.

La phase gastrique
Équilibre : Estomac vide.
Stimulus/déséquilibre : Entrée de nourriture dans l'estomac (étirement de la paroi et élévation du pH gastrique).
Récepteur(s) : Mécanorécepteurs/barorécepteurs de l'estomac (étirement/distension) et chimiorécepteur (élévation du pH gastrique).
Centre de régulation : Système nerveux entérique et bulbe rachidien (système nerveux) et cellules G des glandes gastriques (libération de l'hormone gastrine) (système endocrinien).
Effecteur(s) : Glandes gastriques (sécrétion de sucs gastriques) ; myocytes lisses de la musculeuse (augmentation de la motilité gastrique) ; sphincter œsophagien inférieur (renforcement de la constriction) et sphincter pylorique (relaxation).
Réponse : Activation de la digestion gastrique et accélération de l'évacuation gastrique vers l'intestin ; diminution de la distension de la paroi et diminution du pH gastrique.
Rétro-inhibition, car la réponse réduit le déséquilibre (stimulus) de départ.

La phase intestinale
Équilibre : Aucun contenu intestinal.
Stimulus/déséquilibre : Entrée du chyme acide dans l'intestin grêle.
Récepteur(s) : Mécanorécepteurs et chimiorécepteurs (chyme acide contenant des acides aminés et des acides gras partiellement dégradés).
Centre de régulation : Bulbe rachidien (système nerveux), cellules CCK des glandes de l'intestin grêle (libération de l'hormone cholécystokinine) et cellules S des glandes de l'intestin grêle (libération de l'hormone sécrétine) (système endocrinien).
Effecteur(s) : Pancréas (sécrétion de sucs pancréatiques) ; vésicule biliaire (contraction et libération de la bile) ; sphincter pylorique (constriction) ; hypothalamus (sensation de satiété) ; myocytes lisses de la musculeuse (diminution de la motilité gastrique) et endocrinocytes gastriques (diminution de production de gastrine).
Réponse : Ralentissement de l'évacuation gastrique vers l'intestin (réflexe entérogastrique) et activation de la digestion intestinale.
Rétro-inhibition, car le déséquilibre initial est réduit.

12. a), b) et c)

Origine des sécrétions	Digestion chimique des glucides	Digestion chimique des protéines	Digestion chimique des lipides	Digestion chimique des acides nucléiques
Bouche, glandes salivaires	Amylase salivaire : dégrade les polysaccharides (amidon et glycogène) en maltose.			
Pharynx, œsophage				
Estomac		Pepsine : dégrade les protéines en polypeptides.		
Pancréas	Amylase pancréatique : dégrade les polysaccharides en disaccharides.	Protéases (trypsine, chymotrypsine et carboxypeptidase) : dégradent les polypeptides en petits peptides.	Lipase pancréatique : dégrade les triglycérides en monoglycérides et acides gras.	Nucléases : dégradent l'ADN et l'ARN en nucléotides.
Intestin grêle	Maltase : dégrade le maltose en glucose. Sucrase : dégrade le sucrose (saccharose) en glucose et fructose. Lactase : dégrade le lactose en glucose et galactose.	Peptidases (dipeptidase, carboxypeptidase, aminopeptidase) : dégradent les peptides en acides aminés.		Nucléotidases, nucléosidases et phosphatase : dégradent les nucléotides en bases azotées, pentoses et phosphates.
Foie				
Gros intestin				

Origine des sécrétions	Digestion mécanique	Autres fonctions
Bouche, glandes salivaires	**Mastication** (formation du bol alimentaire)	**Ingestion** **Sécrétion** (de salive) **Propulsion** (déglutition) Gustation et élocution
Pharynx, œsophage		**Propulsion** (déglutition et péristaltisme) **Sécrétion** (de mucus) Passage de l'air (pharynx)
Estomac	**Pétrissage** (formation du chyme)	**Sécrétion** (sécrète du mucus, du pepsinogène, du HCl et le facteur intrinsèque, qui permet l'absorption de la vitamine B_{12}) **Absorption** (un peu) **Propulsion** (péristaltisme) Production de la gastrine (une hormone)
Pancréas		**Sécrétion** (des sucs pancréatiques permettant la digestion dans l'intestin grêle) Production de l'insuline et du glucagon (des hormones)
Intestin grêle	**Segmentation** (mélange du chyme et des sucs digestifs)	**Absorption** (90 %) **Propulsion** (péristaltisme) Production de la CCK, du GIP et de la sécrétine (des hormones)
Foie	**Émulsification** par la bile des gros globules de lipides en gouttelettes de lipides (micelles)	**Sécrétion** de bile Métabolisme des glucides, lipides et protéines (transforme et emmagasine les nutriments), détoxification, élimination de la bilirubine, stockage des vitamines et des minéraux, activation de la vitamine D, etc.
Gros intestin		**Sécrétion** (mucus) **Digestion** (fermentation par les bactéries) **Absorption** (eau, vitamines B et K) **Propulsion** (péristaltisme/pétrissage haustral et mouvements de masse) **Défécation**

Application 13.7 : L'œsophage transporte le bol alimentaire vers l'estomac. La protection conférée par un épithélium stratifié squameux est très utile, car le bol alimentaire peut contenir de gros aliments rugueux, en particulier si la nourriture n'a pas été bien mastiquée dans la cavité orale. L'intestin grêle a pour principale fonction l'absorption, et un épithélium mince facilite l'absorption des nutriments.

CORRIGÉ CHAPITRE 14 – LE MÉTABOLISME

1. HORIZONTALEMENT : 1. enzyme ; 3. postprandial ; ATP ; 5. lipolyse ; 7. catabolisme ; 13. nutriment ; 15. phosphorylation ; 17. glucagon ; 19. glucose ; 21. glycogenèse ; 23. glycogène. VERTICALEMENT : 3. oxydoréduction ; 5. mitochondrie ; coenzyme ; 7. néoglucogenèse ; 9. pancréas ; 11. foie ; 13. glycolyse ; 15. anabolisme ; insuline ; 19. jeûne.

2. a) 1. adénosine diphosphate (ADP) ; 2. phosphate inorganique (Pi) (groupement phosphate).

b) et c)

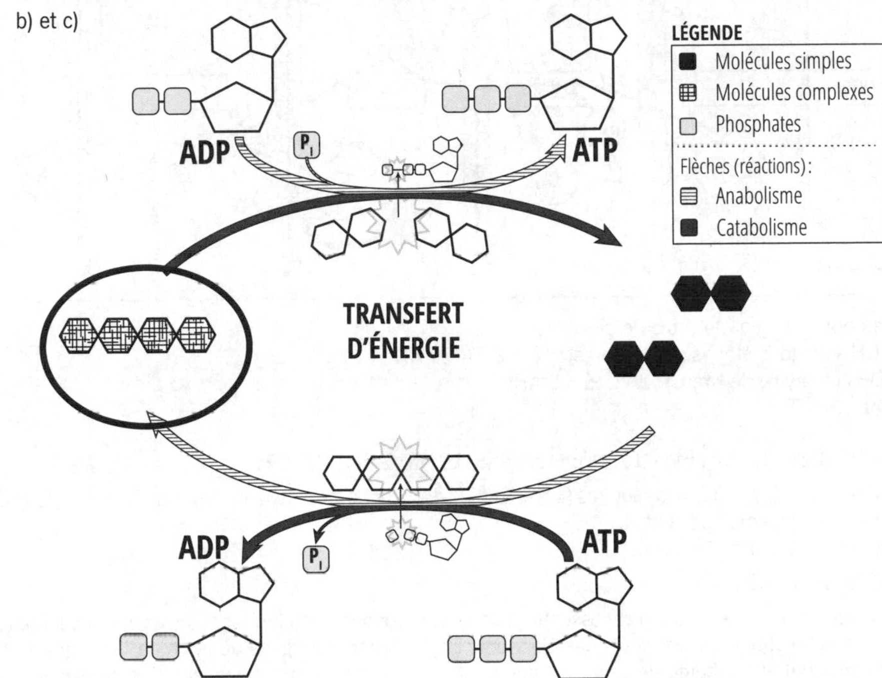

3. a) à f)

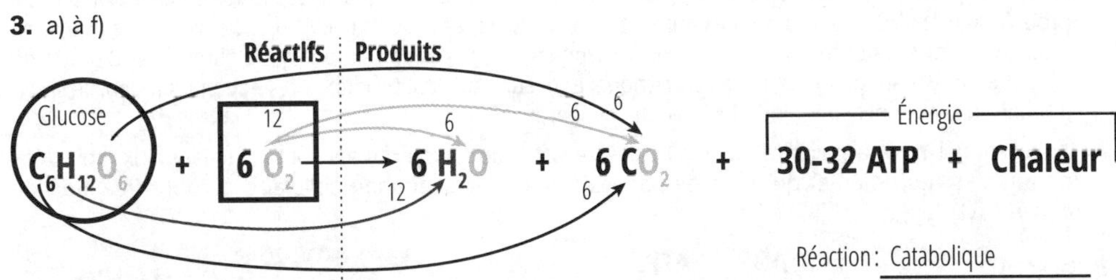

4. a) 1. cytosol ; 2. glucose, 3. ATP ; 4. ADP ; 5. NAD^+ (coenzyme oxydée) ; 6. NADH + H^+ (coenzyme réduite) ; 7. acide pyruvique (pyruvate).

b) Carbones représentés par les petits cercles et phosphates par les carrés aux coins arrondis.

c) 2 ATP dans la 1re phase et 4 ATP dans la 3e phase.

d) Bilan : ATP : 2 ; NADH + H^+ : 2 ; molécules sortantes : acide pyruvique (pyruvate) × 2.

5. a) A9 ; B1 ; C10 ; D6 ; E2 ; F7 ; G3 ; H7 ; I3 ; J11 ; K4 ; L8 ; M12 ; N7 ; O3 ; P5.

b) Carbones représentés par les petits cercles blancs. Ne pas oublier les carbones des deux molécules de CO_2. Les NADH + H^+ (numéro 3 dans la légende) sont associés aux cercles G, I et O. Ne pas oublier la coenzyme NADH + H^+ dans la phase de transition. La $FADH_2$ (numéro 12 dans la légende) est associée au cercle M.

c) **Bilan du cycle de Krebs :**

Par pyruvate : ATP : 1 ; NADH + H^+ : 3 ; $FADH_2$: 1 ; CO_2 : 2.
Par glucose : ATP : 2 ; NADH + H^+ : 6 ; $FADH_2$: 2 ; CO_2 : 4.

Bilan total :

Par pyruvate : ATP : 1 ; NADH + H^+ : 4 ; $FADH_2$: 1 ; CO_2 : 3.
Par glucose : ATP : 2 ; NADH + H^+ : 8 ; $FADH_2$: 2 ; CO_2 : 6.

6. a) à e)

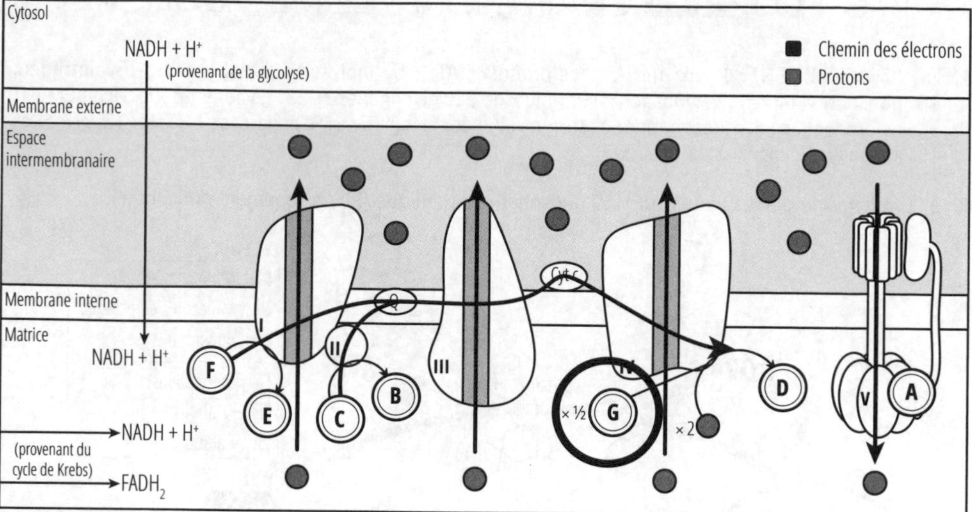

f) Bilan pour chaque molécule de glucose :
NADH + H+ (des étapes précédentes) : 10 × 2,5 = 25 ATP.
$FADH_2$ (du cycle de Krebs) : 2 × 1,5 = 3 ATP.
Total : 28 ATP.

7. a) A3 ; B7 ; C2 ; D12 ; E8 ; F1 ; G10 ; H8 ; I4 ; J2 ; K8 ; L9 ; M10 ; N5 ; O11 ; P6.

b) ATP (C, J et O) ; coenzymes réduites (E, H, K et L) ; dioxyde de carbone (G et M) ; eau (P) ; glucide (A).
Aérobiose seulement : F, I et N.
Aérobiose ou anaérobiose : B.

c) TOTAL : environ 32 ATP.

Application 14.1 : La respiration est essentielle pour deux raisons. Premièrement, l'oxygène récupère les électrons de la chaine de transport des électrons. En l'absence d'oxygène, le cycle de Krebs (cycle de l'acide citrique) et la chaine de transport des électrons s'arrêteraient, empêchant ainsi la plupart des cellules d'utiliser des nutriments pour produire de l'énergie. Il est vrai que la respiration cellulaire anaérobie produit un peu d'ATP, mais pas suffisamment pour satisfaire les besoins cellulaires. De plus, l'accumulation d'acide lactique ferait trop baisser le pH. Deuxièmement, la respiration permet d'éliminer le dioxyde de carbone (provenant du cycle de l'acide citrique) à mesure qu'il est produit. S'il s'accumulait dans le sang, il ferait baisser le pH sanguin à des niveaux dangereux.

Application 14.2 : La majorité des molécules de CO_2 que nous expirons sont arrachées aux molécules organiques (nutriments) qui sont dégradées lors de la respiration cellulaire aérobie (réaction de décarboxylation).

8. a) et b)

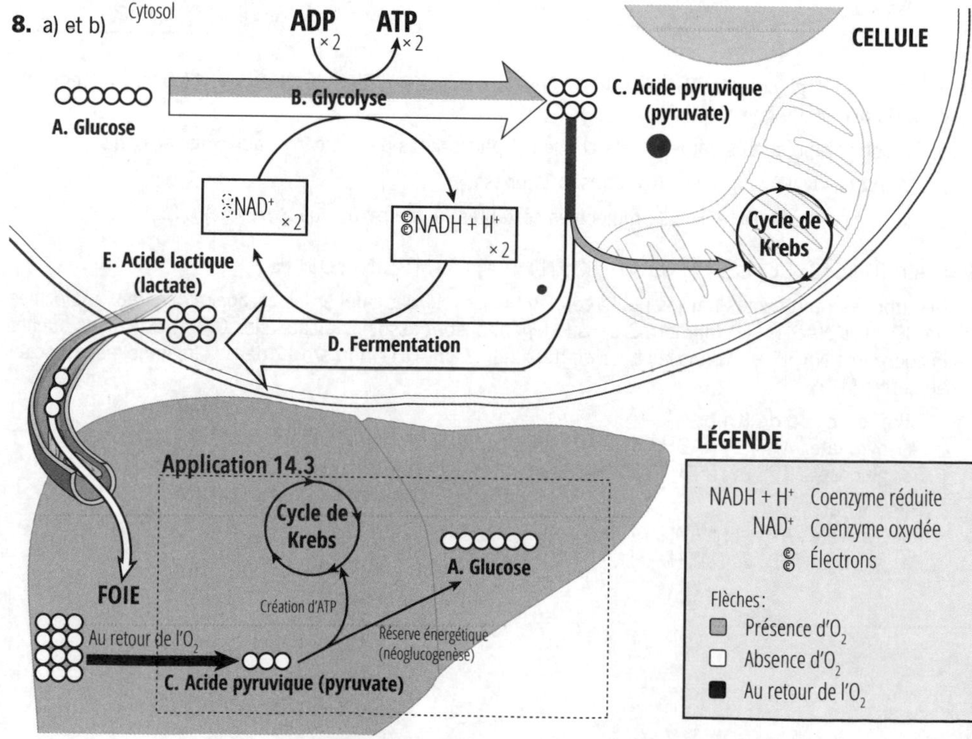

Application 14.3 : Voir la réponse dans le schéma.

Application 14.4 : Cellules musculaires squelettiques (muscles squelettiques). Remarque : Les érythrocytes font aussi de la fermentation, car c'est leur seul et unique mode de production d'ATP.

Application 14.5 : Le but de la fermentation est de permettre la régénération du NAD^+ nécessaire à la glycolyse.

9. a), b) et c)

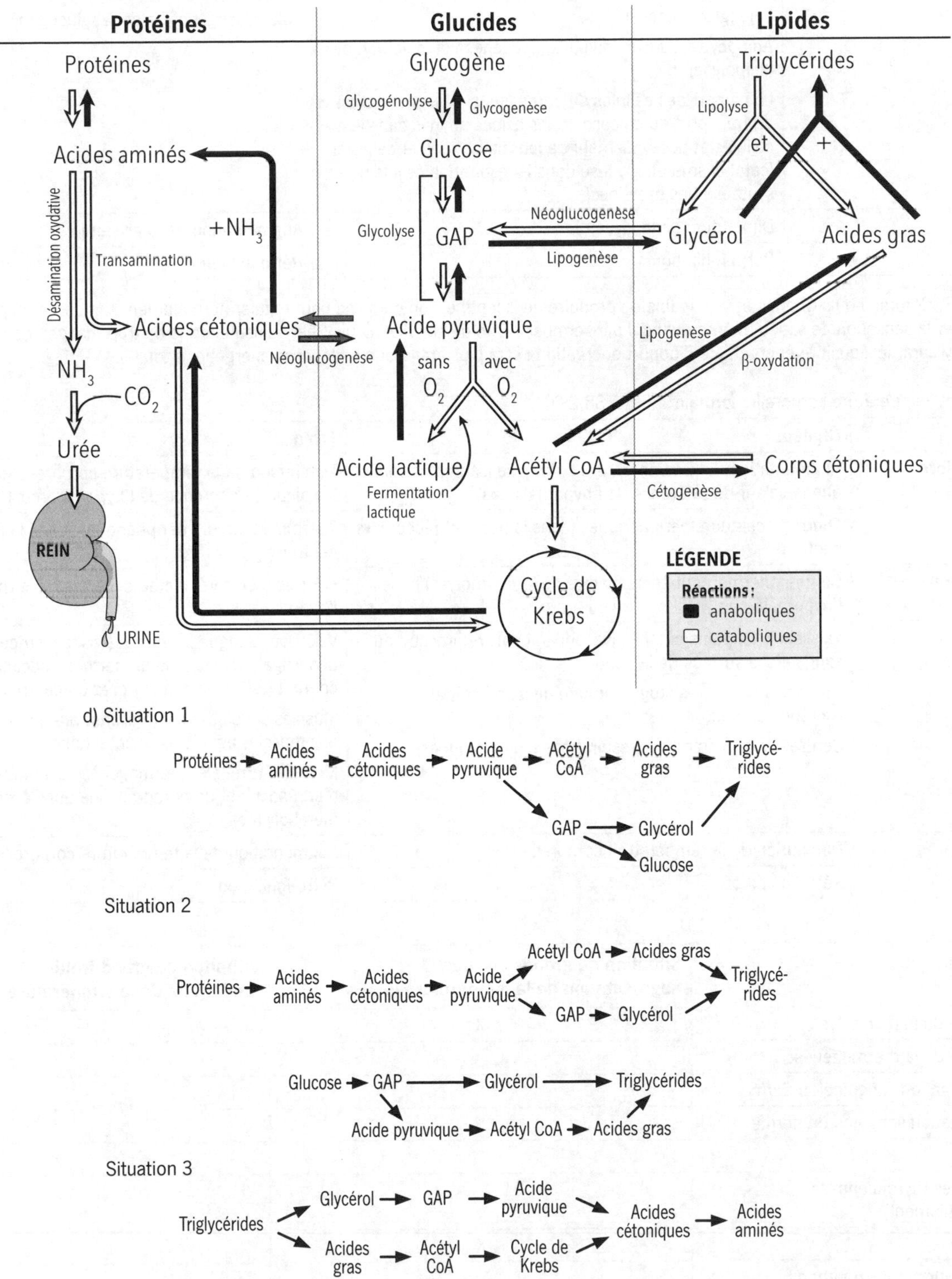

La silhouette de Geneviève sera modifiée par ce régime ; Geneviève sera plus volumineuse !

10. a), b) et c) Équilibre : Glycémie normale : 3,5 à 6 mmol/L.

	État postprandial	**État de jeûne**
Stimulus/déséquilibre	Augmentation de la glycémie	Diminution de la glycémie
Récepteur(s)/centre de régulation	Pancréas (sécrétion de l'insuline par les cellules bêta)	Pancréas (sécrétion du glucagon par les cellules alpha)
Effecteur(s)	Muscle (glycogenèse) Foie (glycogenèse) Adipocytes du tissu adipeux (lipogenèse et inhibition de la lipolyse) La plupart des cellules du corps humain [augmentation du transport du glucose et des acides aminés dans les cellules et accroissement de leur utilisation par celles-ci (catabolisme du glucose dans la respiration cellulaire) et synthèse des protéines]	Adipocytes du tissu adipeux (lipolyse) Foie (glycogénolyse et néoglucogenèse)
Réponse	Diminution de la glycémie	Augmentation de la glycémie
Rétroaction	Rétro-inhibition	Rétro-inhibition

Application 14.6 : Comme Louis-Charles est incapable de produire de la leptine, son corps ne peut réguler normalement son comportement alimentaire. Ne pouvant éprouver la sensation de satiété même quand il a ingéré beaucoup de calories, Louis-Charles risque donc de trop manger, ce qui pourrait le rendre obèse puisqu'il y aura déséquilibre énergétique (l'apport énergétique sera plus grand que la dépense énergétique totale).

11. a) et b) Équilibre : Température corporelle normale : 35,8 à 38,2 °C.

	Chaleur	**Froid**
Stimulus/déséquilibre	Augmentation de la température corporelle (sang plus chaud que la valeur de référence de l'hypothalamus)	Diminution de la température corporelle (sang plus froid que la valeur de référence de l'hypothalamus)
Récepteur(s)	Thermorécepteurs périphériques (dans la peau) et récepteurs centraux	Thermorécepteurs périphériques (dans la peau) et récepteurs centraux
Centre de régulation	Centres thermorégulateurs (centre de la thermolyse) dans l'hypothalamus	Centres thermorégulateurs (centre de la thermogenèse) dans l'hypothalamus
Effecteur(s)	Vaisseaux sanguins cutanés (vasodilatation) : redirection du sang vers la surface de la peau Glandes sudoripares (augmentation de la transpiration) : excrétion de sueur Centres de la respiration (respirations plus profondes)	Vaisseaux sanguins cutanés (vasoconstriction et diminution de l'irrigation sanguine du derme) ; mécanisme à contre-courant (retient la chaleur près du centre du corps) Muscles squelettiques (frissons : alternance de la contraction des muscles agonistes et antagonistes) Médulla surrénale (thermogenèse chimique) : libération d'adrénaline et de noradrénaline qui élèvent la vitesse du métabolisme)
Réponse	Diminution de la température corporelle	Augmentation de la température corporelle
Rétroaction	Rétro-inhibition	Rétro-inhibition

c)

Réaction homéostatique face à la situation	**Situation de grande chaleur/ augmentation de la température interne**	**Situation de grand froid/ diminution de la température interne**
Activation du centre de la thermolyse	X	
Activation du centre de la thermogenèse		X
Vasodilatation et irrigation sanguine du derme	X	
Diminution de l'irrigation sanguine du derme		X
Frisson		X
Sécrétion d'hormones thyroïdiennes (chez les enfants seulement)		X
Production de sueur	X	
Déperdition de chaleur par les poumons liée à la respiration par la bouche	X	

Application 14.7 : Oui le médicament a fonctionné : le lit détrempé par la sueur produite et la peau rouge de France (vasodilatation cutanée) sont des signes que les mécanismes de thermolyse se sont enclenchés afin de faire baisser la température.

CORRIGÉ CHAPITRE 15 – LE SYSTÈME URINAIRE ET L'ÉQUILIBRE ACIDOBASIQUE

1. HORIZONTALEMENT : 1. rénine ; 3. ADH ; polyurie ; 7. rétropéritonéale ; 9. filtrat ; pyélonéphrite ; 13. rénale ; calcitriol ; 15. miction. VERTICALEMENT : 1. réabsorption ; 3. hémodialyse ; 5. néphron ; 7. glomérule ; vessie ; 11. urine ; 17. érythropoïétine ; 19. uretère ; 23. filtration.

2. a) et b) 1. reins ; 2. uretère ; 3. vessie ; 4. urètre ; 5. capsule fibreuse ; 6. cortex rénal ; 7. médulla rénale ; 8. calice mineur ; 9. calice majeur ; 10. bassinet (pelvis rénal) ; 11. colonne rénale ; 12. pyramide rénale de la médulla ; 13. papille rénale 14. hile du rein ; 15. veine rénale ; 16. artère rénale.

3. a) et b) 1. corpuscule rénal ; 2. capsule glomérulaire rénale ; 3. feuillet pariétal de la capsule glomérulaire (feuillet externe) ; 4. chambre glomérulaire ; 5. podocyte (feuillet viscéral de la capsule glomérulaire ; feuillet interne) ; 6. glomérule ; 7. appareil juxtaglomérulaire ; 8. artériole glomérulaire afférente ; 9. cellules granulaires ; 10. artériole glomérulaire efférente ; 11. tubule contourné distal ; 12. cellules de la macula densa ; 13. tubule rénal collecteur ; 14. tubule contourné proximal ; 15. anse du néphron ; 16. anse descendante ; 17. anse ascendante.

c) Circulation du liquide dans le néphron : 2 ; 14 ; 16 ; 17 ; 11 ; 13. Circulation sanguine : 8 ; 6 ; 10.

4. a) B7 ; C2 ; D8 ; E1 ; F11 ; G6 ; H10 ; I12 ; J3 ; K13 ; L4 ; M5.

b) Sang oxygéné : A à H.
Mélange (gradation de H oxygéné à J désoxygéné) pour la lettre I.
Sang désoxygéné : J à M.

5. a), b) et c)

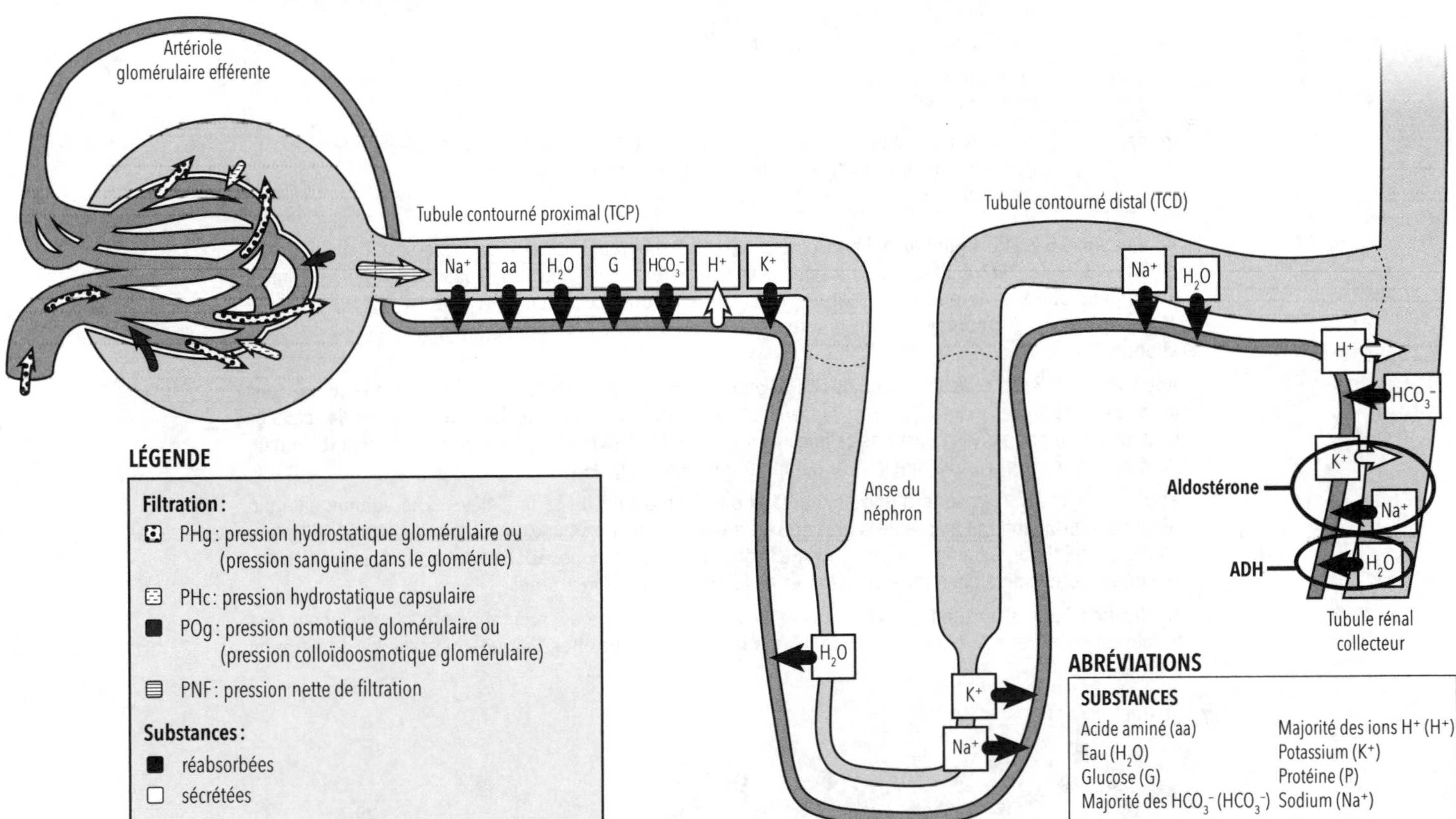

Application 15.1 : Ces problèmes causent des troubles dans la filtration glomérulaire au niveau de la capsule. De grosses molécules, comme les protéines plasmatiques, et peut-être même des cellules sanguines, passeront dans les tubules. L'urine peut donc contenir de fortes concentrations de protéines plasmatiques (comme l'albumine) et de cellules sanguines. Si la capsule glomérulaire a été gravement endommagée, la filtration pourrait ralentir ou cesser, entrainant une insuffisance rénale.

6. Équilibre : Pression artérielle normale : 120 mm Hg/80 mm Hg.

	Hypertension	Hypotension	
Stimulus/ déséquilibre	Augmentation de la pression artérielle (pression hydrostatique glomérulaire)	Diminution de la pression artérielle (pression hydrostatique glomérulaire)	
Récepteur(s)	Mécanorécepteurs auriculaires (distension de l'oreillette)	1. Barorécepteurs des cellules rénales (cellules granulaires de l'appareil juxtaglomérulaire)	2. Barorécepteurs des oreillettes et des gros vaisseaux
Centre(s) de régulation	Cellules cardiaques (sécrétion du facteur natriurétique auriculaire [FNA])	1. Rein : augmentation de la sécrétion de rénine et activation de l'angiotensine II, entrainant la libération d'aldostérone par le cortex surrénal	2. Hypothalamus/ neurohypophyse : augmentation de la libération de l'hormone antidiurétique (ADH)
Effecteur(s)	Rein : excrétion de Na^+ et d'eau dans l'urine Aussi : Centre de la soif : inhibition de la sensation de soif Inhibition de la libération d'ADH, de rénine, d'aldostérone, d'adrénaline et de noradrénaline Vaisseaux sanguins : vasodilatation	1. Rein : réabsorption de Na^+ dans l'urine Vaisseaux sanguins : vasoconstriction	2. Rein : réabsorption d'eau dans l'urine Centre de la soif : augmentation de la sensation de soif (augmentation de l'apport hydrique)
Réponse	Diminution de la pression artérielle (pression hydrostatique glomérulaire)	Augmentation de la pression artérielle (pression hydrostatique glomérulaire)	

Application 15.2 : Puisque l'alcool consommé ralentit la libération d'ADH, on observera l'inhibition de plusieurs activités du tubule contourné distal et du tubule rénal collecteur. En l'absence d'ADH, les canaux à eau (aquaporines) ne peuvent se former dans la membrane plasmique de ces deux régions. Ainsi, la réabsorption supplémentaire d'eau n'aura pas lieu et le corps produira une urine très diluée et plus abondante.

Application 15.3 : La consommation de ces grignotines salées hausserait la concentration du sodium dans le sang et les liquides extracellulaires, causant l'élévation de leur osmolalité. L'eau à l'intérieur des cellules se déplacerait par osmose hors des cellules vers le sang. Cela se traduirait par un mouvement de liquide du compartiment intracellulaire vers le compartiment extracellulaire.

Application 15.4 : À la suite d'une déshydratation, l'osmolalité du sang s'élève et le volume sanguin diminue, entrainant une baisse de la pression artérielle. Il s'ensuivrait une diminution du débit de filtration glomérulaire. Il y aurait alors une sécrétion de l'hormone antidiurétique (ADH) et des hormones du système rénine-angiotensine-aldostérone pour tenter de réguler la pression artérielle.

Application 15.5 : L'hormone sécrétée par le cœur à la suite d'une augmentation du volume sanguin est le facteur natriurétique auriculaire (FNA). Cette hormone a pour effet d'augmenter le débit de filtration glomérulaire.

7. a) à e)

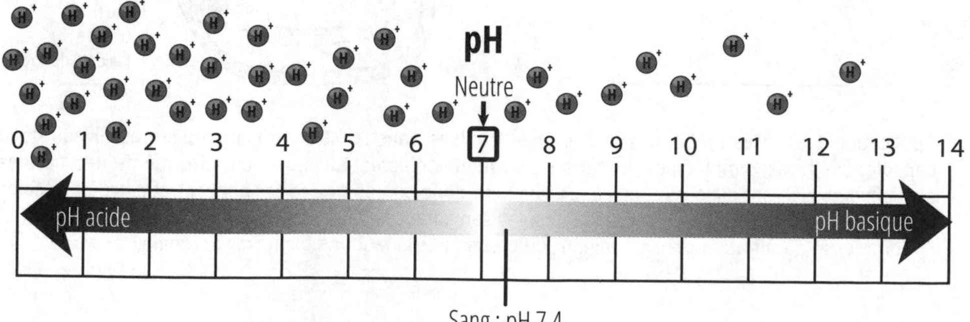

8. **LÉGENDE**

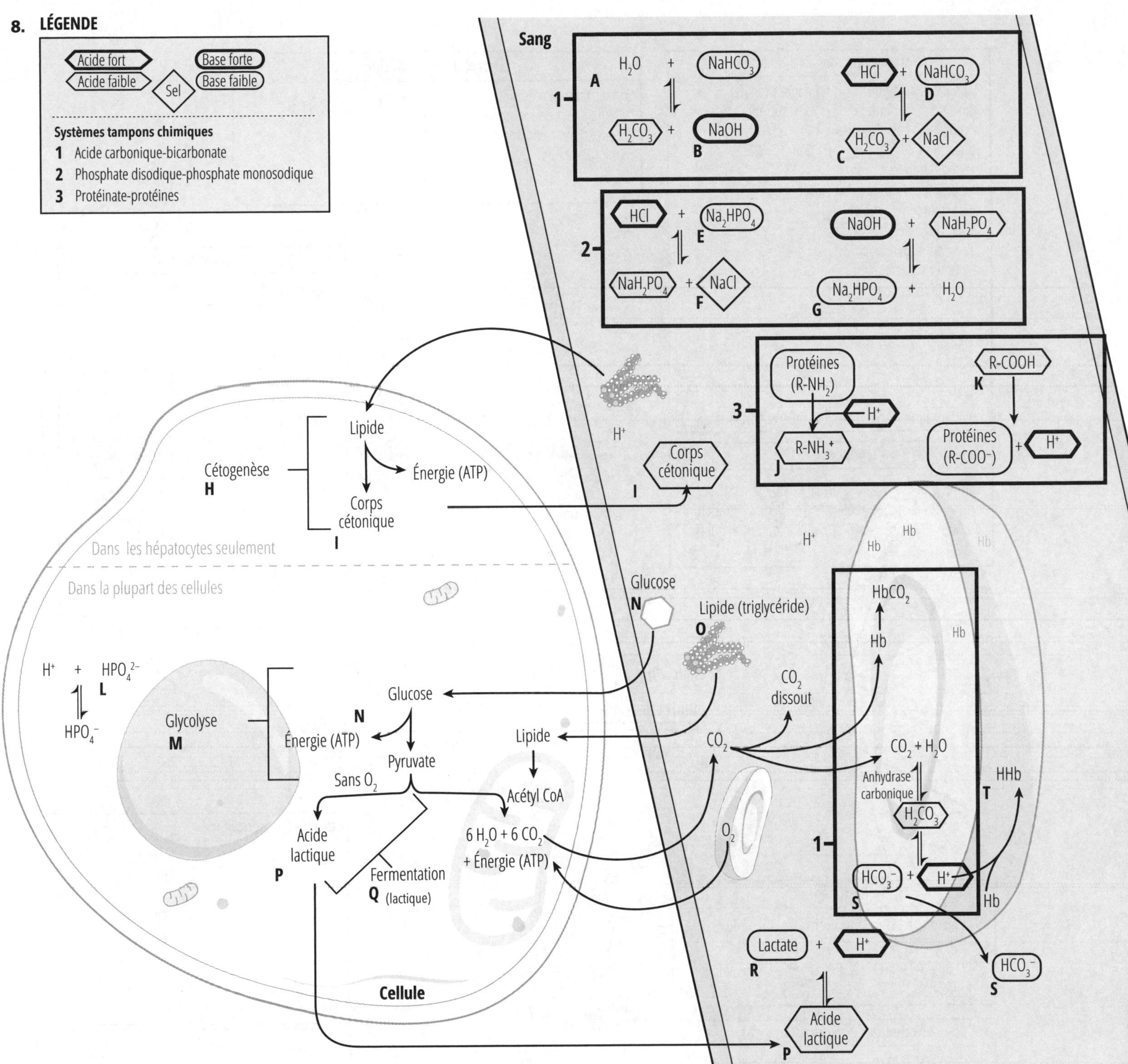
Acide fort
Acide faible
Sel
Base forte
Base faible
Systèmes tampons chimiques
1 Acide carbonique-bicarbonate
2 Phosphate disodique-phosphate monosodique
3 Protéinate-protéines
Sang
1
A
H_2O + $NaHCO_3$
H_2CO_3 + NaOH
B
HCl + $NaHCO_3$
D
H_2CO_3 + NaCl
C
2
HCl + Na_2HPO_4
E
NaH_2PO_4 + NaCl
F
NaOH + NaH_2PO_4
Na_2HPO_4 + H_2O
G
3
Protéines ($R-NH_2$)
H^+
$R-NH_3^+$
J
R-COOH
K
Protéines ($R-COO^-$) + H^+
H^+
Corps cétonique
I
Cétogenèse
H
Lipide
Énergie (ATP)
Corps cétonique
I
Dans les hépatocytes seulement
Dans la plupart des cellules
H^+ + HPO_4^{2-}
L
HPO_4^-
Glycolyse
M
Glucose
N
Énergie (ATP)
Pyruvate
Sans O_2
Acide lactique
P
Fermentation
Q (lactique)
Lipide
Acétyl CoA
6 H_2O + 6 CO_2 + Énergie (ATP)
Cellule
Glucose
N
Lipide (triglycéride)
O
CO_2 dissout
CO_2
O_2
H^+
Hb
$HbCO_2$
Hb
CO_2 + H_2O
Anhydrase carbonique
H_2CO_3
1
HCO_3^- + H^+
S
HHb
T
Hb
Lactate + H^+
R
Acide lactique
P
HCO_3^-
S

9. a), b) et c)

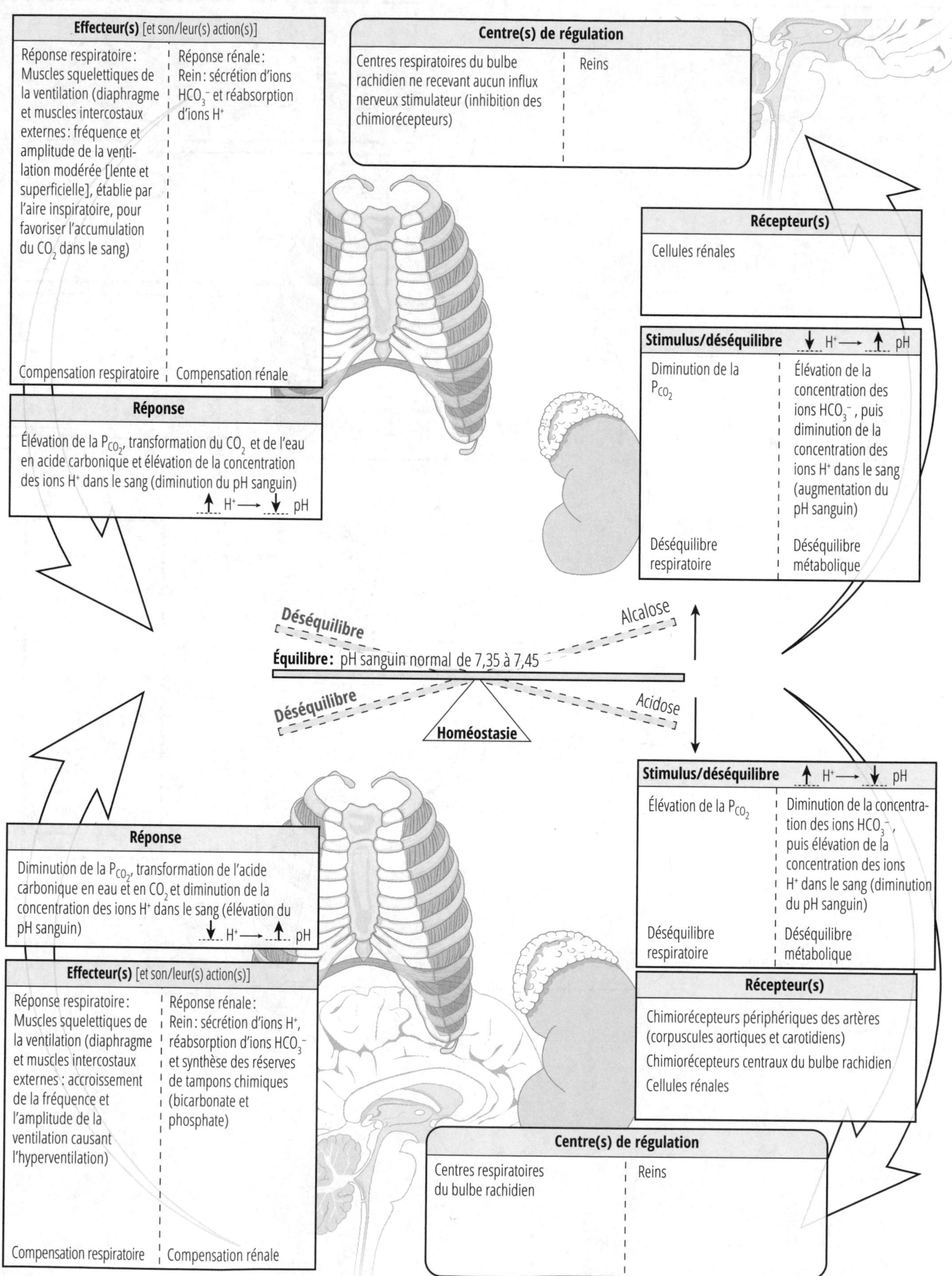

Effecteur(s) [et son/leur(s) action(s)]
Réponse respiratoire : Muscles squelettiques de la ventilation (diaphragme et muscles intercostaux externes : fréquence et amplitude de la ventilation modérée [lente et superficielle], établie par l'aire inspiratoire, pour favoriser l'accumulation du CO_2 dans le sang)
Réponse rénale : Rein : sécrétion d'ions HCO_3^- et réabsorption d'ions H^+
Compensation respiratoire
Compensation rénale
Centre(s) de régulation
Centres respiratoires du bulbe rachidien ne recevant aucun influx nerveux stimulateur (inhibition des chimiorécepteurs)
Reins
Récepteur(s)
Cellules rénales
Stimulus/déséquilibre ↓ H^+ ⟶ ↑ pH
Diminution de la P_{CO_2}
Élévation de la concentration des ions HCO_3^-, puis diminution de la concentration des ions H^+ dans le sang (augmentation du pH sanguin)
Déséquilibre respiratoire
Déséquilibre métabolique
Réponse
Élévation de la P_{CO_2}, transformation du CO_2 et de l'eau en acide carbonique et élévation de la concentration des ions H^+ dans le sang (diminution du pH sanguin)
↑ H^+ ⟶ ↓ pH
Déséquilibre
Alcalose
Équilibre : pH sanguin normal de 7,35 à 7,45
Déséquilibre
Acidose
Homéostasie
Stimulus/déséquilibre ↑ H^+ ⟶ ↓ pH
Élévation de la P_{CO_2}
Diminution de la concentration des ions HCO_3^-, puis élévation de la concentration des ions H^+ dans le sang (diminution du pH sanguin)
Déséquilibre respiratoire
Déséquilibre métabolique
Réponse
Diminution de la P_{CO_2}, transformation de l'acide carbonique en eau et en CO_2 et diminution de la concentration des ions H^+ dans le sang (élévation du pH sanguin)
↓ H^+ ⟶ ↑ pH
Effecteur(s) [et son/leur(s) action(s)]
Réponse respiratoire : Muscles squelettiques de la ventilation (diaphragme et muscles intercostaux externes : accroissement de la fréquence et l'amplitude de la ventilation causant l'hyperventilation)
Réponse rénale : Rein : sécrétion d'ions H^+, réabsorption d'ions HCO_3^- et synthèse des réserves de tampons chimiques (bicarbonate et phosphate)
Compensation respiratoire
Compensation rénale
Récepteur(s)
Chimiorécepteurs périphériques des artères (corpuscules aortiques et carotidiens)
Chimiorécepteurs centraux du bulbe rachidien
Cellules rénales
Centre(s) de régulation
Centres respiratoires du bulbe rachidien
Reins

10.

Situation	Cause du déséquilibre	Acidose OU alcalose	Métabolique OU respiratoire	Compensation respiratoire ou rénale
Marathon (exercice prolongé)	Acide lactique produit en grande quantité par les cellules musculaires	Acidose	Métabolique	Compensation respiratoire
Diarrhée persistante	Perte d'une grande quantité de HCO_3^- par l'intestin	Acidose	Métabolique	Compensation respiratoire
Vomissements	Perte d'une grande quantité de H^+ par l'estomac	Alcalose	Métabolique	Compensation respiratoire
Crise d'anxiété	Hyperventilation ; excrétion excessive de CO_2	Alcalose	Respiratoire	Compensation rénale
Consommation excessive d'alcool	Alcool transformé en acide acétique en grande quantité dans le sang	Acidose	Métabolique	Compensation respiratoire
Prise de médicament antiacide ou alcalin	Augmentation de la concentration de bicarbonate dans le sang	Alcalose	Métabolique	Compensation respiratoire
Fibrose kystique	Diminution de la ventilation alvéolaire et des échanges gazeux dus à l'accumulation de mucus (hypoventilation)	Acidose	Respiratoire	Compensation rénale
Diabète (hyperglycémie non traitée)	Acidocétose due à l'utilisation des lipides comme source d'énergie	Acidose	Métabolique	Compensation respiratoire

Application 15.6 : a) Lors d'une exacerbation (crise) de plusieurs jours, l'accumulation du CO_2 dans le sang mène à une augmentation de la concentration sanguine d'ions H^+, entrainant l'acidose respiratoire. b) Puisqu'il s'agit d'un déséquilibre acidobasique d'origine respiratoire, ce sont les mécanismes rénaux qui tenteront de compenser. Pour ce faire, les reins sécrètent des ions H^+, réabsorbent des ions HCO_3^- et régénèrent les réserves de tampons chimiques (bicarbonate et phosphate).

11. a) et b) 1. uretères ; 3. muscle détrusor (paroi musculaire de la vessie) ; 4. sphincter interne de l'urètre (sphincter urétral interne) ; 5. sphincter externe de l'urètre (sphincter urétral externe).

c)

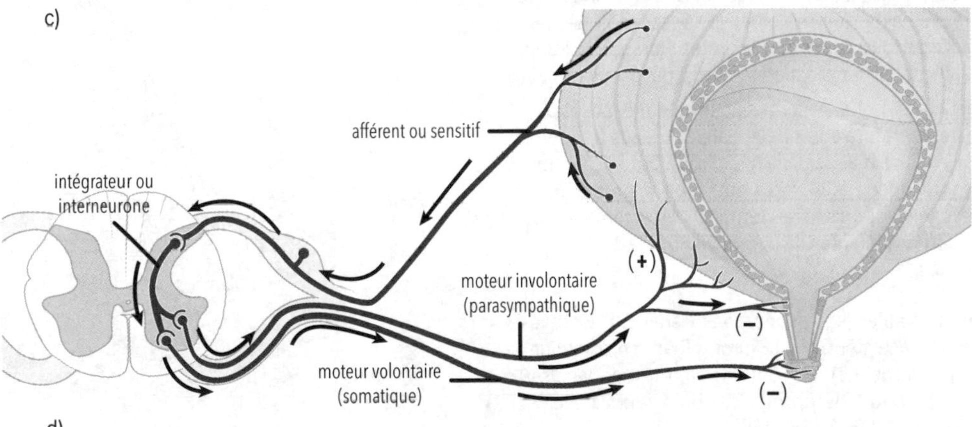

d)

N°	Composants du réflexe	Réflexe autonome de la miction chez le nourrisson
1	Stimulus	Étirement de la paroi vésicale
2	Récepteur(s)	Mécanorécepteurs (barorécepteurs)
3	Centre d'intégration	Moelle épinière
4	Effecteur(s)	Muscle détrusor (contraction) et sphincter urétral lisse interne de l'urètre (relâchement) Descente de l'urine jusqu'au sphincter externe de l'urètre (muscle squelettique), qui se relâche involontairement chez le nourrisson
5	Réponse	Miction : écoulement de l'urine hors du corps

Application 15.7 : a) Vers l'âge de deux à trois ans, les circuits descendants de l'encéphale (au niveau du pont ; connexions corticospinales) sont suffisamment développés (matures) pour remplacer la miction réflexe qui se produit chez le nourrisson. Ainsi, le centre de la continence situé dans le pont peut retarder la miction jusqu'au moment souhaité. b) Il peut y avoir plusieurs causes à l'énurésie nocturne. Par exemple une immaturité du système nerveux, un sommeil trop profond ou même un trouble psychoaffectif.

Application 15.8 : Les muscles défaillants sont le muscle détrusor et les muscles sphincters de l'urètre (interne et externe). L'incontinence peut aussi être causée par l'affaiblissement des muscles pelviens ou par un problème nerveux.

CORRIGÉ CHAPITRE 16 – LE SYSTÈME GÉNITAL

1. HORIZONTALEMENT : 1. ovocyte ; 3. urètre ; 5. acrosome ; testicule ; 7. ovule ; 9. hymen ; testostérone ; 11. prostate ; gonade ; 13. capacitation ; 15. utérus ; méiose ; 17. endomètre ; 19. prépuce. VERTICALEMENT : 1. ovulation ; 7. implantation ; 9. sperme ; 11. spermatozoïde ; 17. vulve ; 19. spermatogenèse ; 23. ovaire.

2. a) et b) 1. vésicule séminale ; 2. prostate ; 3. conduit éjaculateur ; 4. glande bulbo-urétrale ; 5. conduit déférent ; 6. scrotum ; 7. épididyme ; 8. testicule ; 9. corps spongieux ; 10. corps caverneux ; 11. uretère ; 12. urètre (partie prostatique) ; 13. urètre (partie spongieuse) ; 14. artères profondes ; 15. pénis ; 16. prépuce ; 17. gland du pénis ; 18. méat urétral ; 19. rété testis ; 20. tubules séminifères contournés ; 21. cavité de la tunique vaginale (cavité du scrotum) ; 22. albuginée du testicule.

Structures où passent les spermatozoïdes : 20 ; 19 ; 7 ; 5 ; 3 ; 12 ; 13 ; 18.

Glandes annexes : 1 ; 2 ; 4.

c) Trajet des spermatozoïdes dans la figure de gauche : 8 ; 7 ; 5 ; 3 ; 12 ; 13 ; 18.

Application 16.1 : a) L'ablation des testicules causera une chute de la production de testostérone. Si Antony ne prend pas de médicaments agissant comme hormones de substitution, la baisse de la concentration de cette hormone causera la perte des caractères sexuels secondaires masculins normalement maintenus par son action. b) Il sera impossible pour Anthony d'engendrer une descendance, car les spermatozoïdes nécessaires à la fécondation sont produits par les testicules. Par contre, si Antony a pris la précaution de faire congeler son sperme avant l'ablation de ses testicules, il pourra faire appel à la procréation assistée (insémination artificielle) lorsque lui et sa conjointe seront prêts à avoir des enfants.

Application 16.2 : Les muscles crémaster et dartos sont à l'origine de ces changements. Le muscle crémaster fait remonter et redescendre les testicules, tandis que le muscle dartos fait plisser le scrotum lorsque la température extérieure baisse, afin de les rapprocher du corps, qui est plus chaud.

Application 16.3 : Les testicules de Julien sont constamment exposés à une température trop élevée (température corporelle) dans ses jeans très serrés. En effet, les testicules doivent être maintenus à une température légèrement sous la température corporelle (soit à 34,4 °C) pour que la production de spermatozoïdes (spermatogenèse) puisse se dérouler correctement. C'est pourquoi Julien est temporairement infertile. Il redeviendra fertile s'il porte des vêtements moins ajustés.

3. A. sécrétion des vésicules séminales (liquide alcalin et visqueux) ; B. 1 (vésicule séminale) ; C. 3 (conduit éjaculateur) ; D. 12 (urètre [partie prostatique]) ; E. sécrétion prostatique ; F. 2 (prostate) ; G. 13 (urètre [partie spongieuse]) ; H. spermatozoïdes ; I. 5 (conduit déférent) ; J. épais mucus alcalin ; K. 4 (glande bulbo-urétrale) ; L. 18 (méat urétral).

Application 16.4 : Martin a tort. Les spermatozoïdes ne constituent qu'une petite fraction du volume du sperme éjaculé. Les glandes annexes (vésicules séminales, prostate et glandes bulbo-urétrales) produisent la majeure partie du volume du sperme. L'objectif de la chirurgie de Martin (ligature des conduits déférents) est d'empêcher le passage des spermatozoïdes et non pas d'arrêter l'activité des glandes et la libération de leur contenu. Les vésicules séminales produisent de 60 à 70 % du volume du sperme, et la prostate de 20 à 30 %. Par conséquent, il n'y aura probablement pas de différence notable dans la quantité de sperme produite par Martin.

5. a) et b) 1. coussin adipeux ; 2. lobe ; 3. lobules ; 4. ligament suspenseur du sein ; 5. conduits lactifères ; 6. sinus lactifères ; 7. aréole ; 8. mamelon ; 9. trompe utérine ; 10. infundibulum ; 11. ovaire ; 12. cortex de l'ovaire ; 13. médulla de l'ovaire ; 14. utérus ; 15. endomètre ; 16. myomètre ; 17. périmétrium (portion du péritoine viscéral) ; 18. col de l'utérus ; 19. vagin ; 20. petite lèvre ; 21. grande lèvre, 22. clitoris.

c) Chemin parcouru par le spermatozoïde jusqu'à l'ovocyte : 19 ; 18 ; 14 ; 9.

Application 16.6 : Lors de l'ovulation, l'ovocyte de deuxième ordre est libéré par l'ovaire, puis il est généralement dirigé dans la trompe utérine par les franges de l'infundibulum. Ces franges sont drapées sur l'ovaire, mais elles n'y sont pas physiquement attachées. Cela signifie qu'un ovocyte de deuxième ordre peut, pour diverses raisons, contourner l'infundibulum et se retrouver dans la cavité pelvienne. Il en va de même des spermatozoïdes qui, une fois arrivés dans la trompe utérine, peuvent sortir par l'infundibulum et féconder l'ovocyte dans la cavité pelvienne, causant ainsi une grossesse extra-utérine.

4. a) et b)

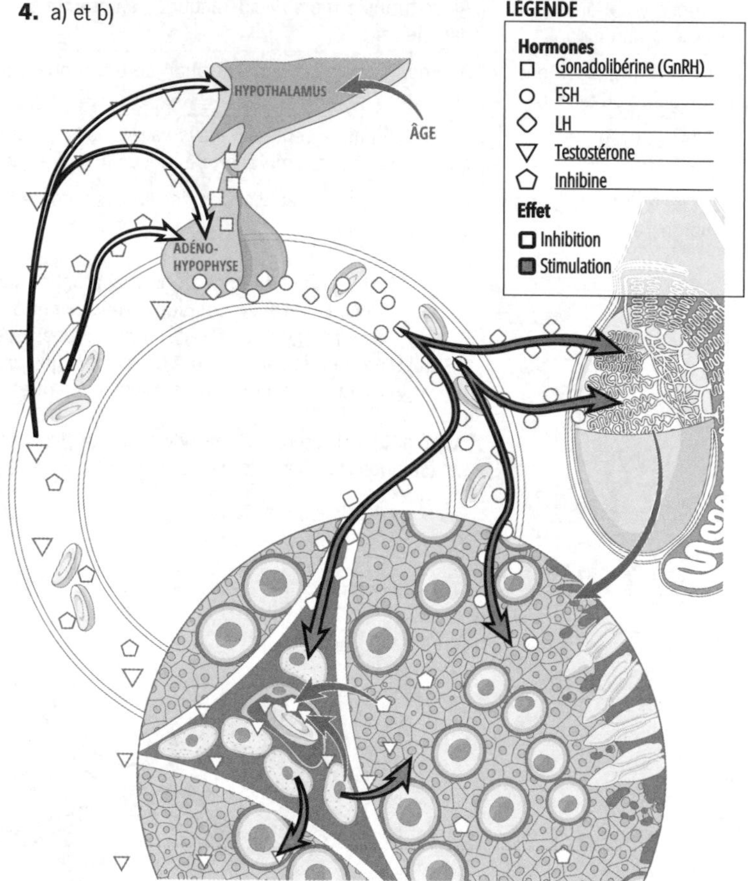

c) Cellules interstitielles : Sécrétion de la testostérone. Effets : Maintien des glandes et des organes annexes du système génital de l'homme ; établissement et maintien des caractères sexuels secondaires masculins ; stimulation de la croissance des os et des muscles ; action sur le système nerveux central (p. ex., la libido).

Épithélium de soutien : Sécrétion de l'inhibine. Effet : Arrêt de la spermatogenèse lorsque la numération des spermatozoïdes est élevée.

Application 16.5 : La testostérone exerce un effet inhibiteur sur la libération de GnRH par l'hypothalamus et sur la libération de gonadotrophines par l'adénohypophyse. Cela signifie que chez un homme qui recevrait un supplément de testostérone, l'hypothalamus produirait moins de GnRH. Cette diminution de la sécrétion de GnRH amènerait l'adénohypophyse à libérer moins de FSH, l'hormone qui, en synergie avec la testostérone, stimule la production de spermatozoïdes dans les testicules (spermatogenèse). Bref, s'il y a moins de FSH agissant sur les épithéliocytes de soutien pour stimuler la spermatogenèse en présence de testostérone, les testicules produiront donc moins de spermatozoïdes même s'il y a une quantité suffisante de testostérone. Ainsi, le nombre de spermatozoïdes sera beaucoup moins grand dans le sperme.

6. a), b) et c)

	Prophase I	Métaphase I	Anaphase I	Télophase I
Méiose I	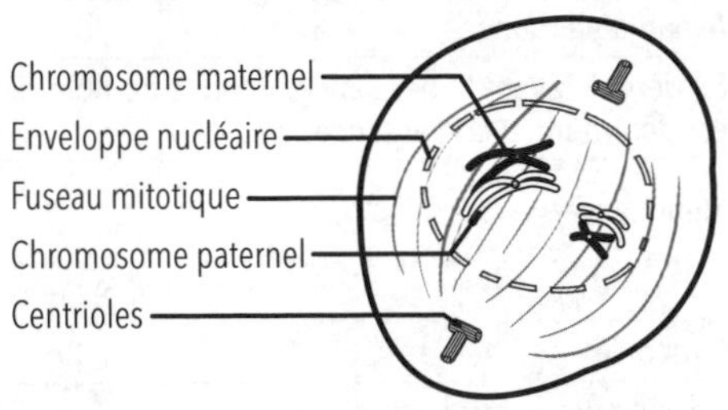 Chromosome maternel Enveloppe nucléaire Fuseau mitotique Chromosome paternel Centrioles		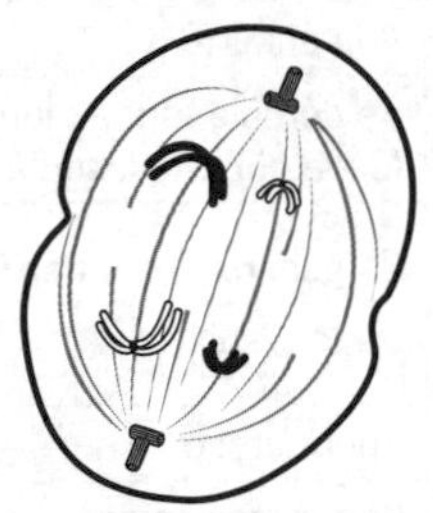	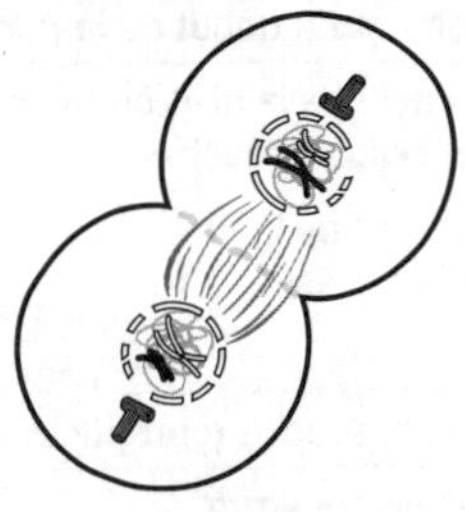
	L'enveloppe nucléaire disparait complètement. La chromatine se condense et forme les chromatides. On voit les paires de chromatides sœurs reliées par le centromère. Il peut se former des enjambements lors de la synapsis.	Les chromosomes homologues s'alignent au centre de la cellule le long de la plaque équatoriale.	Les chromosomes homologues sont séparés et migrent vers les pôles, tirés par les fuseaux mitotiques.	La migration des chromosomes homologues vers les pôles est complétée. Les fuseaux mitotiques se dégradent. À la fin de la télophase I et de la cytocinèse, deux cellules filles haploïdes (*n*) seront formées.

	Prophase II	Métaphase II	Anaphase II	Télophase II	Fin (résultat)
Méiose II	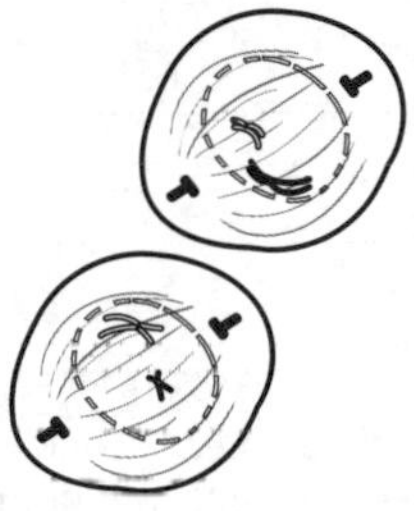	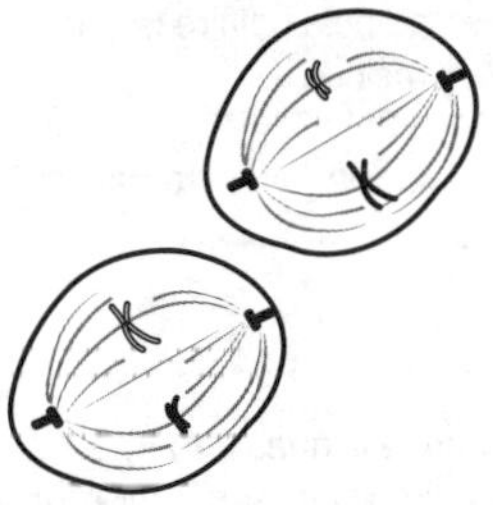	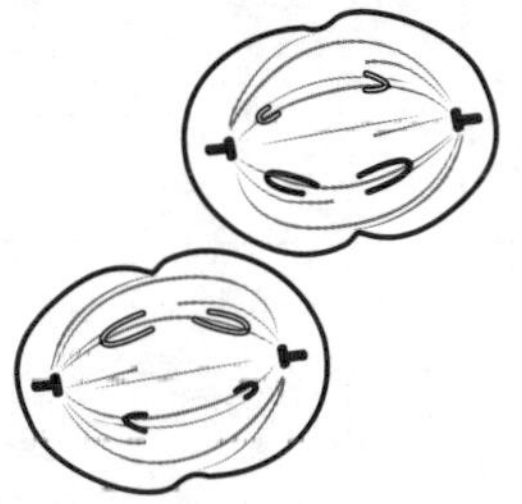	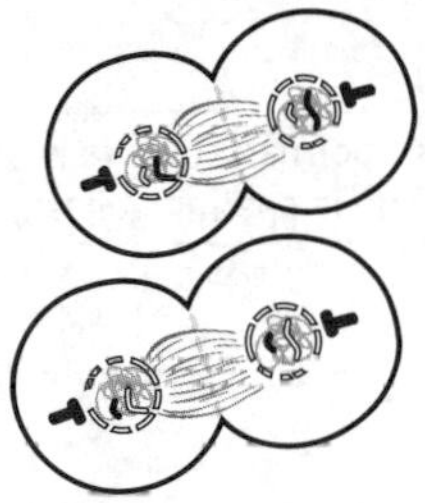	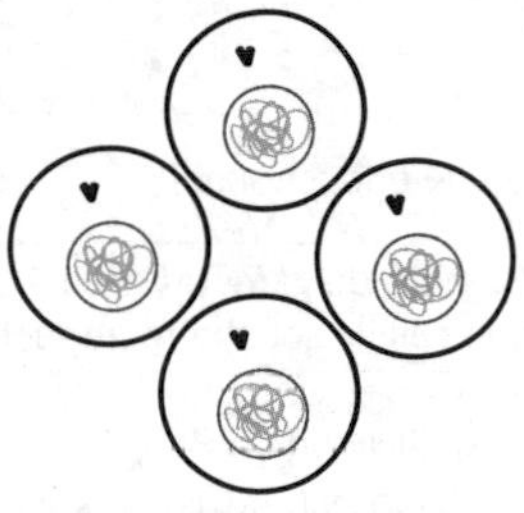
	Les paires de chromatides sœurs sont reliées par le centromère.	Les chromatides sœurs s'alignent au centre de la cellule le long de la plaque équatoriale.	Les chromatides sœurs se séparent et migrent vers les pôles, tirées par les fuseaux mitotiques.	La membrane nucléaire se reforme et les chromatides redeviennent de la chromatine.	La cytocinèse suivra afin de former quatre cellules filles haploïdes habituellement génétiquement différentes les unes des autres.

7. a), b) et c)

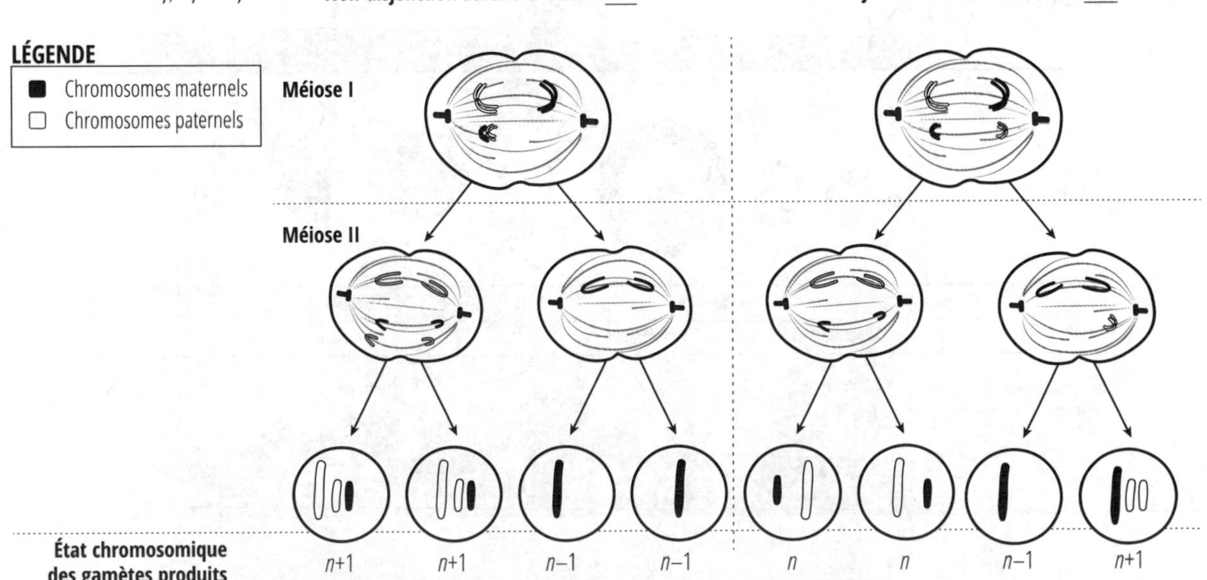

8. a) et b) 1. spermatogonie ; 2. spermatocyte de premier ordre ; 3. spermatocyte de deuxième ordre ; 4. spermatides ; 5. spermatozoïde ; 6. acrosome ; 7. col ; 8. pièce intermédiaire ; 9. flagelle ; 10. ovogonie ; 11. ovocyte de premier ordre ; 12. ovocyte de deuxième ordre ; 13. ovule (ovocyte mature) ; 14. globules polaires ; 15. zone pellucide ; 16. corona radiata.

c) Tableau comparatif de la spermatogenèse et de l'ovogenèse

	Spermatogenèse		Ovogenèse	
Moment du début de la genèse	À la puberté		Avant la naissance	
Moment de la division mitotique des cellules souches	Se déroule tout au long de la vie de l'homme (de la puberté jusqu'à la mort).		Se déroule avant la naissance, donc le nombre de gamètes est déterminé à la naissance.	
Moment de la fin de la genèse	En général, aucun arrêt de la production des gamètes		Ménopause	
		Diploïde ($2n$) ou haploïde ($1n$)		Diploïde ($2n$) ou haploïde ($1n$)
Cellule souche reproductrice	Spermatogonie	$2n$	Ovogonie	$2n$
Cellule qui entre dans la méiose	Spermatocyte de premier ordre	$2n$	Ovocyte de premier ordre (ovocyte I ; ovocyte primaire)	$2n$
Résultat de la méiose I	2 spermatocytes de deuxième ordre	$1n$	Un ovocyte de deuxième ordre (ovocyte II) Et un globule polaire I	$1n$
Résultat de la méiose II	4 spermatides	$1n$	Si fécondation, ovule et globule polaire II Parfois, deux globules polaires II de plus (si la méiose II se produit chez le globule polaire issu de la méiose I)	$1n$
Gamète fonctionnel	Spermatozoïde (à la suite de la spermiogenèse)	$1n$	Ovule (ovocyte mature)	$1n$
Nombre de gamètes produits par une cellule souche reproductive	4		1	

Application 16.8 :

a) et b) Comme l'ovaire droit reste totalement fonctionnel après l'opération, les hormones seront libérées par cet unique ovaire en quantité suffisante, ce qui permettra le déroulement normal des cycles menstruels. Malheureusement, puisqu'il y a moins de follicules ovariques au total, il se peut que le moment de la ménopause soit devancé.

c) Cécile pourrait quand même devenir enceinte après l'ablation d'un de ses ovaires. En effet, son ovaire droit est capable de fournir des ovocytes de deuxième ordre chaque mois. Il se peut cependant que la conception naturelle soit plus difficile après cette intervention.

9. a) ORDRE : J – K – F – A – D – C – E – B – G – H – I.

b)

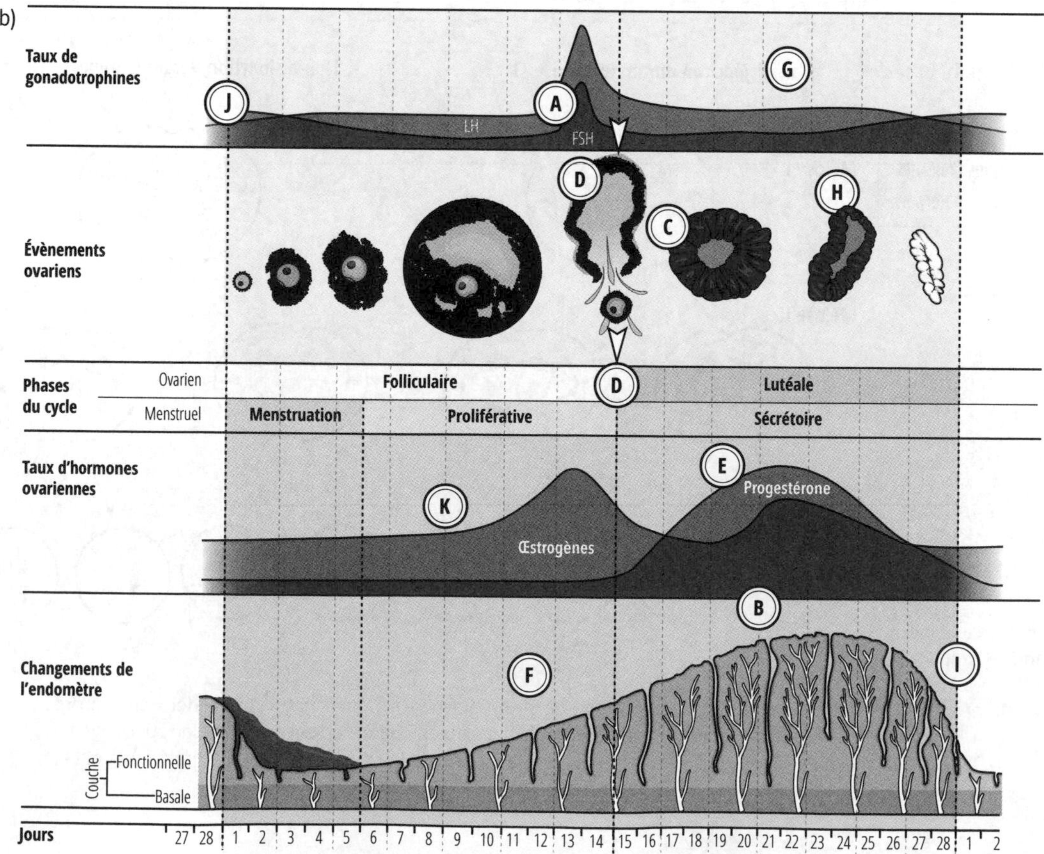

c) et d) 1. follicules primordiaux; 2. follicules primaires; 3. ovocytes de premier ordre; 4. follicule secondaire (follicule dominant); 5. follicule ovarique mûr (follicule secondaire mûr); 6. liquide folliculaire dans l'antre folliculaire (antrum); 7. ovocytes de deuxième ordre; 8. ovulation; 9. follicule rompu; 10. corps jaune en formation; 11. corps jaune en dégénérescence; 12. corps blanc.

Application 16.9: a) Bien que l'utérus demeure en place, ce sont les variations de la concentration des hormones sécrétées par les ovaires qui enclenchent la maturation et la desquamation de l'endomètre. À la suite de l'ablation de ses ovaires, Nicole n'aura plus de cycle menstruel, et donc aucune menstruation. b) La production et la maturation des gamètes se déroulent dans les ovaires. N'ayant plus d'ovaires, Nicole sera donc stérile. c) Outre les conséquences précédemment mentionnées, Nicole subira la perte de ses caractères sexuels secondaires.

10. A. ovocyte; B. fécondation; C. spermatozoïde; D. zygote; E. segmentation; F. morula; G. trophoblaste; H. blastocyste; I. embryoblaste; J. implantation; K. chorion; L. couche superficielle et couche interne; M. embryon; N. cavité amniotique et sac vitellin; O. gastrulation; P. ectoderme, mésoderme et endoderme; Q. amnios, sac vitellin et allantoïde.

11. a) et b) Feuillet A (ectoderme): 1; 7; 13.
Feuillet B (mésoderme): 3; 4; 6; 8; 10; 11.
Feuillet C (endoderme): 2; 5; 9; 12.

Application 16.10: Au cours du premier trimestre, tous les systèmes du bébé se développent à partir des feuillets embryonnaires (organogenèse). Cela signifie que toute anomalie qui survient pendant le premier trimestre pourrait avoir des conséquences permanentes, voire mortelles, pour le fœtus. Il est donc important d'éviter d'entrer en contact avec des agents tératogènes pouvant causer des malformations d'un ou de plusieurs organes.

12. a) et c) Équilibre: Taux hormonal stable et aucune pression majeure sur le col de l'utérus.

Stimulus/déséquilibre	Pression de la tête du fœtus sur le col de l'utérus et distension du col
Récepteur(s)	Mécanorécepteurs (barorécepteurs) du col de l'utérus
Centre de régulation	Envoi d'influx nerveux de l'hypothalamus jusqu'à la neurohypophyse qui libère l'ocytocine (système endocrinien)
Effecteur(s)	Utérus (myomètre) (contractions vigoureuses) Placenta (sécrétion de prostaglandines favorisant les contractions utérines)
Réponse	Augmentation de la pression de la tête du fœtus sur le col de l'utérus et distension du col

b) Un mécanisme de rétroactivation, car la réponse amplifie le déséquilibre (stimulus) initial.

Application 16.11: À la fin de la grossesse, l'utérus de la mère devient très sensible à l'ocytocine. Lorsque l'ocytocine atteint l'utérus, elle provoque des contractions du myomètre. Ainsi, le col se dilate de sorte que le bébé puisse être expulsé. En administrant de l'ocytocine supplémentaire, le médecin espère renforcer les contractions de l'utérus de Sara de manière à accélérer la dilatation du col de l'utérus.

CORRIGÉ CHAPITRE 17 – LA GÉNÉTIQUE

1. HORIZONTALEMENT: 1. chromosome; 3. récessif; 5. dominant; 11. gène; 13. autosome; 15. trisomie; 17. phénotype; 19. homologue; porteur; 21. allèle. VERTICALEMENT: 1. caryotype; génotype; 3. codominance; 9. sexuel; 11. homozygote; 13. hétérozygote.

2.

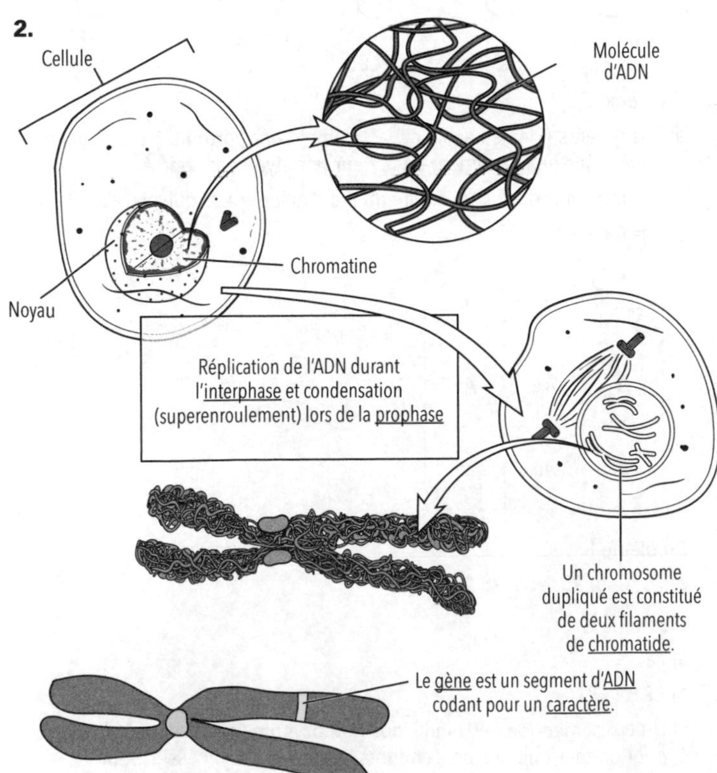

Chez l'humain, on compte 23 paires de chromosomes, ce qui fait 46 chromosomes dans le noyau de chaque cellule.

Les chromosomes des paires 1 à 22 sont les autosomes, alors que ceux de la paire 23 sont les chromosomes sexuels dont les combinaisons peuvent être XX (pour la femme) et XY (pour l'homme).

Les deux chromosomes d'une paire codent pour les mêmes caractères.

Exemple de la myopie

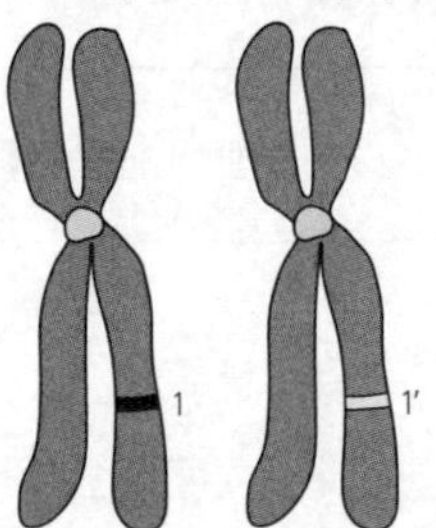

Sur deux chromosomes homologues, on peut avoir des allèles identiques (p. ex., 1 = myopie et 1' = myopie ou 1 = vision normale et 1' = vision normale) ou différents (p. ex., 1 = myopie et 1' = vision normale).

La myopie domine sur la vision normale. On représente l'allèle de la myopie par une lettre majuscule (*M*) et il est dit dominant. L'allèle de la vision normale est représenté par une lettre minuscule (*m*) et il est dit récessif.

Un individu est représenté par ses allèles pour un caractère donné:
Individu myope: *MM* ou *Mm*
Individu à la vision normale: *mm*

Si les allèles sont identiques:
1 = myopie et 1' = myopie → *MM*
1 = vision normale et 1' = vision normale → *mm*

Si les allèles sont différents:
1 = myopie et 1' = vision normale → *Mm*

On dit aussi :
- Si les allèles sont identiques et dominants : homozygote dominant.
- Si les allèles sont identiques et récessifs : homozygote récessif.
- Si les allèles sont différents : hétérozygote.
- Un individu dont le génotype est *MM* a le phénotype d'une personne myope.
- Un individu dont le génotype est *Mm* a le phénotype d'une personne myope.
- Un individu dont le génotype est *mm* a le phénotype d'une personne à la vision normale.

3. a) Autosomes : paires 1 à 22 ; chromosomes sexuels : 23e paire (XX).
b) Chromosomes homologues : toutes les paires sont constituées de chromosomes homologues.
c) Femme.
d) Encadrez les trois chromosomes en position 21 ; trisomie 21.

Application 17.1 : La trisomie 21 est la trisomie des autosomes viable la plus fréquente. La plupart des autres entrainent des avortements spontanés ou causent des malformations si graves que les enfants ne dépassent généralement pas l'âge d'un an.

Application 17.2 : Non, le sexe d'un bébé est déterminé dès la fécondation. Le spermatozoïde qui féconde l'ovocyte porte soit un chromosome X (créant un bébé fille, XX) ou un chromosome Y (créant un bébé garçon, XY). Évidemment, les parents pourraient ne pas connaitre le sexe du bébé avant que l'on puisse observer les organes génitaux externes lors d'une échographie autour de la 20e semaine de grossesse. Cependant, le sexe est génétiquement déterminé bien avant la formation des organes génitaux externes.

4.

	Transmission pour un trait récessif	
	Transmission par les autosomes (hérédité simple ; dominance stricte et complète)	Transmission par le chromosome X (liée au sexe)
Type de chromosomes qui transmet le trait récessif	Autosomes	Chromosomes sexuels
Nombre de copies de l'allèle en cause pour posséder le phénotype récessif	Deux copies	Deux copies chez la femme, mais une seule chez l'homme
Possibilité d'être de phénotype normal, mais porteur de l'allèle récessif selon le sexe de l'individu	Les deux sexes peuvent être porteurs.	Seules les femmes peuvent être porteuses.
Exemple de maladie ou de trait phénotypique	Albinisme	Daltonisme

5. Problème A

P = *Tt* × *tt*

♂ \ ♀	*t*	*t*
T	*Tt*	*Tt*
t	*tt*	*tt*

50 % seront *Tt* et auront des taches de rousseur.
50 % seront *tt* et n'auront pas de taches de rousseur.

a) *t* ; b) *T* ou *t* ; c) 50 % ; d) 50 %.

Problème B

a) *A* ; pigmentation normale ; génotype ; homozygote dominante ; pigmentation normale.

b) *Aa* ; pigmentation normale.

c) P = *Aa* × *Aa*

♂ \ ♀	*A*	*a*
A	*AA*	*Aa*
a	*Aa*	*aa*

25 % *AA* ; 50 % *Aa* ; 25 % *aa*.
75 % pigmentation normale ; 25 % albinisme.

Problème C

a) Récessif ; *f* ; *Ff* ; hétérozygotes (porteurs sains).

b) 25 % *ff*, donc 25 % que l'enfant soit atteint de la fibrose kystique.

P = *Ff* × *Ff*

♂ \ ♀	*F*	*f*
F	*FF*	*Ff*
f	*Ff*	*ff*

Problème D

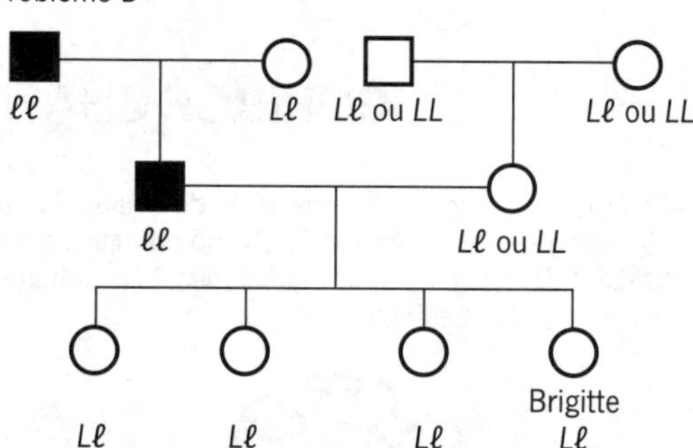

Problème E

a) Les parents (Pierre Lavoie et sa femme) sont porteurs (ils possèdent le gène, mais ne l'expriment pas). Leur génotype est donc *Aa*.

b) La probabilité d'avoir un enfant atteint d'acidose lactique (*aa*) est de 25 %.

P = *Aa* × *Aa*

♂ \ ♀	*A*	*a*
A	*AA*	*Aa*
a	*Aa*	*aa*

Problème F

a) 75 % ; b) 25 % ; c) 25 %.

Problème G

a) *ℓℓ*.

b) *Lℓ* ou *ℓℓ*.

c) Un croisement de deux individus homozygotes récessifs (*ℓℓ* × *ℓℓ*) ne peut donner que des descendants homozygotes récessifs pour ce caractère, car les deux individus peuvent seulement transmettre l'allèle *ℓ* à leur descendance.

Problème H

a) Ailes longues.

b) *Lℓ*.

c) P = $F_1 \times F_1$ = *Lℓ* × *Lℓ*

♂ \ ♀	*L*	*ℓ*
L	*LL*	*Lℓ*
ℓ	*Lℓ*	*ℓℓ*

Génotypes de la F_2 : 25 % *LL* ; 50 % *Lℓ* ; 25 % *ℓℓ*.

Phénotypes de la F_2 : 75 % ailes longues ; 25 % ailes courtes.

Problème I

P = *ff* × *Ff*

♂ \ ♀	*F*	*f*
f	*Ff*	*ff*
f	*Ff*	*ff*

50 % des enfants ont des fossettes aux joues (*ff*).

50 % des enfants n'ont pas de fossettes aux joues, mais sont porteurs de ce caractère (*Ff*).

Problème J

a) 100 % hypermétropes.

P = *HH* × *hh*

♂ \ ♀	*h*	*h*
H	*Hh*	*Hh*
H	*Hh*	*Hh*

b) 50 % seront hypermétropes et 50 % auront une vision normale.

P = F_2 = *Hh* × *hh*

♂ \ ♀	*h*	*h*
H	*Hh*	*Hh*
h	*hh*	*hh*

6. Problème A

a) ♂ ♀

P = *FFaa* × *ffAA*

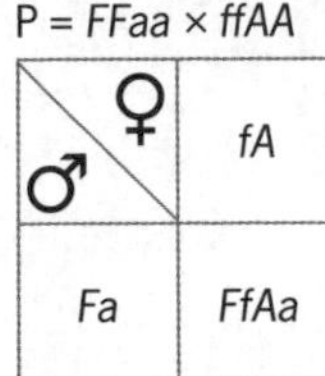

♂ \ ♀	*fA*
Fa	*FfAa*

100 % des enfants sont *FfAa*. Le phénotype est « pigmentation normale » et « absence de fossettes aux joues ».

b) A. *FFAa*.

B. « Pigmentation normale » et « absence de fossettes aux joues ».

C. Oui. Les génotypes *FFaa* et *Ffaa* donneront des enfants albinos sans fossettes aux joues.

♂ ♀

P = *FFAa* × *FfAa*

♂ \ ♀	*FA*	*Fa*	*fA*	*fa*
FA	*FFAA*	*FFAa*	*FfAA*	*FfAa*
Fa	*FFAa*	*FFaa*	*FfAa*	*Ffaa*

Problème B

a) et b) P = *MmTt* × *MmTt*

	MT	*Mt*	*mT*	*mt*
MT	*MMTT* (myope avec taches de rousseur)	*MMTt* (myope avec taches de rousseur)	*MmTT* (myope avec taches de rousseur)	*MmTt* (myope avec taches de rousseur)
Mt	*MMTt* (myope avec taches de rousseur)	*MMtt* (myope sans taches de rousseur)	*MmTt* (myope avec taches de rousseur)	*Mmtt* (myope sans taches de rousseur)
mT	*MmTT* (myope avec taches de rousseur)	*MmTt* (myope avec taches de rousseur)	*mmTT* (vision normale avec taches de rousseur)	*mmTt* (vision normale avec taches de rousseur)
mt	*MmTt* (myope avec taches de rousseur)	*Mmtt* (myope sans taches de rousseur)	*mmTt* (vision normale avec taches de rousseur)	*mmtt* (vision normale sans taches de rousseur)

c) 9/16 myopes avec taches de rousseur.
3/16 myopes sans taches de rousseur.
3/16 vision normale avec taches de rousseur.
1/16 vision normale sans taches de rousseur.

7. Problème A

Individu (phénotype[s])	Génotype(s)
Grand-père (groupe sanguin A ou AB)	I^Ai ou I^AI^B
Mère (groupe sanguin B)	I^Bi
Père (groupe sanguin A)	I^Ai
Léo (groupe sanguin B)	I^Bi

Problème B

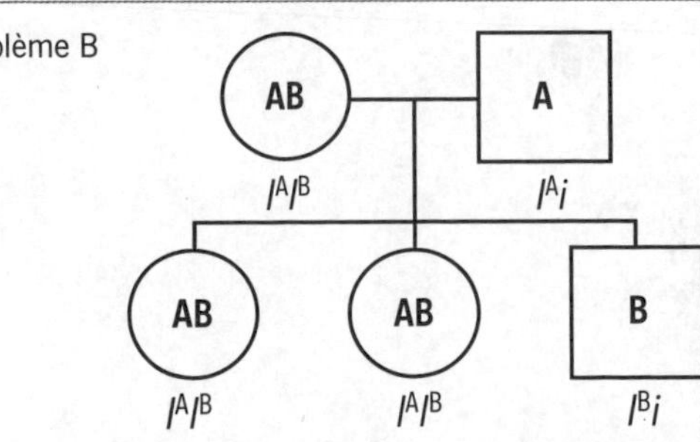

Problème C

50 % AB et 50 % A.

$P = I^AI^A \times I^Bi$

♂ \ ♀	I^B	i
I^A	I^BI^A	I^Ai
I^A	I^BI^A	I^Ai

Problème D

a) I^AI^A ; I^AI^B ; I^BI^B.

b) Oui, s'il est I^Bi.

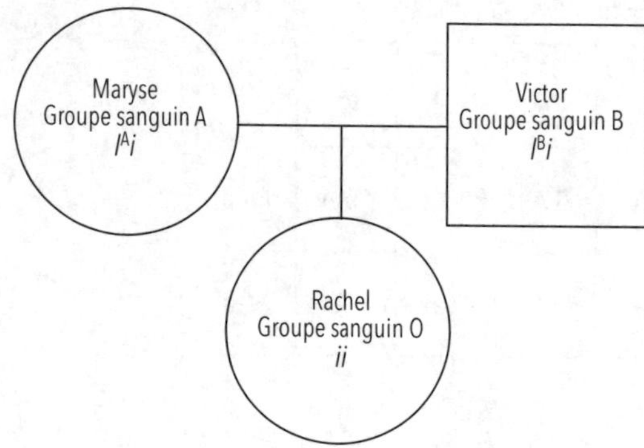

8. Problème A

a) Ovules ; X ; Y ; XX ; XY.

b) 50 %.

P = XY × XX

♂ \ ♀	X	X
X	XX	XX
Y	XY	XY

c) Le père.

Problème B

a) X^HX^h.

b) Hémophile.

c)

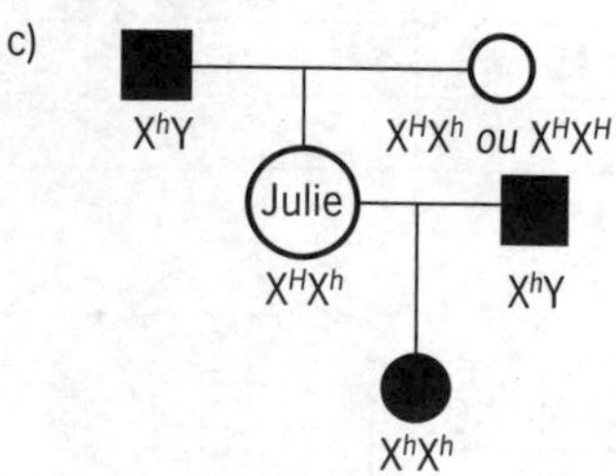

Problème C

a) Sylvie : X^HX^H ou X^HX^h
Son père : X^HY
Sa mère : X^HX^h
Léo : X^hY

b) 50 %.

c) Aucune, mais une probabilité de 50 % qu'elle soit porteuse.

$P = X^HY \times X^HX^h$

♂ \ ♀	X^H	X^h
X^H	X^HX^H	X^HX^h
Y	X^HY	X^hY

25 % X^HX^H ; 25 % X^HX^h ; 25 % X^HY ; 25 % X^hY.

Probabilité de 50 % d'avoir une fille normale ; probabilité de 25 % d'avoir un garçon normal ; probabilité de 25 % d'avoir un garçon hémophile.

Problème D

a) Père de Denise : X^dY
Mère de Yves : X^DX^d ou X^dX^d
Denise : X^DX^d
Yves : X^dY

b) 25 %.

c) 25 %.

$P = X^dY \times X^DX^d$

♂ \ ♀	X^D	X^d
X^d	X^dX^D	X^dX^d
Y	X^DY	X^dY

Problème E

Puisque la mère a accouché d'un enfant daltonien, elle est sans aucun doute X^dX^D.

Le croisement étant le suivant : $X^dX^D \times X^DY$, il est possible que le couple ait un garçon daltonien (X^dY). L'enfant peut donc être le fils du mari.

Par contre, si l'enfant est une fille daltonienne (X^dX^d), le mari ne peut pas en être le père. La mère l'a donc trompé avec un amant daltonien.

Problème F

a) Oui, 100 % des garçons seront daltoniens.

b) $P = X^DY \times X^dX^d$

♂ \ ♀	X^d	X^d
X^D	X^DX^d	X^DX^d
Y	X^dY	X^dY

Fils : X^dY ; filles : X^DX^D ou X^dX^D.

100 % des filles ont une vision normale ; 100 % des garçons sont daltoniens.